短編ミステリの二百年3

ーリン他

短編ミステリの歴史をたどりなおす巨大アンソロジー第3巻では、謎解きミステリの進化が生み出した異色のシリーズや、浜辺を舞台に戦争の影を色濃く感じさせる名短編に触れたあとに、雑誌《エラリイ・クイーンズ・ミステリ・マガジン(EQMM)》とその年次コンテストが与えた多大なる影響をつぶさに見ていく。スタンリイ・エリンに代表される受賞作家とその作品を中心に、ポースト、マクロイ、アームストロング、A・H・Z・カー、ブラウンなどの11編を清新な訳文で収録した。編者・小森収の評論には、EQMMコンテスト受賞作リストも掲載。

短編ミステリの二百年3

マクロイ、エリン他
小　森　収　編

創元推理文庫

THE LONG HISTORY OF MYSTERY SHORT STORIES

volume 3

edited by

Osamu Komori

2020

目次

短編ミステリの二百年3

ナボテの葡萄園《ぶどうえん》

メルヴィル・デイヴィスン・ポースト

Naboth's Vineyard　一九一二年

メルヴィル・デイヴィスン・ポースト Melville Davisson Post（一八六九―一九三〇）。アメリカの作家・法律家。一八九六年、悪徳弁護士を主人公にした連作『ランドルフ・メイスンと7つの罪』でデビュー、人気作家となる。南北戦争以前のヴァージニア州を舞台に、信心深く良識に富んだ大男が名探偵として活躍するアブナー伯父シリーズが代表作。本編の初出は雑誌〈メトロポリタン・マガジン〉*Metropolitan Magazine* 一九一二年十二月号。

わが国では、主権は人民にあると繰り返し語られている。だが多くの人がそれは建前でしかないと思っていて、その権利はどこにあるのか、誰がそれを護っているのか、そしてもし法律という規範とその執行者を失ったときには、それをいかにして行使するのかと怪しんでいる。しかしわたしは、そうした疑問をいだくものではない。基本的かつ至高なるその権利が、きわめて直截《ちょくせつ》に行使される場面を目の当たりにしたからだ。そしてそれを見たことで、その権利がどれほどに強力で尊いものかを知った。それがどこにあるのか、誰がそれを護っているのか、そして必要が生じた際にはそれをいかにして行使するのか、わたしは知っている。

法廷にはたくさんの人がいた。郡のすべての住民が集まってきたかのようだった。人々の興味をかきたてる裁判だった。

エリヒュー・マーシュは自宅で殺された。銃で撃たれ、親指が入るほど大きな穴をあけられて、部屋で倒れているのが見つかった。怒りっぽい老人で、家族はすでになく、一人で暮らしていた。豊かな土地を持っていたが、生涯不動産権しかなく、彼の死後は州外の者の手に渡ることになっていた。近くの農家の娘がパンを焼き、家のなかを片づけるために、ときおり通っていた。そのほかに、農作業のために男を一人雇っていた。

近隣の住民がマーシュの死体を見つけたとき、家のなかは荒らされていなかった。強盗目的ではなかったようで、かなりあった金はそのまま残されていた。

事件に謎めいたところはほとんどなかった。雇われていた男が姿を消していたのだ。男はこの丘陵地帯では余所者だった。数カ月前に山向こうからやってきて、マーシュに雇われた。ブロンドの体格のよい男で、若くてハンサム、労働者にしては血筋がよさそうだともいわれていた。彼はテイラーと名乗ったが、口数は少なく、それ以外のことはほとんどわかっていなかった。

有志が集まってあとを追い、男は山のふもとで捕らえられた。彼は服をくるんで持ち、銃身の長い猟銃を肩にかけていた。彼の説明によると、その朝マーシュに辞めると伝え、昼には家を出たが、銃を忘れたことに気づいてとりに戻ったのだという。家には四時頃に着き、台所に入り、暖炉の上のハナミズキの叉木《またぎ》にかけてあった銃をとって、すぐに立ち去った。そのときマーシュとは会わなかったし、今どこにいるのかも知らないという。

彼は、猟銃に大きな鉛の弾が一発込められていたことは認めた。ときどき家のまわりをうろついている野良犬を始末するためだった。ただ、けっきょく犬は銃で狙える距離までは近づいてこなかった。彼はその銃が撃たれていると告げられると驚き、動揺した。そして自分は撃っていないし、弾がなくなっていることに今まで気づかなかったと言った。どうして急にこの土地を離れようとしたのかときかれると、黙り込んでしまった。

男は連れ戻され、郡の拘置所に入れられた。そして今、九月の巡回裁判にかけられていた。

裁判は朝早くから始まった。判事のサイモン・キルレイルは地主で、六マイルほど離れた自分の土地に住んでいて、裁判書類を鞍袋《くらぶくろ》に入れ裁判所と家を馬で朝晩行き来していた。彼は裁判が開かれているあいだだけ、法の番人として振る舞った。それ以外のときには、牧草を刈り入れ、牛を育て、丘陵地帯の誰しもと同じように自分の土地を増やそうとしていた。取り引きでは抜け目なく、貪欲《どんよく》に田畑を狙っていた。

ヴァージニア州では、土地を所有していることがすぐれた人物であるしるしであり、勲章だった。かつてジョージ三世が授与した爵位をジェファーソン大統領が無効にしたのち、土地だけが地位のあかしとして残った。判事には地主階級になりたいという野心があり、それを実現するために手をつくしていた。ただ裁判が開かれたときには法曹として、私心を捨てて裁判長の席に着き、英国の裁判官のように厳しい審判をくだした。

この裁判には、誰もかもが来ていたように思う。伯父のアブナーと変わり者の老医師ストームは法廷の中央通路近くの椅子に座り、わたしはふたりの後ろに座った。わたしはもう子供ではないとして、法律の恐ろしさと厳格さを自分の目で見ることを許されたのだ。

人々の関心は被告人に集中していた。彼は命がかかっていることにも無頓着な様子で、ぼんやりと座っていた。けれども全員が彼に注目していたわけではなく、伯父のアブナーとストームは、マーシュのためにパンを焼き、家の片づけをしていた娘を見つめていた。

彼女はかなりの美人だった。髪と瞳はジプシーのように黒く、四月の嵐と太陽を思わせる娘だった。両手で小さなハンカチを握りしめ、証人席に座っていた。そわそわと落ち着きがなく、今にもヒステリーを起こしそうで、老医師が彼女を見つめていたのはそのせいかもしれなかった。泣きくずれそうになるのをこらえ、けなげに顔を上げた。握ったハンカチをねじったり結んだり、こねくりまわした。廷内の空気は重苦しく、証人たちの多くがぴりぴりしていた。アブナーとストームがささやきあうのを聞かなかったら、わたしはこの娘に気がつかなかったと思う。

審理が進み、被告人が絞首刑になるのは確実となった。急に家を出ていった理由の説明をかたくなに拒む態度は犯行を認めているに等しく、状況証拠もそろっていた。動機だけがはっきりしなかったが、判事は多くの類例をあげてその疑問を封じ込めたため、議論の風向きが変わることはなかった。判事は被告人に対して厳しく、廷内に彼に同情する声はないに等しかった。卑劣な殺人であったからだ——被害者は老人で、激情にかられた衝動的な犯行でもなかった。

世間の耳目を集める裁判では、被告人の有罪を示す証拠が決定的なまでに積み重ねられたとき、気脈を通じたわけでもないのに法廷にいるすべての人々の心が一つになって、同じ結論に達する瞬間が訪れることがある。その決断は具体的な形をとってなされるわけではないが、誰もがそれをはっきりと感じとる。それは、極限まで緊張が高まる瞬間でもあった。

テイラーの裁判もまた、その段階に到達した。深い静寂が垂れ込めたその瞬間、証人席にいた娘がこらえきれず不意に泣きくずれた。彼女は身を震わせて、涙ながらに立ち上がった。声を詰まらせ、顔をおおった指のあいだから涙がこぼれ落ちた。

そのあと彼女が口にしたことばは、傍聴人たちの耳にまでは届かなかったが、それを聞いて判事は立ち上がり、陪審員が彼女のまわりに群がった。被告人は沈黙を破り、激しい口調で否定しはじめた。混乱のなか、彼の声はわたしたちにも聞こえ、彼が娘に近づいて黙らせようとしているのが見えた。けれども彼女が口にしたことは、まもなく誰もが知ることとなった。正式な記録として書きとめられ、署名もなされたからだ。かくして法律家の語彙《ごい》を借りるなら、テイラーに対する訴追は棄却された。

ほかならぬその娘がマーシュを殺したのだった。そのいきさつと理由は次のとおりである。彼女とテイラーは愛しあっていて、結婚する約束だった。しかしマーシュが殺される前夜、ふたりは喧嘩し、翌朝テイラーは家を出た。喧嘩の理由は、マーシュがテイラーに娘のよからぬ噂を話したことにあった。彼女はあの日の午後やってきて、恋人が去ったことを知り、ふたりの仲を裂いた男の姿を目にしてかっとなり、暖炉から銃をとって殺したのだ。そのあと彼女は銃をもとの場所に戻し、家を出た。それが午後二時頃で、テイラーが銃をとりに戻る一時間ほど前のことだった。

ついに明らかになった真実に深く納得したことで、人々の感情に大きな変化が生まれた。娘の告白は、テイラーに不利だった状況証拠と合致するだけではなく、彼の証言とも矛盾しないし、謎だった殺人の動機をあかすことにもなった。どうして彼が家から出ていった理由を話すことを拒みつづけたのかも、これでわかった。娘の告白を否定し、それ以上の発言を止めようとしたのも同じで、男として愛する女を守りたいという思いのあらわれだったのだ。

そのあと閉廷までになされた法的な手続きを逐一記すことはできないが、娘の告白の信憑性《しんぴょうせい》を疑わせる出来事は何も起きなかった。必要な手はずが迅速に整えられ、彼女の身柄は翌朝の裁判まで保安官にゆだねられた。

かくしてテイラーに対する疑いは完全に晴れたように思われたが、彼は釈放されず勾留されたままだった。弁護人は評決をもとめたが、判事はそれを拒んだ。彼は陪審員を一人退席させ、その上で改めて審理をつづけると言った。この裁判で誰かが罰せられるまで、追及の手をゆるめるつもりはないようだった。

その夜、わたしたちは判事と連れだって帰った。その道すがら、判事はアブナーとストームに、牧草のことや牛の価格について話していた。期待していたのとは違って、裁判は話題にならなかった。ただ一度だけ、ふたりはマーシュの死体を最初に見つけただけでなく、ストームは検視を行った医師の一人でもあるのに、どうして検察はどちらも証人として喚問しなかったのだろうとたずねただけだった。それに対してストームは、かつて選挙期間中に、紳士だけがその職につくべしと口にして、検察官をひどく怒らせたいきさつを話した。ストームに言わせれば、実のところはハミルトン氏（アメリカ建国時代に活躍した政治家）の警句を紹介しただけなのに、あの男はそれをひどい侮辱と受けとって、それによりハミルトン氏の見解の正しさをむしろ証明することになった、とも言い添えた。そしてアブナーは、マーシュの死にまつわる状況に疑問はなく、ほぼ時を同じくして到着したほかの者たちを召喚していたので、検察としてはそれ以上の証言は不要と考えたのだろうと述べた。

判事はうなずき、話題は別のことに移った。門の前で、判事は別れの挨拶代わりの決まり文句として、家に寄っていかないかとわたしたちを誘った。驚いたことに、アブナーとストームはその誘いに応じた。判事が驚いたのがわかったし、戸惑ったようにすら思えたが、それでも彼はわたしたちを書斎に招き入れてくれた。

どうしてアブナーとストームが判事の家に上がりこんだのか、わたしには理解できなかった。しかし、ふたりが最初からあの娘を気にかけていたことを思いだし、彼女のために情状酌量をもとめたいのだろうと思いついた。あの娘に対しては、人々のあいだで同情論がにわかに高まっていた。彼女は覚悟を決め、あっぱれな勇気を振りしぼったのだから、できることなら助けてやりたいと、このふたりなら考えそうだった。

思ったとおり、ふたりはあの娘のことを話題に持ち出したが、弁護のためではなかった。サイモン・キルレイルが耳を傾けているあいだ、彼らは驚くべきことを語った。裁判が始まる前からテイラーは無実だと考えていたが、審理がどう進むかを見極めるためにあえて黙っていたのだという。そう考えた根拠は、検察は見逃していたが、あの娘が真犯人でテイラーは無実であることを示す状況証拠があったためだった。ストームがマーシュの死体を調べた際、彼は毒殺されたのであり、銃弾を撃ちこまれたときにはすでに死んでいたことがわかった。つまり銃で撃たれていたのは、テイラーを陥れるために仕組まれた偽装工作だったのだ。娘はあの朝、マーシュのためにパンを焼いていたが、毒は彼が昼に食べたそのパンに仕込まれていた。

アブナーはさらに何かを説明しようとしたが、そのとき召使いが入ってきて判事に時刻をたずねた。判事はふたりの話に心を奪われ、今では深いもの思いにふけっていた。彼はポケットから時計を出して手に持ったが、それから返事をすべきことにようやく気づいたようで、時計が止まっていると答えた。アブナーが時刻を教え、自分が持っているねじでその時計を巻けるかもしれないと言った。判事は時計を渡し、アブナーがそのねじを巻いてテーブルに置いた。ストームはもの問いたげに伯父を見つめていたが、判事の方は何の注意もはらわなかった。考えをまとめるのに忙しく、他のことは頭にないようだった。やがて彼は自らに言い聞かせるように意見を口にした。

「これですべて明らかになった。あの娘は自白のなかで述べた動機によりマーシュを殺し、捨てられたことを恨んでテイラーにその罪をきせるため細工をほどこした。そうすることで、ふたりの男に一挙に復讐しようと大胆にもたくらんだのだ……その行為そのものも、あとになって後悔して告白したことも、いかにも女らしい振る舞いだ」

それから判事は、アブナーにほかにまだ何か話したいことはあるかとたずねた。伯父はさらに何か言おうとしていたに違いないのだが、そこに召使いが戻ってきた。すると伯父はもう話すことはないと答え、馬の用意を頼んだ。判事はその指示を伝えるために出ていき、わたしたちはしばらくそのまま待つことになった。伯父はなにやら考え込んでいて静かだったが、ストームは猫のように落ち着かなかった。彼はドアが閉まるとすぐに立ち上がり、部屋のなかを歩いて本棚に並んでいる革張りの法律書を見てまわった。やがて不意に立ち止まり、小さな本を一冊抜き出した。それを人差し指でめくっていき、悪態をつくのをこらえてその本をポケットに突っ込み、それから指を曲げて伯父を呼び寄せ、判事が戻ってくるまで張り出した窓の前で話しこんでいた。

わたしたちは判事の家を辞した。ふたりは、あの娘のために判事に何か話すつもりだったはずだ。有罪であろうとなかろうと、立ち上がって告白した行為は立派だったから。けれども話しているうちに何かがあって、考えが変わったのだ。たぶん判事の意見を聞いて、何を言っても無駄だと悟ったのだろう。ふたりは馬上で熱心に話しつづけていたが、後ろにいたわたしにはよく聞こえなかった。けれどもあの娘のことを話していたのは、途切れ途切れに耳に入ることばでわかった。

「だが、動機は何だ?」ストームが言った。

アブナーは答えた。「列王記の二十一章にある」


わたしたちは早いうちに郡都に着いたが、それで正解だった。法廷は壁際まで人でびっしり埋まっていた。伯父は郡職員の事務室から大きな登記簿を持ってきていて、その上に座るようにと渡してくれた。おかげで座高が高くなり、周囲が見えるようになった。ストームもその場にいた。実のところ、この郡で何らかの地位にある者は全員がそろっていた。

保安官が開廷を告げ、被告人たちが連れてこられて、判事が裁判長席に座った。判事は昨夜は眠れなかったのか、憔悴《しょうすい》していた。それも当然で、かくも過酷な責務が控えていれば眠れなくても不思議ではなかった。一人の女を救いたいという、人として切実な感情がある一方で、殺人犯を絞首刑に処すべしという法律がある。ただ、うなされたような顔つきでありながら、判事は執務にあたっては厳格そのものだった。

　判事は供述書を読みあげるよう指示したあと、娘に起立を命じた。テイラーはまたしても抗議しようとしたが、すぐに椅子に戻された。娘はけなげに立ち上がったが、その顔は蒼白で、目はうるんでいた。そして昨日の自白を撤回せず、それによってもたらされる結果を理解しているかときかれると、ぶるぶると震えながらもはっきりと答えた。一瞬の静寂ののち、判事がことばを発しようとしたそのとき、別の声が法廷に響きわたった。わたしが登記簿に座ったまま振り向くと、顔のすぐ前にアブナー伯父の脚があった。

「ただいまの証言に異議あり！」アブナーは言った。

　人々の頭が波打つように揺れた。すべての目がその場に悲劇の一場面さながら立っているふたりの姿に向けられた。青ざめた顔の華奢《きゃしゃ》な娘と、厳しい顔つきで大柄なわたしの伯父に。判事は驚愕していた。

「いかなる理由で？」判事は問いかけた。

「理由は、その証言が嘘であるからだ！」アブナーはそう答えた。

　廷内は静まりかえった。針が落ちる音さえも聞こえただろう。娘は小さくあえいで息をのみ、被告人テイラーは立ち上がりかけたが膝に力が入らず、体を支えきれずに腰をおとした。判事は口を開いたが、しばらく声は出なかった。わたしには彼の驚きが理解できた。アブナーは、判事の家では事実と認めた自白を否定し、犯人だと自らが指摘した娘の無実を訴えている。つまり、私的な場での主張と、おおやけの場での主張が異なっているのだ。どういうつもりなのか？　判事が口を開いたとき、その声が険しかったのは無理からぬことに思えた。

「これは正当な申し立てではない。この女がマーシュを殺したのかもしれないし、テイラーが殺したのかもしれない。きみはそうほのめかしているようだが、ふたりは共謀している可能性もある。そしてきみは、そのことを裏づける事実を知っているのかもしれないし、知らないのかもしれない。いずれにしても、今はきみの話に耳を傾けるときではない。このあと事件の審理を始めたら、きみには意見を述べる機会が十分にあるだろう」

「だが、あんたがこの事件を審理することはもうないのだ！」アブナーが言った。

廷内にいる人々がどれほど激しく興味をかきたてられたか、わたしには伝えることができそうにない。誰もが固唾をのみ、その場は静まりかえった。外から人声が聞こえてきた。開いている窓から、行き交う人や馬の音が入り込んできた。アブナーが何を暴こうとしているのか、誰にもわからなかった。けれどもアブナーは有言実行の男であり、誰もがそれを知っていた。

判事は怖い顔でアブナーをにらみつけた。

「どういう意味だ？」彼は言った。

「その意味は」アブナーは深く厳しい声で答えた。「あんたはその席から降りなければならないということだ」

判事は怒りを爆発させた。

「許しがたい侮辱だ。この男を逮捕することを命じる。保安官！」彼は叫んだ。

けれどもアブナーは微動だにしなかった。彼は判事の顔をまっすぐに見つめかえした。

「わたしを脅《おど》しているようだが、あんたは全能の神に裁かれているのだ」そして伯父は傍聴人たちに向きなおった。「法の権威のよりどころは、この郡の選挙人にある。選挙人は起立していただけるだろうか?」

そのあと起きたことを、わたしはいつまでも忘れないだろう。あれほどに胸をうつ、印象的な光景は一度として見たことがなかった。ゆっくりと無言のうちに、激することもなく、まるで神の教会にいるかのように静かに、男たちは法廷で立ち上がりはじめた。

最初に立ったのはランドルフだった。ランドルフは治安判事だが、うぬぼれ屋で尊大であり、自分は受け継いでいない先祖の有能さを鼻にかけていた。彼の浅薄な振る舞いに、これまで伯父は迷惑をこうむってきた。けれども、これからのち彼についていかなる批判をすることがあろうとも、ここでこれだけは言っておきたい。すなわち、彼の偏狭さと虚栄心の奥底には、男としての矜持《きょうじ》がたしかにあるということを。彼はまるで一人だけで立つかのように、他の男たちがどうするかなど気にもかけず、まわりにはちらりとも目をやらなかった。そして黒い大きな襟飾りをつけた姿で判事と堂々と向きあった。わたしはそのとき、いつもは威張り散らしているだけの男が、獅子のように勇敢にもなることを学んだ。

ハイラム・アーノルドが立ち上がり、ロックフォード、アームストロング、アルカイア、コープマン、モンロー、エルネイサン・ストーン、そしてわたしの父ルイス、それにデイトンとウォード、山を越えてやってきたマディソンがつづいた。丘と谷そのものまでが立ち上がるかのように思えた。

それは思いがけない、教訓的な光景だった。廷内には、日ごろ声高にしゃべりたてる連中や、やたら威勢のよい連中もいた。政治的な集まりで気勢をあげ、数をたのんで騒ぎまくる男たちだ。しかし、アブナーが権威を示すよう呼びかけたとき立ち上がったのは、そうした連中ではなかった。ふだんは誰からも無視されていた者たちが立ち上がった――鍛冶屋、馬具屋、それにエイサ・ダイヴァースじいさん。そしてわたしは、法と秩序、文明がこれまでに築き上げた枠組みのすべては、名もなき人々が胸にいだいている正義感の上に成り立っていること、そしてその正義感を持たない者は、危急のときにあっては信が置けないことを知った。

ドノヴァン神父が立ち上がった。彼は谷川の向こうに小さな教会をかまえていて、自らが敬う主《しゅ》と同じように貧しく、同じくらいつつましかったが、何も恐れていなかった。カルヴァン主義を説くブロンソンと、メソジスト派の巡回牧師アダム・ライダーも立ち上がった。彼らはいずれも、ほかの者が教えることを信じていなかった。だが、正義を信じるところは同じで、そこに線が引かれたときには誰もが同じ側に立った。

最後に立ち上がったのは、ナサニエル・デイヴィスンだった。最後になった理由は大変な高齢で、息子たちに手を貸してもらわなければならないからだった。彼はかつて、紳士で地主でなければその職につけなかった時代、何度も州の議員をつとめていた。公正で、名誉を重んじ、恐れを知らない男だった。

判事は顔を真っ赤にし、自らの権威を見せつけようとあがいた。机を叩き、法廷から全員を退出させるよう保安官に命じた。けれども保安官はそれを無視して動かなかった。彼とて勇気を欠くわけではなく、それが自らのつとめとなれば人々に向きあったと思う。その態度は毅然としていて、あいまいさのかけらもなかったが、判事の命に従おうとはしなかった。

判事は険しい声で保安官を叱責した。

「ここではわたしが法の代理人だ。言われたとおりにするんだ！」

保安官は無骨な男で、ジェファーソン大統領の巧みな言いまわしなど知るはずもなかったが、かの大統領が代わりに書いたとしてもそのときの彼の返事に優ることは難しかっただろう。

「おれはいつだって法の代理人に従います。ただし、法そのものを前にしたときだけは別です！」

判事が立ち上がった。「これは革命だ。知事に国民軍の出動を要請する」

そこで口を開いたのはナサニエル・デイヴィスンだった。彼は年を重ね衰えた体を震わせていたが、その声はしっかりしていた。

「座りなさい、裁判長殿」彼は言った。「これは革命などではない。きみの権威を守るために軍隊を要請などしなくてよろしい。その権威を法律によって守らなければならないときには、ここにいるわれわれが力を貸そう。ただし、きみにその権威を与えたのは、きみが清廉であることを信じたがゆえだ。その判断が間違っていたとき、真実はおのずと明らかになろう」彼は力をためるかのようにことばを切り、先をつづけた。「きみが正しいことは前提としてある。きみはわれわれの信任のもとに法による裁きをくだし、われわれは背後からきみを支える。きみという人間が辱《はずかし》められて、その権威までが損なわれてはならないのだ」彼の声は次第に深みを増し、決然たる響きを帯びていった。「きみに異をとなえるよう呼びかけるのは重大な行為であり、いかなる者であっても軽々しく、あるいは些末な理由によってなすべきではない」それから彼は振り向いた。「さて、アブナー、これはどういうことなのだ?」

わたしは若かったが、それでもこの老人が法廷で起立している人々を代弁していること、彼らの声と権威をいだいて話していることを感じとった。伯父に十分な根拠が本当にあるのか、心配になった。しかし、伯父は大きな岩影のように揺るがなかった。

「わたしはこの男をエリヒュー・マーシュ殺害の罪で告発する! そして裁判長席から退くことを求める!」

この尋常ならざる出来事について考えるたび、サイモン・キルレイルが衝撃を受け止めたときの冷静さを思わずにはいられない。それを予想し、心の準備ができていたことは想像がつく。しかし、たとえその覚悟ができていても、このような告発を受けながら眉一つ動かさずにいるためには、強固な意志が必要であったろう。彼は強硬手段に訴えようとして果たせず、やむなく方向転換して司法を盾に厳《おごそ》かに振る舞おうとしていた。机に両肘をつき、組んだ手に顎を載せていた。冷ややかにアブナーを見つめたが、ひとことも発しなかった。静寂を破ったのは、彼に代わって口を開いたナサニエル・デイヴィスンだった。その顔つきと声は鋼のように硬かった。

「だめだ、アブナー」彼は言った。「判事が今の告発だけで裁判長席を退くことはない。いかなる者の訴えであっても、それは同じだ。ぜひとも証拠を見せてもらいたい」

判事は冷たい顔をアブナーからナサニエル・デイヴィスンに向け、それから法廷で立っている男たちを見まわした。

「わたしはこの席にとどまるつもりはない。それに、部外者の口頭での告発によって、暴徒に裁かれるつもりもない。そうしたいなら裁判を無効にし、自らの手で法の機能を停止するがよい。だが、ヴァージニア州の憲法を無効にすることも、共同体の市民としてのわたしの権利を奪うこともできない。

さて」彼は立ち上がりながら言った。「道をあけていただこう。わたしは諸君の暴力によって反乱の場に成り下がった、この法廷を去るものとする」

判事は冷ややかで淡々とした声で話していた。わたしは、解決できない難題を突きつけられたように思った。判事の前にいるこれらの男たちは、辺境の地の平和を守るため、その無法な構成員を裁判により法の規範に従わせている。どうすれば、彼に対してだけは同じ規範の適用を拒めるのだろう。大陪審、正式な起訴、そのほか秩序だった手続きを踏むという個人の権利と特権のすべてが、ある者には認められ、別の者には認められないなどということがあってよいのだろうか。

この危険な問いかけに答えたのは、ナサニエル・デイヴィスンだった。

「ここで論じているのは、きみの市民としての権利ではない。個人の市民権は不可侵であり、きみがその立場に戻ったときには当然に認められる。だが、きみはただの市民ではない。きみはわれわれの代理人だ。われわれは、自らに代わって法を司る者としてきみを選んだ。そして今、きみが法律を執行する、その資格が問われている。きみの後ろ盾となる権限を持つがゆえに、その理由を知りたいのだ」

判事はなおも平然と振る舞おうとした。

「わたしを罪人扱いして拘束するのか？」彼は言った。

「きみには法曹として執務の場にいてもらうのだ」デイヴィスンは答えた。「きみが法廷から去ることを許さぬだけでなく、裁判長席から離れることも認めない。この法廷は、われわれの総意によって作りなおすことが決まるまで、何一つ変えてはならない。法廷がその形を変えるのは、一個人の思いつきや要求ではなく、全員の合意がなされた場合に限られる。それも、正当と認められる根拠が示されたときのみだ」

またしても、わたしは伯父が心配になった。法律の規範とその代理者に託された権限に介入するのがいかに重大な行為であるかを知ったからである。伯父は自らの主張の根拠に絶対の確信があるに違いない。

そしてアブナーの確信に揺るぎはなかった。何の前置きもなく、この上なく単純なことばで直截に話しはじめた。

「このふたりは」アブナーはそう言って、テイラーと娘を示してみせた。「どちらも相手を守るために死ぬ覚悟だった。どちらも殺人は犯していない。テイラーが黙秘し、娘が嘘をついたのは、同じ目的からだった。真実はこうだ。恋人同士が喧嘩し、テイラーは本人が話したとおりにこの地を去った。ただしその理由については、恋人を巻き込まないため語ろうとしなかった。そしてこの娘は、彼を救うために犯していない罪を告白した。

では、誰が殺したのか?」アブナーはそう問いかけ、手を振ってストームを示した。「わたしたちがこの娘を疑ったのは、マーシュが毒の入ったパンで殺され、死んだのちに銃で撃たれていたからだ。昨日、わたしたちはその事実を伝えるために、判事と一緒に帰った」またしても彼はことばを切った。「だが、判事と話しているあいだにあることが起きて、その考えが間違っていたことがわかった。二つ目の出来事が傍証となり、さらに三つ目の出来事で確信するに至った。その出来事というのは、第一に判事の時計が止まっていたことだ。第二に、判事の書斎で、あるページ以外は切り開けられていない本を見つけたことだ。そして第三に、郡職員の事務室にあった古い登記簿のなかに、一覧には載っていない記録を見つけたことだ」静まりかえったなか、彼は話をつづけた。

「テイラーかこの娘のどちらかが犯人であるという可能性に加えて、さらに第三の仮説も成り立つ。しかし、その裏づけとなる証拠は一つしかなかったため、他のことも説明がつくまで、それを口にするのはためらわれた。その仮説とは、マーシュの死によって利益を得る第三者が、彼のパンを焼いていたこの娘に疑いがかかるような方法で殺そうとたくらみ、テイラーがこの地を去ったことを知り、銃が暖炉の上にあるのを見つけるに至って、さらなる偽装をほどこす愚を犯したというものだ。策におぼれたのだ!

撃ったときの反動で銃の用心鉄が犯人の時計の鎖に引っかかり、ポケットから時計が飛び出した。犯人は時計を拾ったが、床に落ちたねじには気がつかないままだった。死体の脇にあったそのねじを、わたしは拾ったのだ」

アブナーは判事に向きなおった。

「それゆえに、わたしはサイモン・キルレイルを殺人の罪で告発する。そのねじで彼の時計を巻けたからだ。そして古い登記簿の記録とは、マーシュの土地はその所有者の死ののち、嗣業《しぎょう》を継いだ者からキルレイルに譲渡されることを定めた証書だったからだ。さらに彼の書斎で見つけたのは毒薬に関する書物であり、エリヒュー・マーシュの命を奪ったものと同一の毒薬を記述しているページのみが切り開けられていたからだ」

アブナーのことばのあとにつづいた張りつめた静寂は、法廷に響きわたる声によって破られた。それはランドルフの声だった。

「その席から降りろ！」

今度はナサニエル・デイヴィスンは何も言わなかった。

判事はゆっくり立ち上がった。その顔に決意が浮かび、それが覚悟の表情に変わった。

「すぐにわたしの答を伝える」彼は言った。

それから彼は振り向いて、裁判長席の後ろにある自分の部屋に入った。ドアは一つしかなく、そのドアは法廷につながっている。人々は待った。

窓は開けられていて、緑の草原、太陽、はるかな山なみが見え、秋の澄みきった静けさとうららかさが伝わってきた。判事は姿を見せなかった。ほどなくして、閉じられたドアの向こうから、一発の銃声が響いた。保安官がドアをさっと開けると、床には決闘用の拳銃を握りしめたサイモン・キルレイルが、血にまみれた姿で横たわっていた。

（門野集訳）

良心の問題

トマス・フラナガン

The Point of Honor　一九五二年

トマス・フラナガン Thomas Flanagan（一九二三―二〇〇二）。アメリカの作家・アイルランド文学研究者。雑誌〈エラリイ・クイーンズ・ミステリ・マガジン〉*Ellery Queen's Mystery Magazine* の第四回コンテストに応募した「北イタリア物語」が処女作特別賞に選ばれ、一九四九年に掲載されて作家デビュー。ミステリ短編はわずか七編のみで、すべて短編集『アデスタを吹く冷たい風』に収録されている。本編の初出はＥＱＭＭ一九五二年十二月号。七編中四編を占めるテナント少佐シリーズのうち、二番目に書かれた作品である。

軍曹はそのアメリカ人医師を取調室に案内すると、ドアを閉じた。室内は内務省内のほかの部屋同様に、一年もすれば陳腐になってしまうたぐいの〝モダンな〟デザインで装飾されていた。部屋のいちばん奥に、明るい色調の樫材の大きな机がふたつ離して置かれ、そのあいだにある窓から暗い広場が見える。医師は部屋のいっぽうの隅にある尋問用の椅子に目をやった。椅子の向かいには、小型の、だが、彼の推測するところ、強力なアーク灯が数台並んでいる。反対側の壁には将軍の肖像写真が掲げられていた。カラー写真のなかの彼はでっぷりとした上半身を純白の軍服に包み、その生気や表情に欠ける顔つきは、まるで万人の敬慕の念を耐え忍んでいるかのようだった。

軍曹が片方の机のそばにある椅子を示し、コートン医師はそれに腰かけた。軍曹の尋問が済めば自分はお役御免だろうとばかり思っていたが、こうしてみると解放してもらえるのはまだ先らしい。「これから少佐どのの取り調べがあります」軍曹が言った。ふっくらした顔は若々しく、動作もぎこちなくて、人がよさそうだ。

「少佐って?」コートンはたずねた。疲れており、声にはいらだちがにじんだ。

「テナント少佐であります」

「彼が警察の責任者なのか?」

「以前はそうでしたが、将軍閣下が権力を掌握されたあと、降格されました。党員ではなかったからであります」軍曹はかすかにもったいぶった態度で、軍服の折り襟《ラペル》につけた徽章《きしょう》をさっとなでた。「多くの点で好ましからざる人物なのですが、非常に頭脳明晰でありまして」

コートトンはしわくちゃのコールテンの上着のポケットを探ってアメリカ煙草の箱を引っぱりだすと、軍曹のほうへさしだした。軍曹は首を横にふった。「この国の煙草はお好きではありませんか、先生?　なかなかいけますが」

医師は顔をそむけて煙草に火をつけると、窓の外の暗い広場に目をやった。この地中海沿岸の小国に住むようになってから、いま感じているような、怒りと不安の相半ばする気持ちはもうすっかりおなじみだった。時折、サーチライトが広場を照らし、白亜の建物を浮かびあがらせる。その屋根の上では軽機関銃で武装した兵士たちが、半分だらけた恰好で警備についていた。コートトンは座ったまま、不意にライトに照らされて輝いたかと思うとまたすぐに闇に呑まれる外の景色を眺めていた。やがて、ドアの開く音がした。彼は首《こうべ》をめぐらした。

テナント少佐が足を引きずるようにして部屋を横切り、医師のところまで来ると、細長い右脚をこわばったように前へ突きだした。背の高い男で、軍服のボタンは半分はずれており、ひげも剃っていない。顔色が悪く、頬がこけ、焦げ茶色の目に眠たげなまぶたが覆いかぶさっている。彼はゆっくりと椅子に腰をおろすと、悪いほうの脚を慎重に机の外側へ伸ばした。結果として、足先はコートトンのすぐそばに落ち着いた。

「少佐のテナントです」彼は言った。「事件に関連して、あなたにいくつか質問があります」

コートンはうなずいた。

「われわれはどちらも疲れているが、職業柄、疲労には耐性がありますな。わたしとしては率直におたずねして、貴重なお時間を無駄にしないつもりです。さて、あなたがブレマン邸に呼びだされたとき、ブレマンは死亡していた。それに相違ありませんか？」

「亡くなったばかりでした。息を引き取ったのは、ぼくが到着する直前だったにちがいありません」

「それでは、あの家の使用人たちは――失礼はご容赦願うとして――どうしてあなたに電話したのですか？　こうした場合、外国人に頼るのは異例です」

コートンは椅子に座ったまま、いらいらと身動きした。「そうしたことは全部、軍曹に説明しました。すべて、供述書にはいっています」

「ええ、拝見しました」テナントは言った。「彼らはどうしてあなたに電話したのですか？」

「主治医でしたから」コートンはわざとそっけなく返事をした。「彼が五年前にこの国に来て以来ずっと」

「どこが悪かったのです？」

「糖尿病でした。重症の。頻繁な診察が必要で、毎日、大量のインスリンを投与しなければなりませんでした」

「注射はあなたがされたのですか？」

「普段は違いました。たいてい自分でやっていました。でも、ぼくが打つこともありました」

「インスリンの注射は皮下に行なう――通常は腕ですね？」

「自己注射でない場合は、そうです」

「彼の腕に何か変わったところがあるのに気づかれましたか？　右腕ですが」

「あなたのおっしゃっているのが入れ墨された番号なら、答えはイエスです。ブレマンはドイツの強制収容所に五年間抑留されていました。アメリカ軍によって解放されなかったら、そこで死んでいたでしょう。ナチスはあんなふうに、囚人に番号を入れ墨したんです――腕に」

「囚人の数は非常に多かった。常に全員に目を光らせておく必要があったのでしょう。ええ、一部の収容所は環境が劣悪だった。おそらくそこで罹患《りかん》したのでしょうね」

「いや、違います」コートンは答えた。「それよりかなり前からです。そして、収容所でいよいよ悪化した」彼は煙草を押しつぶして火を消した。「これで終わりですか？　もう時間も遅い」

「まだ先があります。あと少しです。ブレマンという名の男――６４４３２番の入れ墨の男――は銃で撃たれて死亡しました。凶器は旧ドイツの軍用拳銃、ルガーです。殺人者は使用人によって取り押さえられました。使用人はあなたに電話し、さらに、憲兵隊に通報した。憲兵隊は荒らされた金庫と被害者を発見。そして、使用人の捕まえた男の身柄を拘束しました」まぶたのたれ下がった焦げ茶色の目がコートンの目をのぞきこむ。「このブレマンという男をよくご存じですか、単に患者としてだけではなく？　彼の過去を少しでもお聞き及びですか？」

「ぼくは死の収容所に五年間も抑留されていた人に立ち入った質問をするほど、厚かましい人間ではない。過去を思いださせる手助けなどするものですか。そんなことを訊かれるなんて心外です。ぼくの生まれ育った国に強制収容所は存在しない。どうやらこの国では事情が違うようですが」

テナント少佐の眠たげな目がかっと見開かれた。この国の田舎の人によくあるような、穏やかな目つきではなかった。「収容所はあります、たしかに。わが国は治安が悪いのです。革命以来」

「革命前も治安は悪かった——だが、収容所は存在しなかった」

「おっしゃるとおりです。将軍閣下はみずから決起せざるをえなかったときのような事態が再現されるのを望んでおられません」焦げ茶色の目が壁のけばけばしいカラー写真にちらりと向けられた。

「革命前は在留外国人が殺されても、犯人が捕まれば、警察はごく普通に処理した」

テナントは両手で顔を覆い、ぬぐうような動作をした。手が離れたときには、鷹のような目はふたたびまぶたの陰に隠されていた。「この事件は普通ではないのですよ、先生。それにはほど遠い」彼はかすかに微笑した。くちびるがそり返り、汚れた、ふぞろいの歯がのぞく。

「逮捕された男は普通の殺人者ではありませんでした」

「では、身元がわかったんですね？　お尋ね者だったんですか？」

一時間《いっときま》があってから、少佐は答えた。「追っていたのは憲兵隊ばかりではありません。全軍が追っていた。いや、ヨーロッパじゅうが追っていたと言うべきでしょうか」

コートンはそのとき初めて、自分の敵意をふくむ冷めた気持ちが消え去るのを覚えた。「誰なんです？」

「フォン・ヘルツィヒという男の噂を聞いたことはありませんか？　フォン・ヘルツィヒ大佐です」

コートンは首を横にふった。

「ああ。わが国では、ニュースは諸外国ほどすんなりとは伝わりませんからな。スコルツェニーであればお聞き及びでしょう。フォン・ヘルツィヒは親衛隊《SS》の特殊部隊の指揮官でした――特別な任務にたずさわる。ルントシュテット元帥のもとで、彼の部隊はアメリカ軍兵士に変装して連合軍の前線に潜入しました。連合軍の捕虜の扱いに関しても芳《かんば》しからぬことがあったようです。戦争末期には、彼の部隊は絶滅命令と称して、ことに悪名高い収容所の証拠隠滅を図る作戦に従事していました」

「そうだ」コートンは言った。彼の意識は忘れようと努めていたことごとに、むりやり引きもどされた。「そうでした。思いだしました。ぼくは当時、ドイツにいたんです、アメリカ軍の軍医として。ぼくの連隊はあなたのおっしゃる〝芳しからぬこと〟の痕跡を見つけました――死体の山です。ムルブルクの収容所が解放されたとき、生存者はわずか三百人でした」彼はよみがえってきた吐き気を必死に抑えつけながら言った。「いや、それはお手柄でしたね。身元を確認できたんですか？」

「ええ。すでに数回取り調べました。満足のいく身分証明書を携帯しておりましてね」テナントはにやりとした。「充分に満足のいく」

「ほう」コートンは穏やかに言った。「おめでとうございます。それでは、ぼくはそろそろ放免してもらえませんかね」

「遺憾ながら、それは難しいのですよ、先生。ここまで来た以上、お知らせしておくべきかと思いますが、今回の事件には将軍閣下がひとかたならぬ関心を持っておられます、重要人物がかかわっておりますので。閣下のご命令を確実に遂行するために、あなたを保護下に置く必要があるのです」

コートンは少佐を冷静に見返したが、やがて声を発したときには、それまで抑えつけていた怒りが一気に吹きだしたも同然の口調になった。「電話を貸してもらいたい。アメリカ代表部に連絡を取りたいんだ」

「その必要はありません。向こうとしても今後二十四時間はなんの手も打てない。二十四時間後には、あなたはとうに自由の身になっていますよ」

「思うんだが」コートンは言った。「その〝重要人物〟というのはフォン・ヘルツィヒのことだろう?」

テナントはふたたびコートンにいやな感じの笑みを向けた。「もちろんです。まさかブレマンではありますまい。小柄で太った移民ではね。ええ、フォン・ヘルツィヒにちがいありません」彼は悪いほうの脚に手を添えて、そっと立ちあがった。「ご同行願います」

「ぼくは必要ないだろう」

「そうかもしれません。しかし、お願いします」

コートンはいらいらと立ちあがった。軍曹がとんでいってドアを開ける。彼らは廊下を進んだ。廊下は蛍光灯の間接照明に照らされて、不気味なほど白かった。テナントの歩き方はのろく、不恰好で、コートンはいつになく悪意に突き動かされ、足早に彼の先を進んだ。

「先生、お許しいただきたい。大昔、義足になりましてね。戦傷がもとです、はるか昔の」

コートンは何も答えなかった。彼らは黙ってエレベーターに乗りこんだ。「ねえ、先生」テナントが言った。「先生がこの国に来られたのは、戦後すぐでしたね？」

「ああ」コートンはぶっきらぼうに答えた。「人間の残酷さにほとほと嫌気がさして、癒しがほしかったんだ。この国はいろいろな意味でそれに向いていた」

「たしかに」少佐は相槌を打った。

彼らは照明の暗いフロアでエレベーターを降りた。壁のペンキは古く、はがれかけていた。

「ここは快適とは言いがたい」テナントは言った。「ええ。身柄を拘束した者はここに留置する決まりです。先生のように形式的な場合はべつですが」彼が合図し、軍曹がドアを開けた。

その部屋には古い机や台、空《から》の弾薬箱が散らかっており、ひとつの台の上にブレマンの遺体が、全裸だというのに、カバーもかけずに横たえられていた。コートンはテナントを刺すような目でにらみつけ、遺体から視線をそらした。遺体ならさまざまな場所で何体となく見ている。けっして見場のいいものではないし、死体安置所の仮置き台に載せられると、いっそうその印象が強まる。だが、いまのこの光景には何かとても無慈悲な、ひどくでたらめな感じがあって、胸が悪くなった。仮置き台に歩み寄るテナントに、その小柄でずんぐりした、害のない遺体は、尊厳の最後のかけらを踏みにじられようとしていた。「先生、こちらへ来てください」テナントに声をかけられて、コートンはしかたなく少佐のほうを見た。「身元確認をお願いします」

コートンは肉づきのいい顔と、生前に縁なし眼鏡が載っていた、鼻梁の両わきの跡と、右腕に残酷に刻まれた入れ墨に視線を走らせた。

「ブレマンに間違いありません」彼は言った。

テナントは机のところへ行ってその縁に腰かけると、軍曹にあごで合図した。軍曹は部屋を出ていった。テナントは上着のポケットに手を突っこみ、ひしゃげた細い葉巻を引っぱりだした。端を噛みきって床に吐きだし、火をつけた。コートンは狭い部屋の反対端まで歩いていき、そのままなりゆきを見守った。

やがて、軍曹がふたたびドアを開け、ブレマン殺害犯がふたりの衛兵に連れられて部屋にはいってきた。少佐同様に脚が不自由だったが、障害の程度はずっと軽く、がっしりとした長身を傾《かし》げることもない。この天気にもかかわらず、軍用の黒いトレンチコートを着て、両手を深々とポケットに突っこんでいる。両肩をゆすって衛兵の束縛から逃れると、数歩まっすぐ進んで半分向きを変え、テナントのほうを向いた。四角い顔は険しく、薄いくちびるが残忍そうだ。コートンはこういう顔つきをメキシコ古代文明の彫像で見たことがあった。「なんの用だ?」口調は厳しく、かつて人に命令を下す立場にあったことをうかがわせた。

テナントは机からすべりおりて、男と向きあって立った。指にはさんだ葉巻からゆらゆらと煙が立ちのぼる。彼は葉巻で仮置き台の上の遺体を指し示した。「こいつにもう一度会いたいんじゃないかと思ってな」

フォン・ヘルツィヒは初めて気がついたかのように遺体に歩み寄り、じっと見おろした。コートンが観察していると、その残忍そうな口の両端が引っぱられて、ほんのかすかな笑みが形作られた。「豚め」彼は言い、顔をそむけた。

コートンが壁ぎわから離れると、テナントはふたたび目を大きく見開いて医師の視線をとらえ、ふたりはそのまま顔を見あわせた。フォン・ヘルツィヒはぐるりと向きを変えると、妙にぎくしゃくした足取りで少佐に近づいた。「もう一度訊く。おれになんの用だ?」

「殺人はこの国では重罪に相当する」テナントは穏やかに言った。

「有罪が立証された場合にはな」

テナントの口元がゆるみ、変色した歯がむき出しになった。「将軍閣下はお喜びになるだろう、ともかくもフォン・ヘルツィヒを連合国当局に引き渡せるとなれば」

「彼が見つかった場合にはな」

テナントの焦げ茶色の目が大きく見開かれた。「見つかっていないとでも?」

殺人容疑者は部屋の奥へ進み、方向を転じて、引き返してきた。「いいか、よく聞け、少佐。ひとりの男が逮捕時に――どう言えばいいか――お尋ね者の書類を所持していた。その男にとってはまずいことに。だが、そのお尋ね者は要注意人物だ――憲兵隊の少佐と違って有力者のあいだに友人が多い。しかも、少佐はあいにく彼の国の政権党の党員ではない。おれがその少佐の立場だとしたら、誤認逮捕で片づけるがね」

テナントは葉巻を吸った。「それは考えた。そういうやり方もあるだろう。だが、決を下すのはわたしではない。将軍閣下だ。閣下はこの事件に非常に関心を持っておられる。おまえに会ってみたいとおっしゃるのだ」

フォン・ヘルツィヒは頭を下げた。「御意のままに」

そのとき、コートンがふたりのほうへ近づいた。「テナント少佐、この事件はぼくの国にも関係があります。この男はぼくの国でも指名手配されているんです。彼は殺人者だ。多くのアメリカ人を殺しているんです」

「この男が?」テナントはたずねた。「そうかもしれません。しかし、それには立証が必要です」

「可能です」コートンは答えた。「簡単な話です。世界の最重要指名手配者のひとりですから。世界じゅうの警察という警察に、写真がファイルされているはずです」

テナントはため息をついた。「そうすんなりといきますかね。まあいずれは、そうやって再逮捕される連中も出てきましょう。しかし、問題の大佐は度胸があると同時に、利口でもあった。写真は一枚も残っていないのですよ。人相書ならいくつかありますが、相反するものでしかない。もっとも、お国ならほかにも手立てがおありでしょうがね」彼は皮肉っぽく言った。

フォン・ヘルツィヒは肩をすくめた。「話は単純だ。身元を確定する方法などあるわけがない」自分の無敵さを誇示するように、ポケットから傷だらけの細長いシガレットケースを引っぱりだす。ケースの表面には親衛隊《SS》の身分を示す、対のジグザグの稲妻模様が金で象眼されていた。

　コートンは困惑と怒りを覚えながら、男が煙草を口にくわえるのを見ていた。そのときふと記憶の断片が――半分忘れていた伝説のかけらが頭のなかに浮かびあがった。それはいったん消えかけたものの、ふたたび明確なかたちをなした。「そうだ」彼は強い口調で言った。「ジグザグのS」うれしいことに男の太くて短い、先の四角い指がかすかに震えたが、マッチの炎に照らされた顔は石像のように動かなかった。

「なんの話です？」テナントが穏やかにたずねた。

「あなたならご存じかもしれない。この男にまつわる噂話を思いだしたんです。ぼくの記憶によれば、彼や彼の部隊の隊員は腕に一対の〝S〟の入れ墨をしていたそうです。手首の上のところに」

　テナントは葉巻を床に落として、念入りに踏み消した。顔を上げたときには、目に困惑の色が浮かんでいた。

「この人の言うとおりだよ、少佐」フォン・ヘルツィヒが言った。「親衛隊《シユッツシユタッフェル》の隊員はみな、その入れ墨をしていた」彼は煙草を口にくわえたまま、トレンチコートのボタンをはずして床に脱ぎ落とした。コートの下に着ていたのは、半袖の白いポロシャツだった。両腕を彼らのほうに突きだす。「このとおり、入れ墨はない」腕は日焼けして毛が濃かったが、入れ墨はなかった。テナントはかすかに緊張を解き、それからコートンのほうにうなずいてみせた。

「ちょっと失礼」コートンはいささか嫌悪を覚えながらフォン・ヘルツィヒの指先に触れ、しっかりつかんで、両腕をよく調べた。不意に目を上げて言う。「見てください、テナント少佐」テナントがかがみこんだ。「これは皮膚が移植された痕《あと》です。施術されたのはかなり前のようですが、まだ識別可能だ」彼は初めてフォン・ヘルツィヒに向かって口をきいた。「恥知らずなまねをしたもんだな、フォン・ヘルツィヒ。いくらパットン将軍の部下が腕にSSの入れ墨のあるドイツ兵を捜していたにしても」

「先生」テナントが言った。「ことを複雑にしないでいただきたい。あなたはわが国で非常に好感を持たれていらっしゃるのですよ。そもそも皮膚の移植痕など、証拠として薄弱にすぎます」

「ほかの細かな事実をつけ加えれば、たしかな証拠になる。ぼくはそう思います。アメリカ代表部も充分納得するでしょう」

テナントはやるせない顔つきで、医師をじっと見つめた。「先生はわが国にお住まいになって長いのに、この国のことがほとんどわかっていらっしゃらない。とても残念に思います。簡単な話なんですがね」彼はため息をついた。「さて、そろそろ出かけましょう。あなたもご同行願います。将軍閣下は先生にもお目にかかりたいと仰せなので」

医師は露骨な皮肉をこめて頭を下げ、しゃがれ声で言った。「御意のままに」彼らはドアのほうへ向かった。テナントは誰にというのでもなく、何にというのでもなく、悲しげな笑みを向けた。衛兵に言う。「容疑者はおまえたちの軍用車両に乗せろ。コートン先生とわたしのドライバーは軍曹がつとめる」

部屋を出しなに、フォン・ヘルツィヒがふたたび遺体を見おろして「豚め」と言い、つばを吐いた。先をつまんで煙草の火を消す。吸い殻は無意識のうちに親指で切り開き、葉をまき散らしたあと、紙は小さな玉に丸めて指の先ではね飛ばした。古参兵がよくやるしぐさだった。


車のなかで、コートンはテナントから顔をそむけたまま、戒厳令下の暗い街並みを眺めていた。閉じられた防音の間仕切りガラスの向こうで、軍曹は車を慎重に運転し、検問を受けるたびに何度も停車した。武装した兵士の姿をいたるところで目にするのに、市街には人通りの絶えた、荒涼とした印象があった。コートンにとって、こうした景色はじかに接するずっと以前から、ある種の絵画を通じてとうにおなじみだった。ビル群は誰も住んだことのない、あるいは、今後も住みそうにない建造物のように見える。それは白い墓石の並ぶ墓地だった。

ついにテナントが口を開いた。「わたしは長年軍人、そして、警察官の職にあります。職務の遂行が容易でないことも珍しくありません。自分の行動に迷いを覚えるのも珍しいことではないんです」

コートンは黙ったままだった。

「しかし、職務は果たさなければならない、それは先生だっておわかりでしょう。なさねばならぬことはある。人生は愉快なものではありません。医師のあなたにわざわざ申しあげるまでもないでしょうが」

コートンは相変わらず窓の外に顔を向けたまま言った。「あなたとぼくの職業を似たもの扱いするのはよしていただきたい。似たところなどあるものですか。医者と軍人なら、まあ、許せる。しかし、狼といっしょにされてはたまったものではない」

「先生がいらだっておられるのは、フォン・ヘルツィヒが自分は別人だと主張するのを、わたしが黙認しようとしているからでしょう。あなたは彼を本人だと確信しておいでだから。じつを申せば、わたしも彼は本人だと思います——ただ、あなたには証明する手立てがない。すべては将軍閣下のご意向次第なんですよ。このわたしなら証明する手立てがないとは申しませんがね。いずれにせよ、先生が頭を悩ますほどの事件ではありません。ひとりの移民が殺された。とるに足りない移民——くずのような人間が。そして、そのいっぽうで——」テナントはいったん言葉を切り、ふたたび話しはじめた。「おかしな話ではありませんか。旧軍隊が消滅し、ちりぢりになる。幹部の一部は投獄される。一部はあなたがた連合国によって処刑される。一部はひそかに軍の再興に手を貸す——とある国で。大半の者は幾多の戦場で斃《たお》れました。一部の者が——フォン・ヘルツィヒのように——ヨーロッパや南米で暗躍している。不可解な、謎の男たちは、かつて要職にあり、いつの日かまた要職につくかもしれない」

車が急に向きを変えた。いまでは市街をはずれ、郊外に出ようとしていた。「ここはわたしの国です」テナントは言った。「おわかりになりませんか？　国のためには本分を尽くさなければならない。そして、わたしにできることはひとつしかない。わたしは警察官です。仕事の内容はいまも革命前と変わりがありません。殺人者や窃盗犯を捕まえ、公序の維持に努める。しかし、いまは時折、別種の働きも求められます」彼はいったん言葉を切り、ふたたび話しはじめた。「いまこの国は難問にぶつかっています。きわめて慎重な対応が求められます。あらゆる事情を勘案しなければなりません。フォン・ヘルツィヒには有力な友人がいます。将軍閣下はどちらが有益か、判断する必要に迫られていらっしゃるのですよ――戦犯をあなたのお国の政府に引き渡すか、それとも、古なじみのもとへもどるのを容認するか」

郊外にある将軍の邸宅は肖像写真から想像されるとおりだった。だだっ広くて、金こそかかっているが趣味が悪い。使用人たちはびくびくして、音も立てずに働いている。一行が通されたのは控えの間だった。ひどくがらんとしていて、まるで公共施設を思わせる。

かなり待たされたあと、二枚開き戸が勢いよく開いて、将軍本人が姿を見せた。あまたの人民のために生きる男。正体不明で、肖像写真としてのみ存在する、常に歓声をあげる民衆や機関銃や人けのない建物とともにある男。キルト地のドレッシングガウンをはおり、その顔は眠っていたところを起こされたかのようにむくんでいた。

テナントは敬礼した。「例の男を連れてまいりました」

将軍はうなずいた。畏怖の念に打たれている若い衛兵たちの前を通って、フォン・ヘルツィヒに近づく。「きみはいま、この国で窮地に立たされている」両の拳をガウンのポケットに突っこむ。「と同時に、この国を窮地に追いこんでくれた」

「いらぬ世話をかけたな、将軍」フォン・ヘルツィヒはざっくばらんと言ってもいいような口調で答えた。「おたくの憲兵隊の少佐は融通がきかない。もう少し手際がよければ、こんな大騒ぎなどせずに済んだものを」

将軍はテナントのほうを向き、小さな丸い目で少佐のやせた体を上から下までねめつけた。

「うむ、それは先刻承知だ」

テナントは左脚を激しく義足に打ちつけた。「本官は、フォン・ヘルツィヒ大佐はアメリカ当局に引き渡すのが、この国にとって得策であろうと判断したのであります」

「それはそうだろう、少佐、かりに彼を捕まえたのであれば」将軍はテナントに、例の大衆向けの、穏やかだが剣呑な笑みを見せた。「まさか捕まえたと確信しているわけではあるまい？」

「判断なさるのはあなたのお役目です、閣下。しかし、まことに遺憾ながら、こちらの医師――アメリカのかたです――が、やむなくこの一件にかかわることになりまして。このかたはそう確信していらっしゃるのです」

将軍の顔から笑みが消えた。しばらくテナントを狂暴な目つきでにらみつけたあと、コートンのほうを向いて、今度は子どもたちから花束を受けとるときの、とっておきの笑みを浮かべる。「コートン先生ですな。あなたはこの国では名士でいらっしゃる。素晴らしい腕をお持ちだとうかがっています」

「ぼくはたまたまこの国に住んでいるにすぎません」コートンは言った。「れっきとしたアメリカ市民です」

「ええ、承知しておりますとも。あいにくでしたな、コートン先生。われわれとしても正義にもとる行動は避けたいのが本音です」フォン・ヘルツィヒのほうをふり返る。当人はふてぶてしく何食わぬ顔をして、ろくに話を聞いてもいない。「しかし、解決策がないものでもない。わたしの信ずるところ、国際法上の慣例に従えば、殺人罪での告発は逃亡犯罪人引渡手続きより優先される。今回の一件にはその規定が適用できましょう、ええ」将軍の顔に唐突に笑みが浮かんだ。本心が表われたもので、計算ずくの愛想笑いではなかった。「お国の政府にしたところで、フォン・ヘルツィヒが殺人罪で処刑されるとなれば、うるさいことは言わんのではありますまいか」

　のせられてはいけない、とコートンは思った。「正義の概念はアメリカ合衆国ではそれほど単純ではありません。しかし、いずれにしてもぼくは一介の医者で、外交官ではない。おそらくこの事件について、アメリカ代表部へ報告が行けば――」

「もういい」将軍が鋭く言った。テナントのほうに顔を向ける。「喜べ、少佐、この件の処理はおまえに一任する」

「恐れ入ります」テナントは上官の皮肉には取りあわなかった。「ご指示の内容に変更はございますか?」

「ない!」将軍はほとんどどなりつけるように言った。「いっさいない!　おまえは言われたことをそのまま実行すればいいのだ」フォン・ヘルツィヒのほうに顔を向ける。「いずれ、もっと楽しい折に会いたいものだ。ゆっくりくつろいで話をすれば、おたがい大いに得るところがあると思うのでね」

フォン・ヘルツィヒは一礼した。「その日が待ち遠しいです」

「ちょっと待ってください」コートンは言った。「あなたの国の狼、ここにいるテナントはこの男の素性を証明できる。わが国の政府がそうと知ったら、黙ってはいませんよ」

「でしょうな」将軍が言った。「かりにお国の政府の耳に届くようなことがあれば。少佐、この一件を手際よく処理できれば、おまえにも大いに利益になるぞ。では諸君、ごきげんよう」

彼はもう一度フォン・ヘルツィヒに会釈してから、部屋を出ていった。

闇に沈む郊外の道を車で走りながら、コートンは言った。「もう夜明けも近い。診療所のほうへ送ってくれませんか、自宅ではなく。そこでも仮眠はとれますから」だが、いまでは疲労は消えていた。怒りすら感じなかった。暗い窓の向こうに、ブレマンのやつれた、貧相な死に顔が浮かんでみえた。いまや正義は——人間の行動を律する特質であるのに——言葉としてすら、もとから存在しなかったかのように感じられた。

「ええ、そろそろですな」テナントは言った。「しかし、先生にはまず空港までご同行願います」

事情はなかば見当がついたが、コートンはテナントのほうにさっと顔を向けた。「どうしてです?」

テナントはためらったものの、結局答えた。「フォン・ヘルツィヒ大佐にはこの国を出てもらいます。別名義のビザを使って。ビザは将軍の指示に従って、わたしが手配しました。飛行機は夜明けに離陸の予定です」

コートンは相手のこけた頰と、まぶたのたれ下がった目をじっと見た。テナントは気まずそうに肩をすくめた。「でも、あなたならどうしますか？　いきさつはあなたもご覧になったとおりだ。わたしは将軍閣下をこれ以上ないほど難しい状況に追いこんでしまった。しかし、命令が下された以上――わたしは一介の軍人にすぎません。常にそうでした」

コートンは目を閉じた。テナントに対する嫌悪の念はもう消えていた。テナントは彼なりに立派な男だが、尊重しているのは正義を超えた何かだ。うまく言葉にならないが、戦慄と恐怖を呼び起こす何か……。

空港には喫茶室があった。その巨大なガラス窓の向こうでは、いくつもの投光器や作業灯が、流線形だが、重量感のある飛行機の機体を照らしている。コートンと少佐は窓ぎわのテーブルについた。コートンは身を硬くしたまま、両手を強くテーブルに押しつけていたが、テナントはほとんどぐったりした様子で小ぶりの籐椅子に身をもたせかけ、ブラックコーヒーをちびちびと飲んだ。殺人容疑者と衛兵は、人目を避けるために空港の事務室に閉じこめられていた。

コートンは言った。「せっかく死の収容所から生還したのに、結局、追跡者のひとりに追い詰められてしまうなんて……。ぼくの許せないのはそこなんですよ、殺人者が罪を見逃されることではなくて」

テナントは微笑した。「それを奇妙だとお思いになりませんでしたか、先生？　少しもですか？　あなたと将軍閣下、おふたりは喜怒哀楽の情を素直に表に出しても許される。わたしはそうもいきません。打ち明けた話、わたしにはとても不可解に思えたのですよ、お尋ね者の男、あの大佐が死の危険を冒してまで収容所の元囚人を追ってきたことがね。わたしは自問してみました、どうして彼はそんなむちゃをしたのか？」

「ぼくには見当がつきません」コートンは答えた。

「しかし、警察官——あなたのおっしゃる狼——としては、こうした疑問は見過ごしにできません。さらに、べつの疑問もわいてきます——ブレマンにとって、収容所は善良な医師が考えるほど過酷なものであったのか？」

コートンはいやな顔をして相手を見た。

「いや、本気です」テナントは言った。コーヒーカップをわきへ押しやり、医師のほうに身を乗りだす。「問題の人物、このブレマンという男は重い糖尿病でした。毎日大量のインスリン注射が必要なほどの。そして発病したのは、収容所に入れられる前だった。この五年間、彼の診察に当たっていたあなたの口からそううかがいました。それはつまり、戦時中も毎日注射が必要だったことを意味します。当時、インスリンは非常に需要が多く、常に不足していた。それにもかかわらず、いわゆる怪物どもは、毎日彼に薬を投与した。いやはや、なんとも破格の扱いですが、どうしてそんな厚遇を得られたのでしょうか？」

コートンは少佐の顔をまじまじと見つめた。「さあ、どうしてです？」

テナントは窓の外に目を向けた。いまでは最初の暁光《ぎょうこう》が飛行機に落ち、遠くの山々が明るみはじめていた。あの山々の向こうには地中海が広がっている。

「先生、あなたは善良なかただ。だが、単純でもある――わたしが見込んだとおり。飛行機が飛び立つまで、まだ少し時間があります。どうでしょう、旅行者のふりをしませんか、退屈のあまり、雑談に時を過ごしている旅行者のふりを。わたしがひとつ、暇つぶしにお話をしてさしあげます。いいですね、おとぎ話ですよ、事実ではなく」

「どうぞ」コートンは言った。

「先ほど申しあげたとおり、あなたは善良だが、単純なかただ。なぜだかおわかりですか？　狼の世界に住んでいないからです。あなたがお住みの世界では、ひ弱な男が〝移民だ〟と言えば、あなたはそうだと思うし、こわもての、体格のいい男が〝殺人者だ〟と言えば、あなたはそうだと思う。将軍閣下もまた似たような世界に住んでおられるが、あのかたは善良ではない。さて、ここからがおとぎ話です。昔々、ひとりの殺人者がいました。凶悪な男で、名前はフォン・ヘルツィヒ。ナチ党員のなかでも、その残酷さは群を抜いていました。囚人たちを容赦なく虐殺したんです。無数の男女が犠牲になりました。しかし、戦争が終わると、彼は怖くなりました。お国の軍隊が元SSの行方を捜しはじめたからです。悪人どもは困難な立場に立たされました。というのも、多くの者が上腕の内側に〝SS〟のしるしを入れ墨していたからです。しかし、SSの将校は数が多く、連合軍側も仕事が山積みで、ナチスの残党狩りに専念しているわけにもいきませんでした。その結果、多くの者は皮膚の移植を受けて、入れ墨を消しました。

しかし、普通のSS隊員の立たされた立場が困難なものだとしたら、フォン・ヘルツィヒの立場はどうだったでしょうか？　彼は特殊部隊の悪名高い指揮官でしたから、殺された仲間の復讐を誓う人々から真っ先に命を狙われました。しかも、早くから成功したことによる愚かしい虚栄心ゆえに、入れ墨を前腕のよく目につくところ、手首のすぐ上に入れていたのです。これではすぐに正体がばれてしまいます。抜きさしならない状況に思えますが、フォン・ヘルツイヒは頭が切れました。入れ墨を隠すのではなく、利用したんです。例のSの字を様式化した、稲妻形のデザインはご存じでしょう――」少佐は指をコーヒーに浸《ひた》して、テーブルの上に絵を描いてみせた。

「彼はそれぞれのSの字の、下向きの斜線を上のほうへ延ばして、じつにあざやかに、ふたつの〃4〃に変えてしまったのですよ」

「さらに、彼はこの数字の前後にべつの数字を入れ墨して、自分の正体を、ともかくも腕については、殺人者から犠牲者に変えてしまいました。収容所全体の書類を自由に利用できましたから、新しい身分を手に入れ、母国を離れてこの国に来るのはたやすいことでした。彼が死の収容所で行き届いた治療を受けられたのは、そこが彼の収容所だったからなのです。

　しかし、そのあいだずっと、彼はひとりの男に追われていました。その男に対しては心からの同情を禁じえません。収容所の名もない生き残り、醜い、恥ずべき番号を皮膚の移植によって取り去った男。このふたりめの男はもうひとりの男を追い詰め、彼の家に侵入し、そして、万全を期するために壁の金庫を破ってフォン・ヘルツィヒの書類とSSのマーク入りシガレットケースを見つけると、ついに戦争犯罪人を処刑しました。こうして宿望を果たしてしまうと、あとはどうでもよくなりました。使用人にやすやすと捕まり、使用人が主治医と警察に連絡しました。主治医にとってはごく単純な事件でした。しかし、警察官——狼——にとってはそうでもありませんでした。

ここで、この警察官について少々説明しておきましょう。彼はあなたのような善人ではない――だが、彼の仕える将軍ほどの悪人でもありません。善悪ふたつの面をあわせ持ち、野ウサギとともに逃げもすれば、猟犬とともに狩りもする。圧政に苦しむ人々に同情しながらも、圧政者のために働いている。そして、そんな彼が自分の心中と同じくらい混乱した、あべこべの事件に遭遇します。まず、小柄で太った、害のない男が殺害されたが、この害のなさそうな男は、じつはかつて殺人者として悪名が高かった。そして次に、押し出しがよくて横柄な男が登場する。見かけは映画に登場するナチスの将校そのものだが、ほんとうはナチスの犠牲者のひとりだった。この男は自分の身分を隠そうとしない。気にするそぶりも見せない。

その警察官にとっては、おのれの姿勢が問われる重大な局面でした。選択を間違えれば、永遠に呪われるにちがいありません。そのときふと、とっぴな、危ういアイデアが頭に思い浮かびました。状況があべこべであるなら、まともにもどしてやればいいのです。フォン・ヘルツィヒは正確な人相書を残さないように細心の注意を払っていました。だとしたら、その男にフォン・ヘルツィヒの身分証とシガレットケースを与えて、フォン・ヘルツィヒに仕立ててはどうか？　この手が使えるのではないか？　重要人物を殺害した名もない人物のほうを、その重要人物に作り替えてしまうんです。そのあとはどうするか？　警察官は将軍に、事態が容易ならざるものであること、フォン・ヘルツィヒを即刻国外退去させる必要があることを印象づけようとしました。当該の人物はアメリカから指名手配されているが、いまなお有力かつ執念深い友人たちが大勢いると。しかし、すばやく行動して、将軍に考える暇を与えてはなりません。

そのためには切迫した雰囲気を演出する必要があります。そこで、警察官はひとりの善良な男を自分の目的のために利用しました。事件に巻きこまれた医師で、道義心が強く、しかもアメリカ人でした。医師を蚊帳《かや》の外に置いておくのは楽なことでしたが、警察官は不手際にも、彼に内輪の事情をそっくり明かし、偽のフォン・ヘルツィヒは国外追放にならない場合には、四十八時間以内に連合国側に引き渡されるだろうとまで語りました。こうして将軍は、フォン・ヘルツィヒの友人たちを恐れる小心者ゆえ、彼を飛行機で国外に脱出させることに決めました。

医師は疑うことを知らない人らしく、あきれるほど愚かしくも、すべてを真《ま》に受けました。収容所の囚人たちはせかせかとぎこちなく歩くのが習いになりますが、善良な医師はそれをナチスの傲慢《ごうまん》さの表われと見なしました。囚人たちは煙草を吸った痕跡を消すのが習いになりますが、善良な医師はそれを古参兵のしるしと解釈しました。死の収容所の囚人のなかには脚に障害を負った者もいましたが、コートン医師はそれを戦傷と受け止めました。死の収容所の囚人たちはたいがい看守に対して激しい憎悪を抱いており、それゆえ、容疑者は手にかけた悪人を『豚め』と言ってののしったわけですが、事情を知らない善良な医師は、こちらの思惑どおりに反感を抱きました。

こうして、医師は自分の役を完璧につとめました、あらかじめ指示されていたとしても、こうまでうまくはいかなかったかもしれません。そして、警察官――狼――について言えば、彼はおのれの姿勢が問われる重大な局面を打開できたでしょうか？　さあ、わかりません。彼はただ自分の良心に従ったまでです」

飛行機の離陸準備が整い、衛兵がオフィスのドアを開けた。殺人容疑者はふたりの衛兵にはさまれるようにして部屋から出てきた。押し出しがよく、何食わぬ顔をしているところは変わりがない。にこりともせずコートンとテナントのほうを見やる。「先刻のお話ですが」テナントはコートンに言った。「あれは全部、旅行者のほら話にすぎません、空港で時間をつぶすための」ふたりは殺人容疑者に歩み寄り、テナントが姿勢を正して敬礼した。「大佐、貴官は非常に勇敢なかたです」そして、衛兵にあごで合図した。

警察官と医師は飛行機が飛び立つのを見守った。飛行機は飛行場の上空をゆっくりと旋回したあと、まっすぐ山のかなたの海を目指した。テナントはゆっくりと、痛む脚を引きずるようにして、待機している車のほうへ向かった。コートンは彼につき添い、脚の不自由な男に歩調をあわせた。開いているドアをくぐり、頭上に掲げられている将軍の、生気や表情の抜け落ちた肖像写真には目もくれずに、車に乗りこむ。車はふたりを連れ帰るだろう、戒厳令下の、人の往来の絶えた街へと。

（藤村裕美訳）

ふたつの影

ヘレン・マクロイ

The Waiting Shadow　一九五二年

ヘレン・マクロイ Helen McCloy（一九〇四―九四）。アメリカの作家。フランスのソルボンヌ大学に留学後、十年近くヨーロッパに滞在。帰国後の一九三八年、精神科医ベイジル・ウィリング博士を探偵役にした長編『死の舞踏』で作家デビューする。四六年に作家ブレット・ハリデイと結婚（六一年に離婚）。五〇年には女性初のアメリカ探偵作家クラブ（ＭＷＡ）会長に就任した。九〇年にはＭＷＡグランドマスター賞を受賞。代表作に『逃げる幻』『暗い鏡の中に』『幽霊の２／３』などがある。本編の初出は雑誌〈アメリカン・マガジン〉*The American Magazine* 一九五二年六月号。翻訳には雑誌〈エラリイ・クイーンズ・ミステリ・マガジン〉*Ellery Queen's Mystery Magazine* 一九六二年六月号に The Shadows Outside の題名で掲載されたテキストを用いた。

外のテラスで軽くひそやかな足音がした。ミセス・モバリーかしら、とエマは思ったが、足音はそのまま通過していった。

しんと静まり返ったなかに、暮れていく空を縁どる縦長の窓から聞こえてくる、遠くで芝を刈るブーンという音が残った。

また足音。夏のあいだは絨毯を剝がしてある木の床を小刻みに打ち鳴らして、近づいてくる。

「ミス・エマ・クレアね？　レティス・モバリーです」

弓なりの細い眉、ところどころに白髪が交じっているために黒真珠のように見えるつややかな黒髪。「おかけなさい」ミセス・モバリーはそう言って、エマのピンクの頰、色白の肌、くたびれたスーツを冷めた目で眺めた。「仕事についての詳しいことは、手紙でお知らせしたからご承知ね。夏のあいだお願いできることになって、とてもうれしく思っていますよ」ミセス・モバリーは続けた。「サリーがあなたのことをさんざんほめるものだから、ほんとうにそんな人がいるのかしらと疑っていたんです。でも大げさに言ったのではなかったのね」

「ありがとうございます」エマは答えた。

「甥の娘ルーシーには、あなたみたいに幼児教育の訓練を受けたかたが必要なの、ミス・クレア。ここ数週間は、家事の手伝いを頼んでいる地元の娘が世話をしていましてね。ルーシーはそのシャーリーという娘になついていましたが……」なめらかだった口調が、初めて停滞した。「ある事情があって、解雇しなければなりませんでした。そもそも、シャーリーが世話をしているときでしたしね、ルーシーがショトンとグリダーのことを……」

「あの、それは……」エマは口を挟んだ。

「ルーシーの想像上の友だちですよ」ミセス・モバリーは説明した。「ショトンとグリダー」エマはにっこりした。「あまり心配なさる必要はありませんよ。同年齢の子どもが周囲にいない子は往々にして架空の友だちを作りますが、成長とともにそのようなことはなくなります」

「ドクター・コリアーもそういう意見ですけれど」ミセス・モバリーはあいまいに答えた。

「やはり、やめさせていただきたいわ。お願いしますよ」ふいに立ち上がる。「さあ、お部屋に案内するわ。あなたの部屋は、ルーシーの部屋と同じ一階ですよ」

ミセス・モバリーは二階へ続く階段の前を通って玄関ホールを抜け、廊下を進んである部屋のドアを開けた。勢いよく流れる水の音が、かすかに聞こえてくる。エマが赤茶色の広々した木の床を突っ切って開け放たれた窓の前に行くと、ささやくようだった水音が大きくなって、忍び笑いに似た川のせせらぎとなった。樫《かし》の木ほどに堂々とした松の古木四本が、スレート床のテラスに影を投げ、茶色の葉を一面に積もらせていた。テラスのすぐ先が切り立った崖になっていて、四十フィートほど下を渓流が流れている。

「うちの窓のすぐ下をウェスト川が流れているんですよ」ミセス・モバリーは言った。

男がエマのスーツケースを運んできた。「ミス・クレア？　ルーシーの父、テッド・ジャーミンです。〈小川の水車荘《ミルボーン》〉にようこそ」

重荷をやすやすと運ぶ若い父親ね、とエマは思った。男は親しみのこもった笑みを浮かべた。

「あなたならうってつけだと、薦められたんですよ。サリー・キリアーニはあなたにとても好意を持っているようだ」

エマは微笑んだ。「よかったわ。わたし、サリーのお兄さんのニッキーと秋に結婚するんです」

「それはそれは」軽い驚きとお祝いを込めて、テッド・ジャーミンは言った。

「では」ミセス・モバリーが言う。「みんなにとって好都合ということだわね。だって、キリアーニ兄妹はこのすぐ近くで夏を過ごすんですもの。去年の冬に、丘の上のコテッジを買われたのよ」

「ええ、存じています」エマがはにかんで言ったので、テッド・ジャーミンは再び笑った。

「幸運だな、ニッキーは！　でも、ニッキーがいなくなるとサリーは寂しいだろうね。いまだに結婚しないのが不思議だよ。あんなにきれいな人は見たことがない」

「マジャール人の血ね」ミセス・モバリーは言った。「ハンガリーの女の人は例外なく美人ですよ」

ドアノブがカタカタとまわって、シアサッカーのパジャマとキルティングのシルクガウン、スリッパという恰好の女の子が入ってきた。つま先立ちをしないとドアノブに届かないほど、小さい。

「ミス・クレア」テッド・ジャーミンは言った。「この子がルーシーですよ」

　女の子は金髪で、大きな黒茶の目は真剣そのものだった。

「わたしは学校で生徒たちにエマと呼ばれているのよ」エマは、赤い花がペイントされた白いメキシカンチェアの上の、ふたつの人形に目をやった。「あそこにいるお友だちを紹介してくれる?」

　ルーシーの目がきらきら光った。唇がゆっくりカーブを描いて、片方の頬にえくぼができた。

「この子はラー」そう言って、ぬいぐるみの人形に触れる。「こっちがエッシー」木彫りの人形はブルターニュ地方の農民のエプロンドレスと古風な帽子をつけ、頬がまん丸に赤く塗られていた。大きくて、いかにも重そうだ。

「ラーは赤ずきんちゃん《リトル・レッド・ライディング・フッド》を縮めているんですよ」テッドは言った。

「ラーはいい子なの」ルーシーが説明を買って出る。「だけど、エッシーは悪い子。いま、ハシラなのよ」

「ハシカでしょ」ミセス・モバリーが正す。「これが育児日誌ですよ、ミス・クレア。食べたものや眠った時間など、ルーシーの一日を毎日記録しています」

「まあ、いい考えですね！　何人かで子どもの世話をする場合は、うってつけです。これがあれば、ルーシーのお母さんはわたしがここにいるあいだに起きたことが、全部わかりますものね」エマの口調はおだやかで、その唇から出た息は空気を乱しもしないほどだった。しかし、重苦しい沈黙に迎えられた声はやたら大きく響き、あたかも叫んだような印象を与えた。

テッド・ジャーミンは、険しい目でエマをちらっと見た。

ミセス・モバリーは抑揚のない口調で言った。「ルーシーの母親は、もうわたしどものところにはいないのです……お腹が空いているでしょうね、ミス・クレア?」

「いいえ、ご心配なく、ミセス・モバリー。列車のなかで早めの夕食をすませました」

ミセス・モバリーとテッドが部屋を出ていくとエマは荷ほどきを始めたが、集中できなかった。《ルーシーの母親は、もうわたしどものところにはいないのです……》エマはルーシーの母親を想像した――お手伝いに育児をまかせ、あちらのブリッジの集い、こちらのカクテルパーティと、風を受けた帆船のように颯爽と渡り歩く、真っ赤な口紅を厚く塗り、つんと澄ました痩せぎすの女性を。

「さあ、片づいた! 寝る前の歌を歌ってあげましょうか、ルーシー?」

「ううん。でも、ラーとエッシーに歌ってあげて」

エマはふたつの人形を膝に載せた。

「だめっ! そうじゃないの!」台本に従わない俳優を叱るハリウッド監督並みの勢いで、ルーシーが指示を出す。「ラーとエッシーをうしろ向きにして。はい、言って。『ルーシーは抱っこされていないわよ』」

「ルーシーは抱っこされていないわよ」エマは人形たちに告げた。ルーシーは嬉々として、エマの膝によじ登った。「オーケー！　じゃあ、ラーをこっちに向かせて言うの。『あらまあ、ルーシー！　あたしたちが見ていないあいだに、抱っこしてもらったのね！』」

「こうやってシャーリーと遊んでいたの？」

「ううん、ママと」

颯爽とした帆船や、つんと澄ました痩せぎすの女性の姿がエマの脳裏から消えていった。

「今度は、あたしたちが聞いたことのないお話をするの。ママみたいに」

「むかし、むかし、小さな黒いイヌが……」

「グリダーは黒いイヌがきらい。石をぶつける」

エマはさりげなく尋ねた。「グリダーってどんな子？」

「男の子」ルーシーが言うと、『ボーイ』が『ブオーイ』と聞こえた。

「おうちはどこにあるの？」

「知らない。あたしとはおしゃべりしないの。一度、見ただけ。ショトンみたいに仲よくしてくれない」

「ショトンはどんな子？」

「女の子」『ガール』が『ギュール』になった。

「ラーみたいにいい子？」

「ううん。悪い子。エッシーみたい」目が輝いて、えくぼが見え隠れした。

「ショトンのおうちは?」

「丘の上の貯蔵小屋。ショトンが教えてくれたの。でも、きっと嘘。ふざけていたのよ」

エマはおだやかに聞き質した。「ショトンとグリダーは、ルーシーの頭《おつむ》のなかにいる女の子と男の子でしょう?」

「ちがうわ、エマ」目の輝きが消え、小さな額に皺が寄った。「ショトンとグリダーは、ほんとに、ほんとに本物。そしてショトンはね、グリダーが怖いの……」


ルーシーの黒いまつ毛が下を向いた。エマはルーシーを隣の部屋の小さなベッドに寝かせ、ドアを少し開けたままにして、足音を忍ばせて自室に戻った。炉棚の上に飾られた、銀の額に入った写真が目に留まった。『ルーシーへ　ママより』と記されている。

むろん成熟したおとなの顔だが、ルーシーとそっくりだ。金髪、真剣な黒茶の瞳、いまにも笑い出しそうな口元、それにえくぼ。

エマは手ずれした幼児教育の本を手に取った。《感情を表に出さないおとなに囲まれている幼児は、飢えた人が食べ物を夢想するように、理解を示して心を和ませてくれる友人を夢想する》だが、ショトンはルーシーの心を和ませていない。悪い子であり、グリダーを恐れている……《両親に叱られてばかりいる幼児は、架空の悪い子を作り上げ、自分のやった、もしくはやりたい悪戯《いたずら》をその子のせいにする……》こちらのほうが当てはまるが、叱っているのは誰だろう?

エマは枕元のスタンドを消した。闇に包まれてもすぐには寝付けなかった。《……サリー・キリアーニはあなたにとても好意を持っているようだ……サリーのお兄さんのニッキーと秋に結婚するんです……》

「でも、わたしはあなたをほんとうに理解しているとはいえないのよ、ニッキー」エマは心のなかで話しかけた。「そもそもわたしみたいな人間が、あなたのような人をほんとうに理解することなどできるかしら? あなたの友人のミセス・モバリーとはきょうが初対面だったけれど、あなたよりもずっとわかりやすい。わたしはアメリカ北部で生まれ育った生粋のヤンキー。身内の男性はみな教師か牧師の職につき、慎重で真面目な性格で法を守って生きている。それに引き換え、あなたは? あなたは生まれながらの流浪の民、その日暮らしのバイオリン弾き。ケープコッドで初めて会ったときのことを、覚えている? スイレンが好き、とわたしが言ったら、あなたは即座に池に飛び込んで腕いっぱいのスイレンを取ってきてくれた。一張羅のスーツを着ているのも、よその家の池なのもおかまいなしに。あのとき、わたしは恋に落ちたのよ」

その後どのくらい眠ったのか、なぜ突然目が覚めたのか、エマにはわからなかった。白地に青い模様のついた肘掛椅子が、月光に浮かび上がっていた。それに小さな人影も。開け放した窓の前、肘掛椅子の上で膝立ちをして、網戸に顔を押しつけている。

子どもの甲高い声が渓流のせせらぎを圧して、はっきり聞こえてきた。「とてもいい人なの。

きっと好きになるわよ。エマ・クレアって名前なの」

エマは駆け寄った。「ルーシー！　そこに誰かいるの？」

「誰もいない」

窓の外の月明かりに照らされたテラスには、四本の松の大木が太くまっすぐな影を落としていた。家の間近に高く茂る藪を風が吹き抜けて、さやさやと鳴らした。

「誰かと話していたでしょ！　誰だったの？」

ルーシーはもじもじした。「ショトン」

「ガウンもスリッパもなしでは、風邪を引いちゃうわよ」エマはルーシーの冷え切った小さな足を両手でこすって温めた。「ねえ、ルーシー、遊びだってわかっていれば、お友だちごっこをいくらやってもかまわないのよ。でも、ほんとうのことのように思い込んではだめよ」

「どうして？」

「恐ろしいことになるから」

「オロソシーことって、揺り椅子の上で立つみたい？」

「ええ、まあね」

小さな足にぬくもりが戻った。エマはルーシーを抱き寄せて自分のガウンでくるんだ。「ショトンはルーシーが頭《おつむ》のなかで作った子でしょ」

「グリダーも？」

「そう、グリダーも。ショトンやグリダーとおしゃべりしたくなったときは、代わりにわたしとおしゃべりしてね」

「グリダーはおしゃべりしないの。でも、ショトンはする。さっき、ショトンにエマのことを話していたのよ。だって、エマにエマのことを話すのは変でしょ?」ルーシーはふいに言葉を切った。「あ、あそこ!」

エマが目をやると、柳が風に吹かれて揺れているだけだった。だがルーシーの目は、エマの見ることのできないなにかを追って動いている。「ほら、見えるでしょ? ねえ、エマ?」

「いいえ、見えないわ」エマの身震いは寒さだけが原因ではなかった。「さあ、ベッドへ行きましょう」

エマは自分の部屋に戻ると肘掛椅子に座って、月光に照らされた無人のテラスを見つめた。先ほどルーシーはそこにどんな人々を想像して――おや? エマは身を乗り出した。柳の下の暗がりからなにかが出てくる。裾の広がったサマードレスにつばの広い帽子をかぶった女の影だ。するすると滑るように川岸のほうへ向かい、ふいに消えた。

少しして、影がもうひとつ、野球帽のようなものをかぶった男の影が女の影と同じく音もなく、だがもっと忍びやかに移動して、女の影が消えたあたりで見えなくなった。

男と女。〝ブオーイ〟と〝ギュール〟。きょうの夕方、ミセス・モバリーを待っているときに聞いた足音は、床を小刻みに打ち鳴らすミセス・モバリーや、力強く踏みしめるテッド・ジャーミンのそれとは異なって、軽くひそやかだった。

影のあるところには実体がある。ショトンとグリダーが実在の人物ということはあるだろうか。ではなぜ、ほかに見た人がいないのだろう。

テラスのすぐ先の切り立った崖の石段は水辺まで続いていた。あくる日の朝、ルーシーは石段の上で柳の木々のあいだに立っていた。「きのうの夜、ショトンはここにいたのよ」

ふざけているのかとエマは思ったが、ルーシーは真顔だった。「ショトンはなにをしていたの、ルーシー?」

「知らない」

「じゃあ、グリダーは? グリダーはなにをするの?」

「ショトンを見ているの。あたしにはおしゃべりしない。近くにも来ない。二度しか見たことがないの。一度は先週。もう一度はすごく前で、初めてニューヨークからここに来たとき。そのとき、グリダーはショトンにお話ししたの。だから、名前がわかったの。『ショトン! わたしだよ、グリダーだ!』って大きな声で言ったのよ。でも、ショトンは返事をしなかった。あたしの部屋の窓の下の藪に隠れちゃった。あたしは窓のところにいたの。そしたらショトンは、小さな声で『ここにいることをグリダーに教えちゃだめよ』って言ったの。だから、内緒にしたの」

「ショトンはどんな顔をしているのかしら、ルーシー」

「いつもにこにこしている」

「グリダーは?」

「大きいの。そして、つばのついた帽子をかぶっている」

「きのう、グリダーは男の子だって言ったけど」

「あしたはトラになるの」

やれやれ、とエマはため息をつき、話題を変えた。「さあ、ごはんを食べて、それからお昼寝をしましょうね」

「エマ！」ルーシーが叫んだ。「ほら！　あそこの岩！　カメのトレミーがいる！　川から出てきたのよ」

ルーシーは、カメが甲羅干しをしている平らな岩に駆け寄った。

「さわっちゃだめよ。噛むかもしれないから」

「ミス・クレア！」

エマが振り向くと、大きな麦わら帽子をかぶったミセス・モバリーが、薄手の黄色いドレスをきちんと着込んですぐうしろに立っていた。昨夜は見えなかった顔の皺を、陽光が情け容赦なく暴いている。微笑んでいるが、目には翳《かげ》があった。

「ちょっとこちらへ」

エマはミセス・モバリーのもとへ行った。「なんでしょう？」

「いまうしろでルーシーの話を聞いていたのよ。それで――どう考えればいいのか、わからなくなってしまって。じつは昨夜――見たんですよ。テラスに映った影を。男と女だったわ。そのときはルーシーのショトンとグリダーとは結びつけなかったけれど、こうなってみると……」

「ルーシーはわたしの部屋の窓の外にいる誰かに、実際に話しかけていました」エマは言った。「窓の前に行ったら誰も見えなかったので、空想して遊んでいるのだと思ったのですが、あとでわたしも影を見ました」

「偶然だったのかしら」ミセス・モバリーは言った。「ルーシーが空想して遊んでいるところに、不法侵入した人がテラスを通ったとか。ところで、甥がどこにいるかご存じ?」

「さあ……朝からずっとお見かけしていませんが」

「きっと、釣りだわね。五時起きをして出かけたんでしょう」ミセス・モバリーはため息をついた。「ドクター・コリアーが午後に、あなたに会いにいらっしゃいますよ」きびきびした口調で続ける。「コリアー夫妻は近くに住んでいらして、親しくお付き合いしているの。夏のあいだは、ルーシーを診ていただくのよ。昨夜のことを話しておいてくださいね。わたしは村でだいじな用があるので、出かけますから」

ようやくルーシーが昼寝をすると、エマは日の当たるテラスで編み物をしながら医師を待った。聞こえてくるのは、鳥のさえずりといまや自分の鼓動のように静寂の一部となった、渓流のせせらぎだけだ。

この世に醜悪なものがあるとは思えない、のどかな金色の昼下がりだ。だが賢明な古き世界の幻想は、二階から聞こえてくる爆笑の渦で粉々に砕け散った。料理人のメアリーが私室で午後の休憩を取っているのだ。メアリーにとって〝休憩〟とはたったひとつのこと——すなわちテレビを措《お》いてない。それも、大声で笑う観客を前にしたコメディアンが大好きだ。ルーシーは慣れっこになっているのだろう、眠り続けていた。

私道を上がってきた車が玄関側にまわらずに、テラスの端で止まった。男が降り立って、陽の降り注ぐなかを帽子もかぶらずにエマのほうへ歩いてくる。

「ミス・クレア？　医者のコリアーです」

「初めまして、ドクター・コリアー。ルーシーのいないところでお話ししたかったので、お昼寝の最中に来てくださってちょうどよかったです」

「ほう？」コリアーの生き生きとした目は少年のように輝き、でっぷりしていて、髪も薄くなっている中年男であることをエマに忘れさせた。「また、例の目に見えない遊び友だちのことかな？　ショトンと、あとひとりはええと……」

「グリダーです」エマは医師の差し出したタバコを取った。「ドクター、ショトンとグリダーが実在の人物かもしれないとお考えになったことはありますか」

医師は見る間に眉を曇らせた。目のきらめきは消え、鋼鉄のような青い冷たい光を帯びていた。「なぜそんなことを？」

エマは昨夜の出来事を告げた。

「料理人のメアリーとどこかの若い男だったんじゃないですか？」

「メアリーはずんぐりしていますし、重たい足取りで歩きます。わたしが見た影はほっそりしていました」

「なにか考えがあるんだね？」

エマは医師の鋭い勘に驚いた。「ええ」と間を置いて、勇気を振り絞った。「ルーシーが母親の話をするのを聞いて、母娘の絆がとても強い印象を受けました。離婚や別居をする際に、互いに感情をこじらせ、その後父親だけが子どもの面倒を見るようになった場合、母親はおそらく――ときおり戻ってきて子どもの様子をこっそり見ようとするのではないでしょうか。スパイのような真似はしたくありませんが、そのことがルーシーを動揺させているとしたら、どうすればいいのでしょうか」

「心配無用」医師の微笑には皮肉とある種の安堵があった。「ジェーン・ジャーミンは戻ってきませんよ」

「どうしてわかるんですか？」

「彼女は亡くなった」

エマは言葉を失った。

「死亡証明書に署名したのは、このわたしだ。あなたが昨晩見たのが誰にしろ、ジェーンでないことはたしかですよ」

「どんなふうにして亡くなったんですか？」

「二ヶ月前、六月の雨の夜だった。ジェーンはひとりでニューヨークから鉄道で来た。駅にはタクシーがなく、半マイル先の営業所まで歩いて乗った。この家は、冬のあいだは週末に幾度か使われるほかは、誰もいない。そこで玄関の鍵を開け、明かりをつけて電気が通っているのをたしかめるまで、運転手に待っていてもらった。運転手はジェーンが玄関ホールの明かりをつけた直後に、ホールの時計が八時を告げる音を聞いた。その後、生きているジェーンを見た人はいない。テッドはその日の夜にニューヨークから車でやってきた。午後七時半、四十五マイル手前のブルックフィールドでタイヤがパンクした。修理工がテッドのことを覚えていましたよ。テッドが八時半に家に到着したとき、ホールの照明がついているだけで、あとは真っ暗だった。玄関ドアには鍵がかかっていたので、自分の鍵を使って入ったそうです。そして、階段の下で倒れているジェーンを発見した。遺体の状況から考えると、おそらく階段を転げ落ちて首の骨を折ったのでしょう。まだレインコートやオーバーシューズ、帽子、手袋を着けていて、どれも雨に濡れ、泥だらけでしたよ。警察の見解はこうです。ジェーンは家に着くと、自室で早く着替えようと思って、二階のホールの明かりをつけずに階段を駆け上がり、暗がりでつまずいて真っ逆さまに転落した」

「でも――きのうミセス・モバリーはルーシーの母親が健在なような言い方をなさいました。『亡くなった』ではなく、『もうわたしどものところにはいないのです』と」

「ルーシーもその場にいましたか」

「はい」

「ああ、だからですよ。ルーシーは幼くて、死ぬということを理解できない。ルーシーには、お母さんは遠くへ行ってしまった、と説明したんですよ。ルーシーのいるところで母親を話題にするときは、〝死〟という言葉を避ける習慣になっている」

「だったら……」推論をくつがえされたエマは、答えを求めて手探りした。「きのう月明かりのなかで見たふたりは、誰だったのでしょう」

医師は肩をすくめた。「モーテルかB&Bに泊まっている観光客じゃないかな。あるいは近所の牧場の若い連中」

「夜の夜中ですよ？」

コリアー医師は笑い声をあげた。「わたしが知っている唯一の夜間スポーツといえば、われわれ田舎者がいまだに〝ペッティング〟と呼ぶ行為だな」

エマも笑った。「それを思いつかなかったなんて、なんておバカさんなのかしら！」

急な傾斜の私道をセカンドギアで上ってくる車の音が聞こえ、ミセス・モバリーのステーションワゴンがテラスの前の木立を抜けて、家の陰へと消えていった。

「変わっていますね」エマは言った。「キッチンのドアと居間の窓がテラスに面していて、玄関が反対側にあるなんて」

「この家は建築家が設計したのではなく」コリアーは説明した。「もともとは製粉所だったのを、改築したんです。キッチンのこちらとは反対側にあるもうひとつのドアは、いまはまったく使い道がないけれど、昔は水車小屋に通じていた。何年も前に取り壊されてしまったけどね」

「わたしが見た影はこちら側にいました」エマは眉をひそめた。「なんの気なしに入ってきたよその人だったら、ルーシーが話しかけたりするでしょうか」

「ルーシーは実在しない人間に話しかけていたんですよ。あなたはそのあとで不法侵入した人間を偶然見かけ、結論に飛びついてしまったんでしょう。心配する必要はまったくない」

医師は腰を浮かしたが、エマは質問を重ねた。

「前にルーシーの面倒を見ていた、お手伝いのシャーリーは？　こっそりルーシーに会いにきたりするでしょうか」

「それはないだろうな」コリアー医師は家のなかから聞こえてくる声に耳を澄ました。「んだから、この船乗りに言ってやったんださ」と金切り声。医師は笑った。「テレビだね？」

「ええ。料理人が見ているんです。シャーリーの家はこの近くですか？」エマは私道の先にある緑の丘を見て言った。一マイルほど離れているだろうか、頂上に赤い屋根を戴いた白い家があった。

「あれはわたしの家、〈丘の牧場荘《ハイモウィング》〉ですよ」コリアーは言った。「シャーリーは農夫の父親と、丘の反対側に住んでいる。隣人というと、あとは週末だけ訪れるサリーとニッキーのキリアーニ兄妹くらいだね。彼らのコテッジは森の陰になっていて、ここからは見えないが……さて、帰らなくては。なにかあったら、いつでも電話をどうぞ」

医師は片手を上げて別れを告げ、私道に止めた車へ向かってつかつかと歩み去った。ルーシーの夕飯についてメアリーと相談しよう。エマは踵《きびす》を返してテラスの反対端に行き、キッチンに入った。だがキッチンには誰もおらず、やかましいテレビ音楽が裏階段から聞こえてくる。メアリーはまだ〝休憩〟中だ。

そこで、もうひとつのドアを通って、子ども部屋から玄関ホールへと続く廊下に出た。子ども部屋へ向かって急ぐ途中、玄関ホールの時計が鳴った。ルーシーを起こす時間だ。

子ども部屋の入口でエマは足を止めた。ルーシーがすでにベッドを出て、戸口に立っている。

「エマ……」ルーシーは起きたばかりとみえ、眠そうに瞬《まばた》きをした。「いますぐ川へ行ってもいい？　カメさんがまた見つかる？」

「そうね、探してみましょう。ラーとエッシーも連れていく？」

「エッシーはいないの」

「どういうこと、ルーシー？」

「エッシーはお外に行っちゃった。どこにいるか、わからない」

おもちゃ用の戸棚や宝物箱をざっと調べたものの、エッシーは見当たらなかった。

「今朝、二階のレティスおばさんのところへ行ったとき、置いてきちゃったのかしらね」

「エッシーはお友だちのところへ行っているの」ルーシーは笑った。

「そうなの。じゃあ、ラーだけ連れていきましょう」エマは言った。「キッチンに寄って、メアリーがいたら夕飯の相談をしなくちゃ。グリーンピースとサヤインゲンのどっちがいい？」

「チョコレートプディング」

エマはうわの空でうなずいた。澄んだ音色でときを告げた玄関ホールの時計や、ゆるやかな半らせん状の階段のことで頭がいっぱいだった。勝手をよく知る家で、あんな階段を踏みはずして転落するものだろうか。たとえ暗がりであっても……

陽の光は川面から去っていたが、対岸の上方に連なる丘をいまだ照らしていた。男の呼ぶ声がした。「おーい！　歩いているのかな、泳いでいるのかな？」スニーカーを履いて釣竿と魚籠《びく》を持ったテッド・ジャーミンが、曲がり角から音もなく現れた。

「歩いていると言いたいところですけれど、実際は……」エマは、ルーシーの泥はねで汚れたショートパンツを恨めしげに眺めた。「お風呂に入れなくちゃ」

「お風呂はいや、パパ」

テッドは釣竿と魚籠を置いて両手を差し出した。「さあ、行くぞ！」

「一でウサちゃん！」ルーシーが叫んだ。これもお決まりの遊びなのだと、エマは悟った。

「二でポーズ！」テッドが応じる。

「三でヨーイ……」ルーシーが跳んだ。

「四でドン！」テッドはルーシーを振り上げて肩車をすると、石段を一気に駆け上がった。

「パパ、草の上をハラシで走っていい？」

「ハダシだよ、ルーシー。ダチョウのダ。ミス・クレアがいいって言ったらね」

エマがうなずくと、ルーシーはキッチンのドアをめがけて走っていった。あとを追うエマにテッドが呼びかける。「アイスティーをテラスに持ってくるよう、メアリーに頼んでください」

ルーシーを風呂に入れたあと、エマは自分とルーシーの夕食を子ども部屋に持っていった。ルーシーはよく食べ、メアリーが食器を片づけにきたときには隣の部屋でぐっすり眠っていた。

メアリーは空の食器を見て、大きな丸顔を輝かせた。「食欲が戻りましたね」

「これまでは、あまり食べなかったの?」

「お母さんが……亡くなってからは、あまり」

エマは当たり障りのない言葉を選んだ。「どなたもつらかったことでしょうね——とりわけ、ミスター・ジャーミンは」

「あのかたは大丈夫でしたよ」メアリーは人の好い顔に不似合いな、皮肉な表情を浮かべた。「あたしはそのとき、まだいませんでした。シャーリーが辞めたあと、来たんです。でも、ジャーミン夫妻はそのころ離婚話をしていたって、シャーリーが話していましたよ。だから、家族が来る前の誰もいないときに、ここで会うことにしたんですって。ふたりきりで話し合えるように」

メアリーは肩をすくめ、ドアをそっと閉めて出ていった。エマはルーシーの育児日誌を手に取って、六月のページを開いた。最初のほうは左傾斜の細かい字で記されていた。ルーシーの母親だろうか? 十日は、細長く角張った古風な筆跡。きっと、ミセス・モバリーが書いたのだろう。

六月十六日は、一家がニューヨークからミルボーン荘に移ったことが記されている。その次の日は、なんの説明もなく形の崩れたなぐり書きのような筆跡。これはシャーリーだろう。十九日に初めてショトンについての記述。思いついたままをそのまま書いたような、簡単で謎めいた説明だ。《ルーシーが言った。きのうの夜ショトンがグリダーから隠れた。》ショトンが実在するなら、事実を記したにすぎないのだが。

《六月二十一日　ルーシーが言った。きのうの夜ショトンがまた来た。
七月二日　ルーシーはまだショトンとグリダーの話をする。コリアー医師に伝える。
七月十四日　またショトン
七月二十二日　ショトンとグリダー　興味を示してはいけない――C医師の忠告
七月三十一日　ショトン
八月二日　ショトン》
八月四日はミセス・モバリーの筆跡だ。シャーリーが解雇された日だろう。きょう八月十日からは、エマの記入が始まる。エマはペンを取って、ページの一番下に書いた。
《午後六時半　就寝》エマは一瞬ためらってから、書き加えた。《昨夜遅く、正体不明の侵入者二名を目撃。ミセス・モバリーも目撃したとのこと。》
ドアが軽くノックされ、エマはびくっとした。
「ミス・クレア?」テッド・ジャーミンがくつろいだ笑顔を覗かせた。渓流釣りのときの質素な服のままだが、どこか優雅で飾らない魅力があった。「サリー・キリアーニが来ていて、会いたいそうですよ。テラスに出ませんか?」
「でも、ルーシーが目を覚まさないかしら」
「声が聞こえるから大丈夫。ちょっとのあいだ、いらっしゃい」テッドはキッチンへ向かった。
「飲み物のお代わりを取りにきたんだ」
テッドはメアリーから盆を受け取って、テラスへのドアを開けてエマを通した。

狭い渓谷では、よそより一時間ほど早く日が暮れる。まだそれほど暗くはなく向こうの丘で明滅するホタルの光がやっと見えてきた程度だが、明るい室内にいたエマには夜のように感じられた。エマはテラスの遠い端にいる三つの人影に向かった。

「エマ!」サリーの口調には、鳥のさえずりを思わせる快い抑揚があった。「会えてうれしいわ。ニッキーが大喜びするわよ。あと少しで来るわ」

近づいてくるサリーの黒髪をキッチンの窓からこぼれる明かりがブロンズ色に染め上げ、鳥の羽のような艶《つや》を与えた。その軽々とした素早い足取りもまた、鳥のようだった。

「ミセス・コリアー、ミス・クレアですよ」テッド・ジャーミンが言い、エマに向かって付け加えた。「ドクターにはもう会ったね」

エマはいまや薄闇に慣れた目でミセス・コリアーを観察した。ほっそりしていて、リネンのドレスはパステルピンク。これより少しでも色味が強ければ、淡い色の金髪が放つプラチナのような輝きを損なうことだろう。その長くまっすぐな髪を三つ編みにして頭に巻きつけ、すっきりしたうなじの線と形のよい耳を見せている。温かみのある微笑を浮かべて、ミセス・コリアーは言った。

「ロティと呼んでね。みんなそう呼ぶの」

「わたしはロリーと呼ばれているんですよ」コリアー医師が口を挟んだ。「おばさんはどこにいる、テッド?　ちょっと話があるんだ」

「きょうは一日、見ていませんね」テッドが答える。「休んでいるんじゃないかな。すぐに来ると思いますけど」

間もなく一番星が黄昏《たそがれ》を夜に変えたのをしおに、エマは立ち上がった。サリーとテッドが引き止めた。「まだ、早いのに」

「ルーシーがちゃんと毛布にくるまっているか、たしかめたいの」エマは言った。「サリー、ニッキーによろしくね」

テッド・ジャーミンはエマの背中に声をかけた。「サリーとコリアー夫妻が来ているって、叔母に伝えてください」

エマはテラスを横切って、居間のフレンチウィンドウからなかに入った。室内は真っ暗だった。玄関ホールも。そこで、居間にある玄関ホールの照明スイッチを入れた。ミセス・モバリーは二階の自室で休んでいるのだろう。

玄関ホールを階段へ急ぐ途中、なにかにつまずいた。下を見ると、ミセス・モバリーのストローバッグが転がっていた。

ミセス・モバリーは片足を階段のいちばん下の段にかけて、仰向けに倒れていた。帽子がすぐ横に落ち、ふだんはきちんと撫でつけてある白髪交じりの髪はくしゃくしゃに乱れていた。大きく見開かれた虚ろな目は瞬《また》くことなく、ホールを照らすたったひとつの電球をまっすぐ見つめていた。

エマは膝をついて、冷たい手に触れた。

玄関ドアが開く音は聞こえなかった。いきなり遺体に黒い影が落ち、エマは仰天して顔を上げた。

男の姿が明かりのなかに浮かび上がった。瘦せた浅黒い顔、琥珀《こはく》色の瞳。髪と眉は漆黒。

「ニッキー……」と唇は動いたものの、声は出なかった。ニッキーは、暗がりで膝をついているこちらがよく見えないのだ。

そう悟ったエマだが、ニッキーの唐突な大声は予期していなかった。「シャリー！　なにをした？」

エマは言葉を失ってニッキーを見つめた――サリーではなく、シャリーと言った。聞き間違いようもなく、はっきりと。


警察の報告を居間で待つあいだ、テッド・ジャーミンはほかの人たちから離れ、額に手を当てて目を覆うようにして座っていた。ミセス・コリアーは安楽椅子の上で足を抱き、ちんまりと丸くなっている。

サリーは暖炉の前で、躍る炎を瞳に映じさせ、キャンプファイヤーでもしているようにあぐらをかいていた。エマは小さなソファで、ニッキーと並んでいた。ニッキーはエマの手をしっかり握っていたが、目を合わせようとしなかった。

エマはサリーに再び目をやった。古い大理石を思わせるクリーム色の肩を出して、ペルシャ模様の黄褐色のシルクドレスをふわりとまとっている。すっきり整ったその横顔には、角というものがまったくない。きりりと引き締まった曲線の連なりだ。これほど知的で健全な容貌を持った人間を、おぞましい行為、もしくは——エマは次に続くべき言葉から目を背けようとしたが、それは心に居座っていた——犯罪行為に結びつけることなど誰にできよう。

エマの耳には、先ほどニッキーが叫んだ不可解な言葉が残っていた。《シャリー！　なにをした？》

あのとき、エマはこう言った。「わたしよ、ニッキー——エマよ。テッド・ジャーミンを呼んできて。ミセス・モバリーは亡くなっているみたい」

ニッキーは無言で走り去り、その後ふたりきりになる機会はなかった。

一時間近く経って、ようやく玄関ホールのドアが開いた。最初に入ってきたのは、コリアー医師だ。きょうの午後、少年のようだった目はきらめきを失い、用心深かった。そのうしろに州警察警部の制服を着用した、革の鞭《むち》のように細くしなやかでタフな男が立っていた。

警部の手には、小さな角形の置時計があった。ブルーのエナメル地に金色の葉を焼き付けたセーブルらしき台に、白の丸い文字盤。台の四隅にバラのつぼみの形をした四色の半貴石——ガーネット、紅水晶、トパーズ、クリスタルが一個ずつはめ込まれている。

「グラント警部」テッドは立ち上がった。「なにがあったのか、教えてもらえますか。叔母は足を踏みはずして階段から落ちたんですか？」

「奥さんと同じだ」グラントは言い、部屋の中央にあるテーブルに時計を慎重に置いた。「妙な偶然ですよね、そう思いませんか」

テッドはたじろいだが、平静な口調で続けた。「転落死ということですか」

「いまはまだ、なんとも。階段で頭を打ったためと思われる、圧迫骨折があります。だが、鈍器で殴られたためとも考えられる。それらしき鈍器はまだ見つかっていません。凶器があったのだとすれば、犯人が持参して持ち去ったとみて間違いない」

「いつごろ亡くなったんです？」

「ドクター・コリアーの推察では、午後一時から四時のあいだ。警察医も疑問の余地なく同意するでしょう。その時間帯にここにいた人は？」

「ぼくは夜明けから午後遅くまで、川で釣りをしていた」テッドは答えた。「昼飯を持っていきましてね。五時ごろに川岸でミス・クレアと娘に会ったので、娘を連れてテラスに戻った」

「それから？」

「ひとりでテラスに座ってのんびりしていましたよ。コリアー夫妻とミス・キリアーニが来たのは、六時近くだったかな」

「川から戻ったあと、玄関ホールに行っていませんか」

「行かなかった」テッドはかすれた声で言った。「叔母が階段から落ちて冷たくなっていると知っていたら、テラスでのんびり友人としゃべっているわけがないじゃないか」

「あなたはどうです、ミス・キリアーニ？」

「一日ずっと、丘の上のコテッジにいたわ。五時半にコリアー夫妻が車でいらして、わたしの友人のミス・クレアがきのうの夜こちらに来たから会いにいこうって、誘ってくださったのよ。この兄のニッキーが夕方に着くことになっていたので、行き先を書いたメモを置いてきました。こちらに着くと、ミスター・ジャーミンがテラスからわたしたちを呼んだので、ドクター・コリアーは私道の途中で車を止めました。テラスには、三十分くらいいたかしら。そのあいだ家のなかに入ったのは、みんなの飲み物を取りにキッチンへ行ったミスター・ジャーミンだけです。そのときにミス・クレアを誘ったのよ。でも、ミスター・ジャーミンは、玄関ホールを通る必要はなかったわ。ミス・クレアはキッチンと居間のあいだにある子ども部屋にいたんですもの」

「ミスター・キリアーニ？」

「ぼくの乗った列車は午後五時四十五分に到着し、駅からタクシーでコテッジへ行ったら、サリーのメモが置いてあった。そこで妹の車を運転し、この家の玄関側に通じる道を通ってきた。ノックをしたが、返事がなかった。テッドの在宅中は鍵をかけない習慣なのを知っていたのでドアを開けたところ、ミス・クレアがミセス・モバリーの遺体の傍らでひざまずいていた」

「ミス・クレア？」

エマは手と声のふるえを止めようと努めた。「午前中はほとんど、ルーシーと外にいました。お昼を食べる直前に、ミセス・モバリーがテラスに出ていらっしゃいました。村でだいじな用があるので出かけるとのことでした。そのときに、ドクター・コリアーが午後においでになることを聞きました。ルーシーが昼寝をするとわたしはテラスに出て、ドクターが二時半くらいにおいでになるとそのままテラスで話をしました。三時になる直前にミセス・モバリーのステーションワゴンが私道を上ってきて、玄関側へまわったのでしょう、家の陰に入って見えなくなりました」

グラント警部はエマがたじろぐほど鋭い視線を向けてきた。「では、ミセス・モバリーは三時直前には生きていたと考えて差し支えありませんね。車内にいるミセス・モバリーか同乗者を見ましたか」

「いいえ、ステーションワゴンが目に入っただけです。その数分後にドクター・コリアーがお帰りになったので、車を見送りました。それからキッチンのドアから家のなかに入り、廊下を通って子ども部屋に行きました。ルーシーがちょうど目を覚ましたところでした。ルーシーを連れてキッチンのドアから外に出て、石段を下って川に行きました。戻ったのは五時近くです」

「そのあとは？」

「子ども部屋でルーシーをお風呂に入れ、五時半ごろそこで一緒に夕食をとりました」

「ルーシーはいつも家族と別に食事をするんですか？」

「はい。ミセス・モバリーは遅い時間に朝食をとり、午後八時に夕食を召し上がります。ルーシーのように幼い子は、朝食は七時前、夕食は五時か五時半までにすませて、遅くとも午後六時半には就寝しなくてはなりません。ルーシーが寝付いたあと、ミスター・ジャーミンがキッチンから廊下を通って子ども部屋にいらっしゃり、テラスに出ようと誘われました。そこで一緒にキッチンのドアからテラスに出ましたが、あとでなかに戻るときはわたしたちのいたところに近い、居間のフレンチウィンドウから入りました。玄関ホールでミセス・モバリーのストローバッグにつまずいて、それで――ミセス・モバリーが倒れていました。玄関のドアが開いて、ミスター・キリアーニが入ってきました」

「あなたはなにか言いましたか?」

「『ニッキー』と言おうとしたのですが、声が出なくて」

「それで、ミスター・キリアーニは?」

エマは躊躇《ちゅうちょ》した。指先にわずかに力が加わるのを感じた。「なにも言いませんでした。わたしと同じように、呆然としていたのでしょう。少ししてようやく声が出たので、テッド・ジャーミンを呼んできて、と頼みました」

グラント警部はコリアーに質問した。

「きょうの午後ミス・クレアと話をしているときに、家のなかから物音が聞こえましたか? 悲鳴とか倒れる音とか」

「いいや」コリアーは慎重に言葉を選んだ。「話に気を取られていたし、それに――」

「そう、テレビだわ」エマが口を挟んだ。「料理人のメアリーが二階で休憩していて、とても大きな音でテレビをつけていたんです。やかましく笑う声がしょっちゅう聞こえてきました。あれでは悲鳴がしたとしても気がつかなかったと思います」

「だからメアリーは、物音はしなかったと言ったのか」警部は大きなため息をついた。「あなたはどうしていました、ミセス・コリアー? 一日じゅう、家にいたんですか?」

「いいえ。午後は森でラズベリーを摘んでいました。家に向かって私道を歩いているときに主人が往診から戻ってきて、途中でサリーを拾ってこちらへ伺おうと誘われました」

「つまり、あなたがたの誰にも、いわゆる〝アリバイ〟がないわけだ」グラント警部は言った。「ミスター・キリアーニは、もっと早い時刻の列車に乗ってくることもできた。午後三時から四時のあいだに家の玄関側に行ったことを認めた人はいないが、気づかれずに行くことは、誰にでもできた」

テッド・ジャーミンは、はっとして顔を上げた。「叔母の死は事故ではなかったということですか？」

「ええ」そのひと言は全員に大きなショックを与えた。「そう考える理由を説明しよう。ミセス・モバリーの〝村でのだいじな用〟について、わたしは全部知っているんですよ。ミセス・モバリーは脅迫者を正式に訴えるために、わたしに会いにきたんです。ここにその証拠、犯人の書いた脅迫文があります。読みますよ」

テーブルに置かれた小さな時計がときを刻む音が誰の耳にも聞こえた。警部は封筒から便箋を抜き出した。安っぽいピンクのそれは、文章の稚拙《ちせつ》さをいっそう強調するようだった。「ミセス・モバリー」警部は読み上げた。「千ドルください。三日以内にくれないと、警察に行って時計のことを全部話します」

「消印はきのう。日付や住所はなく、シャーリーとだけ記されている。あなたの叔母さんは、以前雇っていたお手伝いだと証言されました。このことについてなにかご存じですか、ミスター・ジャーミン」

「知っているとも」テッド・ジャーミンはうんざりした顔をして、両手で髪を掻き上げた。

「まさにこれが原因で、叔母は一週間ほど前にシャーリーを解雇したんですよ。彼女はぼくらから金をむしり取ろうとして、突拍子もない話をでっち上げた。最初はぼくを脅《おど》しました。そこで、とっとと失せろと突っぱねたんだ。そうしたら、今度は叔母のところへ行った。叔母がぼくを守るために脅迫に応じると思ったんでしょう。レティス叔母はすぐにぼくのところに来て、シャーリーの話について質した。だから、根も葉もない作り話だと答えたんですよ。シャーリーがあきらめれば、訴えないことにしました。でも、どうやらあきらめなかったみたいですね。この手紙は見ていない。今朝、ぼくが家を出たあとに受け取り、シャーリーにお仕置きをするために警察沙汰にしたんでしょう」

「シャーリーはなにをタネに脅迫したんですか?」

「時計のゼンマイがどうのこうのとか」

「この時計ですか?」

「ええ」

「この四つのバラのつぼみは、飾りですか?」

「いや、赤はゼンマイのリューズで、ピンクは時刻合わせ用です。正時にチャイムが鳴ります。祖父の遺した、フランスの古い寝室用置時計ですよ」

グラント警部はピンクのつぼみを回転させた。かすかな機械音に続いて、澄んだ明瞭なチャイムの音——チン、チン、チン、チン、チン……

「まあ、これが玄関ホールの時計だったのね!」エマが小さく叫んだ。「鳴る音が聞こえるだけで、時計は見えなかったわ」

「階段のてっぺんの壁龕《へきがん》に置いてあるからね」テッドは説明した。

「玄関ホールの時計」グラント警部は意味ありげに強調した。「どのくらいの間隔でゼンマイを巻くんですか、ミスター・ジャーミン？」

「八日ごとです」

「巻き方を知っている人は？」

「レティス叔母も妻も亡くなったいまは、ぼくしかいない。いや、シャーリーも知っている。去年の夏、ぼくが巻くところを何度も見ただろうから……なんで、そんなに時計に興味を持つんです？」

グラントはちらっとテッドを窺った。「シャーリーの口から直接聞いたほうがいいでしょう」居間を突っ切って玄関ホールに通じる戸口へ行った警部は、ドアを開けて部下に呼びかけた。「カミングス！　ミス・トッテンに入ってもらえ」

シャーリーはサイレント映画に出てくる女優のような、古いタイプの美人だった。自分でカールした、もつれてふわふわと広がった髪。かつては〝赤ちゃんの凝視〟と呼ばれたまん丸な目。いまの流行で厚く紅が塗られているが、素のときは上部中央がくっきりと切れ込んだ〝キューピッドの弓〟形の唇。

金色のビーズ飾りのついたハイネックの白いノースリーブドレスに、金色の革ひもを編んだフラットサンダル。この場にふさわしい服装ではないが、エマにはそのけばけばしさがかえっい」

「座りなさい」グラント警部は言った。「先ほどの話を、ここでもう一度繰り返してもらいたい」

シャーリーはこうして対決するとは予想していなかった様子で、テッド・ジャーミンを素早く盗み見ると目を伏せた。無邪気に見えたのは、むき出しの狡猾《こうかつ》さにすぎなかったのだ、とエマは思った。

「ここで働くようになったのは、去年の夏よ。秋に街に戻るとき、ミセス・モバリーはまた夏になってこっちに来たら雇うと約束してくれたわ。そしたら六月の初めに、みんなが来る前に家のなかを掃除してもらいたいと電報で頼んできたのよ。そこでその週の金曜日に掃除にいって、終わったのは午後五時を過ぎていたわ。もうくたくたで、夕食をとってすぐに寝ちゃったの。そしたら、次の朝ブルックフィールドの新聞を読んでびっくり！　あたしが帰ってからたった三時間後にミセス・ジャーミンが亡くなって、警察が家のなかを調べているって書いてあるんだもの。そして、父さんと一緒に部屋に入ってきた州警察の警官に、事情を聞かれたわ。前の日は、五時半に家に帰ってきたと父さんとあたしで話したら、警官は納得したみたいだった。そして、こう言った。ミセス・ジャーミンが亡くなったとき、家のなかにはほかに誰もいなかったのだから、おそらく事故だろうって。だから、『なんで、何時に亡くなったのかわかるんですか？』と訊いたのよ。そしたら教えてくれたわ。『ミセス・ジャーミンが玄関のドアを開けてホールの明かりをつけたとき、ちょうど八時のチャイムが聞こえた、とタクシー運転手が証言した。ミセス・ジャーミンは泥だらけのオーバーシューズもびしょ濡れの帽子やレインコートも身に着けたままだったから、その数分後に亡くなったみたいだ。玄関ホールのほかは、明かりがついていなかった』。だけど、なんか引っかかったのよね。三日後にミセス・モバリーが来て、あそこでまた働くようになって、ようやくその原因がわかった。玄関ホールを掃除していたときに十時のチャイムが鳴って、ふいに思い出したの。ホールの時計は電気で自動的に動くタイプじゃないのよ。すごく凝っていて八日ごとにゼンマイを巻くようになっているの――じゃあ、ミセス・ジャーミンが亡くなった日、誰が巻いたんだろう？　その日の午後に掃除をしたとき、あたしは巻かなかった。警察はあたしが巻いたと思ったみたいで、なにも訊かなかった。だけど、あたしが帰るとき、時計は動いていなかった。第一、巻きたくてもやり方を知らないもの。誰かほかの人が巻いたのよ。ミセス・ジャーミンじゃなかったことは、たしかだわ。だって、タクシーの運転手がチャイムを聞いたんだから、ミセス・ジャーミンには巻く時間がなかったわけでしょう。あたしが帰ったあと、あの家に誰かが入ってミセス・ジャーミンを待っていたのよ。彼女が到着する八時まで待っていた。だったら、あれは事故なんかじゃない。きっと他殺で、犯人は時計の巻き方を知っている人よ。そのことは誰にも話さなかった。だって、怖かったんだもの。でも、いつも時計に注意を払って、止まるのを待っていた。ミセス・ジャーミンが亡くなった八日後に、時計が止まったわ。それで、ミスター・ジャーミンに知らせたの。『ホールの時計が止まってますよ』って。そしたら、落ち着き払って答えたわ。『巻くのを忘れたんだな。いま、やる』。あくる日、勇気を出してあたしの推理をミスター・ジャーミンに話したら、妄想だって言われた」

テッド・ジャーミンが語気鋭く追及した。「ついでに、千ドルくれたら黙っているって持ちかけたことも、話したらどうだ？　時計を巻かなかった、巻き方を知らなかったと言うけど、証拠はなにひとつない。きみはぼくから金を引き出すことに失敗すると、叔母を強請《ゆす》ろうとした。女のほうが手玉に取りやすいと踏んだのだろうが、叔母を見くびっていたな。最初は、きみをクビにした。二度目のときは、警察に訴えた。叔母がきょうの午後、すでに訴えたことを知っていたのか？　それとも、叔母の意図を知っていただけか？　きょうの午後三時から四時のあいだ、どこにいた？」

シャーリーの知性のない丸い目に涙が浮かんだ。「あたしは巻かなかったもの」小さな顎をつんと上げて、言い張った。

「ミスター・ジャーミンと叔母さんを強請らないで、最初から警察に話してくれれば、もっと信用できたんだがね」グラントは言った。それから、視線を移動した。「ミスター・ジャーミン、もう一度訊く。ほかに巻き方を知っているのは、誰だね？」

テッドはいきなり、つかつかと暖炉の前に行った。火が消えかけて、黒く焼け焦げた薪のあいだで赤く瞬いている。テッドは薪をつついて燃え上がらせた。火掻き棒をスタンドに戻すときの横顔が、エマの目に入った。ひどくやつれ、こわばっている。

どうして一瞬でこんなに変わってしまったのだろう、とエマは訝《いぶか》った。それから、はたと悟った。彼は誰か知っている。突然思い出したが、黙っていることにしたのだ。

「あいにくだが」テッドは肩をそびやかして、警部を見た。「家族のほかには思いつかないな。もちろん、シャーリーはぼくが巻いているのを見て、知っていただろうね。巻くのは一週間に一度、日曜の朝だ。近所の人が立ち寄るような時間ではないし、実際訪ねてきた人はいない。料理人のメアリーを雇い入れたのは、妻が亡くなったあとだ。それにしても、納得できる説明を聞きたいものだな。なぜ、誰もいない家で被害者を待ち伏せしていた犯人が八日巻きの時計を巻いて、自分がいることを知られかねないリスクを犯したんです？」

「人殺しは、間違いを犯すものですよ」グラントは言った。「あなたが巻いているところをたまたま見かけて知ったのなら、やり方を知っている人が少ししかいないとは考えなかったのかもしれない。それに、奥さんがドアを開けた直後に鳴ったチャイムを、よもや運転手が聞くとは夢にも思わなかったんでしょう。運転手の証言がなければ、奥さんが巻いたということで片づけられるところだった」

「そもそも、なんでわざわざゼンマイを巻いて時計を動かす必要があったんです？」

「理由はいくらでも考えられますよ。たとえば、犯人はアリバイ作りのために、犯行後なるたけ早くある場所へ行かなければならず、分刻みで行動する必要があったとか。あるいは――」

「では」テッドは警部の話をさえぎった。「犯人はどうやって、妻があの夜来ることを知ったんです？」

「あなたは知っていた。あなたがこれまで話したことは、結局あなたひとりに疑いを向ける結果になっているんですよ。それがわかっているんですか」

テッド・ジャーミンは追い詰められて、絶望的な目をした。「しかたないでしょう。真実なんだから。妻と叔母の死は、やはり事故としか考えられない。シャーリーはきっと、掃除をした日に時計を巻いたんだ。そして、強請るために嘘をついた。いいですか、グラント警部、叔母が殺されたのだとしたら、犯人はこのなかの誰かということになるんですよ」室内を一巡するテッドの視線には、キリアー二兄妹、コリアー夫妻、そしてエマまでもが含まれていた。

「ここ何日もこの家を訪ねてきた人間は、ほかにいないんですから」

エマはふと思い出した。「いいえ、いるわ！」

「誰が来たんです？」グラント警部は身を乗り出した。

「あの――」エマは思い切って言った。「あの、ショトンとグリダーのことを考えていたんです」

グラント警部はしばし沈黙したのち、質問した。「ショトンとグリダー？　何者ですか？」

テッド・ジャーミンは、穴の開くほどエマを見つめた。「きみ、本気で言っているのか？」

「どうやらそうらしい」コリアー医師はため息をついた。

「いったい、なんの話？」ミセス・コリアーが言った。

「誰の目にも見えない、ルーシーの友だちですよ」コリアーはグラントに説明した。「孤独な子どもは、話しかけたり一緒に遊んだりすることのできる遊び友だちを頭のなかで作り上げます。その子自身にもほかの誰にも見えない、架空の友だちを」

「でも、わたしは見ました」エマは言った。

「見た?」グラント警部が目を剥いた。エマは口をつぐんだ。

　コリアー医師はため息をついた。「ルーシーがショトンとグリダーについて話すようになったとき、想像上の友だちのことだと誰もが思った。姿を見た者がひとりもいないのですからね。ミス・クレアはこのふたりが実在しているかもしれないと考えている。昨夜、テラスに映った影を自分の部屋の窓から見たそうですよ。おそらく、無断で敷地に入ってきた人物でしょう。ショトンとグリダーとは関係がないと思いますよ」

「レティス叔母ともね」テッド・ジャーミンが付け加える。

「いいえ、あったわ。いくらかは」エマは自分を取り巻く興味津々の顔、不安そうな顔、用心深い顔をほとんど意識しないで、考えを口に出した。「今朝、ミセス・モバリーは出かける前に、わたしが見たのと同じ時刻、同じ場所で影をふたつ見たとおっしゃった。そして、きょう亡くなった。だから、こう考えずにはいられないんです。ミセス・モバリーは、ショトンとグリダーが実在する人物で、ミセス・ジャーミンの死と関係があることに気づき、それが原因で命を落としたのではないか。ショトンとグリダーは、ミセス・モバリーに気づかれたことを、きょうになってたまたま知ったのではないか」

　エマはシャーリーに目を向けた。「ルーシーがショトンとグリダーのことを話すようになったときに面倒を見ていたのは、あなただったわね。ルーシーがどんなふうに話したか、覚えている?」

　シャーリーは嬉々として証人役を務めた。「たいして気に留めなかったのよね。子どものくだらない遊びだと思って。遊び友だちって呼べるのは、女の子のショトンのほうじゃないかしら。ショトンが来るのは週に二、三回で、必ず夜、そして家のなかには入らない。ルーシーに見られていることに気づいて、網戸越しに話しかけてきたことが一、二度あるんですって。あたしに指さして教えようとしたことがあったけれど、なにも見えなかったわ。でも、ショトンは藪に隠れているって、ルーシーは言うのよ」

「もうひとりのグリダーというのは、男の子なんだな？」グラントが質問を挟んだ。

「おとなかもしれない」シャーリーは言った。「どっちだか、はっきりしないわ。最初のころに一度来ただけで、話しかけてこないし、近くで見たこともないそうよ」

「ルーシーは、いつからこうした話をするようになったのかね？」

「そう言えば……」シャーリーはためらった。「六月だったわ。家族でここに移ってきてすぐ、ミセス・ジャーミンが亡くなった直後よ」

　グラント警部は立ち上がった。「ルーシーに話を聞きたい」

「だめです！」エマは反対した。「ルーシーはまだ三歳半ですよ。深夜に起こしても、まともな答えは期待できません」

「ミス・クレアの言うとおりだ」コリアー医師は即座に同意した。「ルーシーのかかりつけ医として、朝まで待つよう強く勧める。有益な答えを引き出したいのなら、それしか方法はない」

「わかりました」警部は渋々引き下がった。「朝になったら、真っ先に伺うとしよう。今夜のところは、警官をひとりテラスの見張りに置いていきます」

足音が遠のき、私道を下っていく警察車両の低いエンジン音が聞こえてきた。シャーリーは警察に連行された。

テッドは部屋の隅のバーへ行った。「コーヒーでも淹れるよ。欲しい人は?」

「ぼくは遠慮する」ニッキーは言った。「サリーを連れて帰らなくては」

「わたしたちも失礼するわ」ミセス・コリアーが腰を上げる。「テッド、なんと言ったらいいか……気の毒に。なにか必要なものが……」その声は行き場を失って消えた。

「残念だわ、こんなことになって」サリーはテッドの両手を握り締めた。

テッドはにっこりした。「ありがとう、サリー。きみはいつも、ぼくのことを理解してくれる。ニッキー、サリーをよろしく頼むよ」テッドはニッキーに手を差し出した。

だがニッキーは、それが見えなかったのか、そっぽを向いた。「ああ、わかった……エマ、グラントの言ったことを聞いただろう? 今夜は警官がテラスにいる。なにかあったら、すぐに知らせるんだよ」

「ええ」なにを心配しているのだろうと、エマは訝った。「大丈夫よ」

全員が玄関ホールに出た。再び足音が遠のき、車のエンジンが息を吹き返す。

テッド・ジャーミンは玄関ドアを閉めて、エマを怪訝《けげん》そうに見た。「怯えているんですか?」

エマは、きのう会ったときは陽気で魅力的だと思ったテッドの茶色の瞳をまっすぐ見ることができなかった。いまのテッドは青ざめ、いまにも消えそうな形ばかりの笑みを浮かべている。

「ニッキーは、ぼくを疑っているみたいだな。握手しなかった理由は、それしか思いつかない」

「ニッキーは気分屋なんです。音楽家なんて、みんなそうですよ」

「忘れていたよ。きみがニッキーと結婚することを。悪いことは言わない。やめたまえ。結婚なんかすると、ろくなことにならない。おかげで、ぼくはもうおしまいだ」

「まさか、承知しましたという返事は期待していませんよね」エマは無理やり笑顔をこしらえた。

「こんなことが起きたあとでは、きみを引き止めたところでだめだろうね」

「いまルーシーを置いて出ていくつもりは、ありません」エマは即答した。「おやすみなさい」

通路に出ると、冷たく湿った風が頬を撫でた。エマはキッチンに行ってみた。ドアが開けっぱなしになっている。いつも使っているテラス側ではなく、裏手に面したほうだ。午後に見たときは閉まっていたので、てっきり食器戸棚だと思っていた。

それが開け放たれている。棚や食器の代わりに、柳の枝越しに輝く星が見えた。コリアー医師の話していた、昔は水車小屋に通じていたドアだろう。切り立った崖は目と鼻の先だが通路があって、少し先に旧水車小屋の土台らしき石壁が見えた。

エマは星空を見上げた。テッドの声が耳に残っている。《結婚なんかすると、ろくなことにならない。おかげで、ぼくはもうおしまいだ》妻を殺していないのなら、なぜそれほど悲観するのだろう。妻が亡くなったいまは、自由の身だ。愛する娘がいて、財産も家もあるというのに、絶望して打ちひしがれた口ぶりだった。

エマはドアを閉め、自分の部屋に戻った。ルーシーが寝付いたときよりも、室内が冷えている。ルーシーは大丈夫かしら？　毛布を一枚足したほうがいいかもしれない……

常夜灯がぼんやり照らす子ども部屋に入り、タンスから毛布を出してルーシーのベッドへ持っていった。

ベッドは空だった……


エマは子ども部屋でぽつねんと、電話が鳴るのを待っていた。もしも捜索隊がルーシーを発見したらすぐに連絡する、とグラント警部は約束した。〝もしも〟という言葉を使った警部を、エマは憎んだ。

ほかの人たちが帰ったあと、テッド・ジャーミンと居間で話しているあいだに連れ去られたのだろうか。あのなかの誰かがひそかに家の裏にまわり、水車小屋へ続くドアから連れ出す時間は、あっただろうか。

あのドアが使われたことは間違いない。キッチンのもうひとつのドアは、テラスにいた警官の目に入る。テッドと居間で話しているあいだ、居間のフレンチウィンドウや玄関ホールを通った人はいなかった。

メアリーが人の好い丸顔を心配そうにゆがめて、戸口に立った。「あったかい紅茶でもいかがです？　あたしのお茶を淹れるついでにと思って。もう真夜中だけど、眠れなくて」

「ありがとう、でもけっこうよ」エマは立ち上がった。「出かけてくるわ」

「出かける?」メアリーは目を丸くした。「でも、そうしたら——あたしはひとりになっちゃうじゃないですか。ミスター・ジャーミンは出かけたし、テラスにいた警官も引き上げたんですよ」

「心配ないわよ、メアリー。あなたはこれにいっさい関係がないもの。あなたがここで働くようになったのは、ミセス・ジャーミンが亡くなったあとでしょう。キリアーニ兄妹のコテッジにはどうやって行けばいいのかしら」

「私道をずっと行って、泉の先まで行く小道に入るんですよ」

小道は荒れていた。やがて、〈ミルボーン荘〉に水を供給している三つの泉の近くなのだろう、水がにじみ出て一面にぬかるんだ地帯に出た。一歩ごとに泥土が吸いついて音を立て、身の丈ほどもある羊歯《シダ》が密生していた。

ついに地面が再び固くなり、森をあとにして丘の頂上の草原に出た。丘のてっぺんに小さなコテッジが星空を背景に黒いシルエットを描き、その閉じたカーテンの隙間から明かりが漏れていた。エマは古風な真鍮《しんちゅう》のノッカーを、軽くドアに打ちつけた。ニッキーがドアを開けた。

「エマ!」ニッキーはエマの肩を抱き寄せて、なかへ入れた。「もう真夜中だって、わかっているのか?」

エマは返事をしないで、じっと立っていた。「ルーシーのことは聞いた?」

「うん。捜索隊がここまで来た。だからこそ家のなかで身を守っていなきゃ、だめじゃないか」

「話があるの。サリーは？」

「自分の部屋で寝ている。さあ、座って、エマ」

エマがぎこちなくソファに腰を下ろすと、ニッキーはドアを閉めて暖炉に薪をくべた。暖炉の前のラグに膝をついている彼の横顔は、エマに向けられていた。薪の炎が高い額に赤みがかった艶を与え、眼窩《がんか》に影を落として薄い色の瞳を濃くし、瘦せた顔に陰影をつけている。

「ニッキー！　わたしはあなたのために嘘をついたのよ。教えて。『シャリー！　なにをした？』って叫んだわよね。どういう意味？　ルーシーはどこかへ連れ去られてしまった。取り戻すためにできる限りのことをしなければ、わたしは自分を一生許せない。でも、警察には話していないわ、いまはまだ」

ニッキーはラグの上に伸ばした足を組んでから、片肘をついて体を支えた。エマのほうを見ないで言う。「ぼくのことを信用していないんだね。きみにとってぼくはまだ、赤の他人――頭のおかしな音楽家、ハンガリーの血の混じった外国人なんだ」

「やめて」エマの目に涙がにじんで、視界がぼやけた。

「結婚するのは間違いかな？」

「もしかしたら」エマにはそれしか答えようがなかった。

「やめるかい？」

「わたしはいやだけれど、あなたが望むなら……」

「やめたほうがよさそうだね」

「わかったわ」エマは蚊の鳴くような声で言った。こんなにもあっさり終わってしまうものなのか。ニッキーのいない人生は、どんなふうになるのだろう？

「じゃあ、そっちが片づいたから、サリーのことを話すよ」

ニッキーは身軽に起き上がって床に座り、エマの目をまっすぐに見た。「ジェーン・ジャーミンの死は――ずっと事故だと思っていた。だけど、夫妻には離婚話が持ち上がっていた。ジェーンはその最中に亡くなった。彼女が離婚を拒んだとしたら？　つまり、ルーシーだけではなく、その父親も手放そうとしなかったら？　そうしたら、テッドにはジェーンを殺す動機がある。動機のあった人物に、ほかに心当たりがあるかい？」

「ないわ。でも、テッドにはアリバイが……」

「偽装したと仮定しておこう。では、テッドが離婚を望んだ理由はなんだと思う？　それについて考えてみた？」

「いいえ。わたしには関係のないことだもの」

「ルーシーを見つけたいのなら、考えなくちゃいけない。それが鍵になるかもしれないんだから。テッドは若くて金もあり、魅力的な妻と子どもがいる。そうした男が離婚を望む理由は、ひとつしかない」

「つまり――ほかの女性ということ？」

「言うまでもない。ほかになにがある？」

「それで……」エマは消え入るような声で訊いた。「その女性がサリーだと言うの?」

ニッキーはのろのろとうなずいた。「去年の冬、テッドはニューヨークのぼくらのアパートメントを頻繁に訪れた。ぼくがいつもいるとは、限らなかった。ぼくがいるときでも、ジェーンは一緒に来なかった。そして――ジェーンが亡くなった。じつは、ジェーンが亡くなった夜、サリーはこのコテッジにいたんだよ。夏に必要なもののリストを、作りにきていた。警察はそのことを知らない。だが、ぼくは知っているから――気になってしかたがないんだ。サリーがジェーンを殺したなんて、あり得ない気がする。だけど、サリーはジェーンの死について、どの程度知っているんだろう。テッドと愛人関係にあるのなら、サリーは決して彼に不利なことは言わない。たとえ、ぼくが相手でも。サリーがジェーン殺しの動機になったとしたら、道義的には有罪だ。その気になれば、アパートメントに来ないでくれ、とテッドに言うこともできたんだからね。だから――もう、わかっただろう。ミセス・モバリーの横にひざまずいている黒茶の髪のほっそりした女性をいきなり目の前にしたとき、思わず叫んでしまったんだよ。『サリー! なにをした?』って」

「あなたはシャリーと言ったわ、サリーではなく」

「ハンガリー語ではシャリーと発音するんだよ。サリーと呼ぶようになったのは、この国に来てからだ。あんまりびっくりしたものだから、昔の言い方がつい出たんだ」

「今夜、テッド・ジャーミンと握手をしなかったのは、そのせいだったのね」

「うん。サリーはテッドに会う前は、しあわせだった」

「話してくれて、よかったわ」エマは言った。「それに、警察に黙っていてよかった。サリーが奥さんのいる人を好きになるのは、理解できる。でも、人を殺すとは思えない。それに、実際にテッド・ジャーミンを愛しているとしても、サリーは有罪ではないわ。愛する人が、自分への愛のために人殺しをしたと知るなんて、どれほどむごいことか。いったい、なにができる？　警察に話せば、愛する人を裏切ることになる。口をつぐんでいたら、自分が共犯者になってしまう。どちらを選んでも、苦しまなければならないわ」

「サリーがひとりでコテッジを訪れたのは、あの日が初めてではなかった」ニッキーは抑揚のない口調で言った。「そして、テッドがひとりで〈ミルボーン荘〉へ週末を過ごしにきたのも、あの日が初めてではない。テッドはスキーが好きだ。ジェーンは興味がなかった。テッドとサリーの来た日が重なっていたかどうか覚えていないけれど――テッドがサリーの前で時計のゼンマイを巻いたことがあったのかもしれない。他人がどんな行動を取るかなんて、わかりゃしない。たとえそれが実の妹でもね」ニッキーは顔をそむけた。「ジェーンとサリーが階段のてっぺんでいきなり出くわしたら……嫉妬って恐ろしい感情だよ」

「だったら、ショトンとグリダーは？」

「シャリー……ショトン。早口で言ってごらん。似ているよ。恋人どうしは、ふたりだけに通じる呼び名を作ったりする。サリーは暗くなってからこっそりテッドと会っていたんじゃないか」

「ルーシーはサリーだとわかりそうなものだけど」

「どうかな。サリーがあの子に会うことはめったにない。昼間にあの家に行ったことはないと思う。カクテルかディナーに招かれたときだけで、ルーシーは五時には必ず子ども部屋に入っている。昼間にルーシーと会わないようにするのは、簡単だ」

「では、グリダーはテッド・ジャーミンなの？」

「不思議ではないだろう？　グリダーはルーシーに話しかけたことも、近くに来たこともない。グリダーというのは、ある名前のルーシー独特の言い方なのかもしれない。あの子はときどき、言葉をとんでもないふうに発音することがあるだろう？」

「ええ。『恐ろしい』が『オロソシー』になってしまうの」エマはため息をついた。「だけど、ルーシーによればショトンはグリダーから隠れたのよ」

「サリーがテッドから隠れたことが、実際にあるんじゃないか。近づいてくる男がテッドかどうか、はっきりしなくて。とにかく、男と女が夜に人目に立たないようにうろつくというのは、密会を意味しているとしか考えられない」

「さあ、どうかしら」鳥のさえずるような声を聞いて、ふたりは飛び上がった。サリーが部屋の開口部に立っていた。ヒョウ柄のガウンが、ぎらぎら光る目をいっそう猛々しく見せている。

「聞いていたのか？」ニッキーは感情のない声で言った。

「こんなに壁が薄いんだから、聞きたくなくても聞こえるに決まっているじゃない。ぐっすり眠っていると思ったんでしょう？　あいにくだったわね。最初から最後まで全部聞いたわよ。あなたたちの本心がよくわかったわ」

「サリー、あなたのことが心配で、どうにか守ろうとしているのよ」エマは懸命に訴えた。

「余計なお世話よ！」サリーは声をふるわせた。「わたしが人を殺したなどと思うのは、兄さんひとりだわ。でも、わたしの罪を数え上げるのは、まだ終わっていないんじゃない？　わたしはルーシーになにをしたのかしら？　わたしがルーシーを殺す動機はなに？」

「そんなことはひと言も――」

「ジェーンを殺したのは、わたしかテッドのどっちかみたいな言い方をしたじゃない。テッドに我が子が殺せると、本気で思っているの？」

「ちがう、だけど――サリー！」

サリーはくるりと背を向けて自室を目指した。ニッキーがあわてて腕をつかむ。サリーが黄金色の瞳を怒りで燃えたぎらせて振り払うと同時に、その手が素早く動き、ぴしゃりという音が響いた。ニッキーに平手打ちを食らわせるなり、サリーは身をひるがえして姿を消した。

ニッキーはしょんぼりしてルーシーを見た。

「サリーの言うとおりだな。サリーはルーシーを傷つけたり、隠したりしない。テッドもしない。では、ルーシーに害を加える動機があるのは誰か」

「さあ――シャーリーかしら？　今夜、グラント警部がシャーリーの姓を呼ぶのを聞いたでしょう？　トッテンよ」

「シャーリー・トッテン。ショトン」ニッキーの目に生気が戻った。「彼女が人殺しと強請りの両方をやったんだろうか？　あり得るね。化粧をしないでお仕着せの服とエプロンをつけていたら、今夜とはがらりと印象が変わる。外見がちがえば、幼い子には別人と映るかもしれない。見慣れない人が聞き慣れない名で呼びかけられたのなら、とりわけ。そうだろう？　昼間はお手伝いのシャーリー。夜は闇にまぎれ、つば広の帽子と厚化粧で別人になる——シャーリー・トッテン、すなわちショトン。ルーシーとシャーリーのささやかなお遊びだった」

「だったら——グリダーは誰？」

「そこが問題だな。シャーリーはかなりの美人だ。グリダーが彼女の愛人だとすれば、誰であっても、たとえばテッド・ジャーミンであっても不思議はない」

「テッドはサリーを愛しているんじゃなかったの？」

「愛している？」ニッキーは肩をすくめた。「テッドは女好きだ。というか、女に好かれる。どんな女にも。ジェーンは、シャーリーがルーシーの義理の母になるのでは、離婚を承知しなかっただろう。ジェーンが死なない限り、シャーリーがテッドと結婚できるチャンスはない。グリダーが誰なのか、ルーシーは手がかりになるようなことを言ってなかった？」

「聞き出そうとしてはみたのよ。ショトンとグリダーはどんな子か、家はどこなのかと尋ねたけれど、まったく意味のない答えしか——」エマはふと口をつぐんだ。「意味があるのかもしれない。ショトンの家は貯蔵小屋だと教えてくれた、と答えたのよ。ルーシー自身も本気にしていなかったけれど——きっと、なにかしら意味があるのよ。ショトンとグリダーが愛人どうしで、貯蔵小屋で逢引きしているとか。ニッキー！　さっそく行ってみて、誰かいた形跡があるか、たしかめましょうよ！」

「よし」ニッキーは、ドアのそばのテーブルにあった懐中電灯を取った。懐中電灯は必要ないくらいだった。月が高く昇り、草原に青白い光を投げていた。

松葉を鳴らして歩くエマの傍らで、ニッキーは物音ひとつ立てずに進んだ。

「遠くに、低いとんがり屋根が見える。あそこまでずっと草が生い茂っているな」

「掻き分けていきましょう」

だが、ニッキーはエマの腕をつかんで、引き止めた。

「待った。誰かいる」

「誰？」

「羊歯が邪魔で見えないんだ。でも、風がないのに羊歯が揺れている」ニッキーは小道から出て藪に分け入っていった。

エマは厚手のコートの下で身震いして、腕時計を見た。零時五十分。待っているのが、耐えがたくつらかった。ふたりも殺されたというのに、ニッキーは武器も持たずに、危険が待ち受けているかもしれない謎に向かって進んでいる。

草木と体が触れ合う音さえも聞こえてこない。風のない月夜の草原は、しんと静まり返っていた。

エマはもう一度腕時計に目を落とした。ニッキーが行ってから十分経つ。小さな声で呼んでみた。「ニッキー！」返事はない。エマも小道を出て藪に分け入った。

ラズベリーの棘《とげ》が行く手を阻んだ。一歩踏み出すたびに、ぬかるみに足を取られた。ふいに目の前が開け、スレートのとんがり屋根がついた、石造りの小さな小屋が現れた。軒下の平らな岩の上に、月明かりに白く浮かぶものがある。

エマは駆け寄って、ぬかるんだ地面に膝をついた。「ルーシー！」

パジャマとガウンをつけた小さな体から、ベッドで寝ているときと変わらない安らかな寝息が聞こえてくる。だが、ここは寒く湿っている。エマはコートを脱いで小さな体をくるんだ。

ルーシーが重たそうに瞼《まぶた》を開いた。

「ルーシー、誰がこんなところに連れてきたの？」

「誰も。ひとりで来たの。ショトンを見つけるの。さっき、お昼寝から起きたとき、おしゃべりしてくれなかったのよ。だから、なんでって訊くの」

ルーシーはエマの肩にもたれかかって、幼児特有の深い眠りに落ちた。

「エマ！」

エマが顔を上げると、ニッキーが傍らに立っていた。月光のもと、顔は定かには見えず、闇にぼんやりと青白く浮かんだそれらしきものに、ホタル火のような点がふたつついているだけだった。ニッキーが近づいてくる足音は聞こえなかった。いつから、ここにいたのだろう。

「よかった！」ルーシーに目を留めて、ニッキーは叫んだ。「怪我はないか？」

「体が冷えて湿っているけれど、無事よ。すぐに家に連れていかなくちゃ」

「〈ミルボーン荘〉はここからかなり離れている」ニッキーは言った。「コリアー家は次の尾根の頂上だし、道もずっといい」

「できれば、自分の家に連れていってあげたいわ」

ニッキーはため息をついた。「エマ、言いたくなかったけれど、ロリー・コリアーを大急ぎでここに連れてこなければならないんだ」

「どうして?」

「来てごらん」ニッキーはエマを連れて、空き地を横切った。空き地のはずれで羊歯が踏み荒らされ、男がうつ伏せに倒れていた。ぴくりとも動かない。

「テッド・ジャーミンだよ」ニッキーは静かに言った。「脈を打っていない。死んでいるみたいだ」


丘の上のコリアー医師の家は、農家のような造りだった。低い位置に設けられた縦長の窓から漏れる明かりが草深い斜面を照らしていた。石敷きの歩道が母屋と薪小屋との中間にある、北部では〝屋根付き通路《ブリーズウェイ》〟と呼ばれる回廊まで通じていた。ここの回廊は網戸がつけられ、ポーチのようになっている。ニッキーが呼び鈴を鳴らすと回廊に煌々と明かりが灯り、ミセス・コリアーがドアから出てきた。淡い色の金髪も、ギンガムチェックのエプロンで半分隠れた、薄緑のタフタの部屋着もきちんと整って隙がない。濡れた布巾を手にしている。

「まあ……」ルーシーを見ると、ミセス・コリアーは顔をこわばらせ、色を失った。「それで――?」

「ぐっすり眠っているだけです」エマは声を潜めて言った。「でも、体がすっかり冷えていて」

「急いで」ニッキーが切羽詰まった声でささやいた。「ロリーをすぐに連れていかなくちゃならないんです。丘の貯蔵小屋の近くにテッドがいる」

「まあ、どうしましょう、ニッキー――ロリーはここにいないのよ」ミセス・コリアーはおろおろした。「警察と一緒にルーシーを捜しにいったの」

「電話はどこです?」

「ホールよ」

ミセス・コリアーは先に立って染みひとつない真っ白なキッチンを抜け、廊下を通って玄関ホールへ案内した。「ルーシーをここに寝かせたら?」ドアを開けて電気スタンドを灯す。「子どもの患者用の診察室なの」

『不思議の国のアリス』のキャラクターの壁紙が貼ってあった。揺り木馬に人形もいくつかある。エマはルーシーをソファに寝かせた。

「ミルクを温めてココアを作ってくるわ」

ロティ・コリアーは小走りにキッチンへ向かった。

エマは、ルーシーの湿ったガウンの片袖をそっと引っ張った。ルーシーの腕がくたりと落ちる。下のパジャマは乾いていた。

玄関ホールでニッキーが呼びかけている。「交換手! 交換手!」開け放たれた窓の外で、車が砂利を踏んで進んでくると停車した。玄関のドアが開く。

「ロリー!」ニッキーが、ガチャンと受話器を戻した。「いま、あなたに電話しようとしていたんだ。ルーシーは無事だけど、テッド・ジャーミンが丘の貯蔵小屋のそばで倒れているんです」

「テッドが？」コリアーは戸口に立ったまま、眉をひそめた。「自分の家にいて安全だと思っていたのに」

「おそらくひとりでルーシーを捜しにいって、ルーシーを見つける前に何者かに見つかってしまったんでしょう。ルーシーはテッドの死体の近くで眠っていました」

「死体だって？」

「ええ。もう死んでいるか、死にかけている。さあ、早く！」

「外に車が止めてある」

「車の通れる道はありません。歩いていかなくては」

ニッキーとロリーの足音が廊下を遠ざかっていった。ニッキーの声がキッチンから聞こえてきた。「グラント警部に伝えてください。ルーシーは無事だが、テッド・ジャーミンが重傷を負っている。早急に貯蔵小屋で落ち合ってもらいたい」

キッチンのドアが大きな音とともに閉まった。ルーシーが目を開けた。

「大丈夫よ、ルーシー。エマよ。もうすぐ、温かいココアが来るわよ」

ルーシーは目を丸くして、壁紙を見つめた。「ここはどこ？」

「ドクター・コリアーのおうちよ。ルーシー、どうしてひとりで外に行ったの？」

「ショトンを捜していたの。目が覚めたら、ショトンみたいな声がしたの。だけど窓の外を見たら、いなかったの。だから、お外に行ってみた」

「昔の水車小屋へのドアから出たの？　ふだんは使わないドア？」

「うん。ショトンはお昼にあのドアから出ていったの。だからショトンみたいな声がしたとき、あのドアから出て、丘を上って貯蔵小屋へ行ったの。あそこがおうちだって、ショトンが言ったから。でも、いなかった……それ、誰のお人形？」ルーシーは眠たそうに瞬《まばた》きして、オーバーオールを着た男の子の人形を示した。

「ボンゴって呼びましょう」エマは人形をルーシーに渡した。

「ボンゴの目は黒？」

「いいえ、ダークブルーよ。ショトンの目は何色？」

「知らない」ルーシーはボンゴを抱いて、あくびをした。

「ショトンはズボンを穿いている？」

「ううん。きれいなドレス」

エマは、サリーがクリーム色の肩を出してふわりとまとっていた、黄褐色のペルシャ模様のシルクドレスを思った。

「でも、グリダーはズボンよ」ルーシーは言った。「ボンゴと同じ。ズボンとシャツ。両方とも真っ黒だから、グリダーが動かないと見えないの。だから、夜にグリダーがショトンのあとをついていっても、ショトンは気がつかないの」

「ショトンはほんとうに気がついていない？」

「うん。だって、気がついたらショトンは怖がるもの。でも、もう怖がっていない」

「だったら、ショトンとグリダーはお友だちじゃないの？」

「お友だちみたいにしていないよ」

「今夜はどうして、そんなにショトンに会いたかったの、ルーシー？」

「さっき、教えてあげたでしょ。お昼寝から起きたとき、ショトンがおしゃべりしてくれなかったから、どうしてって訊くの」

「きょうのお昼なのね？」ルーシーの言葉がなにを意味するのか、エマは初めて悟った。「きょうお昼寝から起きたら、ショトンがおうちのなかにいたのね？」

「うん。エマが来る前に目が覚めちゃったの」

エマはそのときのことを思い出して、うなずいた。

「ホールで音がしたの。誰かがいたみたい」ルーシーは続けて言った。「だから、ベッドから出てドアのところに行ったの。そしたら、ショトンが来てにっこりしたけど、おしゃべりしてくれなかった。そのままキッチンへ行っちゃった。エッシーを持って」

「お人形の？」エマはびっくりして、思わず大きな声を出した。

「そうよ。エッシーをひとりにしておいたら、どこかに行っちゃったってエマに教えてあげたでしょ。ショトンとお外に行ったの。ショトンをずっと見ていたら、キッチンのもうひとつのドアから出ていったのよ」

「ショトンがエッシーを連れていっても、いやじゃなかったの？」

「ぜんぜん。ショトンは返してくれるもの」

「ショトンに、待ってって言わなかったの？」

「うん。見てただけ。変なんだもん」

「なにが変だったの？」

「昼間におうちにいたから。前は来たことがなかったの。おうちのそばに来たことはあったけど、いつも夜よ。そしたらエマが来たから、ショトンのことは忘れちゃった。カメさんを見つけたかったの」

「でも、今夜ショトンみたいな声がしたときのことは、覚えているのね。ショトンが昼間はどうして急いでいたのか訊きたくて、外へ行ったのね？」

「うん」ルーシーはため息をついた。「にっこりしたけど、なにも言わなかった。変でしょ？」

「いつもは話しかけてくるの？」

「そう、いつも。でもきょうのお昼は、なにも言わなかったの」

「ルーシー、どうしてお昼寝から目が覚めたの？　大きな声がした？　それともドスンと音がしたのかしら？」

「覚えていない。目が覚めたら、ホールに誰かいるみたいだったの。ドアのところへ行ったら、ショトンが向こうから来たのよ」ルーシーの瞼がくっついて、唇がわずかに開いた。すやすやと寝息が漏れてきた。

エマが足音を忍ばせて部屋を出たとたん、湯気の立つココアを載せた盆を持ったロティ・コリアーとぶつかりそうになった。

「遅かったかしら?」ロティ・コリアーは声を潜めて訊いた。

「温かい飲み物より、ぐっすり寝たほうがいまのルーシーにはいいと思いますよ」エマは答えた。

「ごめんなさい。ドアの前に来たら、今夜ショトンに会いたかった理由を、ルーシーが説明しているのが聞こえたの。だいじなことらしかったので、邪魔をしたくなかったのよ。そのあと、突然眠ってしまったのね」

「あの年ごろの子は、そういうものなんです」

「ココアをいかが? シェリーのほうがいいかしら。とても疲れているみたいね、エマ」

「ココアをいただきます。寒いし、眠くて」

「居間に行きましょう」

ふたりは明るく照明されたホールを通って、居間に入った。エマは椅子に深々とかけて、温かいココアをしみじみ味わった。

「ルーシーの話したことは、とても重要なのね?」

「ええ」頭がぼんやりしてきたが、エマは集中しようと努めた。「きょうの午後、テラスであなたのご主人と話をしたあと、三時きっかりに子ども部屋に戻ると、ルーシーはベッドを出ていました。三時まで眠っているはずなんですが、いつもより少し早く目が覚めたみたいです。ミセス・モバリーが殺されたのは、ちょうどそのころですよね? 死亡時刻は、村から戻った時刻と午後四時のあいだということですから。ルーシーは、ミセス・モバリーが階段から落ちた音で目が覚めたのだと思います。もしかしたら、わたしが家のなかに入る直前にミセス・モバリーが悲鳴をあげたのかもしれません。わたしは玄関ホールから離れたところにいたし、メアリーが大きな音でテレビをつけていたから、どのみち聞こえなかったでしょうけれど。ホールのほうから来てルーシーににっこりしたのは、きっと犯人ですよ」

「時間については、間違いないの？」

「ええ。ルーシーの育児日誌に、記入したのを覚えています。《昼寝：十二時四十五分に寝付く　三時　見にいくとすでに起きていた。》」

「殺人犯と幼い子どもが……」ロティはエマと同じくらい、ショックを受けたようだった。

「では、ショトンという名前の人が実際にいるということ？　ルーシーの空想ではなかったの？」

「ええ、絶対にいます。そして、ミセス・モバリーを殺したその人物を犯行に結びつけることのできるのは、ルーシーたったひとり」

《にっこりしたけど、なにも言わなかった……そう、いつも。でもきょうのお昼は、なにも言わなかったの……》

悪夢のように恐ろしい光景が、エマの脳裏に展開した――昼寝から目覚めたばかりの、髪の毛をくしゃくしゃにしたバラ色の頬の幼児が足音を聞きつけて、にこにこしてドアに駆け寄る。月明かりのもとでその影を見たことのある女、毒蛇のように危険で向こう見ずな女が屍《しかばね》をあになる。

とに残し、音もなく廊下を進んでいく。そこへいきなりドアが開いて、女の心臓は止まりそうルーシーの命はただちに秤《はかり》にかけられたにちがいない。

追い詰められた女の頭脳は、素早く回転する。一瞬でも立ち止まる余裕はない、殺さない限りは。だが殺したら、発覚する危険が倍になる。相手は幼児だ。ひとりきりだし、自分を〝ショトン〟としてしか知らない。

誰もが〝ショトン〟をルーシーの想像の産物と信じている。こうしたことが稲妻のように次次と女の心をよぎり、そのあいだも必死に作り笑いをして、無言で足を動かしていたのだろう。もしも、ルーシーが話しかけたり、あとを追ったりしたら……さいわい、そうしなかったから命がある……

でも、人形のエッシーは？　ショトンはなぜ、人形を持っていったのだろう？

「ねえ、ショトンは誰なのかしら」ロティ・コリアーが訊いている。

エマは、はっと我に返った。「ルーシーしか知らないんです。お手伝いかもしれない――シャーリー・トッテン」

「縮めれば、ショトンじゃない！　考えもしなかった。今夜、グラント警部が話しかけるまでは、シャーリーという名前でしか知らなかったもの。そうしたら――グリダーは誰？」

「見当もつきません……ルーシーが昼間の出来事を話したことをショトンに知られたら……でも、知られる心配はありませんよね。ルーシーの話を聞いたのはわたしたちふたりだけだし、それに――大変！」

「どうしたの？」

「ルーシーを見つけたとき、ニッキー・キリアーニも一緒にいました。ルーシーはそのとき、少し話したんです。ニッキーはそれを聞いていた。ルーシーが昼寝から起きたときにショトンを見たことを。それをなんの気なしに誰かに話したら……」

「たとえば、誰に？」

エマは口ごもった。「わたしは今夜ここに来る前に、キリアーニ家にいました。サリーと顔を合わせたのは、ほんの短時間です。サリーはそのあと、貯蔵小屋でテッド・ジャーミンと会っていたのかもしれない」

「ショトンはサリー、グリダーはテッド・ジャーミンということ？」

「テッドは、ジェーンが亡くなる前に時計のゼンマイを巻いた人物に心当たりがあるみたいでした。そして、叔母が殺されてもその人物をかばっている。かばうとしたら、誰かしら？　もちろん、女です。妻を殺す原因となった女。でも、ルーシーが行方不明になると、それ以上かばう気はなくなった。女のところへ行って、ルーシーをどこへやったのかと追及した。女は答えることができなかった。ほんとうにルーシーのいどころを知らなかったから。でも、テッドは信じなかった。そして、もうかばってやらないと告げた。あげくに激しい言い争いになって、殺されたのではないかしら」

「サリーに？　まさか！」

「サリーが癇癪《かんしゃく》を起こしたところを、見たことがあります？　ああ、なんだかすっかりこんがらかってしまって。ニッキーはわたしを小道に残して、羊歯を掻き分けて貯蔵小屋に向かいました。十分後にわたしはあとを追いました。テッドとサリーが争っているところへ、ニッキーが来たとしたら？　なにが起きてもおかしくありません。そして、ルーシーに恐ろしい危険が迫っている。ショトンとグリダーが実在しているなら、ルーシーはミセス・モバリーの殺人犯を指し示すことのできる唯一の証人です。警察がそれに気づいたら……通報していただかなかったほうがよかった」

「まだ、していないのよ」ロティは言って、立ち上がった。「でも、いますぐしなくては。警察はまだルーシーを捜しているでしょうから」彼女は躊躇した。「あなたの言うとおりね。ルーシーに恐ろしい危険が迫っているわ。警察はルーシーの保護を約束するでしょうけれど、警察にとって一番重要なのは犯人の逮捕よ。囮《おとり》を使ってショトンをつかまえようとするかもしれない。そして、囮として使うことのできるのは――ルーシーしかいない」

「やめさせることは、できないかしら」

「できなくはないけれど――かなり思い切った方法よ」

「どんな方法ですか？」

「ルーシーをここから連れ出して、事件が解決するまで隠しておくのよ。安全な隠れ場所を知っているわ。ロリーの患者さんが山に狩猟小屋を持っているの。ロリーが車を置いていってくれて、助かったわ。ハイウェイパトロールに車のナンバーを見られるといけないから、裏道を通って連れていってあげる。ロリーと警察には、あなたに頼まれてふたりとも〈ミルボーン荘〉まで車で送っていった、そのあとのことは知らないと話しておく。ばれたらお互いに大変なことになるけれど、あなたが望むなら協力するわ」

「ルーシーを守るためなら、なんでもします」

「では、早いほうがいいわ。ロリーとニッキーがそろそろ帰ってきて、グラント警部が貯蔵小屋に来なかった理由を訊くでしょうから。とにかく、着替えなくては」

　ロティはエプロンをはずして無造作に横に置き、玄関ホールに駆け込んだ。五分も経たないうちに、リネンのスーツの上にキャメルのコートを羽織って戻った。ホールのクローゼットを開けるその仕草は素早く、ハチドリを思わせた。

「ルーシーにはひざ掛け毛布。オーバーナイトバッグにわたしの旅行用品を詰めたから、使ってちょうだい。バスケットに、子ども用の瓶詰食品と真空ボトル入りミルクが入っているわ。それから、車の鍵、懐中電灯……ルーシーを起こさないようにして、車まで抱いていける？」

「ええ、大丈夫です」

　ロリーの車は、ナナカマドの木の下に止めてあった。ロティにドアを開けてもらってエマは車に乗り込み、ルーシーをそっと膝の上に置いた。ロティは運転席に座ると、ライトをつけずに音もなく森に入っていった。

　ひんやりした夜気のなかを行く逃避行は、どこか現実離れしていた。

　車は未舗装の田舎道を出て、曲がりくねった狭いでこぼこ道を上り始めた。ロティは巧みにハンドルを繰って、急カーブを次々に通過していった。やがて、切り立った崖のそばの松の木に囲まれた空き地に到着した。ロティの持った懐中電灯の光がゆらゆらとログキャビンに映った。

「ポーチの軒下の横木にいつも鍵が置いてあるのよ」ロティはポーチにあった椅子の上に乗って鍵を取り、ドアを開けてマッチを擦った。

黄色い陶器の笠をかぶせたオイルランプが、丸太を組んだ壁や自然石で作った暖炉に柔らかな光を投げかけた。

「キッチンと浴室は左」ロティは言った。「寝室は右よ。気を楽にして。ここなら、ぜったいに安全だから」

エマは寝室に入って、中央にあるダブルベッドにルーシーを寝かせた。ルーシーはもぞもぞと身動きしただけで目は覚まさなかった。窓はなく、家の横のポーチに面したドアがある。長いあいだ使われていなかった部屋は、かび臭いにおいがこもっていた。エマは網戸が施錠されているのをたしかめて、ドアを開けた。

エマは静かに室内を動きまわった。さいわい、網戸越しに月光が差し込んでいて、明かりをつけてルーシーを起こす心配はなかった。ロティが詰めてくれたバッグには、薄いブルーのシルクのネグリジェが入っていた。同じ色のサテンのスリッパ、起毛ウールの薄手のガウンも。いずれもC・Cと刺繍が施されている。なぜ、L・Cではないのだろう? 〝ロティ〟はシャーロットのニックネームなのだ。

ベッドのスプリングがきしむ音を聞いて、エマは振り返った。ルーシーがベッドの上で起き上がり、居間へ続くドアのほうを見ている。そして、にこにこして言った。「ハイ、ショトン」

ロティ・コリアーが戸口に立っていた。薄青の瞳でじっとエマの顔を見て、苦々しげにゆっくり言った。

「わかってしまったわね」

ロティは危機的状況に陥って頭に巻きつけた三つ編みがうっとうしくなったのか、両手を差し込んで押し上げた。ヘアピンがゆるみ、長い髪が波打って腰まで垂れる。きっちりした髪形から解放されると、人格までが一変したように見えた。目の前にいるのは、激しく奔放な感情に一種独特の美しさを与えられた女だった。

「ええ」エマの声は細く、かすれていた。「なにもかも、わかったわ。グリダーの正体も。ご主人よね。ロリーはグレゴリーのニックネームだった。ルーシーは、ご主人があなたを呼ぶのを聞いたのよ。『シャーロット！　わたしだよ、グレゴリーだ！』。ルーシーがそれを言うと、『恐ろしい』が『オロソシー』になるのと同じで、ショトンとグリダーになる。それにあなたがたは、ふだんロティ、ロリーと呼ばれているから、誰もショトンとグリダーに結びつけなかった。あなたがふたりとも殺したのね。そうでしょう？」

「そうよ」ロティは平然と言った。「ミセス・モバリーは殺したくなかったけれど」他人事のような口調だ。「仕方なかったのよ。あの日は徒歩で村に行ったの。そして、帰るときにミセス・モバリーが熱心に誘うので、〈ミルボーン荘〉まで乗せてもらったのよ。そうしたら、寄っていきなさいと勧められた。ルーシーに顔を見られたら、わたしがショトンであることがばれてしまうけれど、ちょうど昼寝の時間だから大丈夫だと思ったわ。二階へ行ったとき、ミセス・モバリーが階段のてっぺんで言ったのよ。『時計が遅れているわ。ゼンマイを巻かないといけないみたい』。そこで、『わたしが巻いて差し上げるわ』と言って巻き始めた。そのときよ。ミセス・モバリーが目を見張っているのに気づいて、思い出したの。シャーリーが、時計のことでテッドとミセス・モバリーを脅したという話を。シャーリーに脅されると、テッドはすぐにわたしのところへ来て、ジェーンを殺したと言って責めたわ。わたしがゼンマイを巻くことができるのを、知っていたから。去年の冬にあの家でこっそり会っているとき、テッドはわたしの前で何度か巻いてみせたの。テッドが会いにきていたのはサリーではなく、わたしだった。ジェーンを殺したことは認めたけれど、警察に知らせたらどうなるかを、テッドに警告したわ。ジェーンが離婚を拒んだから共謀して殺した、と申し立てるって。テッドと不倫をしていたことを証明するのは簡単だから、警察は信じる。テッドもそれは承知していた。でも、うっかりしてミセス・モバリーに悟られてしまった。彼女はテッドよりずっと気が強いから、甥がスキャンダルやもっと悪い事態に巻き込まれることなどおかまいなしに、殺人犯の正体を暴露する。それはミセス・モバリーの目を見れば、『あなただったのね！　この時計の巻き方を知っている、もうひとりとは。ロティ、ジェーンが死んだ夜はどこにいたの』と叫んだときの目を見れば、明らかだった。わたしは怖くなった。なにも考えることができなかった。二階のホールの窓のところに置いてある、木でできたものが目に入った。重そうだった。夢中でそれをつかんで、ミセス・モバリーの頭に振り下ろしたわ。そうしたら悲鳴をあげて、階段を真っ逆さまに落ちていった。ジェーンが死んだときみたいに。それから、誰かに会うかもしれないと思ってびくびくしながら、無我夢中で階段を下りた。ジェーンが死んだ夜、テッドを待っているあいだに腕時計のゼンマイを壊したりしなければ、こんなことにはならなかったのに」

「テッドを待っていた?」エマは言った。

「そうよ。あの夜、テッドはジェーンではなく、わたしと会う約束をしていたの。テッドはわたしたちふたりの身を守るために、警察に出まかせを言ったのよ。テッドもわたしも、ジェーンが来るなんて夢にも思っていなかった。テッドを待っているあいだに腕時計のゼンマイを巻いていたら、強く巻きすぎて切ってしまったの。そこで、ホールの時計のゼンマイを巻いたのよ。二階の一室にいると、外で車の止まる音がした。テッドが来たものと思ったわ。急いで髪を梳《と》かして、二階のホールへ駆けていった。そうしたら、階段の上でジェーンとばったり出くわしたの。ジェーンは二階の物音を聞きつけて、テッドとわたしが一緒にいると思い、階段を駆け上がってきたのよ。ジェーンはテッドと別れたくなかった。離婚をこじらせると脅せば、わたしがあきらめると思ったのね。だから、逢引きの現場を押さえようとした。ジェーンは、テッドのスキー旅行をずっと怪しんでいたわ。言い争ううちにつかみ合いになって、ジェーンをひっぱたいた。あのときは木の人形を持っていなかったけれど、ジェーンは足を踏みはずして……」

「お人形？」ルーシーが聞き慣れた言葉に反応した。「木のお人形？　エッシーのこと？　エッシーはどこ？　エッシーは？」

「川に捨てたわ」

「やめてください」エマは懇願した。「ルーシーのことを考えてあげて」

「あら、もちろん考えているわ」薄青の目に奇妙な光が宿った。「ルーシーがいなければ、あなたは抵抗することも、逃げることもできる。ルーシーがいれば、どちらもできない」ロティは一歩詰め寄った。「ここにいるのは、わたしたちだけ――」

ルーシーのほがらかな声が、ロティの足を止めた。「あたしたちだけじゃないよ、ショトン。知らないでしょ、ショトン」

ロティはすさまじい目つきでルーシーを睨みつけた。エマは思わずルーシーのそばに寄った。だが、ルーシーは屈託がなかった。「内緒にしてたの」えくぼがふいにできた。「グリダーはね、ときどき夜にあとをつけるの。いま、お外にいる」

「そのとおり」いきなり男の声が響きわたり、室内の三人は飛び上がった。網戸の向こうに、グレゴリー・コリアーが立っていた。「なかに入れてくれ、シャーロット」

「来ないで！」ロティが金切り声でわめいた。

「開けてくれ、ミス・クレア。ニッキーも一緒だ。ニッキーは銃を持っている」

エマはゆっくり網戸の前に行き、鍵を開けた。コリアー医師は素早く殺人犯とルーシーとのあいだに立ちはだかった。ニッキーは手にした銃をロティに向け、もう片方の手でエマの肩をしっかりつかんだ。

「どうして、ここにいることがわかったの？」エマの声はふるえていた。

「テッドは、ニッキーと一緒にわたしの家に連れていった」コリアー医師は語った。「貯蔵小屋で警察を待たずにね。そうしたら、きみたちの姿も車もない。妻がきみたちを殺そうとして車で連れ去ったのだと、すぐにピンと来た。きっと、疑いを避けるために警察が来る前に戻るつもりだ。だったら遠くには行かない。そう考えた結果、家からあまり遠くない、夏のあいだは捨て置かれているこの小屋に思い当たった。妻の心がどう動くか、よく知っているのでね」

「知っているもんですか」ロティはせせら笑った。「あなたはなにも知らない」

「きみが想像するよりも、はるかにたくさんのことを知っているんだよ」コリアー医師は静かに言った。「テッド・ジャーミンとの関係も。だが、扶養料を払う義務のない離婚をするためには、証拠が必要だった。この夏、テッドに会いにいくきみのあとを二度つけた。最初のときは、きみかどうかはっきりしなかった。そのときだ、わたしがきみを呼んだのは。きみがルーシーの話しているショトンであることはわかっていたが、ジェーンやミセス・モバリーを殺したとはこれっぽっちも疑っていなかった。テッドが今夜話すまでは、時計のことを知らなかったからね。きみはテッドを殺そうとしたが、さいわい一命を取り留めたよ。きみが昔から逢引きに使っている貯蔵小屋で会う約束をしたことを、話してくれた。ルーシーを返さなければ、警察に洗いざらい話すと脅されたんだろう？　そこで、きみは闇にまぎれてテッドを転ばせ、石で頭を殴った。だが、その最中にニッキーとミス・クレアがやってきた」

「ばかげているわ、そんな話」ロティは言った。「わたしは家にいて――」

「部屋着を着ていたわね」エマは思い出した。「エプロンをつけて。スーツの上に重ねていたんでしょう。だから、あんなに早く着替えることができたのね！」エマはルーシーを抱き寄せた。「ニッキー、家に連れて帰って、お願い……」

数時間後、ルーシーは自分の小さなベッドでぬくぬくしていた。その傍らに立つエマの横には、ニッキーがいた。ルーシーは、エマの指の新しい指輪に夢中になった。「この指輪、どうしたの？」

「ニッキーが持ってきてくれたのよ」

「どうして？」

「わたしたち、結婚するから」

「だったら、なんでここに来たときにすぐ、エマにあげなかったの？」

ニッキーは吹き出した。「エマが欲しいかどうか、わからなかったんだ。しばらくぼくたちと一緒に住むかい、ルーシー？　ぼくたちが結婚したあとで。きみが来てくれると、うれしいな」

「うん、行く」ルーシーはため息をついて、枕に頭を載せた。「ニッキーもエマも大好き。グリダーも好き。ドクターがグリダーだったのね。暗いと、とってもちがって見えたの。帽子でお顔が見えなかった。でも、ショトンは当たっていたでしょ。やっぱり悪い子でしょ？」

（直良和美訳）

姿を消した少年

Q・パトリック

Little Boy Lost　一九四七年

Q・パトリック Q. Patrick。複数の作家による合作ペンネーム。一九三一年にデビュー。はじめはリチャード・ウィルスン・ウェッブを中心に彼単独か女性作家とのコンビでの執筆であった。三六年の『迷走パズル』からウェッブとヒュー・キャリンガム・ウィーラーの合作となり、パトリック・クェンティン名義でも作品を発表。そして五二年にウェッブが健康上の理由で断筆して以降は、ウィーラー単独での活動となった。代表作は『俳優パズル』『女郎蜘蛛』『二人の妻をもつ男』など。ウェッブ&ウィーラー時代の別名義にジョナサン・スタッグがある。本編の初出は雑誌〈エラリイ・クイーンズ・ミステリ・マガジン〉*Ellery Queen's Mystery Magazine* 一九四七年十月号。のちに短編集『金庫と老婆』に収録され、この本がアメリカ探偵作家クラブ（ＭＷＡ）特別賞を受賞、〈クイーンの定員〉にも選ばれた。

父が死んだ日は、ブランソン・フォスターにとって特に記念すべき日だった。母の寝室の隣の小さな化粧室で寝ることを許されたからだ。四階の屋根裏部屋でしっかりと目を開け、敵意をむき出しにした暗闇に怯え、自分を愛し甘やかしてくれる母親と離れ離れにさせる大人の理不尽を憎んだ夜は、こうして終わった。彼を追放した父親、マウスウォッシュと朝食の卵料理のにおいをさせる黒いひげを生やした、恐るべき存在はいなくなった。

父の死によって、ブランソンは快適さを手に入れただけでなく、八歳の誕生日からずっとつきまとってきた恐怖から解放されていた。彼を男子寄宿学校へ行かせるという問題は立ち消えになった。ブラニーの母親は涙ながらにそのことを約束した。母はおやすみのキスをして、キルティングをほどこした高級羽毛布団の贅沢な温かさで彼を包んだ。

「今ではあなたが一家を支える男の子なのよ。ここにいて、気の毒なお母さんがこの女学校を運営するのに手を貸してくれなくては」

呆然とし、途方に暮れたコンスタンス・フォスターは、自らの情熱的な愛がもうすぐ九歳になる息子の害になるかもしれないとは、もちろん夢にも思わなかった。一九一五年の、小さなイギリスの保養地では、まだ母親固着という言葉は知られていなかった。それにリトルトン＝

オン＝シーのオークローン女学校では、ジークムント・フロイトは名前すら聞こえていなかった。夫の死によって、母親と息子が同じ悲嘆を分かち合い、今まで以上に親密になることは、コンスタンスには当然のことと思われたのである。

教区司祭のぜいぜいいう声が、ひげの男を永遠の眠りにつかせ、葬儀が終わると、ブラニーのベッドは永久に母の隣の小さな部屋へと移された。ミセス・フォスターは、戦時中は屋根裏部屋は危険だと主張した。それ以来、ブラニーにとってベッドへ行くのは恐怖ではなく楽しみとなった。彼は好きなだけ本が読めたし、母が二階へ来ると、少し開けたドアから静かに動き回る音が聞こえてきて、母のそばにいるという温かな確信と安心感に包まれるのだった。そして、母がたびたび具合が悪いと訴えるとき――ミセス・フォスターは自分を病弱だと思い込んでいた――心配でいたたまれなくなると、彼は爪先立ちで母の部屋に入り、か弱くいとおしい存在がベッドの中で実際に生きて呼吸をしているのを確かめてほっとするのだった。

この新生活は、ほぼ毎日が多かれ少なかれ楽しいものだった。上級生たちは、父を亡くした校長のひとり息子を甘やかした。下級生は彼を尊敬の目で見るファンとなり、彼は女性の中でただひとりの男性として闊歩《かっぽ》することができた。そして、大事な存在であることの象徴として、彼は家政婦や女生徒、さらには若い女教師にさえ禁じられている表階段を使うことが許されていた。

黄金の一日がクライマックスを迎えるのは夜だった。学校の食堂で質素な夕食をとる代わりに、彼はかつての父の書斎で、母とふたりきりで軽いお茶を楽しんだ。戦時中の粗末な食事には、しばしばゆで卵やイワシの缶詰といったごちそうが加わった。

母親は彼がそれをむさぼるのを見ながら、半ば嬉しそうな、半ば後ろめたそうな笑みを浮かべてつぶやいた。「戦時中にいけないことだとわかっているけれど、育ち盛りの男の子には本当に必要ですものね」

オークローン女学校の財政にとって幸いなことに、彼女は学校で預かっている四十人から五十人の育ち盛りの女の子に対しては、そのような感傷を抱いていなかった。

夏学期の半ばは、母と息子にとってのんびりと過ぎて行った。ミセス・フォスターはいつにも増して美しく、未亡人の黒い喪服は、柔らかな茶色の瞳に哀愁を添え、この世のものとは思えない完璧な白い肌を際立たせた。彼女は注意深く、世間の前では気品ある悲しみを見せていた。だが内心では、息子と同じく、ここ数年なかったほどの幸せを感じていた。ひげと同じくらいむさくるしい夫の手が、彼女の生来の気ままさを抑えつけることはもはやなかった。彼女はブラニーを甘やかすのと同じくらい、ブラニーに甘やかされていた。息子といると、子供っぽい陽気さともいえる気分に浸《ひた》ることができた。それに、想像力のない夫には通用しなかった、体の弱さに存分に甘えることができた。校長としての自分の責任に嫌気がさすと、彼女は軽い頭痛だといって薄暗い部屋にこもり、ブラニーがオーデコロンを手に心配そうにうろうろするのを楽しんだ。

オークローン女学校のただひとりの校長であるミセス・フォスターは、会計にはずさんで、使用人や商人のいいなりとなって、組織の規律は失われていった。

だが、平穏なこの期間にも、ブラニーの知らないところで破滅の種はまかれていた。故ジョージ・フォスターは、妻の金でオークローン女学校を買い、彼女を共同校長にしていた。だが、経営権の三分の二は彼自身のもので、コンスタンスをよく知る彼は現在のような状況になることを見越していた。彼は自分の努力で築き上げた学校を愛しており、それを存続させるために遺言状で手を打っておいたのである。

こうして、おばたちが侵入してきた。その始まりは、のちに第二次世界大戦中に使われた言葉を借りれば〝浸透作戦〟と呼べるものだった。

最初に訪れたのはネリーおばさんだった。彼女の来訪には、特に不吉なものは感じられなかった。彼女が来たのは夏学期の終わり間近で、近くの町であるブリストルの眼科医にかかったためにサングラスをかけていた。ブラニーがそれまでネリーおばさんに会ったのは一度だけで、芝生の上で苺とクリームを食べ、おばさんがインドに帰るときには〝銀ペニー〟をもらったという楽しい思い出になっていた。遠い昔、ペニンシュラ・アンド・オリエンタル社の客船で彼女を追いかけていた好色な乗客は、彼女のことを〝とんでもなくきれいな人〟と呼び、外見的にはそれが当を得なくなって久しくなってからも、そのあだ名は彼女について回っていた。

ネリーおばさんは、ある日の昼食前に客間にいた。ブラニーの母親がいった。「入って、きれいなおばさんにあいさつなさい」

ブラニーは真剣な顔でネリーおばさんを見た。おばさんはくすくす笑いながらいった。「こんな眼鏡をかけてちゃ、きれいだとはいえないわ、コンスタンス。ほら、外しましょう」

ブラニーにはまだぴんと来なかった。ふわふわしたピンクの髪に、ごてごてした宝石、充血した明るい色の目に血色のいい顔。大きな目と象牙色の頬をした、小柄で黒髪の女性を愛している彼が、感銘を受けないのも当然だった。おばさんが眼鏡を外したとき、彼は大真面目にいった。「それでも、あんまりきれいじゃないよね？」

ネリーおばさんはまた笑っていった。「それは、本物の紳士《パッカ・サーヒブ》らしい、礼儀にかなった言葉かしら？」

そして、女であるおばは、決して彼を許さなかった。

今回は銀ペニーはなかった——しかも、彼女は帰らなかった。

ネリーおばさんは、今では仕事も住むところもなかった。戦争を理由にインドを離れ、気難しい大佐の夫を、カレーと愛人とともに残してきたのだ。だが、インドを捨てたからといって、インドの言葉を捨てたわけではなかった。オークローン女学校をめぐるすべてのものが、本物《パッカ》か本物《パッカ》でないかに分けられた。昼食はティフィンと呼ばれるようになった。ミセス・フォスターは奥様《メムサーヒブ》となり、使用人たちはネリーおばさんにアーヤと呼ばれ、いまいましいヒンドゥスターニー語で気まぐれな命令を下されて怒り心頭だった。さらに、念入りな身づくろいの必要から、彼女は浴室でとんでもなく長い時間を過ごすのだった。

だが、最初のうちは、ネリーおばさんの来訪はブラニーにとって冗談のようなものだった。母とのお茶の時間を邪魔する長々としたおしゃべりは退屈だったが、それを補う楽しみもあった。たとえば、おばの寝室を探検し、そこで見つけたものを報告して年下の生徒が目を丸くするのを見る楽しみを見つけた。一度、ネリーおばさんが浴室にこもっているので安全と見た彼は、おばの化粧品を塗りたくり、サテンの化粧着《ペニョワール》をまとい、ピンクがかったつけ前髪を頭に載せて二年生の教室へと駆け込んで、小さな女の子の一団のヒステリックな笑いを誘った。

だが彼は、このつかの間《ま》の称賛のつけを払わなくてはならなかった。ネリーおばさんは浴室のドアの陰で、こっそり二階へ上がってくる彼を待ち伏せしていたのだ。彼女は怒り狂ったハゲワシさながらに飛び出し、ブラニーをつかまえた。自分の持ちものを取り返すと、歯がかちかちいうまでブラニーを揺さぶり、化粧した顔を数回平手打ちしたあと、彼の頭を浴室の壁に乱暴にぶつけた。ミセス・フォスターは愛する息子の悲鳴を耳にして、いたずらにうろうろしながら「頭は駄目よ《パ・サ・テート》、ネリー。頭は駄目よ《パ・サ・テート》」と叫んだ。

ブラニーへの罰はこれで終わらなかった。まる一週間、ネリーおばさんは頑として彼と同じテーブルで食事をするのを拒んだので、彼は七日間というもの、母とのお茶をあきらめて、学校の食堂の〝子供用〟テーブルで、ジャムすらついていない厚切りパンを食べなくてはならなかった。

だが、こうした苦難も、ブラニーはさほど気にしなかった。長く滞在しているが、ネリーおばさんはあくまで客であり、いつかは帰って行くに違いないからだ。もうすぐ母とまたふたりきりになり、人生はふたたび色鮮やかに花開くだろう。

彼はネリーおばさんに丁寧な謝罪の手紙を書き、冷たく受け入れられた。やがてお茶が再開した。

復権して二日目の夜、ブラニーはネリーおばさんはもはや客ではないのではないかと疑いはじめた。ティーカップを前に、母とおばは生まれ故郷のパリへ電報で呼び戻されたフランス語の女教師の話をしていた。

「そろそろだわね、コンスタンス」ネリーおばさんがいった。「戦時下での役割を果たすときが来たわ。そうじゃない？《ネ・セ・パ》」

果たして、翌朝のフランス語の時間になると、ネリーおばさんが教壇に立っていた。ネリーおばさんは、大げさすぎるアクセントでフランス語を話すよう生徒に要求し、誰にも通じない馬鹿げたフランス語の歌を歌って笑い者になっていた。

その日から、ネリーおばさんはヒンドゥスターニー語をやめ、話にいちいちフランス語の単語やフレーズを織り交ぜ、いかにもフランス人らしいジェスチャーを見せるようになった。だが、インド生まれのイギリス人だろうとフランス生まれのイギリス人だろうと、彼女は永遠にここにいるように見えた。

夏学期が終わる頃、ブラニーはこの恐ろしい可能性を否定してほしいと事あるごとに母に頼んだが、母はブラニーには何の意味もない学校の経営権の話を引き合いに出して、取り合わなかった。

本当の打撃が訪れたのは、夏休みの最中のことだった。数日間、母は忙しく手紙のやり取りをしていた。ドイツのツェッペリン飛行船団によるロンドンの空襲が始まり、親たちは子供を東部から、より安全な西部の学校へと急いで転校させていたのだ。そこで、新しい入学案内を印刷しなくてはならなかった。

母のそばで、手紙を書き終えるのを待っていたブラニーは、何気なくその案内を手に取った。その目が表紙に釘づけになった。「オークローン女学校」という表題の下で、かつては見慣れた「校長　ジョージ・H・フォスター夫妻」という名が記されていた場所には、こう書かれていた。

校長　ミセス・ジョージ・H・フォスター
　　　ミセス・ジョン・ディレーニー
　　　ミス・ヒルダ・フォスター

ミセス・ジョン・ディレーニーとはネリーおばさんのことだ。状況が違えば、それだけで十分恐ろしいことだったろう。だがミス・ヒルダ・フォスターとは、ヒルダおばさんのことだ。驚くべき、ほとんど謎めいたヒルダおばさんといえば、思い出すだけでパニックに襲われる存在だった。

そのおばが、ここオークローンでネリーおばさんや母と一緒に校長を務めるのだ。それは考えたくもないことだった。

「でも、お母さん」彼は泣き声でいった。「ここへ来させちゃ駄目だよ。ここはお母さんの学校でしょう。お母さんとお父さんの」

ミセス・フォスターは、少し切なげに彼にキスをし、これは父の望みであり、遺言なのだといった。

「今にわかるわ、ブラニー」母は最後にいった。「おばさんたちがいれば、一緒にいられる時間が増えるでしょう。郊外を散歩したり、ピクニックしたりする時間が」

だがブラニーは、みぞおちに石を詰められたような寂しさを覚えていた。彼は洗面所に閉じこもり、激しく吐くまで泣いた。

ヒルダおばさんは九月に入ってすぐにやってきた。冬学期が始まる約二週間前だ。彼女はブラニーの記憶よりもさらに恐ろしかった。

気難しい貴婦人の話し相手で身を立てていた彼女は、雇い主の死と、それによってささやかな年金を手に入れるのを待って、オークローンへ押しかけてきた。そしてすぐさま、自ら圧政に耐えてきた女性ほど、絶対的な女暴君はいないことを見せつけた。

外見は、ネリーおばさんとは正反対だった。ヒルダおばさんは、実際にも比喩的にも自分を飾ることはなかった。背が低くてがっしりした女性で、白髪交じりの髪を頑固に後ろに撫でつけていた。その態度はスチームショベルと同じくらい断固としていた。その声も同様で、彼女はのしのしと歩き回りながら、学校運営の非効率さにがみがみ文句をいった。学校の経理や商人からの請求に文句をいった。家庭内のだらしなさに文句をいい、ブラニーと仲のよかった厨房の使用人――特に、禁じられている時間に食べ物をくすねてきてくれる使用人――の幾人かは、涙ながらにお払い箱になった。ヒルダおばさんは、ミセス・フォスターについても失望したように文句をいい、義理の妹の弱々しい抗議もすべて「馬鹿馬鹿しい、コンスタンス」の一言で退けた。

学校内の重要な事柄を非効率の一言で片づけてしまうと、ヒルダおばさんはブラニーに目をつけた。彼女にいわせれば、ブラニーは驚くほど甘やかされた子供だった。真っ先に、彼女はブラニーを、恐怖がはびこる屋根裏の寝室にふたたび追いやった。力もなければ、義理の姉に逆らうだけの語彙《ごい》もないミセス・フォスターは、せめて常夜灯を与えて息子への打撃をやわらげようとした。だがヒルダおばさんはぴしゃりといった。「馬鹿馬鹿しい、コンスタンス。子供を甘やかすのはおやめなさい。それに、戦時中に獣脂を無駄遣いするのは愛国心に反する行為よ」

ブラニーのためにたくさんのものを無駄遣いするのは、明らかに愛国心に反する行為らしかった。お茶はただちに中止され、彼の食事は厳しく見直された。大好きな肉はほとんど禁じられた。バターやジャムを塗った、焼きたての温かいコテージパン（大小ふたつの生地を重ねて焼いた白パン）の代わりに、前日のパンを厚切りにしてヒルダおばさんが手ずから薄くマーガリンを塗ったもので満足しなくてはならなくなった。そして朝食は、休暇中でも熱い牛乳に浮かんだ、だまの多い粥《ポリッジ》を食べるという苦行を課せられた。かたや、揃って大食家であるおばたちは、ハムやソーセージ、ポーチドエッグ、ベーコンなどを好きなだけ食べていた。

ある朝、コンスタンスが自分の皿からこっそりブラニーの皿にソーセージを入れるのを見て憤慨したヒルダおばさんは、恐ろしい言葉を口にした。

「コンスタンス、あなたは救いようがないほど子供に甘いのね。打つ手はひとつしかないわ。この子を男子の寄宿学校へ入れるのよ。この年頃の男の子に必要な規律を学ばせなければ。あなたがこの子を軟弱にしているのよ」

そこから激しい口論となったが、最後にはコンスタンスが泣き出し、耐えきれなくなったブラニーはおばに向かってこういった。「二匹の太った豚め」

奇妙なことに、この袋小路に至って、多少なりとも全員が納得する解決策を見出したのはネリーおばさんだった。彼女は、朝食のちょっとしたいさかいの数時間後、コンスタンスが病弱な体でブラニーとこもっている寝室を訪ね、説得するように優しく話しかけた。もちろん、誰もブランソンを手放したいとは思わないわ。でも、女学校に男の子がひとりだけというのは、彼にとってよくないことだと認めなければ。わたしはインドのマイスールにいる友人と手紙のやり取りをしているの。学校のために、イギリスとインドのちょっとしたつながりを作り上げたと自負しているわ。戦時中で、インドは遠く離れているので、親の中には子供たちを離れ離れにしたくない人たちもいるの。弟も一緒なら入学させたいという女の子を呼び寄せられるはずよ。学校に男子を入れればブラニーの問題が解決するだけでなく、わたしたちにも相応の金銭的な利益をもたらすでしょう。

この最後の意見が、ヒルダおばさんの了承を勝ち取り、冬学期が始まってまだ日が浅いうちに、今では仰々しく男子寄宿舎と呼ばれているブラニーの屋根裏部屋に、先発隊となる男子がやってきた。

こんなふうに母と引き離されているのは、ブラニーにとって寄宿学校へ行っているようなものだった。ふたりは罪深い恋人たちのように策をめぐらして会わねばならなかった。ブラニーにはどうすることもできない以上、計画を立てるのはミセス・フォスターだった。彼女は若い女教師のひとりに、あなたはあまり体が〝強く〟ないので、低学年の子たちの午後の散歩の引率をわたしに代わるようにと説得した。また、寂しい男子寄宿生がかかりそうな病気をあれこれ考え出し、寄宿舎に忍び込んで〝消灯〟の前にブラニーの手をこっそり握れるようにした。

だが、ブラニーにとってはどれも、ほんのわずかな慰めにしかならなかった。人生は、ひげ男が幅をきかせていた頃よりもさらに味気ないものになっていた。そして、少年らしい頑固で単純な頭で、この新体制の原因を考えたブラニーは、一切の責任をヒルダおばさんに負わせたのである。

それ以来、彼はヒルダおばさんを憎んだ。その憎しみは、ほかに分かち合う者がいないために、ますます苦々しく思われた。

オークローンに男子を入学させることは、彼にとって有利にはならなかったが、それでも彼に大きな影響を与える盟友をもたらした。それはブラニーと同い年の男子寄宿生で、マーマデユーク・カターモールという名前に悩まされている少年だった。父親はインドのどこかにある、何とか会社の副何とかで、息子は悪徳と世間ずれを体現したような子供だった。ヒルダおばさんは、のちに彼を堕落した不良と呼んだが、そこにはある種の本質的な真理のようなものがあった。

この天使のような外見の子供と初めて会ったとき、ブラニーは少々威圧された。実際、誰もがマーマレードに威圧されていた。マーマレードという呼び名は本人の希望だった。ヒルダおばさんは、えもいわれぬほど美しい彼の肌を見て、父親の名前についている肩書きを考慮し、彼にもう一枚毛布を与え、昼食に牛乳をつけるよう命じた。

ヒルダおばさんはその牛乳を、特にお気に入りのしるしと考えていたが、それが思いがけない結果を生み出した。マーマレードは牛乳が大嫌いで、それを否応なしに飲まされることが明らかになると、牛乳そのものへの憎しみは惨めさの扇動者であるヒルダおばさんへと向けられた。あっという間に、彼の憎しみはブラニーの憎しみさえも追い抜いていた。

確かに、マーマレードはヒルダおばさんに執念を抱いていた。息をするごとに彼女への悪意が醸《かも》され、鉛筆画と滑稽詩に長《た》けていた彼は、詩やスケッチでブラニーを大いに笑わせた。うわべは愛想よくふるまいながらも、裏では天使から怪物に変わっていた。彼はヒルダおばさんのあだ名を数えきれないほど考案したが、活字にできる数少ないものでも〝ゴキブリ〟や〝鬼ばばあ〟、〝雌ゴリラ〟といったひどいものだった。

他人の憎しみをかき立てるのに、憎しみに勝るものはない。ブラニーとマーマレードは狂乱の域に達するまで互いの憎しみをあおり、最大の敵に対して同じ年頃の少年と新たな同盟を組んだおかげで、ブラニーは母親恋しさを少しばかり忘れることができた。

徐々に、それとわからぬ間に、マーマレードは臆病なブラニーをそそのかして行動に駆り立てていた。手始めに、彼らはびくびくしながら忍び足でヒルダおばさんの寝室を探検した。結果的には、そこはネリーおばさんの部屋ほど異国情緒にあふれてはいなかった。質素な黒いドレスが何着かあり、クジラの骨のカラーはすぐにマーマレードが外してしまった。宝冠が描かれた貴族のハンカチで作った小袋は、間違いなく晩年ご機嫌を取った身分の高い婦人からの贈りものだろう。なまめかしい黒いブルマーを見て、少年たちはくすくす笑った。それから恐ろしげなコルセットがいくつか。

多少なりとも女性らしい気品をそなえた持ちものといえば、ひと瓶のオーデコロンだった。マーマレードにならって、ブラニーはその中に長く糸を引く唾を垂らした。

何より興味を惹かれたものは、小さな引き出しにしまわれていた鍵だった。懸命な捜索ののち、それはヒルダおばさんのベッドの上の棚に置かれた、小さな薬箱を開けるものとわかった。その中身もがっかりするものだった。常備薬のほかには、世慣れたマーマレードにも使用目的がわからなかった浣腸器と、ブランデーというラベルがついた小瓶があるだけだった。

マーマレードは嬉しそうにそれを指さした。「見ろよ。あのゴキブリはひと晩じゅうブランデーをがぶ飲みするんだ。きっと間欠泉みたいに酔っぱらうんだろう」

その主張は魅力的だったが、あいにく事実とは違っていた。ヒルダおばさんほど酒に縁のない人間はいなかったし、少量のブランデーを置いておくのは、彼女のような頑丈な体を持たない人たちが具合を悪くしたときの応急処置のためだった。

マーマレードは、その小瓶とほとんど同じ大きさと形をした瓶を、興奮して指さした。それには〝ヨードチンキ――劇薬〟とあり、赤い頭蓋骨と交差した骨が描かれていた。

「おい、こいつをブランデーに入れておこうぜ」彼は大胆にもいった。「あのばばあが、今度それをぐいっと飲んだら――」

「駄目だよ。刑務所行きか絞首刑だ」ブラニーは恐れおののいたようにいった。法と正義の力に、彼は健全な恐怖心を抱いていた。

マーマレードは鼻で笑った。「ぼんくら警察が何だっていうんだ？　インドなら、あのゴキブリを殺すのはわけないんだぞ。パパの使用人が、奥さんを崖から川に突き落として、ワニに食べさせたんだ。捕まって殺されたワニの腹からブレスレットが見つかるまで、誰にもばれなかった。使用人には何のおとがめもなしさ」マーマレードは聖人のような顔をくしゃくしゃにして、サルのように笑った。「鬼ばばあを食わされるワニは気の毒だけどね」

だが、オークローン女学校には崖もなければワニもいなかったので、この身の毛もよだつような思い出話からは何の収穫も得られなかった。最後にもう一度、オーデコロンに唾を垂らしたあと、ふたりの少年は安全な場所へ引き揚げた。

どうやら何も怪しまれることはなかったらしく、共謀者たちはヒルダおばさんがハンカチを取り出し、オーデコロンの香りが漂ってくるのを嗅《か》ぐたびに、有頂天になって笑みを交わした。

過去の勝利への満足は長続きせず、マーマレードの想像力に富んだ頭は、まもなく新しい攻撃計画を考えついた。科学の実験と称して、彼は掃除や洗いものをするメイドの中でも一番従順なルビーとひそかに契約を結んだ。厨房のネズミ捕りにかかったネズミ一匹につき、半ペニーを渡すという契約だ。たちまち大家族となったネズミを、ふたりはビスケットの缶に入れ、夕食の残り物を与えた。

ついに時は来た。ヒルダおばさんが唯一気ままに過ごすのは、お茶のあとの一時間の〝昼寝〟だった。それは不変の法則で、完全に当てにできた。計画は十分に練られていた。ブラニーが表階段の下で見張りをしている間、マーマレードがビスケット缶を持って裏からこっそり上がり、ヒルダおばさんのベッドにネズミを仕込むのだ。

ブラニーは息を詰めて持ち場で待った。母とおばたちが飲んでいるお茶のカップの音がする。すべてがスムーズに運んだ。ふたたび姿を見せたマーマレードの顔は、期待に輝いていた。

「ちゃんとシーツの間に入れたぞ。四匹全部。あのばばあ――」

「しーっ」ブラニーが小声でいった。ちょうどそのとき、書斎のドアが開いてヒルダおばさんが出てきたからだ。ふたりは物陰に隠れた。相手からは見えないが、ふたりの目には大きくて黒い背中が、金属棒で押さえた階段の敷物の上を重々しく上って行くのが見えた。

ふたりは暗闇の中で、息をするのも我慢して待った。

ついにその時が来た――かすかな叫び声は、おそらくヒルダおばさんがしたことの中で最も女性らしい行いだっただろう。続いてドアが開く音がし、灰色のウールの化粧着を着た彼女が階段のてっぺんに現れた。

続いて、その巨体をものともせず、ヒルダおばさんは若い雌鹿のように表階段を駆け下りてきた。誰にともなく叫んでいる。

「猫を、早く！　ベッドにネズミがいるわ！」

猫が速やかに連れてこられ、ヒルダおばさんの部屋に閉じ込められた。噂ではベッドの下に半分食べられた一匹の死骸が残っていたそうだ。

ふたりの少年はあたりをうろうろしたが、ほかのネズミがどうなったか、ついに知ることはできなかった。ヒルダおばさんの巨体に押しつぶされたか、それを逃れてさらに彼女を悩ませたかは、永遠に謎だった。

だが、ベッドにネズミがいた理由については、抜け目のないヒルダおばさんにはそう長いこと謎のままではなかった。メイドのルビーへの厳しい尋問によって真相が明るみに出ると、ブラニーとマーミーは罪の報いを受けることとなった。

ふたりはその日の残りを部屋から出ずに、できるだけきれいな字で〝汝が欲するところを人にほどこせ〟という金言を百回書くことを命じられた。

ヒルダおばさんがその作業に満足するまで、食事は抜きだった。

ふたりは一本のペンにふたつのペン先を縛《しば》りつけることで一度に二行書けるようにしようとして、かなりの時間を無駄にした。とうとうそれをあきらめ、作業にかかったが、終わったのはいつもの夕食の時間の一時間後のことだった。もちろんふたりは腹を空かせていたが、プライドの高さからそれを表には出さなかった。だが、ふたりには頼もしい味方がいた。ドアの下でかさこそ音がするのに気づいたふたりは、薄いミルクチョコレートバーが六本、隙間から差し込まれているのを見た。彼らは飛びつき、差し入れ主が誰なのか考えることもなくむさぼり食った。

あとからお礼をいって母を困らせるような真似をしないことが、いかにもブラニーらしい愛情表現だった。ある意味では、彼はきわめて如才なく、思いやりのある紳士だったのである。

看守が訪れる気配もないまま午後が長引くと、当然悪魔が忍び込み、やることのない手にいたずらをさせた。最初は何の悪気もなく、マーマレードは懲罰として書かされた言葉で始まる抒情詩をいくつも書きはじめた。

だが、しばらくするとそれにも飽きてきて、詩人は画家に変わった。紙は使い果たしていたので、マーマレードはブラニーの『黒馬物語』の見返しに、ヒルダおばさんの太った体を風刺的に描きはじめた。それは次第に解剖学的になっていった。ヒルダおばさんの足音が階段に聞こえる頃には、ミス・シュウエルが書いた罪のない作品は、著者が見たら顔を真っ赤にするようなありさまになっていた。『黒馬物語』はすぐに本棚のほかの本の奥に隠され、忘れられた。

男子の寄宿生はマーマレードただひとりだったが、オークローン女学校は経済的に繁栄していた——この否定できない事実を、もちろんおばたちは最大限に利用した。自分たちの有能さのおかげだといい、地理的、時代的な側面は見過ごされた。

相変わらず母と離れ離れになっていたブラニーは、母とこっそり計画しているウェストン＝スーパー＝メアでの休暇を夢見ていた。

ところが休暇に入ると、その夢はついえた。ネリーおばさんのイギリスとインドのつながりがあまりにも功を奏し、帰る家のない少女が数人、行き場をなくして学校に残らなくてはならなくなったのだ。

そこでコンスタンスは家にいなくてはならず、ブラニーも家に残って学期中と同じつまらない食事をし、しかも表階段さえ使わせてもらえなかった。

だが、まだ耐えがたい生活とはいえなかった――誰も知らないうちに、ヒルダおばさんがベルギー難民のために催される地元の教会バザーに出す品を集めはじめるまでは。品物をあさっているうちに、彼女はブラニーの本に目をつけ、すぐに『黒馬物語』を見つけた。運悪く本は二冊あり、彼女が取り上げたのは、今はおばとチェプストウで休暇を過ごしているマーマレードが、あのはっきりと特徴のある絵を描いたほうだった。

それはほかの本に混じって、色褪せたランプシェードや壊れたパラソル二本、くたびれたインド更紗のカーテン、余っていた薪載せ台とともに牧師館に送られた。

翌日、ブラニーが庭にいると、牧師の妻がやってきた。子供独特の直感で、彼は相手の怒りに満ちた胸に押し当てられた『黒馬物語』を見る前から、何か厄介なことになりそうだと気づいた。

彼はゆったりと、精いっぱい愛想のよい笑みを浮かべたが、相手はほとんど反応を見せなかった。やがて、彼女が手にしているものを見て、ブラニーは気分が悪くなった。

彼女は客間に通され、ヒルダおばさんと会った。すぐさまブラニーの母親とネリーおばさんが呼ばれた。ブラニーはそばをうろうろしたが、客間の音響はあまりよくなかった――つまり、ドアの外で聞き耳を立てる者にとっては、ということだ。彼には何も聞こえなかったが、のちに牧師の妻が帰って行き、会議の場が書斎に移ると、少しは聞こえるようになった。

「完全にあなたの落ち度よ、コンスタンス」ヒルダおばさんが話していた。「しつけの基本もできずに、子供を育ててしまったのよ」

「きっちりと鞭《むち》で打つ必要があるわ」ネリーおばさんがいった。

「あの子のせいじゃないわ。指一本触れないで」ブラニーの耳に母の声が聞こえてきた。涙声だがきっぱりとしている。続いてマーマレードの名前が出た。

「あの堕落した不良……行かせなきゃ……ミセス・ジャクソンに……何としても……スキャンダル……学校は破滅……もちろん、ブラニーも行かせるのよ」

ブラニーはもう我慢できなかった。彼はドアを開け、つかつかと入って行った。

三人の女は中央のテーブルを囲んでいた。母はハンカチを顔の前で握りしめていた。ヒルダおばさんは頑固そうな広い胸の前で腕組みしていた。ネリーおばさんは、宝石をつけた指でテーブルを叩いている。テーブルの上では『黒馬物語』の見返しが開かれ、大胆な風刺画があらわになっていた。

ブラニーの目は、恐怖とともにそれに釘づけになった。やがて、奇妙な衝動に襲われ、彼は笑い出した。どうにもできないまま、ヒステリックに笑った。

「ブランソン・フォスター」ヒルダおばさんの声が部屋に轟いた。だが、少年の顔を鋭く引っぱたいたのは、ネリーおばさんの指輪をはめた手だった。

「おやめなさい――今すぐに!」

ブラニーの笑い声は、始まったときと同じように唐突にやんだ。

彼は母に近寄り、顔を見ようとした。だが、その顔はハンカチの陰に隠れていた。

ヒルダおばさんがいった。「ブランソン、あなたが――その――これを――？」

ブラニーはヒルダおばさんを無視して、まだ母親を見ていた。

「はっきりおっしゃい、この悪童」ネリーおばさんが鋭くいった。

だがブラニーは答えなかった。おばたちはいっせいにしゃべろうとした。ブラニーは母の手を探り、ぎゅっとつかんだ。それに勇気を得たのか、母はついに口を開いた。

「ヒルダ、ネリー」彼女は口ごもりながらいった。「お願い、ふたりきりにしてくれない？」

「いいでしょう、コンスタンス。あなたの息子ですもの」ヒルダおばさんがのっそりと立ち上がった。「でも、この子が無実でないのがわかったら――まあ、わたしにいわせれば、とうてい……」

「無実なはずがないわ」ネリーおばさんがせせら笑った。「きっちりと鞭で打ってやらないと」

ヒルダはデスクから定規を取り、テーブル越しにコンスタンスのほうへ押しやった。ふたりのおばは出て行った。

母とふたりきりになったブラニーは、しばらく何もいわなかった。その目がふたたび、テーブルの上のぞっとするような本に向けられた。それから突然、すさまじいほどの勢いで、彼はそれを取り上げて暖炉の火に投げ込んだ。ヒルダおばさんの絵を炎が取り巻くのを眺めながら、彼は奇妙な満足を覚えた。

母の大きな茶色い目が、信じられないように彼を見た。

「ああ、ブラニー、あなたって子は……。ああ、わたしはどうすれば……お父さまが生きていれば」

うつむいたままブラニーはいった。「ぼくがやったんじゃない。でも——でも、ぼくがやったんじゃないと知られたくないんだ」

「でも、ブラニー……」

「鞭打ちを受けるよ」彼はテーブルから定規を取って差し出した。

「でも、ブラニー……あなたが無実なら——」

「鞭打ちを受けるよ」彼は頑固に繰り返した。

「ああ、ブラニー、わかったわ。マーミーのことを告げ口したくないのね」

依然としてコンスタンスは動かなかった。大きな茶色い目は、涙でいっぱいだった。不意に心を決めたブラニーは、右手で彼女の手から定規を取り上げ、左のてのひらをしたたかに打った。打つたびに、彼は真に迫ったうめき声をあげた。それから手を替え、右手を打つ。六回目で、彼は恐ろしい叫び声をあげた。ひどく大げさな声だったが、真に迫っていた。

それから、彼は部屋を飛び出し、聞き耳を立てていたおばたちの前を走り去った。おばたちは顔を見合わせ、満足げにうなずいた。こういっているのが聞こえるようだった。「あのコンスタンスに、これほどのことができるとは思わなかったわ」

彼は表階段を駆け上がり、自分の部屋に入ると、ほぼ一日じゅう閉じこもっていた。

翌日、母とふたりきりで会ったブラニーは、ヒルダおばさんが彼を次の学期から男子寄宿学校へ入れることを断固として譲らないでいると聞かされた。マーマレードもここを追い出されることになると。

　さらに、ひとりぼっちの屋根裏部屋のベッドに向かおうとしたとき、ヒルダおばさんに再度、表階段を使うのを禁じられた。その夜、彼はマーマレードに聞いたインドのワニの夢を見た。目が覚めたとき、崖から爬虫類の顎の中に落ちる女性は使用人の妻ではなく、ヒルダおばさんだった。目が覚めたとき、彼は奇妙な興奮に体が震えるのを感じた。ヒルダおばさんがいなくなれば、また黄金の生活が戻ってくる。事故というのはよくあるものだ。ヒルダおばさんが事故に遭ってはいけない理由があるだろうか？

　恐ろしいハードルを一度越えてしまうと、その考えが頭から離れなくなった。彼はひそかな楽しみのように、その想像を温めた。マーミーの父親の使用人の妻が事故に遭い、使用人には何のおとがめもなかった。マーミーはそういっていた。彼から受けた影響の大きさが表れはじめていた。どんなに恐ろしい敵とでも戦えるとあの少年に教わらなければ、臆病で優柔不断な彼は、今考えているようなことはとうてい考えなかっただろう。

　はじめのうちは、その想像はぞくぞくするものだったが、漠然としていた。彼はヒルダおばさんの部屋にあったヨードチンキの青い瓶を思い出した。赤い頭蓋骨が描いてあり、劇薬と書かれていたものだ。それがたまたまヒルダおばさんのブランデーに入っていたらどうだろう。ヨードチンキはひどい味がする。指を切ったときに塗られたのを、一度舐めたことがあるから知っていた。おそらくヒルダおばさんはヨードチンキの味に気づいて、ブランデーを飲まないだろう。いいや、こういう事故では駄目だ。

ブラニーは、常に愛撫するように、マーマレードのインドの思い出を心に抱いていた。いらなくなった妻、崖、ワニ。昼も夜も、ヒルダおばさんが高いところから落ちる場面に彩られた。ブ下では、獲物を食べようと大きく口を開けた、恐ろしいが協力的なワニがしゃがんでいる。ブラニーの秘密の夢の世界では、ヒルダおばさんは徐々に人間ではなくなっていった。彼女は不公平のシンボルだった。その身に何かあっても、肉も血もある本物の人間に降りかかるのとは違うのだ。

彼はさらに物思いにふけり、大好きな人の近くで安心していられた、かつての日々を恋しく思った。思いに沈むあまり顔色が悪くなった彼を、母はひどく心配した。だが、息子の気分の変化は寄宿学校へ追いやられる不安から来ていると思っていた。その手配はすでに済んでおり、彼はケントにある紳士的だがさほど授業料が高くない学校に、イースター学期の初めから入学する予定になっていた。

ブラニーのひそかな欲望を、夢の領域から現実へと引き出したのは、殺人の専門家であるドイツ人だった。飛行船団による空襲はますます激しさを増し、ロンドンばかりでなくミッドランズ一帯の工業都市、さらには近隣の町ブリストルまでも破壊する計画があると噂されていた。こうした噂を裏づけたのは、教区牧師による厳粛な訪問だった。彼は特別巡査として、リトルトンの人々の安全に関する規則が順守されているか確認する責務を負っていた。

イギリスはまだ、戦争後期のように灯火管制は敷かれていなかったし、街灯も美しいが町の夜を陰鬱にするあの青みがかった紫色に塗られてはいなかった。空からの脅威――特に西部の――は、のちの第二次世界大戦中の大量殺人とは比べものにならなかった。それでも、イギリスの小さな町は、皇帝自らによって選ばれた標的になるのを真剣に恐れはじめ、灯火管制用のカーテンにする黒い布の価格は高騰した。

その脅威はわずかだが、確かにそこにあった。そして、才覚のある誠実な牧師は、町の人々の安全、特にオークローン女学校の校長たちに預けられた若い子羊の安全に対して責任を感じていた。

その結果、彼はある計画を立て、ミセス・フォスターとふたりのおばを訪ねて真面目な話し合いを持った。

地元の当局者によって、飛行船団が近づいてきたら教会の鐘を鳴らして合図することが決まっていた。最初の鐘で、全員がすべての明かりを消し、安全な地下室に隠れることになっていた。しかし牧師は、六十人から七十人――そのほとんどは少女――という大所帯では、パニックや混乱が起こり、重大な事故につながるかもしれないと考えた。

彼は三人の校長に、自分たちか、あるいは指名した者たちで義務を分担し、めいめいの持ち場を決めて、昼間のうちに一、二度演習を行うべきだと提案した。そうすることで、生徒や教師が手順に慣れ、やがて――いざというときには――訓練された兵士のように素早く安全に地下室に逃げ込み、混乱を最小限に抑えられるようになるだろう。彼はさらに、陽気な〝遊び〟のような雰囲気を作り、全体の行動を子供たちが不必要に恐れたり、警戒したりしないようにすることも提案した。「何でもおっしゃってください」そして、「わたしに力になれることがあれば」彼は穏やかに結んだ。

だが、それは余計なお世話だった。ヒルダおばさんはその案を完璧に把握していた。優れた統率力はまさにうってつけだった。現に彼女はこの仕事を楽しんでいた。

翌日、夕食のあとで、彼女は職員や使用人を含む全校の人間の前で演説を行い、具体的な義務を割り当てた。

そして、この計画に休暇や特別な楽しみ——学校全体を喜ばせようと、彼女が考え出した特別な娯楽——のような雰囲気を与えようとしたが、それは失敗に終わった。なるべく危険を軽く感じさせようとしたものの、彼女の演説はペリクレスの追悼演説（ペロポネソス戦争一年目にペリクレスが行った追悼演説）のように響いたからだ。

女生徒と女教師は、気乗りしない笑みを浮かべながら、ぞろぞろと食堂を出て行った。

しかし、実際の演習は思ったより楽しいものだった。ヒルダおばさんは、午後の二時限目に演習を予定した。彼女は驚くほど徹底していた。生徒、女教師、使用人までもが階上の部屋へ行き、いつもの就寝時間のように着替えてベッドに入るよう指示された。笛の音とともに、演習が始まった。

それは代数やフランス語といった午後の授業よりも、ずっとずっと楽しかった。

生徒たち、特に低学年の生徒たちは夢中になった。笛が鳴り、サクランボ色の化粧着を着たネリーおばさんが真っ昼間にろうそくの火を灯し、英語とフランス語の半々で「気をつけて、みんな、気《ブルネ・ガルド》をつけて」といったとき、彼女たちはさかんにくすくす笑った。

甲高い声やくすくす笑いが、どの部屋からも聞こえた。上級生の寄宿舎は特に賑やかだった――演技の才のあるミス・アーリーが、日本のキモノを着て、頭に紙製のカーラーをびっしりつけて登場したからだ。

ブラニーもこのすべてを楽しんだ。彼はただひとり懐中電灯を持たされ、特別な任務を与えられていた。彼の仕事は裏階段のてっぺんに立ち、必要なときには懐中電灯で照らし、表階段へ行こうとする者を引き止めることだった。彼は急いで階段を下りる女の子たちの目に懐中電灯の光を向け、「ばあ、ツェッペリンに気をつけろ」といったり、好きにしても大丈夫だとわかっている子をこっそりつねったりして楽しんだ。

最後の生徒と若い教師が下りると、ブラニーは持ち場に立ったまま、部屋から出てくるヒルダおばさんを興味深い目で見た。彼女は薄茶色の化粧着を着て、灯のついていない廊下のガス灯を、律儀にもいちいち消すふりをした。続いて、燃えるろうそくを手に、玄関ホールの壁の張り出しのガス灯に向かうため、もったいぶった足取りで表階段を下りはじめた。彼女は足早に、脇目もふらず歩いていたが、最後の一段で足がよろめき、ろうそくを取り落とした。

小走りにその場を離れ、ほかの人々がいる地下室へ向かったブラニーは、だしぬけに何が起こったのかに気づいた。

しばらくして、ヒルダおばさんが下りてきたとき、彼女がルビーにいうのが聞こえた。「表階段の金属棒がゆるんでいるわ。すぐに点検しないと、誰かが首の骨を折るわよ」

地下室の隅の暗がりで母親の手を握り、その言葉を聞いたとき、ブラニーの脈が速くなった。階段の金属棒がゆるんでいる……誰かが首の骨を折る……。

次はおそらく昼間ではないだろう。金属棒がゆるむのは、階段の下のほうではなく上のほうの段だ。そして、暗闇の中を誰かが急いで下りようとすれば、てっぺんからあっけなく階段を落ち――首の骨を折る……。

その夜、「母とすべての友人を祝福し、われをよい子にしたまえ。アーメン」という、いつものお祈りをしながら、彼はこうつけ加えた。「そして神様、どうか飛行船団が早く来ますように」

彼はヒルダおばさんに特に礼儀正しく接するようになった。表階段を注意深く観察したからだ。絨毯の上には、模様入りの厚いドラゲット織の敷物がかぶせられていた。それを押さえている金属棒は、階段の両側の輪に取りつけられている。その棒を、手すり側の輪から外して二インチほどずらし、敷物をゆるめておけば、その表面は小型そりのように滑りやすく、危険なものになるとわかった。右手で素早く手すりをつかめば助かるだろう。だが、ヒルダおばさんは演習中、ろうそくを右手に持っていた。落下のあと、敷物が自然にもっとゆるんでしまえば、金属棒がわざと輪から外されたとは誰も思わないだろう。

彼は二段にわたって棒をゆるめようと決めた――上から三段目と四段目だ――そして、何度も練習した。本番は暗闇の中で行わなければならないため、目をつぶっての練習までした。子供らしい執念深さで、彼はゲリラのように徹底的に、感情を交えず訓練した。だが、自分がしようとしていることを本気で評価したことはなかった。事故が起きる。それだけだ。待つのはつらいことだった。特に、眠れずにベッドに横になり、教会の鐘が鳴るのを期待して神経を尖らせている夜には。飛行船団によって、自分自身や母親に危害が及ぶかもしれないという考えは、頭に浮かびもしなかった。直接的な脅威を、ブラニーは少しも恐れていなかった。

十二月の初め、午前二時の冷えきった夜に、ついに教会の鐘が鳴り響いたときには、彼は寝ていた。震えながらベッドから飛び起き、ズボンとセーターを着て懐中電灯を取り、表階段と裏階段の間の持ち場へ向かった。

女子の寝室からはささやきが聞こえた。現実となった今、その声はさほど明るくも、笑いを含んだものでもなくなっていた。彼は女教師がろうそくを手に、寄宿舎から寄宿舎へ回るのを見た。それから母の部屋へそっと入り込み、母を使用人棟へ案内した。彼女はそこからメイドたちを指揮し、厨房の階段から遠く安全な地下室へと導くのだ。

避難の始まる前が、行動を起こすタイミングだった。彼は素早く、落ち着き払って表階段へ駆け寄り、上から三段目と四段目の金属棒と敷物をゆるめた。

その後まもなく、生徒と女教師たちが隊列を組んで寄宿舎から出てきた。子供たちは大半が怯え、うろたえているようだった。ブラニーは今度ばかりは彼女たちをからかったり、飛行船団の真似をしたりはせず——家で唯一の男性にふさわしく——明るく励ますように声をかけた。

「ぽんこつツェッペリンはここまで来ないさ。ロンドンで全部撃墜だ。さもなければ……」

やがて、サクランボ色の化粧着のネリーおばさんを含め、全員がいなくなると、ブラニーは裏階段を下り、玄関ホールの向こう側の、表階段が見える場所へと向かった。

ヒルダおばさんが階段から落ちるのを見たいわけではなかった。じっと目を凝らしているのは、サディズムや満足感からではなかった。ただ、効果を確かめたいという非情な感覚から、事故が起こったのを確認したかったのだ。

教会の鐘が鳴りやみ、一分が永遠にも感じられた。ほぼ真っ暗な闇の中、振り子時計が時を刻む音が、ドラムのビートのように響いた。

やがて、二階のドアが開き、ヒルダおばさんが重々しい足取りで二階の廊下のガス灯を消して回るのが見えた。息をひそめて待っているうち、別の物音が聞こえた。誰かが軽やかな、素早い足取りで裏階段を上っている。女教師が何か忘れものをしたのだろう。ヒルダおばさんの声がした。「コートを忘れたの？　早く取っていらっしゃい。地下室は寒いし、女の子は誰も……」

小走りに急ぐ足音は遠ざかって行った。ドアが開き、閉まる。しばらくは、振り子時計の規則正しい音と、ブラニー自身の心臓の音しか聞こえなかった。

また足音がして――二階の暗闇を見るともなしに見上げたとき――ブラニーは誰かが表階段の一番上に近づいてくるのに気づいた。ヒルダおばさんが下りてくるのだ。だが、ろうそくは持っていない。

今では、彼女の動きがぼんやり見えた。階段のてっぺんの、狭い踊り場まで来ている。

彼女は階段を下りはじめた。ブラニーは驚くばかりの集中力でそれを見ていた。やがて、階段の押さえ棒がきしむ金属的な音がした。悲鳴……墜落……彼女は前のめりに倒れ、猛烈な勢いで階段を転がり、玄関ホールのタイルの上に落ちた。

かすかなうめき声……そして沈黙……。

つかの間、ブラニーはじっと立ち尽くしていた。前に出たいという衝動と、それを引き戻そうとする衝動とがあった。勝利の感覚と、自分がしたことへの恐怖がせめぎ合う。

正面玄関の横にあるガス灯のぼんやりとした明かりで、表階段の下に、黒い人影が今も――ぴくりともせず――倒れているのが見えた。

彼は何も感じなかった――ただ、ヒルダおばさんがそこにいるのだと確信していた――命を落として。

続いて聞こえた音に、彼の血は凍りついた。頭上で重々しい足音がして、二階の踊り場から声がしたのだ。「まあ、何事? 事故なの?」

それはぞっとするほど聴き慣れた声だった。ヒルダおばさんの声だ! 彼はおばが右手のろうそくを頭上に高く上げ、階段を下りてくるのを見た。危険な三段目と四段目をうまくよけて。ヒルダおばさんが階段を下りている。すると、あそこに倒れているのはヒルダおばさんではありえない。玄関ホールのタイルの上の、黒々とした血だまりは。

後悔と恐怖にさいなまれながら、ブラニーはまたヒルダおばさんの声を聞いた。「コンスタンス、コンスタンス、怪我をしているの?」

ブラニーは、それ以上そばに寄る必要はなかった。おばのろうそくの明かりが近づいてくるにつれ、倒れている人物の輪郭がはっきりとわかったからだ。愛らしい顔を、後光のように縁取る黒髪が見えた。その顔は死人よりも青ざめていた。

「お母さん！」

その言葉は、苦痛に満ちたうめきだった。ブラニーは背を向け、闇の中に消えて行った。

人間の頭では理解できない苦しみというものがある。たとえ、苦しみに対する感覚の鋭い子供でも。それは正気の範囲を超え、外の暗闇すれすれに存在している。それを超えれば、思考も、理性もなくなる。

ブラニーにとって幸いなことに、彼はすぐさまその麻痺状態に陥っていた。唯一の衝動は、隠れたいというやみくもな欲求だった——どこか遠くへ消え、完全に忘れ去られたい。屋根裏部屋には、中から鍵がかけられる戸棚があった。かび臭く、汚かったが、彼は気にしなかった。中は暗く、玄関ホールから可能な限り離れていた。

何時間も、彼は暗闇の中にうずくまっていた。その心は、幸いなことに空っぽだった。意識的な思考があるとすれば、このようなものだった。ぼくは母親を殺した、ここに長く隠れていれば自分も死に、それでおしまいだ。

建物のどこかで、声と足音がした。生徒たちが地下室を出て、隊列を組んで寄宿舎に戻って行くのだ。続いて、誰かが彼の名を呼んだ。「ブラニー……ブラニー……」

だが、彼は動かなかった。彼は隠れ場所を出なかった……決して……見つかることがあるとすれば、そのときには死んでいて、母の隣に埋葬されることだろう。

彼はしゃがみ込み、泣くこともなく、岩のように動かなかった。時間や場所の感覚も、もはやなくなっていた。彼は眠った。目を覚ましたときにはぼうっとしていた。かすかな明かりが扉の下から差し込み、今が昼間なのがぼんやりわかった。やがて、日の光はまた消えた。お腹が空いているという感覚もなかった。体の痛みにさえ気づかなかった。ときおり、とても遠くで物音がした。彼はそれを聞いたが、何の音か考えようとはしなかった。彼はまた眠り、頑として居座っている悲嘆の中でまた目を覚ました。

永遠にも思える時間が経ってから、ネリーおばさんの声が聞こえ、彼女がすぐそばの、まさしく屋根裏部屋にいるのに気づいた。

「この戸棚よ、ミス・スネルグローブ。昨日、ミス・フォスターが探したときには、戸棚には気づかなかったの。ひょっとして……」

続いて、ミス・スネルグローブの涙ながらの声が聞こえた。「ああ、ミセス・ディレーニー、警察署からの新しい知らせはなかったんですか？」

「ないわ。絶望的とだけ。この田舎は隅々まで捜索済みよ。確信があるわ、ミス・スネルグローブ。この子がいるのは……」

次の瞬間、戸棚の取っ手が激しく揺れた。

「わかった？　鍵がかかっているのよ。ブラニー」ネリーおばさんの声は優しかったが、不安で張りつめていた。「ブラニー、そこにいるのはわかっているのよ。いい子だから出ていらっしゃい」

ブラニーは戸棚のさらに奥に引っ込み、かび臭いカーテンを体に巻きつけた。優しさや気遣いなどという手に乗るものか。

彼女たちはいっこうに開こうとしない扉を引っぱった。

「ここにいるのは間違いないわ。ねえ、ブラニー。出てきてちょうだい……」

ついにふたりは去って行った。また誰かが来るまでには、長い時間が経った気がした。やがて足音と、男性の声が聞こえてきた。ブラニーにはすぐに、父の最期を看取った医師のものだとわかった。

「ブラニー――」今度はヒルダおばさんの声だった。「――ドクター・ベリーが来ているわ。あなたに話があるというの」彼女は急いで続けた。「ふたりきりで話せるように、わたしは外へ出るわね」

ブラニーは遠ざかって行く重々しい足音と、医師の声を聞いた。

「ねえ、ブランソン、出てきてくれないか？　お母さんのことで話がしたいんだ」

ブラニーは答えなかった。今はみな、彼に優しく、穏やかに話しかけていたが、外に出たとたんにひどい目に遭わせるのだろう。彼が階段で何をしたかに気づいて、刑務所へ送るかもしれない。

ドクター・ベリーがまた口を開いた。「ブランソン」彼は静かにいった。「一緒に来て、お母さんに会ってほしいんだ。きみを呼んできてほしいといわれた。きみにとても会いたがっているんだよ」

　ブラニーの心臓が動きを止めた。暗闇で過ごした長い時間、母がまだ生きているとは少しも思わなかった。

　彼の手がゆっくりと鍵に近づいた。それからまた引っ込む。いいや、これは罠だ——おびき出して、襲いかかるつもりだ。

「ブランソン、お母さんは下の客間で待っている。お母さんに意地悪はしたくないだろう？ひどい事故に遭われたんだ……」

　ブラニーはもう我慢できなかった。勢いよく戸棚を開け、ドクター・ベリーの目の前に立った。一瞬、医師は子供の姿を見てあっけに取られた。ブラニーは汚れとほこりにまみれていた。髪は蜘蛛の巣だらけで、青白い顔に浮かんだ表情は、この世のあらゆる惨めさを集めたようだった。

　ドクター・ベリーは不思議と胸を打たれ、汚れているのも構わず、ブラニーを抱きしめた。他人からの親切に、少年は耐えきれなくなり、こらえていた涙が奔流となってあふれ出した。

　しばらくの間、ドクター・ベリーは何もいわなかった。ブラニーが胸も張り裂けよとばかりに泣いている間、震える子供を抱きしめ、優しく頭を叩いていた。それからハンカチを出し、ブラニーの目を拭いて、明るくいった。「さあ、おいで。大人にならなければ。お母さんには面倒を見てくれる男の人が必要で、きみは家でただひとりの男だろう」

それから、無言の問いに答えて医師はいった。「お母さんは命を取りとめたが、二度と歩けなくなるかもしれないんだ、ブランソン。だから、きみのような男性の世話が必要なんだよ」

彼はブラニーの手を取って、屋根裏部屋を出た。「さあ、下へ行って体を洗い、それからお母さんのところへ行こう。ほら、きれいな顔で笑って、しゃきっとするんだ」

ヒルダおばさんとネリーおばさんが下で待っていた。ふたりは彼にキスをし、ヒルダおばさんは「かわいそうに」といって、最高級のブラウン・ウィンザーの石鹸を手渡した。ネリーおばさんはブラニーのよそ行きの服を出してきて、自分の櫛とブラシで彼の髪をとかし、ほこりと蜘蛛の巣を払った。

やがて、さっぱりとした彼を見て、ヒルダおばさんがいった。「お母さまは客間にいるわ。ベッドをそこに置いたの。あなたは隣の書斎をひとりで使いなさい。お母さまの世話ができるように。それから、食事も一緒にしていいわ」

「それに」ネリーおばさんが、雰囲気を明るくしようとぎこちなく努力しながらいった。「数週間して、お母さまの体力が回復したら、あなたが車椅子を押すのよ。だから結局、次の学期から寄宿学校へ行くことはなくなったわ……」

ドクター・ベリーが彼を客間へ連れて行った。母のベッドは窓際に置かれていた。横たわった彼女はか弱く、美しく、柔らかな髪が顔にかかっていた。

「新しい看護師ですよ、ミセス・フォスター」

ブラニーはベッドのそばへ行き、母が差し出した細い手を取った。ふたりは恋人同士のように見つめ合った。

「ブラニー」彼女は小声でいった。「ああ、かわいいブラニー……」

医師が去ってからも、ふたりはその場で指を絡め合っていた。窓の外では小雪がちらつき、開いたドア越しに、ブラニーは用意された部屋に自分のベッドが置かれているのを見た。部屋には暖炉まであった。

まもなくヒルダおばさんが入ってきた。手にしているお茶のトレーには、カップがふたつだけ載っていた。ブラニーのためのゆで卵と、トーストするためのマフィンもある。

「さあ、ブランソン看護師」彼女はいった。「患者のお世話は任せたわよ」

ブラニーは喜びで胸がはちきれそうだった。


（白須清美訳）

女たらし

ウィルバー・ダニエル・スティール

The Lady-Killer　一九五〇年

ウィルバー・ダニエル・スティール Wilbur Daniel Steele（一八八六―一九七〇）。アメリカの作家。ノースカロライナ州グリーンズバラ出身で、同郷の先達オー・ヘンリーとしばしば比較される短編の名手。一九一〇年に最初の短編が活字になると、その後は順調にキャリアを重ね、二六年と三一年の二度にわたりオー・ヘンリー賞第一位を獲得した。本編の初出は雑誌〈エラリイ・クイーンズ・ミステリ・マガジン〉*Ellery Queen's Mystery Magazine* 一九五〇年七月号。第五回ＥＱＭＭコンテストに投じ、第二席に選出された作品である。

風がむせび泣くように吹くなか、B・J《ビー・ジェイ》・キャントラは前かがみになって、ウルシの茂みをかき分けていた。茨《いばら》のとげが引っかかり、三十ドルもした狩猟用のシャツがまた裂けた。彼は気づかなかった。たとえ気がついたとしても、何も思わなかっただろう。ビー・ジェイは道に迷い、死ぬほどおびえていた。

葉むらが途切れ、すぐ先に澄んだ水たまりが見えた。どこかの泉から羊歯《しだ》を伝って流れ込んだ水が、バスタブの大きさほどにたまっている。彼は喉の渇きにおそわれた。それでも、まずは自分が落ち着いていることを確かめるために、銃をきちんと地面に置こうと考えた。弾が装塡されているのだ。そこで銃がないことに気づいた。いつ落としてしまったのだろう?

彼は膝をつき、身を乗り出して両手もついた。水に映る自分の顔が見つめ返してくる。パニックでしわが寄り、そのしわは汚れた汗で黒い筋になっている。そのせいで不意に、四十七歳と五カ月の男そのままに老け込んで見えた。

エレノア・ワイはどう思うだろう? ソーニャ・シーリーはどう思うだろう? それに――なんて名前だったたっけ――先週、トウェンティワン・クラブでのハリデイのパーティで知り合った、あの若いブルネットは――今ここにいる、四十七歳の男を見たらどう思うだろう。

けれども何より気になるのは、エレノア・ワイにどう思われるかだ。グランド・セントラル駅で、彼とバート・ワイ、それにハリデイが銃のケースを手にして、それぞれの妻に見送られていたときのことを思い出した。あのときバートは、なにかの仕事でシカゴ行きの列車に乗るために、金曜日には帰らなければならないと話していた。そのひとことに、エレノアとビー・ジェイは素早く、こっそり、それでいてはっきりと視線を交わしあった。「今のを聞いた？　それなら金曜の夜に」

リンゴのように赤い頬のバート。長い付き合いの親友だが、今ではただの間抜けでしかない。それにしても、このしわくちゃの顔ときたら！　彼は水たまりに口を押しつけて、その顔を壊した。腹がふくれるまで水を飲んだあとも四つん這いになったままで、顎からしずくがしたたり落ちた。

「金曜日！」これでは洒落にならない！　金曜日、バートはシカゴに出かけていていない。まったくもって好都合だ。だが、そのときB・J・キャントラはどこにいる？　いや、違うぞ──バートはシカゴにはいない──商売どころじゃなくなってる。あいつはこのカロライナの森にいる。あきらめの気配が垂れ込めるなか、森のなかを探しつづける捜索隊や森林警備隊に、善良な我が友バートも加わっているだろう。

「金曜日？」……木曜日、水曜日、火曜日。本当にまだ火曜日なのか？　バートとハリデイとはぐれたのに気づいたあとの六時間は、何週間にも感じられた。まだ火曜日だ。

あのときは気にも留めなかった会話がよみがえる。今頃、家ではエレノアがハリエットと一緒にいるはずだ──「カクテルと噂話を楽しみましょう、エレノア」グランド・セントラル駅で、ハリエットは笑いながらそう約束していた。よりによって、ハリエット・キャントラには知られたくない噂の種を隠しもっている、清らかで美しいエレノアと！

不意に理不尽な怒りがこみ上げてきた。妻のことを、もう何年も見ていなかったような目で見つめなおした。まだ初々しさをのこし、若さを保って美しく、彼と幼い子供、〝ふたりの息子〟で手いっぱい。今このときに真実を知り、答えを学ぶ必要なんてかけらもない。それなのに、別の女が秘密をかかえて、ハリエットを陰で嘲っている──

気持ちばかりが焦る。「ハリエット、ぼくは最低の男だ！」ビー・ジェイは声に出して叫んだ。「ハリエット！　なんとかしてくれ！　迷ってしまった！　聞こえるか？　このままじゃ死んでしまう！　森のなかで迷っちまった！」

いやだ、いやだ、いやだ！　彼はよろけ、あちこちを見まわし、声をからして叫んだ。「バートト！　ハリエット！　ハリデイ！　誰か！」

取り乱した自分に戸惑い、彼は口をつぐんだ。静寂が戻り、水の流れを隠している羊歯の茂みからささやきに似た音が聞こえてきた。はっとして目をやると、その音は止んだ。平べったい三角形の頭がもたげられている。すぐそばでずっと、ヌママムシがとぐろを巻いていたのだ。ビー・ジェイは、じりじりと後ずさった。背中が藪にぶつかった。彼はわめきはじめた。

「神さま──ああ、お願いだ──」

彼は身をひるがえして茂みに飛び込み、枝をかき分け、つまずきながらしゃにむに走った。

「神さま、どうか助けてください！」ポプラの葉むらが視界をさえぎる。彼はつんのめりながら明るい一画を踏み越え、暗がりのごつごつした松の木の脇に倒れ込んだ。「ああ、ちくしょう――ああ、ハリエット――」

やがて、左右に伸びる太い木の幹が彼の行く手をさえぎった。彼は立ち止まってその木をじっと見つめた。それが何かわかると、しっかりつかんで握りしめた。森のなかをジグザグに延びている柵の横木だ。

彼はその柵にすがって歩きつづけた。木立がいきなり途切れた。荒れた牧草地の向こうに、木肌があらわな建物が二つ見える。家と納屋だ。彼は柵から身を乗り出し、声に出して笑った。

「幻覚じゃないよな、ビー・ジェイ！　できすぎじゃないか！」

ヒステリー？　そうじゃない。照れ隠し？　それも違う。ほんの数分前まで、ぶざまにさまよい、あちこちで木にぶつかり、泣きながら祈り、汗で服をじっとり濡らして恐怖の臭いをまきちらしていたことなど、すべて消し飛んだ。人が住む家！　B・J・キャントラは、ふたたび世界との接点を取り戻したのだ。

天にも昇る心地だった。すでにして、ホテルの隅でふたりグラスを手にし、あるいはアグワミスのロッカールームでタオルにくるまれて、自分が話しているのが聞こえるようだった。

「すったもんだのあげくにあの柵にたどり着くまで、本当に心細かったよ、ベイビー」

家と納屋のあいだを人影が横切るのが、ちらりと見えた。ビー・ジェイは即座に柵から肘を離した。彼はハンカチを出して顔と首を拭き、しわのあたりをとりわけ強くこすった。さびしくなりはじめた頭頂の髪を指ですいて、きれいに整えた。肩を引いて胸を張り、下腹を引き締めて背すじを伸ばした。この一連の動作は、すべて無意識のうちになされたものだ。紐を引っ張るとブリキの猿のおもちゃが動きはじめるように。

向こうにちらりと見えた人影は、スカートをはいていたのだ。


そのスカートはかつては茜色だったが、仕事でよごれ、風雨にさらされてきたせいで、汚い茶色に褪せていた。そして今は、痩せた牝牛の腹の下に置かれた手桶にあたらないよう、膝の上までたくし上げられていたが、それでも牛の乳が飛び散っていた。納屋は地面がむき出しで、女は裸足だった。

そうしたことすべてをビー・ジェイが見てとるまでには、少し時間がかかった。納屋のなかを照らすのは、彼が立つ戸口から差し込む光だけだったのだ。干し草が積み上げられ、一つだけしかない窓をふさいでいた。外はすでに薄暮となっていた。

その娘だか女だかは、牛の尻の脇から彼をちらりと見ただけで、また乳搾りに戻ってしまった。

「いいかな――」彼はまばたきし、咳払いした。「あの、ちょっと――ねえ、お嬢さん」

女がまた顔を向けてきた。目は小さく、左右が離れていて、頰骨と顎が張っている。

「あれはヘバーのとこだよ。もう戻るわ」

ビー・ジェイはこう考えた。まるで動物みたいだ。だが、よく見ればうなじのあたりは悪くない――あの首にかんなをかけて削ってやれば。「失礼、何だって？　あれ？　誰のことだ？　どこに？」

「ヘバーのとこだって。じき戻る。やめなって」ちぐはぐな言葉のうち最後のひとことは、落ち着きがない牛に向けたものだった。乳搾りをしながらだ。

「そうじゃなくて――見てくれ――ぼくは困ってるんだ」

じゅわっ、じゅわっと泡だった乳が飛び出すだけで、返事はかえってこなかった。ビー・ジェイは、あっけにとられた。思わず親指をつばで湿らせて、アバクロンビー&フィッチのシャツのいちばん大きなかぎ裂きを撫でつける。それからなんとか気をとりなおした。面白くなってきた。

ビー・ジェイは外に出て庭を眺めた。赤土がむき出しで、飾りといえば鶏の足跡だけしかない。家は廃《すた》れた水車小屋さながら、屋根から樹皮が髪の毛のように垂れ下がり、仕切りがない一間の簡素なつくりだった。彼は思わず微笑んだ。今はやりの〝素朴主義《プリミティブ》〟ってやつだ。エレノアが入れあげてる例のあれだ。まったく彼女は物知りだよ！　金曜日の夜、一部始終を話してきかせ、一緒に笑いころげよう。

三日後の金曜日のことを思い浮かべたせいで、また現実に引き戻された。森のなかで迷っているよりはいい、それはたしかだが、それにしても！　おまけに、腹がへっている。そして何より……彼は憮然として肩をいからせ、顔を上げた。無意識のうちに顎のあたりを撫でていた。あんなふうに牛の乳を搾りつづけて、いったい何様のつもりだ。いつもなら美しいご婦人がたがそろって……

いつの間にか女は作業を終えていた。木桶を手にして、戸口に立っている。彼はとがった声で呼びかけた。「いいか、聞いてくれ、ハニー、ぼくを見て」彼女はあらぬ方を見ていて、のっぺり無表情だった。

「ぼくは腹がへって、疲れてるんだ。メイバーグのジョーンズ・キャンプまでの行き方を教えてくれたら――聞いているのか？　こっちを見ろって！」

粉袋に話しかけているように何の反応もない。女はうつむいて足もとを見つめていた。その脚はぼろ靴のような茶色で、膝から下は牛の乳が飛び散った汚れが模様になっていて、洒落たストッキングをはいているように見えた。大きなつま先がもう一方の足先にぎこちなく触れた。それから反対のつま先が同じことをした。そこでやっと気づいた。この女は、ぼくを怖がっている。

明かりがぱっと灯ったようだった。こいつは愉快だ。なんだかぞくぞくしてきた。ガラガラヘビの缶詰を初めて食べるような気分だ。下手物《げてもの》食いの楽しみってやつかもしれない。演技といえば決まって〝怖がる〟ばかりの女たちには、いいかげん飽きていた。けれども、こいつは本物だ。この素朴さに嘘はない。まさにプリミティブだ。

「いいかな、きみ」彼は哀れみをおぼえ、うつむいている相手の髪に手をあてた。ぬかるみを歩く馬の尻尾を縛るみたいに、フランネルの紐で雑に結ばれている（彼は正しかった。本当に馬の毛のような感触だった）。「もじもじしないで。何か言えないのか？」

「あれが来たよ」彼女は言った。

「何だって？」

「あれが来たって」

荷馬車が見えた。ラバとポニーに引かれて家の脇から出てきた。二頭は近くまでくると自然に止まった。御者台の男が手綱を投げて体を起こし、地面に降りると軛《くびき》からつぎはぎだらけの引き綱をはずした。

「ぼくはキャントラだ。B・J・キャントラ」

「はあ？……綱から飛び出てる針金に気をつけろや、キャス」

脇の方から、綱をはずしにいったキャスの声が聞こえた。「うちのは耳が遠いのよ」

ビー・ジェイは笑いそうになった。小柄で血色が悪く、太い首は曲がっていて、おまけに〝耳まで遠い〟。自分がたくましく、堂々たる男に思える。プリミティブ。こんなやつ、素手でひとひねりだ。頭が足りないあの女も、それくらいわかるだろう。

彼は優越感にひたりつつ男に顔を寄せ、声を大きくした。「森で迷ったんだ……ちょっと待ってくれ、馬具ははずさないで――メイバーグのジョーンズ・キャンプまで連れていってほしいんだ」

男は手を止めなかった。「朝にしとくれ。こいつらは疲れとる」

「そこをなんとか頼むよ！　金なら払う。わかるかい、ミスター――ええと――」

「ジュダー」キャスが口をはさんだ。「ジェス・ジュダーだよ」彼女も手を止めず、ポニーの背に引き綱をかけている。

「ただとは言ってない。礼ははずむ。お願いだから——おい、あんた！」

「今日は遠かったもんでな。こいつらはばてててる、言ったろう。ほれ、歩け！」

ラバたちがぽっくり歩いて、棒が落ちた。きちんと結べていなかったようだ。馬具がはずれ、荷台に転がった。ジュダーはラバの尻をたたいた。「行くんだ！」ラバはよたよた歩きはじめ、ポニーがつづいた。納屋で牝牛が鳴いた。キャスが納屋にまた入り、その牛を引いて出てきて、すでに丘で草を食《は》みはじめていたラバたちの方にいかせた。彼女が牛の乳をためた桶を持って家に入ったあと、すぐに一つだけの窓に明かりが灯った。彼女の夫も立ち上がり、つぶれた嚙みたばこを出して嚙みちぎった。夜のとばりが降りてあたりはすでに暗く、空には一番星が輝いていた。

ビー・ジェイは説得をあきらめた。「これじゃ話にならん！」頭に血がのぼる。「もういい、わかった」彼は口をきつく結び、地面を踏みつけた。「道を教えるだけならたいした手間じゃないだろう、ミスター・ジュダー。ぼくは歩いていく」

「メイバーグまで？　ありゃ遠いで。道も知らねえと、暗くなったあとは厄介だ。懐中電灯はあるんかね？」

「あるわけないだろ」

「うちにはねえよ」

「まいったな」ビー・ジェイは荷台の縁に座り、脚を組んだ。お手上げだ。どうなるかは、このちんけな男しだいってわけだ。

星が輝きを増した。どこかで夜鷹が舞った。ジュダーは歩いていき、家の影に溶け込むように消えた。ブリキがぶつかり、水がはねる音が聞こえてきた。彼は金だらいを持って戻ってきた。

「納屋に干し草を積んでるでよ、そこで寝るとええ。食べもんはキャスが世話する、たいしたもんはねえけどな。これで手を洗いな」

仕切りのない家のなかには、焜炉《こんろ》、テーブル、椅子が二脚、そして鉄製のベッドがあった。焜炉では二つの鍋が湯気をたてている。

「座んな、食べようや」ジュダーは椅子を引いて座り、テーブルに肘をついて両手で顔を覆った。ラバたちと同じく、彼も疲れていた。「どうした、キャス……キャス!」彼は顔を上げて部屋を見まわした。「キャスはどこだ?」

彼は立ち上がり、戸口から外をあちこち見まわした。

「キャス!　どこ行きやがった……出てくのを見なかったぞ、あんたはどうだね?」

「見てないね」ビー・ジェイは答えた。ふたりがここに入ったとき、彼女はいなかった。

ジュダーは戻ってきたあとしばらく両手で頭を抱えて座っていた。そのうち怒りをこらえきれなくなって乱暴に立ち上がり、壁に釘付けされている箱からスプーンと皿をとって鍋に近づこうとしたとき、外からキャスの靴音が聞こえてきた。はいってきた彼女は靴だけではなく、ストッキングもはいている。

「いったいどこにいたんだよ、キャス？」

どこかぎこちない返事がかえってきた。「川までちょっと」

「夜のこんな時間にか！」

「水は冷たくなかったよ」

「おれたちの晩飯はほったらかしかよ！」ジュダーはビー・ジェイに吐き捨てた。「この女、どうしちまったんだ？」

哀れな田舎の女がどうしちまったのか、ぼくにはわかってる。ビー・ジェイはそう自惚《うぬぼ》れた。おかしなことに、彼は興奮していた。それも本気でだ。ちくしょう、ぞくぞくする。彼は焜炉に向かう彼女に目くばせして、気持ちはわかっていると伝え、自分も気のあるふりをして喜ばせようとした。

どうしてそこまでするかって？　言うなれば、犬を手なずけるようなものだ。それに、しょぼくれたこの家のなかでは、ほかにすることもなかった。知恵をしぼって楽しむしかない。無人島に投げ込まれた銀行員は、時間つぶしのため、そしてとにかく手を動かしているために、たいていが貝殻を数えはじめるものだ。

鍋の片方はコーンミール粥、もう一つは脇腹肉のかけらが混ざって脂の輪が浮いている、野菜のごった煮だった。見るからにおぞましく、耐えがたいしろものだ。けれどもビー・ジェイにとっては、空腹感のほうが耐えがたかった。彼はスプーンを口にはこんで飲みくだし、キャスが自分の皿を持って引っ込んでいるベッドの脇には目を向けないようにしていた。

出されたものにわざわざ嫌な顔をしてみせてどうする？　そんなことをしても誰も喜ばないことはわかってる。とはいえ、いつまでも顔をそらして女性と不自然に距離を置きつづけるのもまた、ビー・ジェイにはできない相談だった。とりわけ下心がある今は。

それで彼は横顔を向けた。これでジュダーの行儀の悪さにげんなりしているのがばれてしまう。ジュダーは頭をがっくり垂らし、顔を皿に突っ込みそうになっていた。飢えた豚よりも始末が悪い、眠たげな豚！　いくらなんでも——

だめだ！　ビー・ジェイはあわてて表情を消した。隅にいる女に決まり悪げに目をやり、どうにも納得がいかないと視線で伝えた。「そうじゃないんだ。きみの旦那さんは気に入った、いい男じゃないか。ただ、きみみたいな女性がこんなところでくすぶっているのが不憫《ふびん》でならないのさ。まさに悲劇だ。それは、きみもわかっているだろう」

問題はキャスが見ていないことで、せっかくの芝居もまったくの無意味だった。ビー・ジェイはこう考えて納得しようとした。「やれやれ、彼女は目をそらすのが早すぎる」だが違う、どうして自分をごまかすんだ？　この女は底なしの鈍感だ。こっちがおかしくなりそうだ！

ジュダーは食べ終えていた。彼は立ち上がると伸びとあくびをし、手提げランプを灯して戸口まで行き、そこで待っていた。「もういいかね」彼は振り向きもせずに言った。

ビー・ジェイは立ち上がった。「すぐに行く」

キャスが皿を手に部屋の隅から出てきて、食器を洗う桶に放り込むためにビー・ジェイの後ろを通ろうとした。

ビー・ジェイは声をひそめて呼びかけた。「きみも食べたいね」彼はこっそり後ろに手を伸ばして、彼女のあいている方の腕をつかんで立ち止まらせた。彼女は馬銜《はみ》をとられた馬のように棒立ちになった。彼にとってはいつもの気まぐれ、軽いいたずらでしかなかった。彼はその手を握った。しかし手首から先はだらんと垂れたまま、冷めたビーフステーキほどにもそそらない……なんて女だ！

結局、ビー・ジェイは納屋では眠らなかった。ジュダーが手提げランプを持って去ったあと、五分とたたないうちに干し草を寝床とするのは無理だとわかった。寝心地が悪いことよりも、アンモニアの臭いが我慢ならない。外の空気を吸わずにはいられなくなった。

外には荷馬車があった。彼は板張りの荷台にあった馬具を前の端にかけ、轅《ながえ》に垂らした。そして納屋に戻ると、干し草を抱えられるだけ抱えてはこんだ。三往復で十分だった。彼は車輪をよじのぼり、横になって空の星を見上げた。星の輝きは薄れかけていた。夜空は仄白《ほのじろ》い光に染まりつつある。どこかで月が昇りはじめていた。

寒かった。彼は体を起こし、干し草を体にかけようとして手を止め、小屋を眺めた。豚小屋のような家は真っ暗で眠っている。

いや、眠っているはずがない！　寝ているとしたらあの男だけだ。そしてもしあの男がまだ眠りこけていないとしたら、それで説明がつく。彼女は夫が寝るのを待っているのだ。じっと横になったまま動かず、胸をときめかせ、息をつめ、納屋にいるハンサムな謎の男のことを考えている。そうなんだろう？　ビー・ジェイは思わず微笑んだ。女心はお見通しだ。

　彼はそこに座って家を見つめ、ひたすら待ちつづけた。しだいに笑みが薄れ、いらだちがつのりはじめる。おい、早く出てこいよ！　どうしたっていうんだ！　さあ、ベイビー、夜中の散歩としゃれ込むがいい、ぼくは興味ないから……それなら出てこられるだろう？　ほら、自意識過剰にならないで。

　彼はまた横になった。金曜日の夜のことを考えようとした。最初から順を追って思い浮かべる。エレベーター。ペントハウスの呼び鈴。メイド。「はい、キャントラ様。ミセス・ワイはもういらっしゃってます」ホール。広間。グラジオラス。そのかすかな匂いと、〝ニュイ・ド・パリ〟のさらにほのかな香り。エレノアが近づいてきて、すまして手を差し出す。「あら、ビー・ジェイ――ハリエットは来られなかったの？」（メイドがまだそばにいて聞いているからだ）彼はその手をとって握り……（冷めたビーフステーキ）！

　ビー・ジェイは体を起こし、荷馬車の脇から小屋をにらみつけた。野暮ったく、臭いはするし、脚が毛深い田舎女のくせに、気をもたせやがって。月は昇りかけていたが、荷馬車から見える家はまだ暗く、ドアが閉まっているのか開いたままなのかもわからなかった。

「いまいましい女だ！　あと一分やろう」

　彼はまた横になった。あくびをした。あと二分だけ待って、それで眠ることにしよう。彼はゆっくりと数えはじめた。「一――二――三――」百二十までだ。「――三十一――三十二――」気をつけろ！　油断すると、数え終わる前に眠ってしまいそうだ。羊なみに効き目がある。「――四十七――」

わからなくなった。いくつまで数えた？　月は昇っていた。彼は肘をついて体を起こし、家を見た。ドアは開いている、間違いない……聞こえなかったが、音がしたのかもしれない。あわてて目をやると、納屋の前に月明かりに照らされた女の姿が見えた。おずおずと戸口からのぞいている。心臓がせり上がり、歌をうたった。おい、間抜けはどっちだ？

彼女はビー・ジェイに気づかず、まだしばしためらっていた。それからようやくそっと一歩だけ入った（また裸足に戻っていたが、それ以外は先ほどと同じ服だ）。半身を月に照らされ、半身は影になってなかをのぞき、耳をすましている。次の一歩で闇のなかに消えた。彼女がビー・ジェイにようやく気づいたのは、戸口を振り向いたときだった。

「これはこれは！　誰かと思えば」

「あたし――思ったのよ、あんたが――」彼女は丸めて脇に抱えていたブランケットをつかんだ。「寒いかもしれないって」

「優しいんだな！　気配りに感動したよ、本当に。きみのように心のきれいな子が、哀れな迷える男を案じて胸を痛めてくれていたなんて――いや、ちょっと待ってくれ！」彼はわざとらしくまばたきし、すべて承知していて、次の科白《せりふ》はただの冗談でしかないことを伝えた。「ひょっとして、思いついたのは旦那さんとか？」

「いんや。あのひとは眠ってる」

意味深長な含み笑い。「それはひどいな。ぐっすりおやすみかい？」

「はあ。耳が遠いし……もう戻らないと」

想定外の返事に力が抜けた。「おい、待ってくれ、それはないだろう！」

「そう言われても」まったく手応えがない。彼女はブランケットを差し出した。それも、彼のことを見ようともせずに。「寒いかもしれないから」

がっかりだよ、古くさい手を使いやがって。いいだろう、そっちがその気ならゲームに付き合ってやる。

「寒い！　ぶるる！　あやうくあきらめて、凍え死ぬところだった」彼は低く笑ってブランケットを受けとった。「いいか、ベイビー、ぼくを見て」

「もう家に入るよ」彼女はドアに向かって彼の方へと、のっそり一歩踏み出した。斜めに差し込む月の光がその腰まで照らした。肩すかしをくらった気分で、彼は眉間にしわを寄せた。まさか、本当にブランケットを渡すためだけに出てきたとか？　そこまで鈍いとしたらお手上げだ。都会の男ビー・ジェイが、これほど露骨にサインを送っているのに。

彼女がまた一歩前に進むと、そらした顔の目のあたりまで月の光があたった。それまで見えなかったものが見えた。彼女は安物の真珠の首飾りをかけている。……なんだ、やっぱりじゃないか。

「そうか、旦那さんのところに戻るのか？」

「はあ」

「いいだろう」彼は思わせぶりに笑った。さえぎっていた両腕を下ろして彼女の脇を通り過ぎ、干し草の山に肘をついてゆったり寄りかかった。そのまま彼女が歩いていくのを見つめ、戸口まで行くのを待った。「さあ、お芝居はそこまでだ」

「はあ?」

「しー！　そんなに声をたてずに。こっちに戻っておいで。あいつが目を覚まして、銃を持って飛び出してきたらまずいだろう?……あいつは銃を持ってるのか?」

「ああ。弾は一つもないけどね」

「それはまずくないか?」しかし同時に、安心もさせられた。いざとなったらこの手で組み伏せられる。それにしてもまいった、このプリミティブな女がほしくてしかたがない。納屋が臭うのに。アンチョビを好きになるようなものか。ビー・ジェイは、すぐ脇の干し草をたたいてみせた。

「戻ってこいよ、聞いてるか?」

「はあ」けれども彼女は途中で立ち止まってしまい、彼に背を向けてあらぬ方を見ていた。

「いいかげん戻らなきゃ」

彼はそれを無視して笑い、干し草をたたいた。「ここにおいで。座って。おしゃべりを楽しもう」

「はあ」どこまでも鈍くさい。「何を話すのよ?」

「そうだな――何でもいい。ふたりで無人島にいるとしたら、どうする?」

Ｂ・Ｊ・キャントラが、いつもこんなふうに話すと思われては困る。まるで会議で発言しているようだ。キャス・ジュダーが田舎者で鈍いから、というわけでもなかった。女性が夢中になる甘い口説き文句ならお手の物だ。最高の女たちも落とす自信がある。手はじめにラドクリフのペントハウスに行こうと持ちかければ、たいていはいちころだ。けれども、それではうまくいかない場合があることも心得ていた。

「考えてごらん、哀れにもぼくたちは無人島にふたりきりだ。白い砂と熱帯の月、それに海風にそよぐ椰子《やし》の木だけ——心はからっぽで——最高だ！　ねえ、キャス？　どうかな——」

ビー・ジェイは言葉を切った。聞こえていないのか、反応はいっさいない。彼女が相手だとすべてむなしく響く。無人島じゃだめだ！

「でなきゃ、陽気なパリだ！」ビー・ジェイは体を起こして二の矢をはなった。「想像してごらん、きみとぼくが——」いや、パリもだめだ。いやはや！　彼女の心に響き、火をつけるものはないのか？

「家に戻るよ」

ビー・ジェイは干し草から立ち上がり、ぐるっとまわって彼女の前に立ちはだかった。不意に、ふざけているのが難しくなった。

それでもあきらめるつもりはなかった。「きみも役者だな！　変装したシンデレラってところか。いいかげん正体を見せろよ！　そうしたことはハリウッドなら——おい！　ハリウッドはどうだ！……今この瞬間にぼくときみがあそこにいたらどうする。そうさ、パーティのさなかかも、クラークのところで。知ってるだろう、クラーク・ゲーブルだ。クラーキーはよく知ってる。ジョーン、ゲイリー、ベティ、マーナ——常連だけで——大きなパーティじゃない。どうだい、ハニー？　もちろん行かなくたっていいんだ、気が乗らないなら——おい！　そうだ！　最初にエイドリアンに会おう、どうだ？　エイドリアンは知ってるね……キャス、ぼくを見て！」

「家に入るわ、やっぱり」目はドアに向け、口は半開き、何かに気をとられているのではなく、ただの惚《ほう》けた顔つきだった。

彼は冗談めかして声をあげた。「まさか、ハリウッドが好きじゃないのか？」汗がこめかみににじむ。「エイドリアン——知ってるだろう、キャス——スターの衣装を一手に引き受けてる男だ。ぼくの大切な人のためなら、何でもしてくれる。そう、たとえばだ。ぼくの恋人の瞳の色を引き立てる、ダークゴールドのドレスはどうだ？　それに靴も——まずは足もとから、思い切り飾るんだ……」

ビー・ジェイは足もとから順に、彼女を飾りたてた。華やかな衣装をまとわせた。美しく、もっと美しく。牛小屋がつくる月影で夢中になって考えた。今まで問題はそこにあったのだ。ふざけ半分では情熱が伝わるはずもない。まずは自分が本気にならないと。リアルに思い浮かべる。惚れこむんだ。

しかし、その手前で怒りが爆発してしまった。「まったく、口を閉じることはできないのか！　それじゃまるで——」

彼はあわてててことばを切った。やっちまった。詫びなければ。「違うんだ——本当に——すまなかった——」彼は手を差し出した。偶然にもその指先が、安物の真珠にからまった。「きれいなネックレスだ。きれいな首すじだね」彼はとりつくろった。

そのとたん、キャスは血の通った女になった。初めて彼に目をやり、それから後ろを向いてしまいそうなほど首をまわして、あわてて視線をそらした。喉に触れた手に、かすかな震えが伝わってくる。息をのむ音が聞こえた。

何て馬鹿だったんだ。無人島やらパリやらハリウッドやら、的外れなことばかりくり返して！

「本当にきれいな首だ。いや、きれいなんてもんじゃない！　最高だ！」

「はあ——やめてよ——それほどじゃ」

間抜け！　彼女がネックレスをかけているのを見た瞬間に、そのヒントに気づくべきだった。

「なんだって？　謙遜しなくていい。よくわかっているはずだ、キャス、きみのその喉がどれほど美しくて素晴らしいか」

「でも……そんなんじゃないし……あたし、戻らないと……ああ……だめ、あんた——だめだって——」

ビー・ジェイはそんな言葉にだまされなかった。彼女の肩をつかんで引き寄せ、喉から顎へとゆっくり唇をすべらせた。

「はあ——だめ——」

ビー・ジェイは唇を重ねて彼女を黙らせた。彼女の唇はふにゃふにゃしていた。けれどもビー・ジェイは止められない……

彼女が家に戻ったあと、ビー・ジェイはブランケットを体にかけ、荷馬車の干し草のベッドに横になった。満ちたりた気分だった。眠気がおそってきた。まだ眠りたくない。しばらくは夢想にふけっていたかった。最初から順を追って。交換台の娘。「どうぞお上がりください、キャントラ様」エレベーター。呼び鈴。メイド。「ええ、キャントラ様、ミセス・マクドナルドはもうお見えです……」

かすかな音と揺れが伝わってきた。それがしだいに大きくなって、彼は目覚めた。あたりは夜明け前で薄暗かった。自分がどこにいて、揺れと音が何かわかるまで、少しかかった。荷馬車が動いている。あれは蹄《ひづめ》の音だ。

最初にこう思った。「あの男、ずいぶんと早いな」それから、こうも思った。「いいぞ！ これでひと安心だ」彼は肘をついて体をひねり、顔を上げて御者の背中を見て、それが誰か気づいた。あの女、いったいどういうつもりだ？

キャスは苔のような色に褪せたコートを羽織り、フエルトの縁なし帽をかぶっていた。彼は吐き気におそわれた。

同時に、猛烈な怒りがこみ上げてきた。気づいていない背中を怒鳴りつけたかった。「おい、おれはあんたの旦那に頼んだんだ。なのにしゃしゃり出てきて、いったいどういうつもりだ？余計なことをしてくれたもんだ、まったく！」

なのに、腹がたちすぎて声も出ない。

彼女はちらりと後ろに目をやり、顎をこわばらせ頬を赤黒く染めている彼の顔を見た。

「起きたの？」彼女は視線をあらぬ方にさまよわせた。「たっぷり寝かせてあげたかったんだけど」

「きみこそ寝ていてほしかったな。てっきり旦那さんが――」

「それはいいの……止まりな」

彼女は御者台から前に降りて姿を消した。棒をはずす音が聞こえた。舌を鳴らす音のあと、ラバとポニーが門をくぐってまた止まった。ビー・ジェイは、彼女が棒をかけなおすのを荷台の後部から見つめた。彼女の後ろには、霧に包まれた丘の斜面とその向こうの森を背にして、二つの小屋が見えた。東からの朝日に屋根が赤く染まっている。けれども、明るくも暖かくも見えなかった。

キャスが戻ってきて御者台に座りなおし、手綱をあつめた。ビー・ジェイは膝をついて体を起こした。どうにかしなければ。彼は立ち上がり、彼女の肩に手をあてた。

「いいか、旦那さんの方が――」

「だからいいんだって……ほれよ！」

荷馬車が動きはじめて彼はよろけ、肩を持つ手に力を入れた。

「よくないよ。止めてくれ、今からでも引き返そう」

「何度もしつこいって！」彼女はラバを手綱でたたき、それから振り向いて言った。「卵に気をつけておくれよ」

座席の下には、卵が入った木の桶と、紐で結ばれた靴箱があった。

木の枝が左右から迫ってきて、わだちのある道がトンネルのようになった。

ほどなくしてビー・ジェイが呼びかけた。「メイバーグまでは遠いのか?」

「メイバーグ? たいしたことないわ……あそこにあんたの荷物があるの?」

ビー・ジェイは高い脇板に座りなおした。百ヤードほど後ろで、牝鹿と子鹿が道を横切ろうと飛び出してきた。子鹿は荷馬車を見ると宙返りのように飛び跳ねて茂みに戻った。滑稽だった。彼は腹を抱えて笑いころげたくなった……ぼくの荷物があそこに? こいつは傑作だ!

ビー・ジェイはさっと立ち上がった。「いいか、よく聞くんだ。この際、はっきりさせておこう」彼はポケットから金を取り出した。五ドル札と二十ドル札。五ドルはだめだ! 時間がない。そう考えて、彼女の顔の前で二十ドル札を振りまわした。「駆け引きはなしだ。これでいいか? いや、待ってくれ」そして五ドル札を足した。

彼女は理解できないようだった。「はあ」彼女は首を振って、札を握っていた彼の手を押し戻した。「金は使いなれてないんだ。あんたに全部まかせるよ。ハリウッドまでは遠いだろうし」

ポニーがよろけたようで、棒にぶつかった。

「あたしを見るのはやめろって!」彼女はそう怒鳴ったが、振り向いてビー・ジェイが見ているか確かめたわけではなかった。ラバが後ろを向いたせいでふらつき、ポニーを脇に押していたのだ。ビー・ジェイは不意に気づいた。彼女が手綱を引いているせいだ。「それをよこせ!」彼は手を伸ばして手綱を奪いとった。

キャスの顔は土気色だった。彼女が車輪を越えてずるっと降り、そのまま左手の草むらに駆け込むのが見えた……彼は自分も反対側から降りて、そのまま走って姿を消すところを思い浮かべた。木立に飛び込み、茨をかき分け、がむしゃらに走ってどこかへ……そんな自分の姿が見えた。けれども、現実にはじっと動かず、ぎこちなく身を乗り出して手綱をつかんだままで、そのうち彼女が戻ってきた。

「すまないね」彼女は手綱を受けとり、荷馬車をまた進めた。しばらくして、彼女は口を開いた。「なんでか気分が悪くなって。でも、もう大丈夫よ。ほら、ヘバーのとこに着いた……こんちは、ヘバー」

薄暗い四つ辻に開けた一画がある。みすぼらしい店。みすぼらしい店主。

「はいや、キャス……そちらの誰かさんも、ごきげんよう」

「キャントラさんだよ。道に迷ったそうだ。卵を持ってきたよ、あんたがうちまで来なくてすむように」

「それはありがとさん……ジュダーはどうしてるね?」

「変わりないわ。しばらくスパータンバーグに行くってさ、あたしから話しとけって言われた……ほら、行くよ!」

四つ辻を渡る。

こうして荷馬車に乗って、B・J・キャントラはいったい何をしているんだ?

「今日が水曜なのを思い出してよかったわ」

「水曜?」

「卵の日なの。あいつは金曜までうちをのぞきにいかないわ、これで」

木の枝が迫ってきて、またトンネルをつくった。


(門野集訳)

敵

シャーロット・アームストロング

The Enemy　一九五一年

シャーロット・アームストロング Charlotte Armstrong（一九〇五―六九）。アメリカの作家。一九三九年に劇作家としてデビューしたあと、四二年に初のミステリ長編を刊行。五六年、『毒薬の小壜』でアメリカ探偵作家クラブ（ＭＷＡ）最優秀長編賞を受賞する。ほかの代表作に『疑われざる者』『ノックは無用』『あなたならどうしますか？』など。本編の初出は雑誌〈エラリイ・クイーンズ・ミステリ・マガジン〉*Ellery Queen's Mystery Magazine* 一九五一年五月号。第六回ＥＱＭＭコンテストで第一席の栄冠に輝いた作品である。

遅い昼食を済ませたあと、ふたりは天井が高くひんやりとした、薄暗い部屋をいくつか通り抜けて、判事の書斎に腰を落ち着けた。そこで静かに語りあううちに老人の過去と若者の未来が距離を縮め、触れあったかに見えた。だが、よく晴れて気温の高い六月の土曜の午後、三時二十分になって、不意に現実が緊張を孕《はら》んだ。表の静かな通りで、騒ぎが持ちあがったのだ。キッティンガー判事は鼻眼鏡をきちんとかけ直して立ちあがると、先に立って旧式の玄関ポーチへと向かった。そこからであれば、木々が天蓋《てんがい》をなすグリーンウッド・レーンとハンニバル通りの交差点を見渡すことができた。通りの向こうの、角の家の上がり段のそばに子供たちが大勢集まって、ひとりの男を取り囲んでいた。見ていると、判事の左隣の家からひとりの青い普段着を着た女が出てきて、道路をななめに横切り、騒ぎの現場へ駆けていった。さらに、一台のパトカーがハンニバル通りを滑るようにやってきて、歩道わきに音もなく停車した。ひとりの背の高い警官が子供たちの集団に分け入り、大声をあげている少年の体に両腕をまわして制止しようとした。

マイク・ラッセルは家の主《あるじ》に「ちょっと見てきます」と言い置き、急いで道路を渡った。騒ぎの核になっているのは十歳か十一歳くらいの少年だった。亜麻色の髪、黄褐色のまつ毛に縁取られた青い目、鼻筋が通り、秀でた額をしている。しかしいまは逆上して、警官の腕のなかでもがいていた。青い普段着の女が少年に向かってうるさく小言を浴びせている。「フレディ！　やめなさい！　やめなさいったら！」女の声は少年の耳にはまるっきり届いていなかった。

「この老いぼれ！　くそじじい！　ばか野郎！」少年は思いの丈をこめて悪口雑言をくり返した。

「いいから、ほら……」警官が少年の体を揺すぶった。少年は力強い手につかまれて動きを封じられながらも、いっこうに怒りを収めようとしなかった。罵声を浴びせられている男は顔を朱に染めていた。

少年たちの押しかけた家を背景にして立つその男は、丸々と太って頭が半分はげ、眼鏡のせいで目がかなり大きく見えた。「襲いかかってきたんです」かん高い声で泣き言を並べる。「うちの呼び鈴を鳴らしたかと思うと、いきなり跳びかかってきたんですよ」

まわりに群《むら》がる七、八人の少年たちが、口々に金切り声をあげはじめた。どうみてもその男の主張に異を唱えている様子だ。少し離れたところには、プリント地のワンピースを着た小柄な女と、生白い胸をあらわにした半ズボン姿の男が、どうしていいかわからずに困った様子で立っている。問題の家の玄関ポーチでは、網戸が半分開いて、車椅子に乗った女が不安そうに外の様子をうかがっていた。

十メートルほど離れた、陰になった芝生の上に、白に茶色のぶち犬の小さな亡骸《なきがら》が横たわっていた。

判事の家へ昼食に招かれた客はこうしたことをすべて見てとった。判事がその場に歩み寄っていくと、騒ぎは多少静まった。キッティンガー判事が言った。「その子はフレディ・タイタスでしょう。マトリンさん、いったい何事です？」

男はぐいと首《こうべ》をめぐらした。「わたしは」彼は言った。「その犬には何もしておらん。この子の犬を傷つけたりするわけがない。わたしはここで――判事さんだって、よくご存じでしょう？――この町で、平和に暮らそうとしている。それなのに、この子供たちときたら！　この子たちのせいで、この界隈はわたしや家族にとって地獄になってしまった」男の声は震えていた。「家内は体が弱い……継娘《ままむすめ》には障害がある……この子たちはスラム街のギャングも同然だ、凶悪で。あの少年はうちの呼び鈴を鳴らして、文字どおり襲いかかってきたんです。暴行罪で訴えてやります。わたしは……」

判事の顔は古色を帯びた象牙を思わせ、超然としていた。

玄関ポーチのところにひとりの若い女が姿を現わし、車椅子の女をよけて、よろめくような足取りで外に出てきた。

マイク・ラッセルは穏やかにたずねた。「子供たちはどうして犬を傷つけたのはあなただと言っているんですか、マトリンさん？」

子供たちがいっせいに声をあげた。「この人は意地悪じいさんで……」「頭がへんなんだ……」「だって……」「……クライヴの帽子を取りあげて、それから……」「……ぼくらを追いかけまわして……」「……何もかもぼくらのせいにしようとする」「……ぼくのママに嘘をついて……」「……だってさ……」

彼はぼくらの敵だ、と少年たちは言っていた。自分たちの敵なのだと。

「こいつらは……」マトリンは言いかけたが、怒りのあまり声を詰まらせた。

「まあ、落ち着いて」ふたりめのやせた警官が横たわる犬のほうへ向かった。

「誰か」マイク・ラッセルが低い声で言った。「あの子をどうにかしてやらないと」

判事は半狂乱になっている少年を見おろした。優しく声をかける。「心から気の毒に思っているよ、フレディ」しかし、年を重ね、幾多の小犬の死に接してきた判事には、なぐさめの言葉など、たとえ本心から出たものであっても、なんの効果もないことがよくわかっていた。少年は判事の言葉をはねつけるように目をそむけて、視線をもとにもどした。憎い敵へと。

ラッセルは青い服の女に近づいた。彼女はなんらかのかたちで少年にかかわりがありそうだった。「お母さんですか?」

「親御さんは留守ですよ。あたしはあの子の面倒を見てるだけ」彼女は嚙みつくように答えた。こんな騒動に巻きこまれることは契約条項になかったとでも言いたげだった。

「ご両親に連絡は取れないんですか?」

「無理です」彼女の返事はにべもなかった。

青年は自分がよそ者であることを自覚しつつ、少年のこわばった小さな肩に手を置いた。だが、彼もまたはねつけられた。フレディの目は憎しみに燃えて、敵をひたと見据えていた。憎悪は涙を流さない。

「ちょっといいですか」背の高い警官が言った。「この子をしばらく押さえていてもらえたら――」

「遠慮します」ラッセルは言った。

やせたほうの警官がもどってきた。「あの犬は毒を盛られたようだ。いつ見つけたんだね?」

「いまさっき」子供たちが言った。

「どこで? あそこでか?」

「ハンニバル通りのほう。マトリンじいさんちの裏庭の端っこ」

「うちの庭の端だと!」マトリンの顔がふたたび紅潮してきた。「歩道の上だとどうして言わない? どうしてほんとうのことを言わないんだ?」

「言ってるよ! 嘘なんかつくもんか!」

「静かにしなさい」警官が言った。「ほら、黙るんだ」

「神に誓って、わたしは家にいもしなかったんですよ」マトリンは大声をあげた。「きょうはゴルフを九ホールやったんです。帰ってきたのは……メイ?」肩越しに呼びかける。「わたしが帰宅したのは何時だったかな?」

玄関ポーチに立っていた若い女が釣り合いのとれていない脚をぎこちなく動かしながら、ゆっくりと階段をおりてきた。二十歳《はたち》を過ぎており、子供ではない。だが、大人の女性とも言いがたかった。出し抜けに言う。「三時ごろだったかな。でも、犬はもう死んでたわ」

「誰なんです、あなたは?」

「これはわたしの義理の娘です」

「犬はもう死んでたの」娘は言った。「パパが帰ってきたときには。二階から見えたもの、三時前に。歩道に横たわってた」

「あなたはハンニバル通りのほうから車で来たんですよね、マトリンさん? それなら、気がついてもよさそうなものですが」

マトリンはおずおずと考えこむようにして言った。「さあ。どうだったか……うん……わたしは……」

「こいつ、嘘ついてる!」

「フレディ!」

「ちゃんと他人《ひと》の話を聞きなさいよ」メイ・マトリンが言った。

「この人も嘘つきだ!」

警官がフレディの体を揺すぶった。マトリン氏は困り果てて、いらだたしげにため息をついた。若い女に言う。「お母さんを連れて、なかにはいっていなさい」片腕を上げて、払うようなしぐさをする。「大丈夫だよ、おまえ」車椅子の女に向かって呼びかける。「何も心配しなくていいからね」わざとらしく明るい声を出しているのが、不快に響いた。

フレディがあごの筋肉を引き締め、注意深く見守っていたラッセル青年はひるんだ。若い女はよろめくように家へもどっていった。

「通報したのは家内なんです」マトリンは言った。「何しろ、あの子たちはわたしに向かって、狼の群れみたいに突っかかってきましたからね。まあ、考えてみれば、その子が動転するのもわからんではないです。でも、いくら子供だからって……礼儀ってもんを……わたしは……それでなくても苦労が多いのに。こんな悪意、こんな不当な敵意、こんな迫害」

フレディはまばたきひとつしなかった。

「もうたくさんなんだ!」マトリンの口調はほとんどヒステリックになっていた。

「ええ、ぼくもそう思います」マイク・ラッセルはつぶやいた。キッティンガー判事が同意するように白髪頭をうなずかせた。

「レッドファーンの町のほうでは、犬の毒殺事件が相当数、起きているらしいんですよ」やせたほうの警官が職業的な落ち着きを見せて言った。「しかし、この町では一件も報告はありません」

半ズボンの男がズボンを引っぱりあげながら、びっくりした顔をした。「犬を毒殺するなんて、誰がそんなまねをするんだ?」

ひとりの少年が臆することなく答えた。「マトリンじいさんならやりかねない」彼は下あごが突きだしており、ちんまりした鼻に眼鏡をかけていた。「フィル・バーチャードです」警官に名乗りでる。彼には勇気があった。

「ぼくらにはわかるんです」べつの少年が言った。「アーニー・アレンといいます」やせた体全体から仲間意識を発散させている。「マトリンじいさんは自分のぼろい庭に誰も入れようとしないんです」

「ほんとだよ」「ぼろい庭にはいると怒られたもん」「犯人はマトリンじいさんにきまってる」

「そうだ。そのとおりだ」フレディ・タイタスが同調した。

「フレディ」青い服の家政婦が言った。「もう、いいかげんになさい。お父さまに言いつけますよ」無意味な、へまな説教のしかただった。少年は聞いてもいなかった。

キッティンガー判事が辛抱強く説得を試みた。「むやみに人を責めてはいけないよ、フレディ」

「ボーンズはじいさんのぼろい庭で悪さなんかしなかった。そんなやつじゃなかった。だのに、マトリンじいさんはやったんだ」

「このちびの嘘つきめ！」

「嘘つきはそっちだ！」

警官がふたたびフレディの体を揺すぶった。「犬を見つけたのはきみたちなんだね？」

「ぼくら、バーチャードんちから、タイタスんちへ行くところだったんです」

「そしたら、あいつが倒れてたんだ」フレディが言った。

「わたしは何も知らん」マトリンが冷ややかに言った。「何ひとつ」

警官はふたりのあいだに立って疲れたように言った。「どなたか、何か目撃されていませんか？」

「わたしは自宅の裏庭に座っていました」半ズボンの男が言った。「ドーアティーといいます。

隣の住人です、ハンニバル通り沿いの北側の。何も見ませんでしたね」

プリント地のワンピースを着た小柄な女が声をあげた。「ミセス・ペイジです。うちは通りの向かいの角なんですけどね、けさ、怪しい人がマトリンさんの家の敷地にはいってくのを見た気がするんですよ」

「それは何時ごろですか、奥さん?」

「十一時ごろだったかしら。みすぼらしいなりをしていました。車回しを車庫のほうへまわっていきましたけど」

「母屋のほうへは行かなかったんですね?」

「ええ。ほんの一分ほどしてもどってきました。何か抱えてたと思います。なんだかこそこそした様子で。ほんとうにみすぼらしかったわ。ホームレスみたいで」

年長者のあいだにある種のほっとした空気が流れた。「ああ、ホームレスね」マイク・ラッセルが言った。「こんなときに必ず登場するホームレス。ほんとうですか、ミセス・ペイジ?まずありそうにない話ですが」

彼女は気を悪くした。「わたしが嘘をついているとでもおっしゃるの?」

ラッセルは口を開きかけたが、判事が腕に手を置いて制した。

「こちらはうちの客で、ラッセルくんです……フレディ」判事の声は優しかった。「もう放してやってください、おまわりさん。いまではこの子もわかったと思うから。なあ、フレディ、マトリンさんは家にいさえしなかったんだよ。その――ええっと――普段見かけない男のしわざかもしれないし……あるいは、事故だったのかもしれない」

「ホームレスなんか関係ない。事故なんかじゃない」

「そうは言いきれないだろう」判事の口調がいくぶん厳しくなった。フレディは何も返事をしなかった。警官がゆっくり手を離すと、少年は身をふりほどいて後ずさり、たちまちほかの少年たちにまわりを囲まれた。彼らの眼前には敵がいた、犬を殺しておいて嘘をつく怪物が。そして、大人たちは疑う余地のない証拠がないからと怪物の味方をしている。だが、少年たちはフレディと知識を共有していた。彼らはひとつにまとまった。

「誰か」判事の客人がつぶやいた。「誰か、あの子の力になってやらないと」判事がため息をついた。

警官たちはドーアティー氏とともにハンニバル通りをマトリン邸の裏庭のほうへ向かった。マトリンは角のところにぐずぐずと居残って、ペイジ夫人に話しかけている。マトリン邸の正面の窓ではカーテンが閉じられた。

マイク・ラッセルは家政婦ににじり寄った。「この町に誰か親戚の人はいないんですか？お祖母さんとか？」

「いません」彼女はそっけなく答えた。

「兄弟や姉妹は、ミセス……？」

「サマーズです。いませんよ。あの子はひとりっ子だから。親御さんといっしょに行かなかったのは、単に学校のお休みまであと一週間あって、あの子が欠席したくなかったからなんですよ」

ビロードの柔らかい手触りを連想させるマイク・ラッセルの茶色の目に、深い憂慮の念が浮かんだ。そのまなざしから逃れるように、家政婦は視線をそらした。「あの子も耐えなきゃいけないんですよ、みんなと同じように。よくあることなんだから」サマーズ夫人は言った。

彼は相手の声音に注意を向けていた。「犬がお好きじゃないんですね？」

「犬なんかどうでもいいじゃないの」彼女は首をそり返らせた。少年に声をかけようとしていた。

「待った。教えてください、ご家族は教会へ行きますか？　あの子と知りあいの牧師か神父はいないでしょうか？」

「あたしの知るかぎり、教会へ行ったことはないですよ」頭がどうかしているとでも言いたげな顔をして彼を見やる。

「じゃあ、学校だ。担任の先生がいる。何年生ですか？」

「六年。担任はデーナ先生です。でも、あの子なら心配ありません」本人の耳にも届くように声を張りあげる。「もう大きいんですから」

ラッセルは必死に食い下がった。「ご両親に電話する手立てはないんですか？」

「旅の途中なんですよ。あしたには帰ってくる予定です。あたしが知っているのはそれだけ」

彼女はいらだっていた。「あの子の面倒を見るのはあたしの仕事です。そのためにいるんだから」彼女は声を張りあげたが、今度はひどく甘ったるい口調だった。「フレディ、早く家にはいって顔を洗いなさい。どこかにチョコレートクッキーがあったはずよ」

青年の目からビロードの柔らかさが消えた。ボタンのように堅固なまなざしが、つかの間、女に注がれた。そして、彼はくるりと向きを変えて、女のもとを離れた。子供たちが吹き寄せられていった方向へ——芝生に横たわる小さな亡骸のほうへ歩いていく。「ボーンズにはかかりつけの先生がいただろ、フレディ？　名前を教えてくれないかな？」少年の目がちらっと動いた。「死因を確かめる必要がある。獣医さんならわかるだろう。かかりつけの先生に診てもらうのがいちばんじゃないかと思うんだ」

少年はうなずき、名前と住所をはっきりしない口調で言った。ラッセルはそれを一度で憶えて聞き返さなかったが、そのことはこの青年の懸念の高さを示していた。それに、彼の特長だが、もともと耳はいいほうだった。「ぼくが運んでもかまわないかな？　車があるから。毛布が要《い》るな」穏やかな声でつけ加える。「柔らかくて清潔な毛布が」

「ぼくが持ってくるよ、フレディ……」「母さんに訊いてみようか……」

「ぼくのがある」フレディがそっけなく答えた。子供たちはほとんど隊列を組むようにして歩きだした。

サマーズ夫人が眉をひそめた。ラッセルは冷たい目で相手を見返した。「毛布一枚ぐらい、どうってことないじゃないですか」

「ミセス・タイタスにはわたしから説明しましょう」判事がすかさず取りなした。

「何を騒いでるんだか」彼女は頭をつんとそらせて道路を渡っていった。

ラッセルは判事にちらりと、ぎこちなく笑いかけた。引きあげようとしている警官のほうへ歩いていく。「警察では検査をしますよね？　かかりつけの獣医に頼んでもかまいませんか？」

「もちろんです。動物保護の担当者が監督するかたちになりますが。しかし、それは獣医も望んでいることでしょう」

「では、ぼくが犬を運びます。向こうに何か痕跡はありましたか？」

「これっぽっちも」

「警察がきちんと捜査する、とあの少年に説明してやってもらえませんか？」

「うーん、この手の事件の成り行きはおわかりでしょう」警官は足を小刻みに動かした。「担当者も手は尽くすでしょうが。おそらく月曜には毒の種類が判明するでしょうし、薬局をあたってみることになると思います。これが近所の犬嫌いのしわざだとしたら、それ以前にも犬について苦情を申し立てているのが普通です。ところがマトリンは、そんなことは一度もしていないと主張している。捜査は月曜からになります。担当者が出張中なので。残念ながら、こういう事件は確証が得られないままになってしまうことが多いんです。犯人の見当がついたとしても、油を絞るぐらいが関の山。どのみち軽罪です。裁判で有罪になったという話は、わたしは聞いたことがないですね」

「ともかく、あの少年にひと言……」ラッセルは途中で言葉を切り、くちびるを噛んだ。判事がため息をついた。

「ええ、子供には酷ですよ」警官は言った。

判事の客がもどってきたときには、五時近くになっていた。「これで失礼します。きょうはどうもいろいろと……」だが、うわの空で話していて言葉に詰まり、顔を上げた。

判事の目は慈愛に満ちていた。「心配かね？」

「判事」青年は言った。「この近所の人たちは子供には食べ物さえあてがっておけばいいという方針なんですか？　こんなにしゃれた住宅地なのに、子供の気持ちを理解できる人はひとりもいないんですか？　ぼくは子供たちをミセス・アレンのところへ連れていったんです。ところが、アレンさんはたじろぐばかりで、彼らの気持ちをそらそうとしました。不幸と向きあいたくなかったし、考えたくもなかったんですね。ケーキとコーラを出して、ゲームで遊ばせたんです」

「しかし、いいかね……」

「近頃の大人は子供たちに何を教えているんですか？　現実から顔をそむけることですか？　お腹に何か入れてゲームで遊びなさい。死者のために泣いたって無駄。さっさと忘れて何かほかのことを考えましょう」

「あの子がひとりぼっちなのが気がかりだな」判事が穏やかに言った。「しかし、それも今晩だけのこと」歌うような口調になる。「悲しみが訪れたとき、そこからは誰も逃げだせない。わたしたちは誰も」

「お言葉ですが、ぼくが望んでいるのは、あの子を悲しみに浸《ひた》らせてやることなんです。思いっきり泣いてもらいたい。あのどす黒い憎しみを洗い流してもらいたいんです。もうおいとますべきなんでしょう。ぼくには関係のない話なんだから。こういうのは女性の仕事です」彼は進みでて、電話のほうに片手を伸ばした。「あの子には担任の先生がいる。心配でなりません。お借りしてもよろしいですか?」

判事は言った。「むろんだとも」彼はもろい老骨を椅子に沈めた。

マイク・ラッセルは教育委員会から電話番号を聞きだした。「リリアン・デーナ先生ですか? ラッセルと申します。フレディ・タイタスという少年をご存じですか?」

「ええ、もちろん。担任ですから」気持ちのいい声だった。

「デーナ先生、困ったことになりまして。キッティンガー判事の家をご存じでしょうか? こちらにいらしていただけませんか?」

「困ったことってなんですの?」

「フレディの愛犬が毒殺されました。フレディはひどいありさまです。助けになってくれる人は誰もいません。ご両親は不在です。世話をまかされている女性は」慎重に事情を説明していたラッセルがにわかに怒りを爆発させた。「想像力ゼロで、壊れた物干し台の支柱並みの同情心しか持ちあわせていないんです」小さく息を呑むのが聞こえた。「あの子を助けてやりたいんです。でも、ぼくは男だし、よそ者だ。それに、判事は……」彼は言葉を切った。

「……老いぼれだ」判事が椅子に座ったまま言った。

「返す言葉がありません」電話の相手はゆっくりと言った。「フレディは素晴らしい子です」

「あなたは彼と親しいですか?」

「ええ、仲良しですわ」

「それでは、お願いできませんか? あの子の頭のなかから恐ろしい考えを払いのけさせたいんです。あの子は通りの向こうに住む男が自分の犬をわざと毒殺したと思いこんでいる。そう信じこんでしまっているんです。しかも、涙ひとつこぼそうとしない」彼女はふたたび息を呑んだ。「グリーンウッド・レーンとハンニバル通りの角――南東の角です」

ミス・デーナは言った。「参ります。車がありますし。できるだけ早くうかがいます」

ラッセルがふり向くと、判事はくちびるを嚙んでいた。「大げさに騒ぎすぎでしょうか?」

彼はへりくだってたずねた。

「あの少年のかたくなな決めつけは気に入らない」判事は感情のこもらぬ、はっきりした声で言った。「わたしも同感だよ。あの子には道理を説いてやる必要がある。しかし……」老人は椅子に座ったまま身動きした。「たしかにあの男、マトリンは愚か者だ。彼にはどこかまじめさと滑稽さが同居しているようなところがあって、そのせいで嘲笑の的になる。運が悪くてね。障害のある子を抱えて夫に先立たれた女性と結婚したんだが、その直後に、当の女性が倒れてしまった。暮らし向きも楽じゃない。あの大きすぎる家が重荷になっている」

「職業はなんですか?」

「カメラマンだ。それはもう奮闘しているよ、精一杯ね。だが、気の休まるときがないらしい。あの気の毒な、脚の不自由な娘は家事をこなそうとしている、母親に尽くして。マトリンも懸命に働き、家族に尽くしている。それなのに、争いが絶えない。ヒステリー、不和、口論。子供たちとのいざこざなんていまさら必要ないんだよ」

「子供たちもそれにひと役買ってきたのではないでしょうか、そんな気がします」ラッセルは考えこむようにして言った。「あの子たちは楽しんでいる――近所に住む人食い鬼。素敵にぞくぞくする危険人物。いたずらしてやれ。やつは敵だ」

「いかにもそのとおり」判事はため息をついた。

「こうして神話が作られる。噂は噂を呼んでいく。作りあげられる過程が目に浮かぶようですよ。一日で突き崩せるものではない」

「そうだな」判事は落ち着かない様子で答えた。椅子から立ちあがる。

青年は黒っぽい髪に手をやった。「気に入りませんね。あの子たちが何を考えているのか、ぼくたちには見当もつかない。あの子たちのヒーローが誰なのかも。ただギャングじみた一団がいるだけ。彼らは何をやらかすつもりでしょうか?」

「なに、心配するほどのことはない」判事はきっぱりと言った。「マトリンが何を言おうと、ここはスラムではないんだ」彼はおずおずと窓辺に近づいた。ブラインドのひもをもてあそぶ。そして、唐突に声をあげた。「うちの裏庭の小さなあずまやからなら、あの子たちの話が聞ける。あのオークの木の下に集まる習慣でね。盗み聞きしてくるといい」

青年はさっと気をつけの姿勢をとった。「了解しました」

「いや……確認しておいても悪くないのではないかと思ってね」判事はかすかにきまりの悪そ

うな口調で言った。

子供たちはオークの木の下の、草の生えた窪地に座っていた。フレディが真ん中にいた。顔つきは険しかった。視線は敵の家にじっと注がれたままだった。ほかの子供たちはフレディを見ているか、うなだれているか、草をいじくる自分の日焼けした手を眺めるかしていた。

おしゃべりはしていなかった。あたりには重く陰鬱な沈黙が垂れこめていた。悲劇に見舞われたという重い感覚と、不正がなされているという陰鬱な意識。ときおり、ひと言、ふた言、吐き捨てるように言葉が発せられるが、それもまた沈黙に呑みこまれて、険悪な空気はますます強まっていく。

判事が書類から顔を上げた。「どうだった……？」

「聞こえました」ラッセルが低い声で言った。「彼らは法をなじっています。腐敗していると言って。犬を殺したのはマトリンだといまも信じていますね。ロビンフッド気取りでいるようです。弱き者、虐《しいた》げられし者、犬を護《まも》る自警団だと。正義を論じている気でいます。暗くなるのを待っています。武器の話題が出ていました――彼らの持つ唯一の武器です。BBガンを、暗くなってから」

「なんたることだ！」

「心配いりません。何も起きませんから」

「どうする気だ?」

「ぼくが止めてみせます」


ラッセルが網戸をたたいたとき、サマーズ夫人は夕食の準備をしていた。「ああ、またあなた。なんの用です?」

「あなたの助けがほしいんです。フレディのために」

「フレディでしたら」彼女は高飛車に彼の話をさえぎった。「夕食のあと、いつもの時間にベッドにはいります。それ以外に何もありゃしません。だのに、なんの用ですか?」

彼は答えた。「あの子を今夜ひと晩、ぼくのアパートメントで預からせてもらいたいんです」

「ふざけるのもたいがいにしてちょうだい!」猛烈な剣幕だった。

「判事が身元保証人に……」

「いいですか、ええっと――ラッセルさん。ここはあたしの家じゃないし、フレディはあたしの息子じゃない。あたしはタイタスさんご夫妻に責任があるんです。言わせてもらえれば、あなたはよそ者でしょう。フレディにかかわる筋合いなんかないじゃないの」

「彼の部屋はどこですか?」ラッセルはきつくたずねた。

「どうして知りたいのよ?」彼女は敵意と疑惑をむき出しにした。

「BBガンはどこにしまっていますか?」

彼女は虚を突かれて返事をした。「裏庭の物置だけど。どうして?」

彼は事情を説明した。

「ただの子供のおしゃべりじゃないの」彼女はあざけるように言った。「お若いから、子供のことをよく知らないのね。フレディはいつものとおりベッドにはいる。次に目を覚ましたときには、朝になっている。まずそんなところでしょうよ」

「おっしゃるとおりかもしれません。そうであればいいんですが」

サマーズ夫人はジャガイモを鍋に放りこんだ。くちびるが怒りに震えた。腹が立ったのは、ほんの少し動揺したからだった。見知らぬ青年の懸念が本物なのは明らかだった。

ラッセルは通りを見渡してから、マトリン邸へ向かった。マトリン本人が応対に出てきた。家のなかの空気はよどみ、かすかに古い脂のにおいがした。苦闘と絶望の雰囲気がすべてを覆い尽くしている。修理されてしかるべき多くのものが、修理されないままになっている。この家は大きすぎる。維持にはそれなりの財力や、気力が必要だ。手をつかねているしかないのだろう。

マトリン夫人は歩行が困難だった。それでも、できるだけ人に頼らないように努力している様子が見てとれる。心ここにあらずといった表情を浮かべ、あたかも絶えずつきまとう不安に注意力の九割を吸いとられているかのようだ。メイ・マトリンがよろめくように部屋にはいってきて、どさっと腰をおろした。

ラッセルは真剣な口調で話を切りだした。「マトリンさん、あなたと少年たちとのいざこざが何をきっかけに始まったのかは知りません。どうも責められるべきは子供たちのほうのようですね。おもしろがっているふうに見えますから」彼は微笑を浮かべた。この男には同情を示したかった。

「お言葉のとおりです」マトリンは我が意を得たりという顔をした。

「あたしのことは魔女って呼ぶの」娘が言った。「怖がってるふりをして。いけ好かないったらありゃしない。怖いのはこっちだってのに」

マトリンが車椅子の女のほうを心配そうに見やった。「ありていに言ってですな、ラッセルさん」かん高い、哀れを催す声で言う。「彼らはたちが悪いんですよ」

「困ったわね」彼の妻が低い声で言った。「何か悪いことが起こりそう」

「ママは何も心配しなくて大丈夫よ」娘ががらりと変わった口調で言った。「あいつらにママは傷つけさせない。誰にも手出しはさせないわ」

「黙りなさい、メイ」マトリンが言った。「ママが怖がるじゃないか。むろん、誰にも手出しはさせないさ」

「たしかに何か起こりそうなんですよ、ミセス・マトリン」ラッセルが穏やかに言った。「それで、こうしてうかがったんです」

マトリンが目玉をぎょろつかせた。「何?　なんの話だ?」

「ひとつ提案なんですが、今夜ひと晩だけ、この界隈から離れていただけませんか——それも、わざと騒々しく」

「お断わりする」マトリンはかっとなって怒りだした。「冗談じゃない、そんなことができるものか！　自分の家から追いたてられる道理はない」声を荒らげる。「それに、家内と継娘《むすめ》を置いてはいけん」

「わたしたちなら、なんとかなりますよ」マトリン夫人が不安そうに言った。

ラッセルはオークの木陰での話しあいと、ＢＢガンについて物語った。

「いけ好かないったらありゃしない」メイ・マトリンが言った。「まったく……」

「ねえ、あなた」マトリン夫人が身を震わせた。「もしかしたら家族全員、離れたほうがいいのかもしれないわ」

マトリンは首筋を赤く染めて憤慨していた。「この家と土地はわたしらのものだ。税金だってちゃんと納めている。わたしらには権利がある。やるがいい！　やる気なら、勝手にやればいいんだ！　どのみち法律はこっちの味方だ。ふざけた話だ。わたしはあの犬には指一本触れちゃおらん。ゆえに、断固として……」顔を朱に染め、近視の目をぎょろつかせている姿は、たしかに判事が評したとおり、まじめさと滑稽さが同居しているふうに見えた。

ラッセルは立ちあがった。「ご提案すべきだと思ったまでです」彼は穏やかに言った。「ここを離れるのがいちばん安全な方法でしょうから。でも、ご安心ください、ミセス・マトリン。ぼくが必ず――」

「ＢＢガンでは失明することがあるわね」夫人は緊張した声で言った。

「それだけではすまないかもしれません」ラッセルは同意した。「でも、ぼくの心積もりでは

――」

「ちょっと待った」マトリンが声をあげた。「あんたにはここへ上がりこんで、家内を脅かす権利はない！　家内は体が弱い。あんたにはそんな権利はないんだ」彼はがに股で立ち、丸々とした腕を伸ばして、肉付きのいいあごを震わせた。「出てってくれ」大声を出す。なんとも不恰好なありさまだった。

青年と車椅子に座ったまま当惑している女性が理解しあえたかどうかはわからないままになった。ラッセルは当然ながら、辞去することにした。メイ・マトリンが足を引きずるようにして玄関口まで見送りにきて、ラッセルにこう言った。「まあ、とにかく、警告は受けとったわ」

ラッセルはふたたびとぼとぼと道路を横切った。沈もうとする太陽が長々とした魅惑的な影を投げかけ、木々に囲まれた古い家々は金色の光に包まれて、やわらいだ印象を与える。彼はオークの巨木のほうへ向かった。しゃがみこむ。夕日の黄金色の光は重なる枝々の下にまで深く射しこんでいた。「調子はどう？」彼はたずねた。

フレディ・タイタスはかたくなな顔つきを変えなかった。「問題ない」代わりにフィル・バーチャードが無理に平静さを装って答えた。フクロウを思わせる大きな眼鏡に光が反射して、目の表情はうかがえなかった。

ラッセルは口を開きかけてためらった。近所の家の時計が夕食の時刻を告げた。あちこちから、チャイムのような呼び声が聞こえてくる。

「あっ、母さんだ」アーニー・アレンが言った。「じゃあ、またあとで」

「またあとでな、フレディ」

「オーケー」

「オーケー」

サマーズ夫人のくぐもった呼び声がほかの声に混じり、フレディもまたおっくうそうに立ちあがった。

「オーケー?」マイク・ラッセルは言った。どんな意味にもなる、アメリカ流の便利な言い回しを使って、〝少しは落ち着いたか? 楽になったか?〟とたずねたのだ。

「オーケー」フレディは同じ言い回しを使って相手をはねつけた。

ラッセルは何か言いかけて、口をつぐんだ。フレディは芝生を横切って自宅の勝手口へ向かった。そこの階段の上のポーチに茶色い陶器のボウルが置かれていた。少年はスニーカーをはいた足で、ぎこちなくボウルをまたいだ。マイク・ラッセルは見送りを済ませると、両手をよじるように握りあわせながら判事の家の階段をあがっていった。

「どうだった?」判事がドアを開けた。「少年と話せたか?」

ラッセルは答えなかった。そのまま椅子に腰かけた。

判事はそばに立ったままだった。「あの子には……ことの重大性をなんとしてでも言って聞かせなければならない」

「ぼくにはできません」ラッセルは言った。「やろうとはしたんです。でも言葉が出てこなかった」

「このわたしなら……」

「なんと言ってやるおつもりですか？」

「それは当然、事実を告げるまでだ」

「事実は……あの犬が死んだことだけです」

「マトリンの関与を示す事実はひとつもない」

「ホームレスの関与を示す事実もまた、ひとつもありません。あの話は信用できない」

「何が言いたい？」

「判事、あの少年の抱いている疑惑はぼくたちが思う以上に当を得ています」

「ばかばかしい。マトリンの娘が犬の亡骸を見たとき、当人はまだ帰宅して……」

「毒殺の場合、アリバイは成立しません」ラッセルは沈んだ声で言った。

「あの男は嘘をついているというのかね？」

「嘘か」ラッセルはため息をついた。「真実と嘘。あの子たちはどうやってその意味を知るようになるのでしょうか？　あのミセス・ペイジにとって、多くの大人たちにとって、真実は主観的な意思の表われでしかない。『わたしは嘘をついていない』と、彼女ないし彼は言う。『わたしは正直であろうと心がけている。だから、侮辱されるいわれはない』まったく、あきれてものも言えない。これこそ、ぼくたちが昼食の席で話題にしたことですよ。あなたとぼくが信じていること。人類が大変な苦しみのなかで、何百万年にもわたる苦い経験を通じて、何度も何度も教えられてきたこと。過《あやま》ち、とぼくたちは言いましたね。過ちこそがぼくたちの敵なんです」

　彼は椅子から勢いよく立ちあがった。「ぼくたちは真実を語るのがいかに難しいかを知っています。単に誠意があればできることではありません。練習を積んでこそ身につけられる、特殊な能力です。技術であり、努力のたまものです。それには頭脳が要る。観察力が要る。謙遜《けんそん》と自己分析が必要です。科学であり芸術なんです。どうしてぼくたちは子供たちにそういうことを教えないのでしょう？　どうして誰もかれも怒りにとらわれ、他人《ひと》を嘘つきとののしるのか？　たとえ悪意がなくても人は過ちを犯しやすいものだと、どうして無意識のうちにわからないのか？　どうしてやたらと暴力に訴えようとするのか？　なぜならフレディはこう自分に問いかけることをしないからです――〝待てよ、ぼくは間違っているかもしれない〟そういう習慣がないんです。代わりに存在するのはヒーロー――筋骨隆々として、高潔な心を持った、銃を携行するヒーローです、作家のこしらえた絵空事でしかない正義をふりかざす。いや、言いすぎました」

「きみの意見には一理ある」判事は厳しい口調で言った。「わたしも同感だ。だが、警察は経験から学んでいる。彼らは――」

「警察は気にしちゃいませんよ」

「なんだって？」

「そこまで関心を払っちゃいません。ぼくたちはみんなそうだ――相手はたかが犬だから」

「なるほど。たしかにな。あの犬の身に何があったのか、われわれは露ほどもつかんでいない」判事は鼻眼鏡に触れた。

ラッセルは疲れたように頭をさすった。「思いつくことと言ったら、あの子の部屋の窓の下で寝ずの番をすることぐらいのものです。とうてい適切な対応とは言いがたい」

判事があっさりと言った。「どうして犬の身に何があったのかを調べてみないんだね？」

青年の顔つきが一変した。「それだったら」彼はゆっくりと言葉を選んだ。「フレディに教えてやるのは、質問のしかただけで用が足りますね。質問のしかただけ。答えを引きだす方法だけ」老人と若者はたがいの顔を見あわせた。過去と未来が距離を縮めた。「さあて、急がないと」ラッセルは言った。「暗くなる前に」


子供たちは夕食に二十分しか費やさなかった。ブロンドの髪に無帽の、茶色のワンピースを着た若い女が古ぼけたクーペから降りてきたときには、ふたたびオークの木の下の窪地に集まっていた。女は子供たちのほうに近づき、地面に腰をおろした。「ああ、フレディ、ボーンズのことなのね？　あなたが作文に書いていた、あのかわいい子のことなのね？」

「そうです、デーナ先生」フレディの声はかん高く、敵意がこもっていた。〝口出しはごめんだ！〟彼はそう訴えていた。すると女は、もう声はかけずに、その場に座ったまま静かに泣きはじめた。涙は伝染した。この世でいちばん単純なことだった。最初は年少の子のひとりがべそをかいた。しまいにはフレディ・タイタスも屈服した。先生に頭を抱きかかえられると、その膝に顔を埋《うず》めて泣きだした。

あずまやのなかにいたラッセルは、目を閉じて神に感謝した。頃合いを見計らい、手すりをひらりととび越えて窪地へおりていった。「初めまして。お電話したマイク・ラッセルです」

「リリアン・デーナです」彼女は頭の回転が速く、聡明で、しかも涙は本物だった。

「みんな」ラッセルはきびきびと言った。「やるべきことはわかってるよね？　この事件を解決しなきゃいけない」

子供たちが涙に濡れた顔を彼のほうに向けた。

ラッセルは慎重に話を続けた。「この事件は殺人事件と同じだ。殺人事件なんだ」

「そうだ」フレディが言い、身を起こした。涙は乾きかけていた。「それに、犯人はマトリンじいさんだ」

「だったら、そのことを証明する必要がある」

ミス・リリアン・デーナは少年の顔がふたたびこわばるのを見た。〝何も証明する必要なんかない〟――顔にはそう書いてあった。わかりきっていることなのだと。彼女はほんの少しかがみこんで言った。「でも、それが大間違いだったら、ボーンズがかわいそうよ。ボーンズはいい子だった。思い出を汚してはいけないわ」フレディははっとして、彼女を見た。

「ぼくたち次第なんだ」ラッセルはほっとした思いで言った。「嘘偽りのない事実を突き止められるかどうかは。本物の刑事みたいにやるんだ。ボーンズのために」

「それが彼に対するせめてもの心尽くしだわ」ミス・デーナが穏やかに、だがきっぱりと言った。

フレディが顔を上げた。

「困ったことに」ラッセルはすばやく続けた。「人間というのは思い違いをする。記憶だって当てにならない場合がある。人は過ちをするものだ」

「マトリンじいさんは嘘をついている」フレディは言った。

「だったら」ラッセルはにこやかに言った。「そのことをはっきり証明してやろう。そこで、ひとつ提案があるんだ、デーナ先生の協力が得られたら、の話なんだけどね。友だちのなかからふたりばかり助手を選んでくれないか？　このへんの家を一軒一軒まわって聞き込みをするんだ。頭の切れるやつがいいな。真実を明らかにするのは、とても難しい仕事だからね」彼は挑むように言った。

「で、それから？」ミス・デーナが落ち着かない様子で言った。

「それから、その子たちとあなたとで、もしご協力いただけるのなら……」

「わたしが？」彼女は背筋を伸ばした。「わたしは教師ですよ、ラッセルさん。警察が黙っていな……」

「暗くなる前なら大丈夫です」

「そういうあなたは何をなさるおつもり？」

「もっと汚れる仕事を」

彼女はくちびるを嚙んだ。「こそこそせんさくするなんて。そんなふるまいは……許されません」

「たしかに」彼は同意した。「あなたは職を失うかもしれない」

彼女はなかなかの器量の持ち主だった。目が美しい。眉はきまじめそうだが、頰にはかすかにえくぼが浮かぶ。両手を左右に開いて言った。「まあいいわ、それならそれで美容師か何かの仕事につくまでだし。それで、何を調べるんです?」さっそくハンドバッグからはぎ取り式のメモ帳と鉛筆を取りだして、機敏で有能そうな様子を見せた。

こうして密議を進めるうちに、あたたかな共謀意識が育《はぐく》まれていった。「こいつはものすごく骨の折れる任務だぞ」ラッセルは子供たちに警告した。そして、質問事項のあらましを説明した。「いいね、あいまいな答えにごまかされてはいけないよ」彼は話を締めくくった。「どうしてそうだとわかるのか、理由をしっかりたずねるんだ。本物の証拠を手に入れること。ただし、マトリンの家には近づくな――あそこへはぼくが行く」

「あいつなんか怖くないよ」フレディが息巻いた。

「ぼくのほうがうまくやれそうだと思ってね」ラッセルはそっけなく言った。「肝心なのは答えを得ることだろ?」

フレディはぐっとこらえた。「それで、もし答えが……」

「答えは出るべくして出るさ」ラッセルは言い、少年の亜麻色の髪をくしゃくしゃにした。「信頼できる部下を選んでもらいたい。重大な任務だってことを忘れないように」

「フィル、アーニー」フレディをふくむ少年三人と、彼らと背丈がほとんど変わらない教師が立ちあがると、残った子供たちのあいだから嘆きの声があがった。

「厄介な仕事になりますね、ラッセルさん」ミス・デーナが厳《おごそ》かに言った。「あなたがどういうかたであれ、わたしを仲間に加えてくださって感謝します」

「ぼくは通りすがりの者にすぎません」彼は穏やかに言い、彼女の顔を見おろした。「しかし、あなたはみんなと仲良しだし、先生でもある」彼女の目に苦痛の影がよぎった。「ここからはあなたの出番だ、そうでしょう?」

彼女はあご先をきっと上げた。「いいわね、三人とも。メモ帳と鉛筆はわたしが持ちます。フレディ、顔を拭いて。フィル、シャツの裾はしまいなさい。さあ、やり方を決めるわよ……」


少年たちと教師がややくたびれた面持ちで判事の家にもどってきたときには、夜九時近くになっていた。ラッセルは厳しい顔つきをして、教師の持つメモ用紙に手を伸ばした。

「その前に」ミス・デーナが言った。「判事さん、いくつかご質問があります」

アーニー・アレンがにっと歯をむき出しにして前へ進みでた。「あなたはきょう、ボーンズを見ましたか?」何度もくり返したおかげですっかり板についた口調だった。判事はうなずいた。「何回ですか、それと時間は?」

「一回だ。ええっと――正午の少し前だな。うちの前庭を、西に向かって横切っていった」

少年たちがそろって教師の手元をのぞきこんだ。次に、フレディが決然として口を開いた。

「どうしてその時間だとわかるんですか、キッティンガー判事?」

「そうだな」判事は言った。「うーむ……考えさせてくれ。客が来る予定だったので窓から外を見ていたんだ。そのあとすぐ、このラッセルくんが到着した」

「ぼくが着いたのは一時五分前ですよ」ラッセルが言った。

フレディがさっと首をまわした。「どうしてはっきりわかるんですか?」

「腕時計を見たから」ラッセルは言った。「それに、食事に招かれたときには必ず約束のきっかり五分前に着いているようにって、子供のころ教わったからね」少年たちは納得したように頭をうなずかせ、ミス・デーナがメモを取った。

「では、わたしの勘違いだな」判事が考えこむようにして言った。「あれは一時前だったのか、うん」

フィル・バーチャードがあとを引き継いだ。「誰かがマトリンの家の車回しや、裏庭にはいるのを見ましたか?」

「見ていない」

「家の外へ出たり、そちらのほうを見たりしましたか?」

「うん、わたしが……われわれが食卓を離れたときに。何時だったかな、ラッセルくん?」

「二時半です」

「どうしてその時間だとはっきりわかるんですか?」フレディ・タイタスがたずねた。

「なぜって、これ以上座っていたらマナー違反になるかなって考えていたから」ラッセルは目顔でミス・リリアン・デーナに祝意を伝えた。彼女は少年たちをひとつのチームにまとめあげていた。そのなかでフレディは〝どうしてはっきりわかるのか〟係を見事につとめていた。

「間違いないですか?」フィルが判事に念を押した。「その時刻、マトリンの家の裏庭にはほんとうに誰もいなかったんですね?」

「わたしの見たかぎりではね」判事が慎重に答えた。

フレディがすかさず口をはさんだ。「ここからではよく見えなかったんじゃないかな。木が多すぎる。この証言は当てにならないと思う」

少年たちがミス・デーナのほうを見た。彼女はメモにしるしをつけた。

「ありがとうございました。ええっと、こちらには料理人がいますか? その人にも話を聞かなくてはなりません」

「こちらです」判事は立ちあがって、会釈した。

ラッセルは一行を見送った。その目にふたたびビロードの柔らかさがもどった。判事の目もきらめいている。ラッセルは椅子に腰かけ、教師から渡されたメモ用紙にすばやく目を走らせては、一枚一枚、家の主に手渡していった。

はっとしてラッセルは顔を上げた。ミス・リリアン・デーナが戸口に立って彼の顔を観察していた。

「これをどう思う……ラッセルくん?」

判事の手にある一枚のメモ用紙がだらりとたれ下がった。

「もうあとには引けません」彼女は挑むように言った。

ラッセルはうなずき、判事のほうを向いた。「警察のお偉がたに助力を仰ぐべきかと」判事が立ちあがった。「それと、おたずねしますが、マトリンのゴルフクラブはどこですか？　それから、廃品回収組合の電話番号は？　そうです、ミス・デーナ、もうあとには引けない。結果がどうあれ、受け入れるしかないでしょう」

「ええ、覚悟を決めなければ」彼女は答えた。

十時近くになって近所の人々が顔を見せはじめた。判事は彼らを厳粛な面持ちで迎えた。警察署長が到着した。サマーズ夫人はむりやり呼びだされて不機嫌そうだったが、クレープ地のワンピース姿で現われた。マトリン氏、ペイジ夫人、ドーアティー夫妻、ベイカーという名前の夫婦もの、十六歳のダイアン・バーチャード。彼らは小さくまとまっている集団——三人の少年とそのブロンドの担任教師——にいぶかしげな視線を注いだ。

最後に姿を見せたのはラッセル青年だった。彼は暗いポーチからはいってくると、判事がうなずいたのを受けて開会を宣言した。

「ぼくたちはフレディくんの愛犬が奇妙な死に方をした件について調査をしてきました」彼は話しはじめた。「アンダースン署長、警察のかたがたがいずれ捜査に着手してくださることはわかっていました。それと同時に、みなさんが多忙でいらっしゃることもわかっており、なかには」暗い窓の外を見やる。「待ちきれない者もおりまして。いまここで手を貸していただけますか？」

署長は愛想よく言った。「わたしはそのつもりで来たのだがね」この集会にそれなりの重みが加わったのは、判事その人と彼の威信のおかげだった。ただじっと話に耳を傾けている老人の姿が参加者のなかになければ、この集まりは世間知らずで、青くさい、少々ばかげたものに見えたかもしれない。

「ありがとうございます。さて、ぼくたちが知りたいのは、あの犬の身に何があったのかということです」ラッセルは周囲を見まわした。「最初に、ホームレス説を片づけてしまいましょう」ペイジ夫人がむっとした顔をした。ラッセルは彼女に微笑を返した。「ミセス・ペイジはけさ、ひとりの男がマトリン邸の車回しを歩いていくのを見たとおっしゃっています。じつはきょう、廃品回収組合が古紙やぼろ布の回収に来ていまして、そのトラックがドーアティー邸の正面に停まったのが十時四十二分でした。作業員は作業着姿でみすぼらしく見えたようですが、指示されたとおり、マトリン邸の車庫の裏にある道具小屋へ向かい、廃品を抱えてトラックにもどりました」ラッセルは真っ赤になっているペイジ夫人にいたわるような口調で話しかけた。「たしかに男はいたんです、ミセス・ペイジ。ただ、その男についてのあなたの見解は、嘘ではないにしても誤りでした」

彼は聴衆に向き直った。「さて次に行きましょう。ぼくたちはボーンズのきょう一日の動きをたどってみようと思い立ち、綿密な調査の結果、めざましい収穫をあげました」犬の足取りを説明していくと、小犬がこの界隈をちょろちょろする姿が思い浮かんだのか、数人の顔にかすかな笑みのようなものが浮かんできた。「一時少し前」ラッセルは続けた。「ボーンズは判事の家の庭をアレンさんの家のほうへ向かって駆けていきました。アレンさんの家ではちょうど子供たちが野球をしていたんです。この時刻まで、ボーンズがグリーンウッド・レーンを渡った先、つまり、ハンニバル通りとの交差点より北側にいるのを見かけた人はひとりもいません。

いっぽうダイアン・バーチャードさんによりますと、彼女は咽頭炎が治りかけたところで、きょうは学校を休んでいたそうで、昼食後、マトリン邸の裏庭の真向かいにあたるポーチに座っていました。学校帰りに友だちが見舞いに立ち寄ってくれるのを待っていたんですね。

で、彼女はボーンズではなくコーキーを、ドーアティーさんのところの飼い犬を見ています。二時ごろ、マトリン邸の庭で遊んでいたそうです。そこでみなさんにご質問です。二時にそこに毒餌が置かれていたのなら、コーキーが見つけたのではありませんか？」

「そうだろうな」ドーアティーが言った。「やれやれコーキーでなくてよかったよ」しまったと思いつつ、「いや、コーキーはショーに出す犬なんで」と続けて、さらに失言を重ねる。

「それにくらべて、ボーンズは」ラッセルは穏やかに言った。「友だちのような存在でした。だからこそ、ぼくたちも気にかけているわけですが」

「断じて許しがたい！」ドーアティーが怒った顔をして周囲を見まわした。

「ええ、ほんとうに」ベイカー夫人が言った。「わたしも仲良しだったんですよ、ボーンズとは」

「続けてくれ」ドーアティーがうなるように言った。「ほかには何がわかった？」

「マトリンさんはゴルフをしに、十一時半には自宅を出ています。こうなると、毒餌が彼の出がけに仕込まれたとは考えにくくなります」

「そもそもわたしはそんなことはしておらん」マトリンが嚙みつくように言った。「前にもそう言った。こんな誹謗《ひぼう》中傷にはがまんならん、わたしは嘘つきではない。あんたはただの話しあいだと言ったじゃないか」

ラッセルはマトリンの目をじっと見返した。「ぼくたちはあの犬の身に何があったのか突き止めようとしているだけなんです」マトリンは黙りこんだ。

「みなさんもよくご存じのとおり」ラッセルは穏やかな口調で続けた。「人間はとかく勘違いをしやすいもので、きょうの午後出た証言のなかには、ほかにも誤りがあった可能性がありま す。実際、とにかくひとつは見つかりました。

ベイカーさんご夫妻は」彼は続けた。「きょうの午後、庭の手入れをしていらっしゃいました。ボーンズは野球に飽きると、ベイカーさんの飼い犬、スミッティを訪ねました。三時になると、ご夫妻は慎重に話しあわれた結果、あまり遅くならないうちにスミッティを風呂に入れることにしました。スミッティが捕まえられて試練に立たされようとしていたとき、ボーンズはまだその場にいました。ですから、おわかりですか、メイ・マトリンさんの話によれば、ボーンズは三時前に歩道に横たわっていたそうですが、この証言は誤りなんです」

マトリンが顔の筋肉を引きつらせた。ラッセルは厳しい口調で言った。「ベイカーさんご夫妻の証言はきわめて明確です」ベイカー夫妻――似たもの夫婦で、ふたりともアウトドア派らしく真っ黒に日焼けしていた――が大きくうなずいた。

「マトリンさんが帰宅した時刻も確定されました。ダイアンさんが見ています。また、隣家のミセス・ドーアティーは三時五分過ぎにちょっと横になることにしたそうです。四時半に肉をオーブンにセットしなければならなかったので、その時刻については確信があるとおっしゃっています。彼女も二階にあがった際、マトリンさんが帰宅したのを窓からご覧になっているんです。おふたりの証言によれば、マトリンさんは三時十分ごろ、車を車庫に入れ、車庫から出てきて、建物をぐるりと右のほうへ向かったそうです――つまり、芝生の植わっているほうへ」

マトリン氏は汗をかいていた。額に玉のような汗が浮かんでいる。口は開こうとしなかった。

ラッセルはメモ用紙をめくった。「ところで、二時四十五分ごろ、子供たちがフィル・バーチャードの家の台所に集まっていたことはわかっています。いっぽうボーンズは、スミッティがさんざんなめにあっているのを見て、気のたしかな犬なら誰でもするとおり、石鹸とお湯から退散して、三時きっかりにハンニバル通りへ向かいました。何か犬特有の直感で、自分の主人の居場所がわかったのかもしれません。ボーンズがとことことハンニバル通りを北へ向かい、グリーンウッド・レーンを渡る様子が目に浮かびませんか?」

「浮かぶとも」ドーアティーが言った。彼の視線はマトリンに注がれていた。「それに、ボーンズがグリーンウッド・レーンの北側で見つかったのは、そのすぐあとだ」

「マトリン邸の裏庭で見かけられているのは」ラッセルはゆっくりと言った。「マトリンさんだけです。しかも、マトリンさんがそこに現われたほとんど直後に、小犬は命を落としました」

「ダイアンは……？」

「お友だちが数人、三時十二分に訪ねてきています。彼らの証言は当てになりません」ダイアンは赤面した。

「こんな――こんな仕打ちはあんまりだ！」マトリンの声はしわがれていた。「どうしてうちの裏庭なんだ？」

ドーアティーが言った。「わたしの家のまわりには毒餌など転がっていなかったよ、誓ってな」

「どうしてわかる？」マトリンは切に訴えた。目の下にくまをこしらえたフレディが、ラッセルのほうを見た。「どうして道路の上じゃないんだ？　通りがかった車から投げ落とされたのかもしれない」

ラッセルは答えた。「その可能性は低いと思います。というのは、オーティス・カーナヴォンさんがハンニバル通りとリー通りの角で車をエンストさせてしまいましてね。道行く車に声をかけて、押すのを手伝ってもらおうとしていたんです。あのあたりで車から何かが投げ落とされたら、彼が気づいたはずです」

「毒は即効性だったのか？」ドーアティーがたずねた。「何を盛られたんだ？」

「即効性です。服用後は、そう遠くへは行けなかったでしょう。シアン化物でした」

マトリンが震える手で眼鏡をはずした。眼鏡は濡れていた。

「みなさんのなかには写真が趣味のかたがいらっしゃるかもしれない」ラッセルが言った。

「マトリンさん、お宅では地下の暗室にシアン化物を置いていますか？」

「ああ。だが、管理は厳重に……細心の注意を払って……」マトリンは咳をしはじめた。

咳が収まるのを待ってから、ラッセルは言った。「毒はひき肉のなかに混ぜこまれていました。ひき肉は分析したところ、大ざっぱに言って、牛肉が半分、残りの半分が豚肉と子牛肉で、それぞれの割合は半々でした」マトリンが喉元に手をやった。「ぼくは近所の肉屋を四軒まわって、えらいめにあいました」ラッセルは言った。笑う者はいなかった。フレディだけは真剣に共感の念をこめて彼を見上げた。「ひき肉はこの近所の、少なくとも五軒の家に配達されています。そのうち、成分比が牛肉五〇パーセント、豚肉二五パーセント、子牛肉二五パーセントのひき肉にかぎると、届けられたのは、けさ十時にマトリンさんの家だけです」

怒りの嵐が部屋のなかを吹き渡った。警察署長が座ったまま身動きし、椅子がきしんだ。

「こうなっては……」ドーアティーが怒った声で言いかけた。

「待ってください」ラッセルが鋭い声をあげた。「早合点は禁物です。もうひとつ注目すべき点があります。肉には味がつけてありました」

「味がつけてあった⁉」

「塩で。さらに……タイムもはいっていました」

「タイムか」マトリンがうめくように言った。

フレディが当惑した顔をしてミス・デーナを見上げた。彼女は少年の体に片腕をまわした。

「動機については」ラッセルは静かに言った。「見当もつきません。人が犬に毒を盛るなんて、ぼくにはおよそ信じがたい行為に思えます」みな無言だった。「それはそれとして、どこまで話しましたっけ？」ラッセルが声を発したせいで、マトリンはかろうじて椅子から転げ落ちずにすんだようだった。「とにかく、犬の身に何があったのか、まだ答えは出せていません」ラッセルの声が響き渡る。「マトリンさん、真相究明にご協力いただけませんか？」

マトリンはだみ声で言った。「その子たちはここから連れだしたほうがいい」

ミス・デーナが動きかけたが、ラッセルが制した。「いいえ。あの子たちは真実を求めて全力を尽くしました。その報酬を得てしかるべきです。真実が手にはいるのなら、彼らこそそれを手にする資格があります」

「あんたにはわかってるんだね」マトリンが哀れを催す声で言った。

ラッセルは答えた。「ゴルフクラブへ電話しました。お宅のゴミ焼却炉も調べさせてもらいました。ええ、わかっています。でも、ぼくとしてはあなたの口から説明していただきたいんです」

ドーアティーが言った。「さあ、どうした？」すると、マトリンは両手で顔を覆った。

ラッセルは優しく言った。「間違いが起きたんですよね。マトリンさんはたしかに犬に毒を盛ってしまった。でも、その気は少しもなかったし、自分がそんなことをしたとは気づいてもいなかった」

マトリンは言った。「申しわけない……あれは――わたしには……彼女は彼女なりにがんばっていた。それでも、料理の腕はひどいものだった。誰かからあの――あのハーブをもらった。タイムを――タイムをなんにでも入れるんだ。きょうは弁当を作ってくれた。わたしは――口をつける気になれなかった。昼食はクラブハウスで注文した」

ラッセルはうなずいた。

マトリンは話を続けた。その声はうわずっていた。「わたしはけっして……だから、わたしはあの犬が食べたのが肉だってことすら知らなかったんだよ。あの犬はとっくに死んでいたと聞いた――彼女からそう聞かされたんだ」

「そしてもちろん」ラッセルは言った。「あなたは無理からぬ怒りにとらわれてしまい、こう自問してみることもなかった――待てよ、あの犬の身にはほんとうは何があったんだ？」

「ラッセルさん、昼間のわたしの言葉に嘘はない。タイム入りの肉が関係しているとは思いもしなかったんだ。家に帰ると、わたしは弁当のハンバーガーを処分する必要に迫られた――彼女の気持ちを傷つけたくなかったから。彼女は努力していた……懸命に……」彼はしゃんと背を起こした。「だが、きょうしようとしたのは」両目を飛びださんばかりに見開く。「このわたしを毒殺することだったんだ!!」目を大きく見開いたまま視線をさまよわせる。視線がフレディに止まった。息を詰まらせながら言う。「きみの犬はわたしの命の恩人だ！」

「そうです」ラッセルがすかさず言った。「フレディの犬はあなたの命を救いました。なぜなら、あなたの継娘が一度であきらめたとは思えませんから」

人々が息を呑んだ。「丸パン《バンズ》はゴミ焼却炉のなかから見つかりました」ラッセルは言った。

「彼女は犬の死因の察しをつけて丸パンを捜しにいき、そこに隠したんです。憶えておいでしょうが、昼間の騒ぎのときには遅れて現われました。そして、彼女こそ嘘をついていた」

アンダースン署長が立ちあがった。

「あの子の母親が……」マトリンが取り乱したように言った。「あの子の母親が……」

マイク・ラッセルは彼の丸々と太った肩に手を置いた。「奥さまはあなたと自分の娘の反目に心を痛め、苦しんでおられた。何かあったと当然、気づいていらっしゃいますよ」

ミス・リリアン・デーナがフレディを両腕に抱きしめた。「ああ、ボーンズはなんて立派な子なのかしら！」周囲のざわめきを圧する大きな声で言う。「自分の命と引き換えに人の命を救ったのよ。ああ、フレディ、ほんとうに立派だわ」

そしてフレディは、事情がまだよく呑みこめないまま、ようやく悲しみを解き放って友のために静かに涙に暮れた……。

メイ・マトリンは自宅では捕まらなかった。発見されたのはタイタス家の裏の物置だった。彼女は何かを探しているようだった。

翌日、タイタス夫妻が帰宅してみると、小犬の姿が見えないというのに、フレディにはとくに変わった様子が見られなかった。判事とラッセルとミス・デーナは事件の一部始終を夫妻に物語った。

タイタス夫人は涙を浮かべた。タイタス氏は悪態をついた。氏はラッセルの手を強く握った。

「……銃を盗もうとするとは……」彼はぶつぶつ言った。

いっぽう、母親は涙声で言った。「……この子に道を示してくださって、道理を説いてくださって……デーナ先生、ほんとうにありがとうございます」

判事はポーチから手をふって、車で遠ざかっていく黒髪とブロンドの頭を見送った。

「デーナ先生はあの人が好きなんだと思うな」アーニー・アレンが言った。

「どうしてはっきりわかる?」フレディ・タイタスは言った。

（藤村裕美訳）

決断の時

スタンリイ・エリン

The Moment of Decision　一九五五年

スタンリイ・エリン Stanley Ellin（一九一六―八六）。アメリカの作家。一九四六年、雑誌〈エラリイ・クイーンズ・ミステリ・マガジン〉*Ellery Queen's Mystery Magazine* に投稿した短編「特別料理」が翌年の第三回ＥＱＭＭコンテストで最優秀処女作特別賞を受賞しデビュー。以後コンテストの常連作家となり、応募作の「パーティーの夜」「ブレッシントン計画」で二回、アメリカ探偵作家クラブ（ＭＷＡ）最優秀短編賞を受賞する。五九年には『第八の地獄』でＭＷＡ最優秀長編賞を受賞。ほかの代表作に『断崖』『鏡よ、鏡』など。本編の初出はＥＱＭＭ一九五五年三月号。第十回ＥＱＭＭコンテストで第一席を獲得した作品である。

過度に自信家である人間は、あまり周囲に好かれない、そんな原則がもしあるとすれば、ヒュー・ロージアはそのまれなる例外だった。言うまでもなく、そうした自信家にぶつかった経験なら、人間だれしも持ちあわせているだろう——抑制の利いた、そのくせよく透《とお》る声で、いあわせたもの全員の言い分を快刀乱麻を断つがごときに断ち切り、ぴんとのばした人差し指をこちらの胸もとにつきつけて、これこそすべての問題にたいする生きた〈最終的解決〉にほかならぬとばかりに、自説をこちらの胸にたたきこんでくる、あの手のやからだ。思うに、こうした種族にたいしていだく気持ちは、われわれみなに共通したものではなかろうか。つまり、嫌悪感と羨望との入りまじった感情。嫌悪というのは、だれだって他人から一喝のもとに退けられたり、胸をつつかれたりしたくはないからだし、羨望というのは、それでいてじつは内心、自分もまたそうして他人を一喝しておさえこんだり、胸をつついて自説をたたきこんだりできるほどの自信を持ちたい、などとひそかに願っているからにほかならない。

わたし自身のことを言えば、職掌柄いつも身を置いているのが、この原子力世界——そこでは混沌が常態であって、唯一変わらぬ営みといえば、瑣末な政治的論議ばかりといった、そんな世界——の片隅だということもあり、絶対的な判断はなかなかくだしにくい、そんな思いが日に日につのっている。この点について、ヒューはいつぞやこうのたもうたことがある——わたしの属する役所の上長たちが、おなじ一枚の布から裁断した服さながら、画一的な判断力の主でないのはめでたいことだ、と。もしお偉がたたちがそんなふうだったら、この国の先行きはどうなることか知れたものじゃない、そう言うのである。こうした彼の見解に、わたしはさほど感服したわけではないものの、それでも——ここでまた、わたしの持って生まれた弱気の虫が顔を出し——彼の言うことにも一理あるな、などと思わされてしまったものだ。

こうした些細な行きちがいがあるにもかかわらず、さらに、ヒューがわたしの義兄にあたるという事実——考えてみれば、奇妙な関係ではある——にもかかわらず、彼を知るほかのだれもがそうであるように、わたしもヒューが大好きだった。大柄で、押し出しのいい好男子。血色のよい顔に、明るいブルーの目。のみこみが早く、外向的な性格。それが相手のやむにやまれぬ決断ならば、なんによらず、それを受け入れようとする姿勢。そしてなによりも、その圧倒的なまでの気前のよさ、寛大さ。しかもその気前のよさたるや、それを受ける側をして、そうすることで逆に彼に恩恵をほどこしているような、そんな気にさせられるという、まことにまれな、極上の質のものなのだ。

こうした彼が、とくにすぐれたユーモア感覚の持ち主だった、とまでは言わない。だがその点については、たんに飾り気のない、おおらかな気質であるだけで、けっこうその埋め合わせはつくといった、そんな例がままあるもので、彼の場合がまさにそれだった。彼のなかの激情的な一面があらわれるのは、ごくまれに、だれかが彼の助けを必要としていながら、率直にそれを認めて、彼に頼ろうとしなかった、そう彼が判断したときにかぎられる。ということは、言いかえれば、かりに彼がだれかと知りあい、十分後にはその相手を気に入ったとしたら、その相手は彼にたいして、いかなるものでも要求できるということになる——それが彼の提供できるものであるかぎりは。

彼がわたしの姉エリザベスと結婚して一カ月ばかりたったころのこと、姉が新婚の夫にたいして、つい口[1]をすべらせた。弟のわたしが、〈ヒルトップ〉の屋敷のギャラリーに飾られているコプリーの秀作に、ことのほかご執心である、と。その絵が厳重に荷造りされ、ヒューの署名入りのギフトカードともども、いきなりわたしの殺風景な下宿に送りつけられてきた、そのときの恐怖にも似た驚きを、わたしはいまなおありありと思いだすことができる。

それにしても、そこになんとか理屈をつけて、その絵をヒューに返すまでには、相当の苦労を強いられた。最後にようやく、この絵はどう考えてもわたしの住む建物全体よりも高価だから、と前置きしたうえで、そんなものをわたしの部屋の壁に飾ったところで、所詮は宝の持ち腐れにすぎないと強調して、ようやく返却を受け入れてもらえたのだ。おそらくはヒューも、わたしが嘘をついていることには気づいていたと思うが、そこはそれ、ヒューのヒューたる所《ゆえ》以《ん》で、それについてわたしを咎《とが》めだてしよう、などとは思いもしないのだ。

ヒューをそうした人物に仕立てあげたのが、その住む屋敷〈ヒルトップ〉と、およそ二百年にもなんなんとするロージア家の歴史だったことは言うを俟《ま》たない。ロージア家の遠祖は、下方に河を見おろす高台に荘園をひらき、刻苦《こつく》精励《せいれい》、一家に大きな繁栄をもたらした。つづく諸代もまた、利殖の才に長《た》け、賢明な投資によってもたらされた莫大な富と地位とは、〈ヒルトップ〉と外界とのあいだに、高くそそりたつ壁を築きあげるにいたった。正直な話、ヒューという男自体、本質的には一八世紀の人間であって、それがふとした偶然から、この二〇世紀に生まれあわせ、やむなく、せいいっぱい周囲に順応して生きている、そんな趣《おもむき》があった。〈ヒルトップ〉の屋敷そのものは、つい目と鼻の先にある高名な、だが長らく無住になっている城館、〈デーン館〉を、そっくりそのまま複製したようなしろものだったが、それでもその偉容は、見るものを瞠目《どうもく》させるに足りた。建物は、風雨にさらされて変色したように見せかけた石造りで、その巨大さにもかかわらず、どこか優美に見えたし、河べりまでひろがる広大な芝生は、長年にわたり、偏執的とも言えるほどの執念をもって手入れされてきたため、いまや緑一色のカーペットを敷きつめたかのよう、しかもその緑の色たるや、ほんのわずかな風を受けただけで、そのつど魔法さながらに光彩を変えてみせるのだった。

芝生の反対側、主屋をはさんでその向こうには、すこし先のこんもりした木立までひろがる庭園があり、厩舎や離れ家などは、ある程度までこの木立に隠されている。そして木立を過ぎてさらにその向こうには、町へ通ずる細い道が走っているが、この道はいわゆる〝善隣道路〟であって、道ぞいに地所を持つ地主たちそれぞれが、自分の所有地に面した部分の管理を分担している。ヒューもこの道全体に採石を敷きつめるなどして、応分以上の管理責任は果たしているのだが、にもかかわらず、実際にこの道を使用する機会は、隣人たちのだれよりもずっとすくないのではないか、そうわたしは思っている。

ヒューの生活のすべては、この〈ヒルトップ〉と分かちがたく結びついていた。よくよくの事情でもなければ、彼をこの屋敷から引き離すのは無理だったし、かりによそで彼と出あうことがあったとしても、いっしょにいるあいだはずっと、彼が一刻も早く屋敷に帰りたくてうずうずしていると、そのことを否応なしに思い知らされることになる。しかも、そこでうかうかしていようものなら、まず十中八九、帰宅する彼に同行させられるはめになり、あげく、そのままひきとめられて、漫然とそこで貴重な数週間を空費するという結果になる。なにしろわたしは経験から知っているのだ——そのことを、身にしみて。姉のおかげでヒューと身内同士になってからというもの、自分のアパートで暮らすのよりも、はるかに長い時間をこの〈ヒルトップ〉で過ごしているのだから。

あるときわたしは、ふと思ったことがある——いったい全体、姉自身は、いまの結婚生活をどう感じているのか、と。というのも、ヒューと知りあう前の姉は、まあいちおう美人ではあるものの、性格ははねっかえりで、軽薄とも言えるタイプだったからだ。そこで、単刀直入にそのへんを本人に訊いてみたところ、答えはこうだった。「すばらしいの一語に尽きるわよ。実際、知りあったそも最初のときから、結婚したらこうなるだろうと予感した、まさにそのとおりになってるんだもの」

聞いてみると、ふたりが出あったのは、さる美術展の会場でのことだったらしい。そこに展示されていたのは、なにやら〝超現代的〟ともいうような作品ばかりで、なかでも一段とわけのわからぬある作品をためつすがめつしているうち、ふと気がつくと、ひときわ長身の、ようすのいい男が、じっとこちらを見つめている。そこで——姉本人の言を借りれば——その男の無躾《ぶしつけ》さをたしなめてやろうとした、まさにその瞬間に、いきなり向こうから声をかけてきたのだそうな——「その絵、いいと思ってるんですか?」と。

まったく予想外の問いかけをされて、姉は一瞬、答えに窮した。「さあ、どうかしら」と、弱々しく言う。「いいと思うべきなんですの?」

「とんでもない」と、見知らぬ男。「そんなの、箸にも棒にもひっかからない、どうしようもない駄作ですよ。まあ、ついておいでなさい。見て、時間の無駄にならない、そういったのを見せてさしあげますから」

「それでね」と、エリザベスはつづける。「あたし、まるで犬ころみたいに、あのひとのあとについていったわけ。あのひとったら、自分の家のなかでも歩くみたいに、あっちへ行き、こっちへ行き、悠々と歩きまわりながら、どれがよくて、どれがよくないか、大きな声でいちいち講釈をたれるものだから、行く先々でちょっとした人だかりができちゃって。ねえあんた、そんなようす、想像できる?」

「できるさ、できるとも。いやってほどね」もうそのころにはこのわたしも、ヒューとのあいだで似たような状況を何度も経験させられ、彼の強固な自信のほどは、なにをもってしても打ち破れないことぐらい、身をもって思い知らされていた。

「だからね」と、エリザベスはつづけた。「最初のうちはあたしだって、いくぶんそれを有難迷惑に感じないこともなかったんだけど、そのうち、だんだんわかってきたの——あのひとのそういう態度は、対象の事物を本質的によくわかっていて、相手にもそれを自分とおなじようによく理解してもらいたい、その一心から出ているんだって。そこには自意識なんてものはこれっぽっちもからんでなくて、たんに、あたしにも自分とおなじように物事を理解してほしいと懸命になってる、ただそれだけなのよ。

一事が万事、その調子でね。世間のひとはなにかを決めるのに――たとえば、ディナーになにを注文するか、とか、仕事をどんなふうに進めるか、とか、どの候補者に投票しようか、とか、その程度のことでさえ――しょっちゅう迷ったり、うじうじ悩んだりしがちなものだけど、ヒューの場合は何事につけ、いつもちゃんとわかっていて、肚《はら》が決まってるの。つまりね、ひとはよく神経質になったり、コンプレックスに悩まされたりするけれど、それはみんな、取り組む対象を明確に理解していないから、それについて無知だからというあたりに帰着するんじゃない？　とにかくあたしは、ヒューを信頼する、ヒューについていく。ほかのひとはみんな、精神分析医にでもまかせとけばいいわ」

とまあ、こういうわけだ。言ってみれば、天国――しみひとつない緑のカーペットを敷きつめ、神経衰弱だの、コンプレックスだのとはいっさい無縁、奸悪《かんあく》な蛇などちらりとも姿を見せないエデンの園。といっても、それもある日レイモーンが、この楽園に闖入《ちんにゅう》してくるまでは、ということだが。

その日、わたしたち三人はテラスに出ていた。ヒューと、エリザベスと、このわたし。三人が三人とも、八月の日ざしのもと、ゆるゆると感覚が鈍磨してゆき、たがいに口をきくのも億《おっ》劫《くう》といった気分に陥っていた。わたしはリネンのキャップを顔の上までひきさげ、どこまでも満ち足りた気分で寝そべりながら、周囲からさまざまに聞こえてくる夏の物音に耳を傾けていた。

近くのポプラの木立を通して吹いてくる微風の、一定したさやさやという音。下方の河から聞こえてくる、小舟の櫂《かい》が水を打つ音。そしてときおりは、芝生に集う羊の群れから、どれか一頭の首の鈴が、物悲しげにちりん、ちりんと流れてくる。

ここの芝生で羊を飼うというのは、ヒューの思いつきだった。彼の断言するところによると、何頭かの羊がそこで草を食《は》む光景ほど、芝生の庭に似つかわしいものはないというのだ。そんな次第で、毎年、夏になると、五、六頭の肥えた、いかにも眠そうな雌羊が芝生に放たれ、のどかな、牧歌的な雰囲気をいやがうえにも高めるのだった。

なにやら異変が生じたらしいとわかったのは、まずその羊たちのようすからだった——彼女らの首の鈴がにわかにけたたましく鳴りだし、ついで、いっせいにめえめえ鳴きたてる声。まるで狼の群れにでも襲われたかのような悲鳴だ。ヒューが大声で腹だたしげに、「くそっ！」と叫ぶのが聞こえて、つむっていた目をあけたわたしが見たのは、しかし、狼の群れよりもさらに場ちがいなものだった。一頭の大きな、真っ黒なプードル、それも毛をおどけたかたちに刈りこまれ、おまけに真っ赤な首輪まではめたやつが、おびえて逃げまどう羊の群れを追いかけまわし、得意顔ではしゃぎまわっているのだ。

プードル自身には、羊たちを傷つけるつもりなど毛頭ないことははっきりしていた——たんに彼女らを顧ってもない遊び友達とでも見なしただけだろう。とはいえ、パニックに陥った雌羊たちに、プードルのその気持ちが伝わっていないことは、同様にはっきりしていたし、このままでは、いずれプードルのお遊び気分がおさまるまでに、群れが下の河べりまで追いつめられ、あえなく溺れ死にするはめになるだろうこと、これも目に見えていた。

これだけのことをわたしが見てとるほんの一瞬の間《ま》に、ヒューは早くもテラスの低い手すりをとびこえ、羊たちのなかにとびこんでゆくと、群れを追いたてて水ぎわから遠ざけるいっぽう、彼とはまたべつの思惑を持っているらしいプードルにむかって、大声で命令を発していた。「すわれ、おい！　すわるんだ！」叫びたてる。つづいて、相手がまるで自分の愛犬ででもあるかのように、きびしい口調で命令をくだす。「ついてこい！」

いっそ棒切れか石ころでも拾って、脅す身ぶりでも見せれば、よっぽどらくに言うことを聞かせられるだろうに――わたしとしてはそう思わざるを得なかった。なにしろ相手のプードルたるや、ヒューの命令など歯牙にもかけなかったからだ。それどころか、いっそうはしゃいでわんわん吠えたてながら、またも羊たちにむかって突進してゆこうとする。しかも今度は、むなしくあとを追おうとするヒューを後ろにしたがえて。ところが、あわやと見えたその瞬間だった――芝生のはずれのポプラのあいだから声が聞こえて、とたんにプードルは石と化したかのようにかたまってしまったのだ。

「おすわり《アシー》！」その声は息を切らして叫んだ。「おすわり《アシー》と言ったら《・トワ》！」

つづいて声の主が姿をあらわした。小柄な伊達男めいた感じの人物で、それが小走りに芝生を横切って駆けてくる。わたしたち姉弟が息をのんで見まもるなか、ヒューはヒューで顔面をどすぐろく紅潮させ、仁王立ちになって待ち受ける。

エリザベスがやにわにわたしの腕をつかんだ。「行きましょう、あたしたちも。ヒューはひとからばかにされて、平気でいられるたちじゃないから」

わたしたちが駆けつけたときには、ヒューは早くも戦端をひらいていた。「自分の飼い犬も正しく躾けられないような人間には、そもそも動物を飼う資格なんかないんだ」

相手の男の表情からうかがえるのは、どこまでも礼儀正しく耳を傾けようとする姿勢だった。顔だちも感じがよく、細面《ほそおもて》で知的、目尻には細かな皺。と同時に、その目の奥にはもうひとつ、完全にはおおいかくせないほかのなにかがひそんでいる。それとはないあざけりの色。あたかもカメラのレンズのように外界に向けられた、皮肉たっぷりな知性のきらめき。それはヒューのような人間にはけっして気づかれないたぐいのものだが、それでも歴然としてそこにあって、それを見てとったわたしは、即座に心がやわらいでゆくのを感じていた。だがそのいっぽうで、初対面のはずのその顔には、秀でたひたいといい、やや薄くなりかけた灰色の髪といい、なにやらじれったくなるほど見慣れた感じのするなにかがあって、そのあとヒューが長々と、ものものしくお説教をたれているあいだ、なんとか思いだそうと記憶をさぐりつづけていたのにもかかわらず、わたしはどうしても答えには行きあたれずにいた。

ヒューのお説教は、最良の犬の躾けかたとはどういうものか、ひとくさり講釈をたれたところでようやく終わりを告げたが、もうそのころには当のヒューも、いいかげんに許してやるかという気分になりかけていることが、はっきり読みとれるまでになっていた。

「まあなんにせよ、実害はなかったことだし――」

ヒューの言葉に、新来の男は重々しくうなずいて、答えた。「それにしても、これからご近所づきあいをさせていただく立場としては、どうもあまり感心しない初対面になったみたいで――」

ヒューは仰天したようだった。「近所づきあいだと？」と、ほとんど無作法に近い口調で問いかえす。「このあたりの住人だと言うのかね？」

新来者は、手真似でポプラの木立のほうをさした。「あの木立の向こうです」

「まさか〈デーン館〉だと？」〈デーン館〉こそはヒューにとって、聖なる〈ヒルトップ〉とほとんど同等の聖域であり、いつぞやわたしにも、万が一にもあそこを購入しないかという話が持ちこまれでもしたら、二つ返事でとびつくだろう、と打ち明けたことがあるほどなのだ。

「まさか……」と言ったときの彼の口調たるや、相手の言葉に傷ついたというよりも、むしろ、てんからそれを信じていないというほうに近かった。「信じられないな、そんな話」と、声を高くして言う。

「しかし、そうなのですよ」と、相手は請けあった。「あの〈デーン館〉なんです。じつは、もう何年も前、あの館でパーティーを開催《パフォームド》したことがあるんですが、それ以来、ずっと念願してきましてね――いつかあの館を手に入れることができたら、と」

わたしの探しあぐねていた謎の解明の手がかり、それを与えてくれたのは、じつにこの〝開《パ》催《フォームド》した〟という台詞だった。〝演技する《パフォーム》〟ということの表現、そしてもうひとつ、正確な英語の発音のどこかに、わずかに聞きとれる微妙なアクセントのちがい。この人物は、マルセイユで生まれ、育った——かすかなアクセントのちがいは、この事実が示している——しかも、わたしが一人前のおとなになるよりもはるかむかしに、すでにひとつのレジェンドだった有名人ちゅうの有名人。

「あなた、レイモーンでしょう?」わたしは言った。「シャルル・レイモーン、きっとそうだ」

「ただレイモーン、それだけのほうがよろしいです」彼はほほえんだ——おのれのささやかな虚栄心を弁解するかのように。「ともあれ、気づいていただけて光栄に存じます」

それが彼の本心だったとは思えない。なにせこの男は、名にし負う大マジシャン、レイモーン、令名高い奇術王レイモーンなのだ。どこへ行こうと、一目でだれなのか気づかれることなど、日常茶飯事だろう。手先の早業を生かした奇術では、著名なサーストンを顔色なからしめ、縄抜けをはじめとする脱出技の遣い手としては、第一人者フーディーニをもうわまわる光彩を放ってきたほどのレイモーンなら、いまさらこんな場でへりくだってみせよう、などとは思いもすまい。

はじめは彼も、おおかたのプロのマジシャンのレパートリー、ごく標準的な手妻の遣い手としてスタートした。それが、たちまちそんな段階をはるかに凌駕《りょうが》して、いまや、万人に知られる——とわたしは思うのだが——脱出技の名人として、たたえられるまでになったのだ。たとえば、厚さ一フィートもの湖面の氷の下に封じこめられた、鉛製の柩《ひつぎ》。溶接された鋼鉄製の拘《スト》束衣《レート・ジャケット》。イングランド銀行の地下金庫室。はては、〝自殺縛《しば》り〟として知られる絶妙な仕掛け――これは、まず首に輪縄《わなわ》をかけ、ついでそのロープを、折り曲げた両脚にまわして縛りあげる。つまり、脚を動かすたびに、首の輪縄がどんどんきつくなるという仕組みだ。こうした種々の拘束具を、このレイモーンはことごとく手の内に入れていて、どんな仕掛けをも片っ端から突破してみせてきた。ところが、その名声の絶頂にあって、なぜか突如として第一線から身をひき、以来、過去のひととして葬り去られるままになってきたのである。

いま、彼がそうした挙に出た理由をわたしがたずねてみると、相手は肩をすくめてみせた。

「ひとはなんのために働くか――金《かね》か、仕事への愛着か、そのどちらかでしょう。必要なだけの富は手に入れたし、仕事への愛着も薄れた。となれば、つづける理由がどこにあります?」

「それにしても、せっかくの赫々《かっかく》たるキャリアがありながら、それをむざむざなげうって――」わたしは反論しようとした。

「わたしにとっては、あの館がここで待っている、それだけでじゅうぶんでしたよ」

「とおっしゃいますと」と、エリザベスが言った。「隠退後はここ以外のどこにも住むお気持ちはなかった、と?」

「ええ、まったく――もう何年も、一度だってここ以外の土地を考えたことはないですね」彼は鼻の脇に指をあて、大仰にわたしたちにウインクしてみせた。「当然、〈デーン館〉への執心のほどは、屋敷を管理するお歴々にもおおっぴらにしてきましたから、ついにあれを手ばなすという動きが出てきたとき、まず真っ先に、そしてただひとりこのわたしだけに、話が持ちかけられたというわけです」

「つまりあんたは、いったんなにかを望むと、たやすくはあきらめないということだな」ここでヒューが口をはさんだが、その声はとがっていた。

レイモーンは声をあげて笑った。「望む？　いや、望むどころじゃない。もはやひとつの執念になっていましたよ。長年、世界のいたるところを旅してきたわたしですが、どこでどんな美景を見ても、あの〈デーン館〉に勝るものなどないとわかっていました――足もとに河が流れ、その向こうには丘陵を望む、あの森のはずれにたたずむ館。そしてそのつど自分に言い聞かせてきたんです――いつの日か、旅から旅への暮らしに区切りをつけたら、ここへきて、そう、あのカンディード[2]のように、わが庭を耕して過ごそう、とね」

どこかうわのそらといったふぜいで、彼はプードルの頭をなで、それから、もはやこれ以上の満足はないと言いたげに、あらためて周囲を見まわした。

「そしていま」と、彼は言いきった。「これこのとおり、わたしはやってきたわけです」

そう、まさしく彼はやってきた。そしてすぐに明らかになったのは、その彼の到来こそが、ひとつの変化を〈ヒルトップ〉にもたらす先触れとして働きはじめているということだった。というか、その変化は真っ先にヒューにたいしてもたらされた、と言ってもよい。ヒューはいらいらして、落ち着かなくなり、と同時に、それまで以上に強く、ほとんど喧嘩腰とも見えるほどに自己を顕示するようになった。持って生まれた温かみや善良さ、そういったものが失われたわけではない――それらは彼の傲慢《ごうまん》さとおなじく、彼の血肉の一部なのだから――が、それでもいままではそれらを発揮するのに、以前よりもいくらか強い努力を必要とするようになっていた。言ってみれば、目に入った異物に悩まされながら、その異物を見つけだし、取り除くことができず、やむなく、せいいっぱいそれを我慢してやってゆくしかない、そんな立場に置かれた男、とでもいうところか。

言うまでもなく、その異物というのはレイモーンにほかならないのだが、当のレイモーンは、あんがいその役割を楽しんでいるのではないか、そんなふうに思わされることもちょくちょくあった。彼のような立場なら、ずっと自分の城にこもって、庭の手入れでもしたり、過去のアルバムを整理したり、あるいはなんによらず、隠退した芸人がやりたがるようなことをして過ごすほうが、ずっと気楽に生きられたろうに、あいにくその種の老後の過ごしかたは、彼にとっては論外だったようだ。それかあらぬか、ときたま思いもかけないときに、ふらりと〈ヒルトップ〉に姿を見せることがあったが、それは逆にヒューにとっても言えることで、なぜか引き寄せられるように〈デーン館〉を訪ねてゆき、わざわざそこで長時間、おそらくは腹だたしいばかりだろう談話にふけってくるのだった。

自分たちふたりが天性かけはなれた存在であり、ここでもし論理的、かつ受け入れやすい解決をもとめるならば、それはたがいにまじわらないこと、それに尽きる――このくらいのことは双方ともによくわかっていたと思う。にもかかわらず、あいにくこのふたりのあいだには、正の力と負の力との親和性とでもいったものがあって、たとえばふたりがひとつの部屋にいるときなど、拮抗《きっこう》する相互のエネルギーの流れが強くぶつかりあい、火花を散らす、それがほとんど目に見えるような気さえするのだった。

このふたりのあいだでは、どんな問題でも、論じあううちに必ず論争へと発展し、それをめぐって、双方は凄絶な死闘に突入する。ヒューが持ち前の絶大な自信という鎧に身をかため、それを武器ともして猛然と襲いかかれば、かたやレイモーンは、細身の小剣を手に、ひらりひらりと身をかわしつつ、鎧のわずかな隙間を狙って剣先を突き入れようとする。思うに、レイモーンをなにより困惑させたのは、相手の鎧にそんな隙間など微塵もないとさとったときではなかったろうか。何事につけ、あらゆる問題をあらゆる側面から探究し、深く動機や原因を掘りさげようとする、そうした行きかたに明白な情熱をいだいている人物ならば、ヒュー一流の権柄《けんぺい》ずくで独善的な見解を押しつけてくるやりかたには、つねにはらわたの煮えくりかえる思いをさせられていたに相違ないのだから。

彼はそのことを当のヒューに思い知らせることをためらわなかった。「あなたはどう見ても中世のひとらしい」ずばりとそう言ってのけたものだ。「でまあ、その中世からこっち、われわれ人間は多くのことを学んできましたが、なかでもっとも大きなことといえば、およそこの世に、簡単にひきだせる解答などないということ、指をぱちっと鳴らすように、瞬時に答えが得られることなどないということ、これなんですよ。わたしとしては、いつかあなたが完全なジレンマに、どうあがいても答えを得られない疑問に直面して、動きがとれなくなることを願いますね。それはあなたにとってひとつの啓示となるでしょう。その一瞬に、あなたは知るのです――これまで思ってもみなかったほど多くのことをね」

　そしてヒューはヒューでそれにたいして、いとも冷ややかにこう答えることで、事態をいっそうこじらせるばかり――「ならばこっちはこう言おう――人並みの頭脳を持ち、かつまたそれを用いる勇気をそなえた人間にとっては、〝完全なジレンマ〟などというものは、そもそも存在しないんだ、とね」

　思えばこのエピソードこそ、のちに起きるトラブルの先触れだったと言えるかもしれないし、いっぽうまた、レイモーンはたんにまったく邪気のない、おのれの美意識から出た動機で動いていたにすぎない、とも考えられる。だが、動機はどうあれ、結果は避けがたく、また危険なかたちであらわれたのだった。

　発端はある午後、レイモーンがわたしたちに詳細にわたって話して聞かせた、ある遠大な構想だった。彼が言うには、いざ実際に住んでみると、〈デーン館〉は大きすぎ、雰囲気も圧倒的すぎるのだとか。「まるで博物館に住んでるみたいで、わたし自身はどこまでもつづく展示室のなかを、亡霊よろしくあてもなくさまよい歩いている、そんな心地がするんですよ」

　敷地全体にも手を入れて、眺望をよくする必要がある。生い茂った古木はたしかにみごとではあるが、しかしレイモーンに言わせると、なにぶん数が多すぎる。

「実際問題として、あの木々のおかげで、せっかくの河を見ることができないんです――流れる水をながめることを、無上の楽しみとしているこのわたしが、ですよ」

　全体として、徹底的な修築がほどこされることになるだろう。主屋につながる翼棟二棟はとりこわし、木立は切りひらいて、河までつながる幅広い林道を通し、屋敷地全体を活気づかせる。それでようやくあの館も、古色蒼然たる博物館ではなく、自分の長年夢見てきた、完璧な住まいとなってくれるだろう。

この歌うような叙唱《レチタティーヴォ》が始まったとき、ヒューはくつろいだようすでうつむきがちに椅子にかけていた。ところが、レイモーンが館の未来図を手にとるように描きだしてゆくにつれ、ヒューはしだいしだいに身を起こして、ついには馬上の騎馬警官よろしく、背筋をのばしてしゃちこばった姿勢になった。くちびるはかたく引き結ばれ、顔色はどすぐろく紅潮して、暗雲ただならぬ形相に変わった。両手はゆっくりと、どこか険悪なリズムで握りしめられ、またひらかれた。彼がおさえた感情を爆発させずにいるのは、ひとつの奇跡にほかならなかったが、あいにくその奇跡は、長続きしてくれるたぐいのものではなかった。わたしはエリザベスの表情から、姉もこのことに気づいているのをさとったが、姉とてわたし同様に、ただなすすべもなく見まもるばかりだった。そしてやがてレイモーンが、長々と描きだしてきた構図に最後の栄《は》えある一筆をふるいおえ、いとも満足げに、「というわけですが、どうです、みなさん、なにかご感想でも?」と問いかけるにいたって、ついにヒューの歯止めが吹き飛んだ。

彼はおもむろにぐっと身を乗りだし、言った。「本気で言ってるのかね、あんた、本気でわれわれの感想を聞きたいと?」

「ねえ、ちょっと、ヒュー」エリザベスが急いで口をはさんだ。「ねえ、お願いだから、ヒュー」

ヒューは一顧だにしなかった。

「本気であんた、知りたいんだな?」レイモーンにむかってつっかかるように言う。

レイモーンは軽く眉をひそめた。「ええ、そりゃもちろん」

「ならば言ってやろう」ヒューは言い、深く息を吸いこんだ。「あんたのやろうとしてることは、暴虐な破壊行為だ。呪われた偶像破壊主義者でもなければ、そんなことは思いもつくまいよ。わたしに言わせれば、あんたは、伝統とか、万古不易《ばんこふえき》とかのお墨付きを得たものなら、なんによらず片っ端からたたきこわすことで快哉《かいさい》を叫ぶといった、そんな人種らしい。できるものなら、この世界全体を下から支えている大黒柱さえ、蹴倒してしまいたいとでも思ってるんだろうよ!」

「失礼ですが」と、レイモーンが言った。おさえた怒りに青ざめていた。「あなたは変化と破壊とを混同しておいでのようだ。わたしの意図しているのは、なにものをも破壊することではなく、たんに二、三の必要な変革を加えることにすぎない。このことをよく理解していただきたいものですな」

「必要な、だと?」ヒューは笑いとばした。「何世紀も生い茂ってきたすばらしい木立を根こそぎにすることがか? 巌《いわお》のごとく牢固とした城館をばらばらに解体することがか? そんなのは、わたしに言わせれば、好き勝手な破壊にすぎんのだよ」

「おっしゃることがわかりかねますな。景観をリフレッシュし、新しいかたちに造りなおすことが――」

「あんたと議論する気はない」ヒューはさえぎった。「このさいだから、はっきり言わせてもらおう。あの館に勝手に手を加える権利なんか、そもそもあんたにはないんだ！」

いままでは双方ともに席を蹴って立ち、すぐにも一戦まじえんかといった勢いで睨みあっていた。それでもわたしが心底からの恐慌にとらわれたりせずにいられたのは、まさかヒューがここで暴力をふるうはずもなし、レイモーンもごく冷静な人間だから、怒りにわれを忘れたりするおそれはない、と安心していたからにほかならない。実際、一触即発といった雰囲気は、じきに魔法の解けるように消えた。ふいに、レイモーンのくちびるが笑いを含んでよじれ、彼は興味津々といったていで、いんぎんにヒューを観察した。

「なるほど」と、彼は言った。「わたしとしたことが、すぐに気づかずに失礼しました。あの館は、わたしに言わせれば少々博物館めいているのですが、それでも、当然そのままにしておくべきで、わたしはその博物館の管理人に徹するべきだ、そうおっしゃるのですな？　言ってみれば、過去の番人、過去の遺物を保存する学芸員《キュレーター》として」

だがそう言いながら、彼はほほえんでかぶりをふった。

「しかし、わたしはその役目には向かないんじゃないでしょうか。過去に敬意を表しはしますが、わたしの好みは現在に奉仕するほうでしてね。そういう次第ですから、館の改装プランはこのまま推し進めるつもりですが、願わくはそのことが、わたしどもの友情を阻害することのないように祈りたいものですな」

翌日、わたしは市内へもどり、暑く、長い一週間をデスクにむかって過ごすことになるのだが、そのかんずっと、厄介なことになりそうだったあの場面を、レイモーンはまことにうまく処理してくれた、事があの程度でおさまったのも、彼のおかげだ、と安堵しきっていた。だから、その週末になってかかってきたエリザベスからの電話は、わたしにとってまったく意想外のもので、ただ驚き、あわてるしかなかった。

たいへんなのよ、と姉は言う。むろん、ヒューと、レイモーンと、〈デーン館〉とに関連する問題なのだが、その後、状況はさらに悪化している。それで姉としては、あす、わたしにも〈ヒルトップ〉へ出張《でば》ってきてもらいたい。事の是非を論じている場合ではない。姉には紛糾を一挙に解決する名案がひとつあるのだが、わたしにもぜひ現地へきて、姉をバックアップしてほしいのだ。なんといっても、わたしはヒューが耳を貸す数すくない友人のひとりなのだし、その点、姉もおおいに頼りにしているのだから、と。

「どんな点で頼りにしてるというの？」わたしは言ってやった。なにやら剣呑な話のような気がしたからだ。「それに、ヒューがぼくに耳を貸すっていうけどさ、姉さん、それって買いかぶりじゃないの？　ヒューが自分の個人的な問題で、ぼくの意見なんか聞きたがるとは思えないけどなあ」

「なにもそんな気むずかしいこと言わなくても――」

「べつに気むずかしくなんてしてないよ」わたしは抗弁した。「ただ、そんなことの渦中に巻きこまれたくないだけさ。だいいちヒューは、自分で自分の面倒ぐらい見られるおとななんだし」

「自分の面倒を見すぎる、ってこともあるかもよ」

「どういう意味さ、それ、見すぎるって？」

「いまは説明してられないのよ」姉は訴えるように言った。「あす、きてくれれば、なにもかも話すわ。だからね、もし多少でも姉弟らしい感情を持ってくれてるなら、朝の早い便できてちょうだい。いいこと、これ、ほんとうに深刻な問題なの」

朝の早い列車でおもむいたわたしは、最悪の気分だった。もともとが苦労性で、ごくちっぽけな火種からでも、なにやら宇宙的な大災害を予想してしまいかねない性分なので、〈ヒルトップ〉に着くころには、もはやたいがいのことなら受け入れる気分になりかけていた。

ところがあにはからんや、現地の情勢は、すくなくともうわべだけは平穏だった。ヒューは温かくわたしを迎えてくれたし、エリザベスも普段の明るい彼女にもどっていて、わたしたち三人は楽しく昼食をともにし、その後も長いこと談話にふけったが、そのかん、レイモーンや〈デーン館〉のことは、いっさい話題に出なかった。わたしもエリザベスからの電話のことにはまったく触れずにいたが、それでも内心では、だんだん憤懣《ふんまん》がつのってくるのはいたしかたなかった。最後にやっと姉とふたりきりになると、わたしは言った——

「さあ、いったいこのミステリー扱いはなんなのか、説明してもらおうじゃないか。ここにくるまで、どんな騒ぎに遭遇するかと、どれだけひやひやしたことか。なのに、これまで見たかぎりじゃ、何事もありゃしない。きのうの電話以来、こっちは気をもみっぱなしだったんだ。

ちゃんと説明してもらわないと、心配させられた埋め合わせがつかないよ」

「わかったわ、じゃあそうしましょう」姉はにこりともせずに言った。「ついてらっしゃい」

姉は先に立って庭園を抜ける長い遊歩道を行き、厩舎や納屋などの前を過ぎてわたしを案内していった。屋敷地のはずれの木立の先を私道が走っているが、そこまできたとき、姉はふいに言った。「駅から車でここまできたとき、この道がなにかおかしなことになってるの、気がつかなかった?」

「いいや、べつに」

「でしょうね。玄関までのドライブウェイは、ここよりはだいぶ手前で分岐してるから。でも、この先へ行けば、それを自分の目で見られることになるわよ」

姉の言うとおりだった。なんと、道路のまんなかに一脚の椅子がでんと置かれ、その椅子にがっしりした体格の男がすわって、泰然と雑誌を読んでいる。その男がだれかは、一目でわかった。ヒューの使っている厩務員のひとりで、辛抱第一といった表情からは、もう長時間、ここにすわりつづけ、これからもまだ長いあいだ、ここにこうしていることを覚悟しているのがうかがわれる。もっともエリザベスは、わたしがそんな推察をしているのを待ってはいなかった。わたしたちが近づいてゆくと、男は立ちあがり、にやりと笑いかけてきた。

「ウィリアム」エリザベスが呼びかけた。「旦那様からどんな指示が出ているか、それをここにいる弟に聞かせてやってくれる?」

「いいですとも」男は快活に言った。「ミスター・ロージアからは、こう言いつかってます

――おれたちのうちのだれかが、常時ここにがんばっていて、〈デーン館〉へ運ぶ建築資材だのなんだのを積んだトラックが通りかかったら、片っ端からストップさせて、追いかえせ、ってね。おれたちはただ、向こうの連中にこう言ってやるだけでいい――ここは私有地だから、あんたら、不法侵入してるぞ、って。それでももし連中がおれたちに指一本でも触れようものなら、すぐに警察に通報しろ。それで万事かたがつく、と」

「で、いままで実際に追いかえしたトラックって、あった？」エリザベスがそう訊いたのは、わたしに聞かせようとしてのことらしい。

相手は驚き顔で言った。「あれ？　それならとっくにご存じでしょうに、奥さん。ここに腰を据えたその最初の日に、二台ばかり追いかえして、それっきりでさ。いざこざもまるきりなかったですしね」と、これはわたしにむかっての説明だ。「向こうの運転手だって、だれも不法侵入だのなんだので厄介な目にあいたくはないですからね」

姉とふたり、いまきた道をひきかえす道すがら、わたしはぴしゃりとひたいを打って、言った。「信じられないな！　ヒューともあろう男が、こんなことをして、そのまますむはずがないことぐらい、心得ててもよさそうなものなのに。あの道は、〈デーン館〉へ通じる唯一の道なんだよ。しかも、公共のものとして、もう長いあいだ使われてきたんだ。それをいまさら私有道路だなんて、そんな言い分が通るものか！」

エリザベスはうなずいた。「それをレイモーンも言ってるのよ。二、三日前にヒューと話しにきたとき、それとまったくおなじことを言ってた。かんかんになってやってきて、そのことで激論をかわしたわ。あげく、レイモーンがヒューを訴えて、法廷にひきずりだしてやるとかいきまけば、ヒューはヒューで、望むところだ、この問題で提訴されるなら、残りの一生をかけても闘い抜いてみせると言いかえす。でもね、最悪なのはそれじゃないの。レイモーンが立ち去りぎわに吐いた捨て台詞――暴力はただ暴力を呼ぶばかりだと、それをヒューは思い知るべきだって言うのよ。それからというもの、いつ闘いの火蓋が切られるかって、あたし、気が気じゃないわけ。わかるでしょう？　ああして番人まで置いて道をふさがせてるってことは、四六時ちゅう挑戦状をつきつけてみせてるのもおなじですもの。だからあたし、不安でならないのよ」

それはわたしにもよくわかった。しかも、それについて考えてみればみるほど、問題はいよいよ剣呑なものに思えてくる。

「でもね、じつはひとつプランがあるの」エリザベスの口調に熱がこもった。「あんたにきてもらったのも、それだからなのよ。今夜、うちでディナー・パーティーをひらく予定なの――ほんの内輪だけの、非公式なパーティー。いわば一種の講和会議みたいなものかしら。メンバーは、あんたと、それからワイナント先生――どっちもヒューの大のお気に入りよね。そしてあとひとりは――」姉はちょっと言いよどんだ。「――あのレイモーンなの」

「まさか！」わたしは言った。「本気で言ってるの？　あの男がほんとうにやってくるって？」

「じつはね、きのうあのひとを訪ねていったのよ。時間をかけて話しあったわ。諄々《じゅんじゅん》と、事を分けてあのひとに聞いてもらって――ご近所同士なんだから、胸襟をひらいて語りあえば、おたがい納得のいく着地点を見つけられるはずだとか――まあね、聞けばちょっぴり気恥ずかしくなるようなおためごかしに聞こえるかもしれないけど、それがね、驚くなかれ、功を奏したわけ。承知したわ、あのひと、今夜の会に顔を出しますって」

虫の知らせか、いやな予感がした。「で、肝心のヒューは、そのことを承知してるのかい？」

「ディナーのこと？ ええ、承知してるわ」

「そうじゃなく、レイモーンがくるってことをさ」

「いえ、知らないわ、そっちのほうは」そう言ったあと、わたしがけわしい目を向けているのを見てとってか、姉はいきなり喧嘩腰で叫びたてた。「だって、しょうがないじゃない、だれかがなにか手を打たなくちゃ。だからあたしがその役を買って出た。それだけのことよ！ ただ漫然とすわって、成り行きにまかせるだけよりも、こっちのほうがずっとましじゃない」

その夜、テーブルをかこんですわった一同を目にしたそのときまで、わたしもじつはそうした姉の言い分を認めてもいい、そんな気持ちになりかけていたかもしれない。レイモーンがあらわれたときには、ヒューがショックを受けているのは明らかだったが、以後は、一度だけエリザベスのほうへ、言い分の山ほど詰まった視線をじろりと向けたのを除けば、ひとまず本心を隠しおおせた。神妙な態度で、集まった面々をひきあわせ、話しかけられれば、そつなく応答し、総じて、この夜のホスト役を遺漏なく務めていたとは言えるだろう。

皮肉なことに、エリザベスの目論見がまあこの程度にしろ奏功しかけていたのは、もっぱらワイナント博士の存在によるところが大きいのだが、それがやがて一転して、破局に瀕する事態に立ちいたったのも、やはり博士の存在からくるものなのだった。外科医として令名高い博士は、がっちりした体つきに、白髪《しらが》まじりの髪、立ち居ふるまいは無骨だが、万事にポジティヴな性格をうかがわせる人物だった。ところがこのワイナント博士、自身ひとかどの有名人でありながら、ここでレイモーンに出あって、まるで小学生のように大はしゃぎ、たちまちふたりは打ち解けて、語りあいはじめた。

ヒューのつけている〝よきホスト役〟の仮面が剝がれだし、エリザベスのたてたプランの致命的な欠陥があらわになりはじめたのは、ディナーの席でヒューが、一座の注目がレイモーンひとりに集中し、ホスト役である自分は、ほとんど蚊帳《かや》の外だと気づいたときだった。世の中には、花形や有名人をもてはやし、自分はその余光にあずかるだけで満足できる人種がいるものだが、あいにくヒューはそういう人種ではない。のみならず彼は、ワイナント博士を無上の親友と見なしているうえ、まずいことに――これはこのわたしもつとに気づいていることなのだが――もっとも強烈な自信家ほど、反面では友人との交情について、だれよりも嫉妬ぶかいものなのだ。かててくわえて、なによりたいせつにしているその友情が、よりにもよって、この世界でだれよりも深く忌み嫌っている人物により、侵害されようとしているとなると！　という次第で、ただたんにいま現在のヒューの立場に自分を置き換え、テーブルごしにレイモーンがいとも楽しげに、屈託なげに、無頓着にふるまっているようすを見るだけで、わたしは最悪の事態の到来を覚悟したのだった。

そのきっかけがヒューを訪れたのは、レイモーンが脱出奇術に用いられるさまざまな仕掛けについて、詳細にわたって掘りさげた論議を展開しているときだった。その種の仕掛けは無数にある、そうレイモーンは言った。そのへんにざらにころがっているほとんどすべてのものが、そうした仕掛けに応用できるのだ。針金一本、金属の断片、一枚の紙切れでさえ——そのすべてを、この自分も何度となく利用してきたものだ。

「しかしね」と、ここで彼はにわかに表情をひきしめて、つづけた。「そうしたもろもろのなかで、このわたしが安んじて命を預ける気になれる、そういう仕掛けはただひとつしかありません。妙な話ですが、それは目にも見えないし、手にとることもできない——実際、多くのひとたちにとっては、それは存在すらしていない。それでもそれは、これまでわたしがほかのなによりも数多く利用してきたものであり、かつまた、一度たりとわたしを裏切ったことのない道具なのです」

「で、そのものとは？」ドクターが膝をのりだした。興味津々、目をきらきらさせている。

「人間についての眼識ですよ。なんなら、こう言ってもいいかもしれない——人間性についての洞察、と」

「へええ？」だしぬけにヒューが言った。語勢があまりにも強かったので、瞬時に一座のものの視線が彼に集中した。「その言いかただと、ただの手先の早業が、なにやら心理学の一部門みたいに聞こえるじゃないか」

「かもしれません」答えたレイモーンのほうを見やると、いまやその目は食い入るようにヒューを凝視し、ヒューという人物を値踏みしている。「つまりね、謎めいた要素などなにもないのです、これには。わたしの職業——というより、わたしは芸術《アート》とこれを見なすほうが好きですが——これは畢竟《ひっきょう》、〝誤　導《ミスディレクション》〟の芸術であり、このわたしは、その術を実際に活用する、多くの実践者のひとりにすぎないのです」

「といっても、きょうび、あなたの言うような脱出アーティストが、そう大勢いるとは思えんが」と、ドクターが言った。

「おっしゃるとおりです」と、レイモーン。「ただし、いまわたしは〝誤導の芸術〟と申しあげた。このことにご注目いただきたい。脱出アーティストは——〝目くらまし技術の達人〟と言ってもいいが——これらはほんの一握りではあるが、あらゆるアートのうちでももっとも風変わりなアートを専門にする面々。ですがそれ以外の、たとえば政治、広告、セールスなどといったもろもろ、これらの仕事に従事するひとたちについては、どうでしょうかな?」見慣れたしぐさで、彼は鼻の脇に手をあてがい、ウインクしてみせた。「みんな、わたしの言うところの〝誤導のアート〟、それを職業にしている面々じゃありませんか?」

ドクターはほほえんで、言った。「そのもろもろのなかに、あなたは医学までもひきずりこむことはされなかった。それを良しとして、お説にはひとまず同感だとしておこう。ただし、わたしの知りたかったのはべつのこと——お説のなかの〝人間性についての洞察〟ですか、それはいったいどういうかたちであなたの職業に生かされるのですかな?」

「こういうかたちでです」レイモーンは答えた。「まずは相手をじっくり観察する。それでもしその人物のなかに、ある特定の弱点を見てとったら、そこにつけこんで、ひとつのまやかしの前提を持ちだしてみせる。と、それはいささかの疑問もなく受け入れられます。いったんまやかしの前提を鵜呑みにさせてしまえば、もうしめたもの。あとは簡単です。被術者はマジシャンの見せたいと思うものしか見なくなる。あるいは誘導されて、特定の候補者に一票を投じる。あるいはまた、広告に釣られて、特定の商品を購入させられる」彼は肩をすくめてみせた。「要するに、これだけのことなのですよ」

「そんなものかね？」ヒューが言った。「しかし、たまたまその相手にいくばくかの知性があって、あんたの言う〝まやかしの前提〟とやらを受けつけなかったら、どうなる？　その場合は、どんな詐術を用いるんだね？　それとも、あんたの言うその〝アート〟とやらは、未開人相手にただのガラス玉を高く売りつける、ああいうインチキ商売となんら変わりはないってことかね？」

「それは言いがかりだよ、ヒュー」ドクターがたしなめた。「このひとはただ自分の思うところを述べているだけだ。それを咎めだてする理由はない」

「いや、あるかもしれんぞ」ヒューは言ったが、その目はじっとレイモーンを見据えて動かなかった。「どうやらこのひとは、いろいろと興味ぶかいアイデアをお持ちのようだ。だがわたしとしては、このさい、このひとがどこまで本気でそのアイデアを裏づけしてみせる気があるか、それを知りたいと思うね」

聞いていたレイモーンは、ここでナプキンを手にとり、無駄のないなめらかな動きでそれをくちびるにあてがったあと、前のテーブルにそっと置き、そのうえで、あらためてヒューにむかって言った。「つまりあなたとしては、わたしの言うところのアートの一端を、ここで実演してみせろとおっしゃりたいわけですな?」

「いちがいになにか〝術〟をと言ってるわけじゃない」ヒューは答えた。「帽子からシガレットケースや兎をとりだしてみせるとか、そういったくだらん手品は願いさげだ。なにかもうちょっと上等なやつを見せてほしいものだね」

「上等なやつですか」思案のていで、レイモーンはおうむがえしに言った。それから室内を見まわし、じっくり観察したすえに、ヒューのほうに向きなおりながら、どっしりしたオークの巨大な扉をゆびさした。いまはしまっているその扉は、ディナーの前に一同が集合した、隣りの居間との境になっている。

「あのドアですが、ロックされていますか?」

「いや、ロックはされていない」ヒューが答える。「もう何年も、あのドアをロックしたことはない」

「しかし、キーはあるわけですね?」

ヒューはチェーンにつけた鍵束をとりだすと、そのなかから重たげな、古風なキーをひとつ、すこし手間どりながらチェーンからはずした。「そら、これだ。配膳室で使っているのとおなじ型のものだよ」彼も知らずしらず興味をひかれはじめたようだ。

「結構です。いや、渡していただくには及びません。ドクターにお渡しください。ドクターのことは信頼なさっているはずですね――インチキなどなさるお人柄ではないと?」

「それはもちろん。言うまでもない」ヒューがそっけなく答える。

「いいでしょう。ではドクター、お手数ですがあのドアに鍵をかけてきてくださいますか？」

ドクターは持ち前の果断な足どりでつかつかとドアに歩み寄ると、キーを錠にさしこみ、まわした。ボルトがかちりと鳴る音が、しんとした室内に響きわたった。ドクターはキーをさしだしながらテーブルまでもどってきたが、レイモーンは手をふって、それを遠ざけた。「それはドクターに持っていていただくことが肝心です。そうでないと、いっさいがおじゃんになってしまいますからね」なにやら釘をさすようにそう言ったあと、レイモーンは口調を改めた。「では、この一幕のフィナーレです。わたしはこうしてこのドアに近づきます。そして、ハンカチを錠前にむけて、こう一振り――」ハンカチはひらりと鍵穴をかすめただけだ。「――さてごろうじろ、このとおりドアロックは解除されました！」

ドクターがそそくさとドアに歩み寄った。そしてノブをつかむと、半信半疑といったていでそれをまわし――あげく、ドアがゆらりと音もなくひらくのを、完全に度胆を抜かれた面持ちで見つめた。

「なんてこった、これは驚きだ」と言う。

「どういうわけか」と、エリザベスが笑って言った。「例の〝まやかしの前提〟とやらが、牡《か》蠣《き》みたいにつるっと喉を通ったようね」

ただひとりヒューだけが、おのれひとりの怒りの情を顔面に反映させていた。「なるほど、わかった」と、つっかかるように言う。「いったいどうやってやってのけたんだ？　どんなからくりを用いたのかね？」

「わたしにそれをお訊きになる？」レイモーンが非難がましくそう応じると、いとも楽しげにわれわれ一同にほほえみかけた。「やってのけたのはわたしじゃない、みなさん、あなたがたですよ。わたしはたんに、人間性にたいするささやかな知識を生かして、みなさんを誘導しただけです」

そこまで聞いて、わたしは言った。「ある程度までは、ぼくにもわかる気がする。ドアは前からロックされていたんです。ですから、ドクターがキーをまわして、ロックしたつもりになった、そのときには、じつは逆にロックを解除していたわけ。そうじゃありませんか？」

レイモーンはうなずいた。「おおむねそのとおりです。たしかにドアは前からロックされていた。わたしのしたことです。なんとなく予感がしたものですからね——今夜はおそらくどこかの時点で、こういう挑戦を受けるはめになるんじゃないか、と。そこでさいぜんダイニングルームに移るとき、なんとなくご一同の末尾になるように行動し、ついでにこれを用いたわけです」彼が片手をあげてみせたので、手のひらに金属製のなにかが握られているのが見てとれた。「言うまでもなく、ごく普通の合い鍵ですが、これでも古い、旧式の錠前には、じゅうぶん使えるんですよ」

一瞬、レイモーンはけわしい顔つきになったが、すぐまた明るい調子にもどって、つづけた
——

「はじめに『ドアはロックされていない』と断言して、結果として〝まやかしの前提〟を設定

されたのは、ほかでもない当家のご主人です。強い自信がおありになるばかりに、わかりきったことをここであらためて確認することなど、思いつきもなさらなかった。ドクターもまた、揺るがぬ自信をお持ちのこととて、おなじ罠にはまられた。つまるところ、自信を持ちすぎるというのは、この例でもわかるとおり、いつの場合もいささかの危険をはらんでいるものなのですよ」

「認めよう、おっしゃるとおりだ」ドクターが残念そうに言った。「じつは、異端なんだがね——われわれ医業にたずさわるものにとって、それを認めることは」そう言いながらドクターは、手にしたキーを茶目っ気たっぷり、テーブルごしにヒューにむけてほうったが、ヒューはそれが前の床に落ちるのにまかせて、拾おうとすらしなかった。「さあ、もういいだろう、ヒュー。好むと好まざるとにかかわらず、この御仁《ごじん》が自分の論点をりっぱに証明してみせたこと、これだけは認めざるを得まいよ」

「ほう、そうかね?」ヒューは低くつぶやいた。いまは薄笑いを浮かべてすわっていたが、頭のなかでなんらかの思いつきをつおいつ吟味してみているのは、傍目《はため》にも明らかだった。

「さあ、どうした、きみもいさぎよく認めるべきだよ」ドクターがこころもちいらだたしげに言った。「われわれ同様、きみもみごとに一杯食わされたんだ。それぐらいわかってるだろうに」

「そうよ、あなた、そのとおりだわ」エリザベスも口をそろえた。

なるほど、今夜の狙いの講和会議のほうへ、話を持ってゆくきっかけを見つけたつもりだな、そうわたしは思った。だが如何《いかん》せん、いまはタイミングが悪すぎる。気になるのは、ヒューの目にうかがえる不穏な表情。いつものヒューに似げない、秘めた底意を感じさせる目つきだ。普段の彼なら、腹をたてればとたんに爆発して荒れ狂い、手がつけられなくなるが、いったんその嵐や雷鳴が過ぎ去れば、以後は一転して、心から詫びる態度になる。ところがいまはようすがちがう。その態度には、なにやら眠たげな、大儀そうなところがうかがわれ、これがわたしに警戒心を起こさせた。

いま彼は片腕を椅子の背にかけ、もう片腕はテーブルに置いて、半身をねじむけた姿勢でレイモーンを直視していたが、やがておもむろに言った――「どうやら、わたしひとりだけが少数派のようだな。それでも、失礼ながら言わせてもらうと、いま見せてもらった小手先芸には失望したよ。いや、芸がまずかったと言ってるんじゃない。みごとな芸だったことは率直に認めよう。ただしその程度なら、腕のいい錠前師ならだれでも見せられる早業で、けっしてそれ以上のものではないと言ってるのさ」

「おいおい、それはどう聞いても負け惜しみじゃないか?」ドクターが揶揄《やゆ》した。

ヒューはかぶりをふった。「そうじゃない。ドアに錠があり、それを開錠するキーが手もとにあるなら、そのドアをあけてみせるぐらい、たいした芸じゃないと言ってるだけさ。この御仁の名声のほどを考えれば、もうちょっとなにか芸のある技を見せてもらえるかと期待してたんだがね」

レイモーンが顔をゆがめた。「わたしとしては、ほんの座興のつもりでしたが、それがご期待にそえなかったとしたら、お詫びするしかありませんな」

「いや、座興であるかぎりは、とくに不満はないんだ。ただしこれが本格的な試技となると――」

「本格的な試技?」

「そう、なにかもうすこしちがった設定の。たとえば、なんらかの仕掛けがほどこせるような錠前もなければ、キーもない扉とか。目の前にしまった扉があって、これは指先一本で軽くあけられるのに、そのくせ、あけることはぜったい不可能だとか。まあこういった趣向だが、どうだね? あんたはどう思う?」

レイモーンは思案げに目を細めた――目の前にさしだされた絵を見て、どういう絵なのかを読みとろうとしているように。ややあって、おもむろに言った。「なかなかおもしろそうですな。もうすこし詳しく説明していただけますか?」

「いや、口で説明するよりも」ヒューが言った。にわかに声音が熱を帯びてきて、これこそ彼の待ち望んでいた瞬間なのだということ、それがわたしにもぴんときた。「もっといい方法がある――実際にお目にかけよう」

彼はきびきびと立ちあがり、ほかのものもあとにつづいた――つづかなかったのはエリザベスだけで、いままでどおり椅子にすわったまま。いっしょにくる気はないかと声をかけても、ただ首を横にふるだけで、ぞろぞろと部屋を出てゆく一同を、なにがなし絶望的な目で見送るばかり。

ヒューが途中で懐中電灯を用意したので、どうやら地下室へ行くらしいとまでは察しがついたが、いま向かっているのはさらにその先、わたしのいままで足を踏み入れたことのない聖域なのだった。これまでにも、たとえばワインラックからこれというワインを選びだす手伝いなどで、何度か地下室へ降りたことはあったものの、いま一同はそのワイン蔵を過ぎ、その先の長い、薄暗い照明のともった穴蔵に向かっていた。ざらざらの床石にこすれる一同の靴音が高く響き、周囲の壁面には、にじみでた漏水によるしみ、そしてむっと温かい点では戸外の夜気となんら変わらないのに、それでもわたしは、じっとり湿った冷気が胸のあたりを鳥肌だたせるのを感じた。そばを行くドクターが身ぶるいして、「なんだ、これは——そっくり海底に沈んだアトランティスの墳墓ってところじゃないか」と、うつろに響く声で言ったので、そう感じるのはあながち自分ひとりではないとわかって、わたしはいくらかほっとした。

行き着いたのは、その石室のいちばん奥、つきあたりの壁面に造りつけられた、床から天井まで届く石造りのクローゼット、とでも表現するしかないものの前だった。間口はおよそ四フィート、高さはその二倍弱、戸口はいまはひらいていて、内部の不可侵とも見える暗黒がのぞいている。ヒューはその暗闇の奥に手をさしいれると、ひらいている重い扉をひっぱり、たてきった。

「これこのとおり」と、だしぬけに言う。「扉は厚さ四インチの無垢《むく》の白木《しらき》造り、こうしてしめると、ぴたっと枠におさまって、気密室同然の造りになる。二百年前の大工仕事の精髄、まあ一個の芸術作品と言ってもいいね。おまけにこれには錠も閂《かんぬき》もない。ただ両側に把っ手《とって》がわりの輪がついているだけ」そう言いながら彼が扉を軽く押すと、ただそれだけで、扉はすうっと音もなくひらいた。「ごらんのとおりさ。全体の重みが、完全なバランスを保って蝶番《ちょうつがい》にかかるようにできているから、ほとんど力をかけずとも、羽根のように軽くひらくんだ」

「それにしても、いったいなんのための仕掛けなんです？」わたしはたずねた。「なにか理由があって造られた仕組みなんでしょう？」

ヒューは軽く笑った。「理由かね？　あるともさ。むかし、その種の蛮行がまかりとおっていた時代には、召使いがなにか罪を犯すと――罪といっても、だいそれた犯罪なんかじゃない。せいぜいがわがロージア家のご先祖のどなたかに口答えをしたとか、そんな程度のものだろうが――そいつはここに入れられて、悔い改めるまでほうっておかれた。なかの空気はたかだか二、三時間しか保《も》たないから、入れられたら最後、即刻悔い改めるか、でなきゃそのまま一巻の終わり、とまあ、そういった寸法だよ」

「で、その扉だが」ドクターが慎重な口ぶりで言った。「聞けばなかなかたいした装置のようだが、それにしても、ちょっと触れればやすやすとひらいて、必要な空気をいくらでもとりこんでくれるというのに、どうしてその召使いはそれができないんだね？」

「まあ見るといい」ヒューは言い、懐中電灯の光を房の奥へ向けた。ほかのものたちも重なりあって彼の後ろからのぞきこんだ。房のつきあたりの壁まで光の輪は届き、そこに照らしだされたのは、頭の高さよりほんのわずか上までたれた、短く太い鎖と、その鎖の最下端の環にぶらさがっているU字形の首枷《くびかせ》だった。

「なるほど」レイモーンが言った。いましがたダイニングルームを出て以来、彼のはじめて発した言葉だった。「まことに巧妙な仕掛けですな、たしかに。罪人は奥の壁を背に、戸口を向いて立つ。首枷がはめられ、ついで――これが普通の錠前仕様ではないのは明らかですから――クランプで締めつけて、首のまわりに固定する。罪人は目に見えぬ拷問台にでもかけられたかたちで、いまにも届きそうで届かない扉の輪を、なんとか足の先でさぐりあてようとしながら、それからの数時間を過ごす。さいわいにして、鉄の首枷でわれとわが首を絞めるはめにならずにすめば、やがてどなた様かがお慈悲ぶかくも扉をあけてやろうという気を起こされるまで、生きのびられるかもしれない、というわけです」

「いやはや」ドクターが言った。「お話を聞いているだけで、なんだか自分がいままさにそんな目にあっているような気がしてきましたよ」

レイモーンはかすかにほほえんだ。「じつはわたし自身、そういう経験なら幾度もしてきました。しかも驚くなかれ、現実はいつの場合も、最悪の想像よりもさらに悪い。いつもきまってやってくるのは、恐怖とパニックとがぎりぎり極限まで高まった瞬間。そのとき心臓は狂おしく高鳴り、いまにも肋骨と肋骨とのあいだを突き破って、とびだしそうになる。ほんの一呼吸するだけのあいだにも、全身から冷や汗が噴きだして、水でも浴びたようになる。こういうときこそ、しっかりおのれを持して、あらゆる弱さを払いのけ、これまでに身につけた教訓を片端から思い起こさなけりゃならない。それができなければ――！」いきなり彼は平らにした手を痩せた喉にあてがい、喉をかっきるようなしぐさをしてみせた。それから、「残念なことですがね、そういう仕掛けの犠牲になるひとたちにとっては」と、ほろ苦い口調で結論して、「所詮、自分を救うための根本的な勇気にも、また知識にも欠けているわけですよ、そういうひとたちは。だから敗北する」

「だがあんたはそうはならないと？」言ったのはヒューだった。

「なると考えなきゃならない理由はありませんからね」

「ということは、要するに、かりに二百年前にここで鎖につながれていただれかとまったくおなじ状態に置かれても、自分ならばこの扉をあけてみせられると、そう言っているわけだね？」

その口ぶりにこめられたいどむような調子、それはあまりにも強くて、軽く聞き流してしまうのは無理だった。レイモーンは顔をこわばらせて深く考えこみ、しばし無言で立ちつくしていたが、ややあって、答えた――

「さよう、たしかに容易ではありますまいな――問題はすこぶる単純なものではありますが、それだけにかえってとっかかりがむずかしい――ですが、まあ解けるでしょう」

「時間はどれくらいかかる？」

「せいぜい一時間」

してやったり――まさしくこの一点に漕ぎつけるため、そのためにこそヒューは、ここまで長い回り道をしてきたのだ。いまその勝利の味をゆっくり味わいながら、彼はとっておきの台詞を口にした。「そんなら、賭けるかね？」

「おいおい、ちょっと待ちたまえ」ドクターが言った。「この成り行き、最初から最後までぜんぜん気に食わんね、わたしは」

「ぼくもおなじ気持ちですね——ここらで一息入れて、一杯やることにしませんか」わたしも加勢した。「お遊びはお遊び。でも地下のこんなところで新たに始めるなんて、終わるころには、みんな肺炎になっちゃってますよ」

ヒューも、またレイモーンも、はたからのこうした口出しなど、耳にも入っていないようすだった。双方ともに、目を怒らせて睨みあっている——ヒューはうずうずしながら相手の回答を待ちかまえ、レイモーンはレイモーンで、あくまでも慎重に熟慮をめぐらしながら——あげくに言った。「その賭けに、あなたはなにをお賭けになる?」

「こうだ。あんたが負けたら、一カ月以内に〈デーン館〉を引き払う。そして館をこのわたしに売りわたす、と」

「で、もしこちらが勝ったら?」

ヒューにしてみても、その答えを口にするのには、なみなみならぬ決意を必要としただろうが、それでも最後には、それを吐露した。「そのときは、こっちが出ていくまでのことだ。それでもしあんたに〈ヒルトップ〉を買いとる意思がなければ、わたしが仲介して、最初に名乗りをあげた第三者に売却する手続きをとる、と」

ヒューを知るほどのものにとっては、これが彼の口から出る台詞としてあまりにも非現実的、衝撃的なものでしかなかったから、とっさにはだれも反応できず、言うべき言葉も見つからずにいた。真っ先に立ちなおったのは、やはりドクターだった。

「なあおいヒュー、いまのはとうていきみの言葉とは思えんぞ」ドクターは諌《いさ》めた。「きみだって妻を持つ身だろう。エリザベスの気持ちも考えてやるべきだ」

だがヒューは、レイモーンに回答を迫るだけだった。「どうだ、賭けは成立かね？　いまの条件でやる気はあるか？」

「それにお答えする前に、ひとつお聞かせしておくことがあります」言いかけて、いったん言葉をのみ、あらためてレイモーンはのろのろと言いだした。「これまでわたし、おそらくはつまらぬ虚栄心からでしょうが、みなさんにこんな印象を与えてきました——奇術の世界から隠退したのは、それに飽きたから、芸に興味が持てなくなったからだ、というふうに。じつはそれ、ぜんぜん事実とはちがいます。実情は、数年前に医師の診断を受ける必要に迫られ、検査の結果、突如として心臓の問題がわたしの最大関心事になった、と。いまさらこんなことを持ちだすというのも、あなたの挑戦は隣人同士の不和を解消する手段として、すこぶる奇抜、かつ興味ぶかいものではあるけれども、あいにくわたしはいま申した健康上の理由から、それをお受けするわけにはいかない状況にある、そんな次第なのです」

「ついいましがたまで、健康そのものだったくせに」ヒューがかたい声音で言った。

「まああなたとしては、そうお思いになりたいでしょうが」

「言いかえれば、こういうことだ」ヒューはなおも辛辣に言った。「身近に助手もいなければ、ポケットに合い鍵もない。ありもしないものをたしかに見たと思わせる、そんな目くらましを仕掛けられる相手もいない！　となれば、あんたも敗北を認めざるを得ないわけだな」

レイモーンはきっとなった。「そんなものは認めません。たとえいま眼前につきつけられている、こんなテストでも、立ち向かうのに必要なツールなら、ちゃんと持ちあわせています。嘘じゃない。ツールならいくらでもある」

ヒューは声高に笑いとばした。その笑い声の余韻が無数の小さなエコーとなって、わたしたちの背後の通路いっぱいに響きわたった。思うに、レイモーンを追いつめて、最終的に目の前の密室へと彼を送りこんだのは、まさにその笑い声——周囲の壁から壁へと反響してゆくその声に含まれた、あからさまな侮蔑だったのに相違ない。

ヒューはハンマーをふるった。柄《え》は短いが、ずっしりと重いそれを両手でふりまわし、壁の鉄床《かなとこ》にあてがったレイモーンの首枷を、強く、一定した間合いで打ちたたいて、首枷が小さな輪になるまで締めつけた。彼がこの作業を終えたとき、わたしの目に映じたのは、漆黒の闇のなか、レイモーンがかざして見た腕の夜光時計の文字盤が、青白くぼうっと光っているさまだった。

「いまちょうど十一時です」彼は落ち着いた調子で言った。「賭けは、正十二時までにこの扉をあけること、そしてそのためにはどんな手段を用いてもかまわない。この二点が条件で、証人はこちらのおふたりです」

かくして扉がとじられ、残ったわたしたちのあてどない歩行が始まった。

行きつもどりつ、わたしたちは歩いた。三人そろって、フィギュアスケーターさながら、足もとの床石にありとあらゆる幾何学的図形を描くことを強制されているかのように。ドクターは性急な、小刻みな足どりで、わたしはわたしで、ヒューの大股の、それでいて神経質な歩様に歩様を合わせて。愚かしくもまた無意味な行進。前へ、後ろへ、たがいに自分たち自身の影を踏みにじり、三人それぞれに刻々と過ぎてゆく時を測りながら、それでも真っ先に腕の時計を見るのはみっともない、と控えている。

しばらく前から、通路の奥の密室のなかでも、こちらのずるずる足をひきずる音と対《つい》をなすような物音が聞こえていた。かろうじて鎖のかちゃかちゃ鳴る音と聞きとれるそれは、短く、規則正しい間隔で聞こえていたが、やがてぴたっと止まって、長い静寂があったあと、また新たに生まれ変わって聞こえてくる。二度めにそれが止まったときには、わたしももはや自分をおさえきれなくなっていた。腕をあげ、頭上にさがった暗く、黄色っぽい電球の光に時計をかざして見たが、まだわずかに二十分しか経過していないと知り、がっくりさせられただけだった。

それからはもうほかのふたりも、躊躇《ちゅうちょ》なく時間を確かめるようになったが、そうなればなったで、時計を見ずにただ不吉な想像に身をまかせているのより、待つことが一段と堪えがたく思えてきただけのことだった。ドクターがせかせかした、やや乱暴なしぐさで時計のねじを巻き、数分後にはまたもおなじことをしかけて、そこでふいに、いまねじを巻いたばかりだったのを思いだしたのか、うんざり顔で竜頭《りゅうず》からぱたりと手を落とすのが目に入った。ヒューはどうかと言うと、こちらは時計を目の前にかざしたまま、いらいらと歩きまわるばかり――まるでそうやって睨みつけていれば、のろのろと文字盤を這い進む分針の動きを、いくらかでも速められるとでもいうように。

三十分が過ぎた。

四十分。

四十五分。

いまでも覚えているが、このときわたしは自分の時計を見て、あと十五分たらずで約束の期限が切れると知り、そのわずかな時間さえ、はたして自分は持ちこたえられるだろうかと、心もとなく思ったものだ。冷気が体の奥深くまでしみわたり、疼痛《とうつう》となってわたしを苦しめた。さらに衝撃的だったのは、ヒューが顔じゅう汗まみれになっていて、みるみるうちにその汗のしずくが凝縮し、顔からしたたり落ちるのを見せられたことだった。

事が起きたのは、わたしがそうして魅せられたようにヒューを見つめているときだった。その音は、はるか遠方から聞こえてくる苦痛の哀哭《あいこく》さながら、密室の壁を突き破って聞こえてき、苦悶の言葉を絞りだそうとするように、わたしたちの頭上でふるえた。

「ドクター！」それは叫んだ。「空気を！」

レイモーンの声だったが、壁の厚みにさえぎられて、かんだかく、かぼそい音にしか聞こえなかった。もっとも明瞭に聞きとれたのは、その声に含まれた純粋な恐怖であり、その恐怖から生じる哀願の響きだった。

「どうか、空気を！」声は絶叫した。金切り声でのその訴えは、しかし、口から出るさいにぶくぶくと泡を噴き、長くひきのばされた、なんの意味もない音となって消散した。

そしてそのあとは、ただ静寂。

わたしたちは扉をめがけて突進したが、三人のうちではヒューがいちばん早くそこに行き着き、扉を背にして立ちふさがった。高々とふりかざした手には、ハンマーがあった——さいぜんレイモーンの首枷を絞めあげた、あのハンマーだ。

「さがっていろ！」彼は怒号した。「それ以上近づくな。これは警告だぞ！」

彼の全身にたぎる怒気が、ふりかざしたハンマーの脅威と相俟って、ほかのふたりの前進を止めさせた。

「ヒュー」ドクターが訴えた。「きみの考えていることはわかる。わかるが、しかし、いまはそれを忘れなきゃいかん。賭けは中止だ。わたしはわたし自身の責任において、いまからこの扉をあける。あくまでわたしの責任でだ。請けあってもいい」

「さて、それはどうかな？　それにしてもドクター、きみだって賭けの条件を忘れたわけじゃあるまい。一時間以内に、この扉をあけてみせる——そしてそのためにはどんな手段を用いても
かまわない！　いまならきみにもわかるだろう。あいつはきみたちふたりをたぶらかそうとしてるんだ。死にかけているふりをして、きみたちの手で扉をあけさせる。きみたちはそれで、あいつが賭けに勝つ手助けをしてやるってわけだ。だが、そうはさせない。これはわたしの賭けであって、きみたちは当事者じゃないんだ。これ以上、議論する余地はない！」

そう言うヒューの口ぶりから、声こそ緊張のあまりふるえているものの、本人は完全におの

れを持していて、けっして乱心などしていないこと、そしてそのことがまたいっそう事態を悪くしていること、それがわたしにも読みとれた。

「どうしてふりをしているだけだ、なんてわかるんです？」わたしは詰め寄った。「あのひとは心臓のぐあいがよくないと言った。こういう場面に直面すると、きまってパニックと闘わねばならず、そこからくる強い緊張感をひしひしと感ずる、そうも言った。人ひとりの命を賭けの対象にするなんて、そんな権利がヒュー、あんたにはあるんですか？」

「ばかを言え。賭けになりそうだってことを嗅ぎつけるまで、あいつは心臓に故障があるなんてことはただの一言も口にしなかった。それを忘れたのか？　そんなふうにしてあいつは罠をしかけるんだってこと、それがわからないのか？　今夜、ディナーの席に移るさいに、あいつはまんまと後ろ手にドアをロックしてのけた！　その手口とまったくおなじじゃないか！　だが、今度ばかりはだまされるものか。あいつのかわりに、その罠のばね錠を開錠させるなんて真似、だれにもさせるものか――ぜったいだれにもだ！」

「聞きたまえ」ドクターが言った。ぴしりと鞭《むち》打つような響きがその声にはあった。「いいか、きみはたとえほんのわずかではあっても、あの男がこのなかで死んでいるか、あるいは死にかけている可能性がある、それを認めるかね？」

「ああ、それはありうるだろうね――可能性というなら、どんなことだって可能だ」

「きみ相手に、ぐだぐだ議論する気はない！　たんにこう言っているんだ――もしもあの男がほんとうに発作を起こしかけているんだったら、いまこの一刻一秒が死生を左右する。そしてきみはその貴重な一刻一秒を、あの男から奪っているんだ、と。だから、万一不幸にして実際にそういうことが起きたら、わたしは法廷で証言台に立ち、きみがあの男を殺したんだと断言してみせるぞ！　そうしてほしいのか、きみは？」

ヒューの頭が徐々に深々とたれ、胸につくほどになったが、それでもまだその手は、かたくハンマーを握りしめていた。喉もとから響く荒い呼吸音はわたしにも聞きとれるほどだったし、やがて面《おもて》をあげたとき、その顔は灰色で、やつれきって見えた。青ざめて汗に濡れた顔の皺の一本一本に、心を決められないでいる苦悩のほどが焼きつけられていた。

そうしてわたしは、このときふいにさとったのだった——あの日、レイモーンがヒューにたいして、完全なジレンマに直面したとき、あなたははじめて啓示のなんたるかをさとるだろうと語った、その真の意味を。それは、人が自らの魂の根底を見つめざるを得なくなったとき、自分自身について学ぶ可能性をもたらしてくれる啓示であり、そしてヒューもいまついに、それを見いだしたのだった。

仄暗い影におおわれたその地下の穴蔵で、仮借なく進みつづける一刻一秒が、耳のなかで轟《ごう》轟《ごう》と音をたてて流れてゆくのを感じとりながら、ヒューが最終的にどう行動するか、わたしたちは息を詰めて待ち受けていた。

（1）ジョン・シングルトン・コプリー（一七三八—一八一五）、米国の画家。一七七四年以降、英国に定住。

（2）フランスの思想家ヴォルテール作の小説『カンディード』の主人公。さまざまな災難の果てに自給自足の暮らしに幸福を見出す。

（深町眞理子訳）

わが家のホープ

A・H・Z・カー

The Options of Timothy Merkle　一九六九年

A・H・Z・カー Albert H. Zolatkoff Carr（一九〇二―七一）。アメリカの作家・実業家。F・D・ルーズベルト、トルーマンの二代にわたり経済分野で大統領を補佐、実業家としても成功を収めるかたわら、作家として活動。一九三〇年代の短編が〈エラリイ・クイーンズ・ミステリ・マガジン〉*Ellery Queen's Mystery Magazine* に再録されたのをきっかけに、ＥＱＭＭ年次コンテストに短編を応募、常連作家となった。第二次大戦後の代表作は日本オリジナル短編集『誰でもない男の裁判』にまとめられている。没後に長編『妖術師の島』でアメリカ探偵作家クラブ（ＭＷＡ）最優秀新人賞を受賞。本編の初出はＥＱＭＭ一九六九年七月号。

ティモシー・マークルは両親の喜びの源泉になるのがうれしかったが、そのことをむやみに言いたてないでくれればいいのにと思っていた。《ウィンウッド・モーニング・スター》に載った小さな記事のおかげで、ヘンリーとエドナのマークル夫妻は一日じゅう、息子に対する誇りで胸がいっぱいだった。その晩、夕食の席でヘンリーは言った。「職場のほとんど全員があの記事を見ていたよ。ビル・ブラウダーなんか、ああいう大学の奨学金というのはどれくらいの額になるのかと訊いてきた。年間最低千ドル、それが四年間だと教えてやると、信じられないって顔をしていた。みんな口々に言うんだ。『そんな息子さんをお持ちで幸運ですね』って」

彼は息子ににっこり微笑みかけた。

「ふーん」ティムはつぶやき、無理に力を入れて皿のなかのポークチョップに挑んだ。

「スーパーでも似たようなことがあったのよ」エドナ・マークルが言った。彼女は大きな黒い目をした、きゃしゃな女性だった。やせこけた顔に刻まれた哀れをそそるしわから、心配事が絶えず、家事に忙殺され、更年期にさしかかっていることがうかがえる。だが、いまはまるで幸せそうに見えた。「ベッシー・スターンに言われたの、『ティムのこと、誇りに思うべきよ』って。わたしは『ええ、もちろん』って返事してやったわ。マイラ・ウィルスンが、息子さんはジャーナリストになるんでしょうって訊くから、それを期待してるって答えてね。そしたら今度は、ほんとうに大学に行かせるつもりなのかって訊いてくるの、どうやら本気にしてなかったみたいで。それでわたし、必ずねって答えてやった。奨学金がもらえるんだから、たとえほかの出費を切り詰めなければならないにしても、絶対に進学させるって」

ティムは内心ひるんだが、何も言わなかった。外見上、彼は両親のどちらにも似ていた。ヘンリーの背の高さと明るい色の髪、エドナの表情に富む大きな口。だが、エドナに言わせると、顔の骨格は母方の祖父からの遺伝だそうだ――母方の祖父は、母親が飽きもせず口にするとおり、生前は弁護士だった。「あなたのお祖父さんは鼻筋の通った鼻や角ばったあごが、あなたにそっくりだったのよ」彼女はしばしば連れあいのおとなしい顔立ちを横目で見ては、ティモシーにそう言った。「長生きしていれば、判事になれたでしょうに」

ヘンリーが話を続けた。「でも、何より驚かされたのは、ジョージ・フラッグがわたしの席に立ち寄ったことだ」彼が言っているのはウィンウッド最大の製造業者、フラッグバルブ社の社長のことだった。ヘンリーは同社の在庫管理責任者だった。「ジョージが言うんだ。『きみとエドナは大いに称賛されてしかるべきだ、ティムのような息子を育てあげたのだからね』なにしろ彼の声はよく響くだろう。フロアの全員に聞こえたよ。そこで、わたしは答えた。『いや、ありがとうございます、ジョージ。でも、おおかたは妻のおかげです』」

「社長さんをジョージと呼ぶなんて感心しないわ」エドナ・マークルが横槍を入れた。「なれなれしすぎるでしょう」

「みんな、そう呼ぶんだ。社長はそういうくだけたやり方が好きでね。常々、われわれは全員同じチームだ、ファーストネームで呼びあうべきだと言っている」

ティムは鼻で笑いたくなるのをこらえて無表情を装った。とうに気づいていたことだが、ジョージ・フラッグの従業員に対する友愛精神は給料支払小切手にまでは及んでいなかった。父が最後に昇給を願いでたのはいつのことだっただろうか？

「ほんとうに驚かされたのはそのあとだ」ヘンリーは続けた。「社長はオフィスのドアを閉じて、わたしの机の端に腰かけると、息子さんのデニーが悩みの種なんだと打ち明けたんだ。どうも学校の成績がふるわないらしいね」

「知らない」ティムは答えた。「デニーとはあまりつきあいがないから」

「ジョージが言うには、少し不良がかっているんだそうだ。そういう年頃なんだろう。十八だったか」

エドナがティムの皿にもう一枚ポークチョップをよそいながら、ふたたび話に割りこんだ。

「そうよ。ティムがお腹にいたとき、フラッグ家の子守がデニーを乳母車に乗せているのを公園でよく見かけたもの。ティムよりちょうど一年年上」

ヘンリーは妻に鷹揚《おうよう》に笑みを向けた。「それで、ジョージが言うんだ。『ティムが編集長をしている《レッド〝ン〟グリーン・マガジン》というのはどういう雑誌なんだね？』うん、それでわたしは答えた。ただの高校の学内誌ですが、地元の商店からそれなりの広告を取っているので、最近ではガリ版ではなく活字印刷を使っていて、見かけはタブロイド紙のようです。うちの息子が編集長に選ばれたのは、〝異議を認めます〟（裁判長の言葉より）という息子のコラムがいちばんの人気記事だからです、と。息子は過激な思想の持ち主なのかと訊かれたので、そんなことはないが、間違っていると思ったことについては黙っていられない性格なのだと答えておいた。

　すると、ジョージはまたしても驚くようなことを訊いてきた。その雑誌は絵も——つまり、写真も——載せるのかと言うんだ。わたしは載せないと答えた。載っているのを一度も見たことがなかったからね。おそらくコストの関係だろうと説明した。リヴァーサイド高校同窓会からのささやかな援助を頼りに、かろうじて発行を続けているようなものだからと。そのときなんだ、社長がデニーの話を始めたのは」

　ティムは警戒して顔を上げた。「デニーがどうかかわってくるというの？」

　かすかにばつの悪そうな表情が父親の顔をよぎった。

「いや、ジョージが訊くんだ、デニーを雑誌作りにかかわらせられないかって。非行から遠ざけるには、そういうまっとうな仕事を与えるのがいちばんだろうと言うんだ。文才はないが、カメラの腕はなかなかのもので、雑誌に写真を掲載するにあたってコストがネックになるのなら、費用を肩代わりしてもいいと提案された。むろん、わたしは答える立場にないと返事をした。だが、おまえに訊いてみて、結果を伝えると約束させられてしまったんだよ」

　ティムは父親が言葉を切るのを、じりじりしながら待っていた。「もう、ひどいな！　ジョージ・フラッグが何を言いだすかぐらい見当がつきそうなものじゃないか。あのねえ父さん、学校にはあの雑誌にかかわりたがっている生徒がたくさんいるんだ。原稿を送ってきたり、広告を取ってきてくれたり、配達係を買ってくれたり、みんな、ほんとうに熱心なんだ。デニーを採用したら、彼らに不公平だよ。これまでに何かしてくれたわけでもないのにさ」

「試用って手もあるだろう?」

父親の有無を言わせぬ口調に、ティムは胸の内で憤慨した。怒りの矛先が向けられたのは父親ではなく、雇用主が雇用人に無理難題を吹っかけても許される、この社会のあり方だった。彼は感情を抑えて言った。「ずいぶん強引なやり方をするんだね」

「まあ、彼は自分の思いどおりにすることに慣れているからね。それになんと言っても金持ちだ、それを忘れちゃいけない。高校の学内誌でも、写真入りのは多くないだろう?」

「たしかに写真版が使えたらいいなとは思ってたけど」ティムは認めた。「でも、相手はデニーだよ。半分の時間はサボるにきまってる。言うことを聞かせるなんて無理だよ」

「おまえならできるさ」

「試してみる気にもなれない。彼がフットボールチームにはいったとき、どうなったか知ってる? 練習をすっぽかしてばかりいるから、しまいにはコーチに追いだされた。自分勝手だ――規律を守ろうとしない。暇なときはたいてい車に女の子を乗せて町を走りまわってる。そんなやつに手伝ってもらったっていいことないよ」

「ジョージ・フラッグがいけないのよ」エドナが言った。「あの年で車を買い与えるなんて、悪の道に誘いこむようなものだわ」

「しかし、車があればカメラマンには便利だ」ヘンリーは譲らなかった。

息子のかたくなな表情に気がついて、母親が仲裁にはいった。「ねえ、ティム、そんなふうに決めつけてはいけないわ。あなたならデニーにいい影響を与えられるでしょう。ジョージ・フラッグの狙いもそこにあるのよ、きっと。あなたなら彼を救える。それがクリスチャンらしい行ないというものよ」エドナは熱心な信者だった。

ティムは片手で薄茶色の髪をかきあげた。髪は額から後ろになでつけていて、流行より少し短い。両親の気遣わしげな顔を見たくなかったので、彼は食事に集中し、口を動かした。ジョージ・フラッグと良好な関係を続けることが一家にとって欠かせないのは、わざわざ言われなくてもよくわかっていた。母親の切々たる訴えを聞いているうちに、数年前のある出来事が思いだされてきた。あのときジョージから厳しく譴責《けんせき》されたヘンリーは、仕事を辞めてほかの町へ引っ越すと言いだし、エドナは、そんなことはとても耐えられない、死んだほうがましだと泣いて反対したのだ。

「なあ、ティム」父親が言った。「ジョージには、明日の朝には返事を伝えたいんだ。待たせては失礼だしね」

ひと呼吸置いて、ティムはゆっくりと答えた。「ぼくの一存では決められない。ほかのメンバーや先生がたに相談しないと」このひと言で、もうあとに引けなくなるのはわかっていた。デニーのおかげで予算が増えて雑誌に写真を載せられるのなら、《レッド〝ン〟グリーン・マガジン》のほかの編集部員や顧問が彼の参加に異を唱えるとは思えなかった。

二日後、学校の廊下でデニーと行きあわせたとき、ティムは、《レッド〝ン〟グリーン・マガジン》のスタッフに加わる気はないかとたずねた。デニーは答えた。「いいぜ、もちろん。親父も喜ぶしな」彼は大柄なハンサムで、青い目に引きしまった口元をしている。ふさふさした黒髪が額の半分をおおっていた。「名前は載せてもらえるよな?」

　こういうところがいかにもデニーだ——顔を売るのが先で、仕事はあと。ティムは淡々と答えた。「出来によるね」

「こいつを見てくれ」デニーは言い、札入れを開いて数枚のカラー写真を取りだした。「二週間前の試合のとき、自分のライカで撮ったんだ」

「悪くはないね。でも、カラー写真は使えない」

「どうして?」

「カラー版は大金がかかるんだ。白黒だって、ばかにならない金額だし」

「うちの親父がいま校長に、写真を載せられるように金を出そうってかけあってるところでさ。金額をもっと上げてくれって頼んでやろうか」

「それでもだめだ。なんていうか——うん、大げさすぎる。カラー写真を載せるとなると光沢紙が要《い》るし、印刷代も上がる。高校の学内誌に? よしてくれ。ぼくたちとしては中身で勝負したいんだ、外見を飾りたてるのではなくて」

「そうか、わかった。でも、だからってこの写真が使えないことはないだろ。白黒で印刷すりゃいいんだし」

デニーの顔に浮かんだ片意地な表情を見て、ティムはこの年上の少年を曲がりなりにも支配下にとどめておきたかったら、強い態度に出るしかないと悟った。「だめだ。無理だよ。それは使えない」

「なんでだよ？　テレビではしょっちゅうカラー映画を白黒で流してるだろ」

「たしかに。でも、あの画像がどれだけ粗いか気づいてるか？　コントラストが失われてたり、めちゃくちゃになってたりすることもある。テレビは映像だから、あまり気にならない。でも、スチール写真だと目も当てられない結果になりかねないんだ」

「どういうことだ？」

「説明しよう。赤の部分の多い写真を撮ったとするね。たとえば、さっき見せてもらった、赤いセーターを着たチアリーダーの写真みたいに。ちょっと貸してくれないか」デニーは手に持った写真の束をパラパラとめくりだした。「いや、赤いセーターのだ。行きすぎた。それだよ」ティムは問題のスナップ写真をデニーの手から引き抜いた。「こいつを普通の写真版にして印刷すると、このセーターの部分は黒くなる」

「そうなのか？」

「それに、セーターについてる深緑色の〝リヴァーサイド〟の文字も、ほとんど黒に近い色に変わる。コントラストが失われる。文字が読めなくなってしまうんだ」

「まさか」

「それが事実だ。もちろん、特殊なフィルターを使ってコントラストが失われないようにすることもできるけど、それにはむちゃくちゃお金がかかる。論外だよ。嘘はつかない。写真はあくまで白黒にしてもらいたい」

デニーがまだ何か言い返したい気でいるのを感じとって、ティムは駄目を押した。「きみが最初にしなければならないのは、印刷技術を理解することだ。雑誌が印刷される工程を見たことは？」デニーは首を横にふった。「よし、じゃあ見にいこう。きょうの午後、印刷所に用事がある。来てくれれば、ぼくが案内するよ。そうすれば、この仕事の感じがもっとよくつかめるだろう。いいね？」

「うん、まあな。時間は？」

数日後の晩、ティムの父親は満面の笑みを浮かべて、会社でのジョージ・フラッグとの新たなやりとりについて物語った。「ジョージが言うには、デニーが学校の誰かをほめたのは初めてだとかでね。おまえは自分の仕事のことがすごくよくわかっていると話していたそうだ」

「何言ってんだか」

「えっ？　とにかく、根気よくつきあってあげなさい。ジョージが言うには、息子さんはあの雑誌に夢中だそうでね。おまえたちふたりが仲よくやってくれると、父さんはうれしいな」

「そうよ」マークル夫人が言った。「あなたとデニーがいいお友だちになったら素敵でしょうね」母親の声音はいつになく希望に満ちていた。デニーが——本人の吹聴するところによれば

――ウィスキーを飲み、マリファナを吸い、学校の五、六人の女の子と〝よろしくやっている〟のだと教えてやったら、母親はどんな反応を示すだろうと彼は思った。

それから二か月のあいだに、デニーはティムが想定していた以上に《レッド〝ン〟グリーン・マガジン》にとって役に立つ人材であるとわかってきた。フラッグバルブ社の設立した少額の基金のおかげで写真の経費がまかなえるようになり、デニーが持ちこんでくる数々の写真もけっこう出来がよくて、生徒や先生がたに好評だった。また、地元の商店のなかには広告を増やしてくれるところも出てきた。こうしてデニーは〝撮影　フラッグ〟という自分のクレジットを載せる栄光に浴した。彼のクリーム色の、赤いバケットシート付きのスポーツ・コンバーチブルがしばしばマークル一家のつつましい家の正面で見かけられるようになった。デニーが印刷所での打ち合わせのあとティムを家まで送ってきたり、学校での編集会議のために迎えにきたりするからだ。フラッグ家のパーティにティムが招待されたときには、マークル夫妻は天にも昇る心地を味わう結果となった。というのも、パーティの翌日、ジョージ・フラッグはヘンリーにこう言ったのだ。「いい子だな、ティムは――年の割に大人びている」

ティムとデニーのつきあいについてヘンリーとエドナがただ一度疑問を呈したのは、ある晩、クリーム色のコンバーチブルが自宅の前に止まったときのことだった。その日は前の座席に、笑いさざめいているふたりの少女がデニーといっしょに乗っていたのだ。ひとりはあざやかな赤い髪、もうひとりは濃い褐色の髪をしていた。少女たちがクラクションを鳴らし、ティムは玄関のほうへ向かった。エドナが言った。「女の子だわ。あの子たち——ちゃんとした子なんでしょうね?」

「もう、頼むよ、母さん」ティムは答え、あとに残された母親は息子が何を言わんとしたのか頭を悩ませた。

ティムは、ふくよかで褐色の髪をしたマージーとともに後部座席に収まった。彼女は太ももと胸を押しつけてきて、キスされるのを待ちかまえており、ティムは自分が三流のテレビドラマのなかの、あどけない少年役を割りふられたような気分を覚えた。彼女に性的に強く引きつけられたが、好感はまったく持てず、自分の感情のあべこべさに腹が立った。さらに頭にきたのは、デニーが片手でハンドルを操り、時速百キロ超の猛スピードで車を走らせながら、もう片方の手で赤毛の女の子の体をなでまわしていることだった。ある時点でかろうじてトラックとの衝突をまぬがれたあと、彼は声を荒らげた。「いっそのこと両手を離して運転してみたらどうなんだ、デニー?」

「そそのかすなよ、本気にするぜ」デニーが肩越しに言った。

「おい、赤信号だ!　信号も無視する気か?」

「えっ、いまの赤だったか?　かっかするなよ、相棒《コンパドーレ》」ふたりはスペイン語のクラスが同じだった。「自分の女に集中してろって」

その後、ジュークボックスのあるダンスホールで、デニーが耳打ちした。「なあ、マージーが気に入らないんなら、ルイーズと取っ替えてやってもいいぜ、おまえさえよければ。あいつ、おまえに気があるみたいだ」ルイーズというのは赤毛の娘《こ》だった。

「ありがとう。その情報は今後の参考のためにファイルしておくよ」

デニーはにやりとした。「おまえはすこぶる付きの堅物だもんな。それとも、ひょっとしてゲイか？　いつまで童貞でいるつもりだ？　雑誌の編集なんかやるんなら、人生経験を積むべきだろうが。行くところまで行かないで、どうやって学ぶ気だよ？」

「時期を選ぶ。それに、相手も。この話はもうやめよう」

デニーは彼をまじまじと見つめた。「わかったよ、相棒。おまえによかれと思っただけだ。何をおじゃんにしようとしてるのか、わかってないみたいだがな」


それから一週間ほど経過した金曜日のこと、ヘンリーは朝食のテーブルで新聞を開いて、前夜のひき逃げ事件の記事に目を留めた。「なんてこった、ギャディスじいさんが。彼を憶えてるだろう、エドナ？　以前、郵便配達をしていた」

「何があったの？」

「亡くなった。車にはねられたんだ。頭蓋骨骨折だそうだ。ここからそう遠くない――ヴァンビューレン通りとパイン通りの角だ」

「まあ、ひどい。あの一家は不幸続きね。こうなると、あと残っているのは娘さんだけだわ。どういうことだったの？」

ヘンリーは声に出して読みはじめた。「現場付近を通りかかった、パイン通り四一八番地在住のジェイムズ・P・マーティン氏が警察に語ったところによれば、事件が発生したのは午後十時過ぎ。当時は雨が本降りだった。雨と傘に視界をさえぎられてはいたが、マーティン氏はギャディス氏が交差点に立っているのを目撃した。ギャディス氏は明らかにヴァンビューレン通りを渡るために信号待ちをしている様子だったという。マーティン氏はさらに、ヴァンビューレン通りの信号で明るい色の車が停車しているのも目撃している。マーティン氏がパイン通りにそれて家路をたどりはじめたときだった。悲鳴があがり、氏は来た道をもどった。道路に横たわるギャディス氏のもとに駆けつけたときには、車はとうに走り去っていた。

マーティン氏は意識不明のギャディス氏を歩道の上まで引きずりあげると、最寄りの居酒屋に駆けこんで警察に通報した。数分後、一台のパトカーが到着し、パトカーを運転していたジョン・リンコ巡査部長が救急車の出動を要請した。ギャディス氏はセント・ヴィンセント病院へ運ばれたが、午後十一時十分に死亡した。警察は目撃された車の運転者に出頭を求めており、要請に応じない場合には故殺と見なされ、最高十年の刑を言い渡されるおそれがあると警告している」

「まあ、なんてこと。マーサ・ギャディスも大変ね」

「それが娘さんか？　会ったことはないと思うが」

「あら、会ってるわよ。昔ピアノを弾いていたんだけど、大けがをして、その後遺症で弾けなくなってね。その後はお父さんの世話に専念していたわ。いまでは五十歳になるはずよ」

「ああ、あの人か。思いだした」

「お父さんの年金と社会保障手当に頼って暮らしていたの。これからどうするのかしら、お気の毒に」

両親の同情の気持ちに嘘はないだろうとティムは思ったが、悦に入っているふうに聞こえたのもまた事実だった。恵まれない境遇にある人が、もっと恵まれない他人《ひと》の境遇をおもしろがるのはごく自然な反応だ。彼自身の反応はジャーナリストらしいものだった。「この町ではひき逃げ事件が何件ぐらい起きているんだろう？　それをネタにコラムが書けるかもしれないな」

「それはとてもいいアイデアだわ」母親が言った。「ギャディスさんの追悼にもなるし」

登校の道すがら、ティムの頭のなかで地元のひき逃げ事件についての記事の構想がふくらんでいった。この世のありとあらゆる人間のくずのなかでも、ひき逃げ犯ほどたちの悪いやつはいないだろう。警察に問いあわせれば、何か統計があるかもしれない。人間的興味《ヒューマン・インタレスト》の面から始めるのもいい。ギャディス家、被害者の娘の境遇とか。ひき逃げ犯が見つからなければ、損害賠償金を受けとれる見込みはないだろう。タイトルはどうするか？　〝故殺〟のひと言を入れるか——読者の注意を引くように。

ふとひらめいた文案にティムは含み笑いをした——〝故殺（manslaughter）〟に〝笑い（laughter）〟を隠したのは誰だ？　いや、こいつは使えない——駄じゃれはふさわしくない。写真はどうするか？　道路に横たわる死体と、スピードを上げて走り去る車。あからさまかもしれないが、インパクトはある。デニーならそんなコラージュはお手のものだろう。彼のためにもなる。これをきっかけに自分の運転スタイルを考えなおしてくれるかもしれない。

そのとき、ティムは急に歩道で足を止めた。デニー、明るい色の車――いや、まさか、ありえない。明るい色の車なら、この町の周辺だけでも何百台と存在する。これほどばかげた疑惑が頭をよぎったこと自体、彼にはショックだった。もしかすると自分は無意識のうちにデニーを嫉妬していたのかもしれない。貧しい少年と金持ちの少年。考えてもみなかった。気をつけなければ。

一限めの授業までにはまだ数分余裕があったので、彼は《レッド〝ン〟グリーン・マガジン》の編集室として利用している小部屋に立ち寄った。彼の机の上に一通の封筒が置かれ、なかにデニーの手紙と数枚の写真がはいっていた。手紙にはこうあった。〝月曜日に会おう、相棒。親父が州会議事堂でどこかの長官と密議にはいるとかで、おれも市民としての資格だかなんだかを学ぶのにいい機会だからってんで、いっしょに行って開会中の州議会を見学してくることになった。だから、きょうは学校を休んで、親父と車で出かける。信じられるか？　知事に会えるかもしれないんだぜ。親父はこのあいだの選挙であいつに大金を注《つ》ぎこんでるからな。同封した写真を見てくれ。よろしく〟

デニーのことがふたたび頭に浮かんだのは、その日の午後遅く、下校時のことだった。デニーの赤毛のガールフレンド、ルイーズに腕をつかまれたのだ。彼を待ち伏せしていた印象を受けたが、彼女は驚きを装って言った。「あら、わたしの憧れの人じゃない！　どうしてそっぽ向くの？　わたしのこと、嫌い？　ねえ、シェイクをおごって。わたし、喉がからからなの」

彼女はとびきりかわいかったし、一度ならずティムの夜中の夢想に登場したが、まさに好みだったからこそ、かえって避けてきた。ちょっとでも餌をつつこうものなら、釣り針に引っかけられてリールで巻きとられ、どんなに抵抗しても釣りあげられてしまうと感じたのだ。それでもティムは彼女のなすがままにシェイク・ショップへ引きずられていった。通常、彼は近づかない店だ。ひとつには子供向けだと思っていたから、ひとつには経済的な理由による。それぞれミルクシェイクを手に比較的静かな隅の席に落ち着くと、彼女が言った。「あなたっていつもとってもまじめな顔してる。いかにも編集長って感じ。ごっこ遊びしましょ。わたしにインタビューするなんてどう?」

彼は笑い声をあげた。「いいよ。女性のファッションについて、あなたのご意見をうかがいたいと思います。来年、女子生徒はスカートをはくのを全面的にやめて、パンティだけで登校するというのはほんとうでしょうか?」

「やめてよ、そんな話。あなたが彼氏でないのが残念。そうだったら、とびっきりの特ダネを教えてあげられるのに」

「デニーが彼氏なんだと思ってたけど」

「ふん、デニーなんて」彼女は侮蔑の念もあらわに、長くつややかな赤い髪を後ろに払った。

「彼とは終わったの」

「どうして?」

「あの人、車はあるし、すごいお金持ちだから、自分を全能者かなんかと勘違いしてる。それに、愛ってものが全然わかってない。わたしの言いたいこと、わかる?」

「わかる気はする」

彼女はティムのやせて骨張った顔と鋭い目をじっと観察した。「どうしてティモシーっていうの? それって干し草かなんかの名前でしょ(ティモシーには牧草の一種、オオアワガエリの意味もある)」

「干し草のどこが悪い?」

「あのなかに寝っ転がったことないでしょ。ううん、答えなくていい。どっちにしたって、あのことしか頭にない男の子にはもううんざりしてるから」彼女はミルクシェイクを長々と吸いこむと、くちびるを上品にぬぐってからつけ加えた。「ゆうべはひどかった」

「ゆうべ?」

「うん。わたし、デニーをほっぽらかしにしたの。パーティの途中で帰って」

「パーティって?」

彼女は小さな鼻にしわを寄せた。「知りたい? なんなら教えてあげてもいいけど。でも、学校がひっくり返る騒ぎになっちゃうかも」

相手の顔をまじまじと見て、彼は言った。「当てさせて。マリファナだろ?」

彼女のくちびるのあいだから赤い舌がとびだした。「あなたには知られたくなかったのに! あたし打ち明ける気はなかったのよ。とにかくわたし、デニーをびっくりさせちゃったの。あたしのことはほっといてって言って、帰っちゃったから。そんなふうにあしらわれたの、初めてだったんでしょうね、きっと」

彼は敬意を表するようにグラスを持ちあげた。「きみに乾杯」

「彼はかんかんになってね。ほかの女の子から聞いたんだけど、わたしのあとを追いかけたんですって。車で探そうとして。でも、そのころには、わたしはバスに乗って家に向かっていたわ」

「家はどこ?」

「どうして? 訪ねてきてくれるの? ヴァンビューレン通り七八番地。ほら、電話番号も書いておくわね」

ティムは冷静な口調を心がけた。「パーティ会場を出たのは何時ごろ?」

「それがどうかした?」

「いや、ひとりで帰るにしては、ちょっと遅い時間じゃないかなと思って」

「ううん、そうでもない。まだ十時前だったと思う。たしかにお小言をくったけど、それだけ。わたし彼に、ヤク中の仲間入りなんてまっぴらよって言ってやったの。おかげでびしょ濡れになっちゃったけど。デートに誘ってくれる気?」

彼はためらい、やがておもむろに切りだした。「ルイーズ、どう答えたらいいのかわからない。たしかにきみは美人だし、ぼくだって生身の人間だ。でも、いまは学校の勉強と雑誌の編集で手一杯で、女の子とデートしている暇はない。それに、お金だって。ぼくの父はこの先も〝ゆたかな社会〟（米国の経済学者ガルブレイスの同名の著作より）の恩恵にはあずかれないだろう。ぼくの頭が固いのかもしれないけど、高校生のあいだ、どうふるまうべきかはもう決めていて、きみのはいれる余地はないんだ。とにかく、いまのところは」

「へえー」彼女はティムを皮肉と尊敬の入り交じった目で見た。「とにかく、正直ではあるわね。聞いて。あなたはいい人よ。わたし、好きだわ」

彼は答えた。「ぼくもきみが好きだ」ふたりは顔を見あわせて微笑した。だが数分後に別れてしまうと、ティムの頭のなかから彼女の存在はたちまち消え失せた。そのかわり脳裏いっぱいに広がったのは、デニーのイメージだった。ひょっとしてマリファナでハイになっていたか、女の子を追って車を駆る彼。ヴァンビューレン通りにさしかかったのが、ちょうど事故の発生したころ。信号待ちをしていた車が急発進して――ドシン！　そして、パニックを起こしてあわてて逃げ去る……。

何もかも想像の産物だ、と彼は自分に言い聞かせた。デニーに殺人――ともかくも、故殺の疑いをかけるなんて！　そもそもデニーが犯人だと百パーセント決まったわけではまだない。だが、しつこくつきまとう疑念はどうしてもぬぐい去ることができなかった。もしかすると全部忘れてしまうべきなのかもしれない。自分の知ったことではないのだから。だが、そういう態度は人倫にもとる。こういう犯罪は誰もが当事者になりうる。編集長としては、たとえ高校の学内誌の編集長であっても、無関心ではいられない。デニーの件はわきへ置く。ギャディス事件から始めて、ひき逃げ事件全般へと論を進めるんだ。若者の関与した事件の件数はどれくらいにのぼるのか警察に確かめて。その線で行くとしよう。

電話で話を聞いた警察本部の巡査部長はあまり助けにならなかった。警察ではひき逃げ事件についてては、なんの統計も取っていない。いいや、ギャディス氏をはねた車の足取りはつかめていない。目撃者と呼ぶにもっともふさわしいマーティン氏、つまり、ギャディス氏を歩道へ引っぱりあげた男性は、実際には問題の車をよく見ておらず、確信があるのは車体が明るい色だったということだけで、これでは証拠としての価値はない。巡査部長の知るかぎり、ひき逃げ犯が自首した例はこれまでひとつもない――ともかくもウィンウッドでは。警察にできるのは、フェンダーがひしゃげていたり、ラジエーターがへこんでいたりする、明るい色の車に目を光らせることだけ。通常、人に強くぶつかった場合、車にはなんらかの痕跡が残る。しかし、犯人逮捕の見込みは薄い、と巡査部長はやむなく認めた。

ティムの頭に、記事の書き出しはマーティン氏の目撃談がいいかもしれないとの思いが浮かんだ――悲鳴を聞き、ギャディス氏が道路に横たわっているのを見たとき、どう感じたか。腕時計に目をやる。もうすぐ六時だ。両親は彼が夕食に帰ってくるのを待っているだろう――しかし、マーティン氏に話を聞きにいくのなら、いまがおあつらえ向きかもしれない。普通の勤め人なら、ちょうど帰宅した頃合いだ。

ティムはドラッグストアに立ち寄って電話帳を調べた。これだ――ジェイムズ・P・マーティン、住所はパイン通り。電話はしないほうがいいだろう――まったく取りあってもらえないかもしれないから。

十五分後、ティムはマーティン邸の呼び鈴を押した。マーティン氏本人が応対に出てきた。恰幅がよく、人好きのする、はげ頭の男で、ティムが自己紹介して用件を話すと、うれしそうな顔をした。「もちろん取材には応じるよ。きまってるじゃないか。さあ、おはいり」

彼はティムが手帳を開くのを見届けてから、話しだした。「わたしは保険業をやっている。マーティン・アンド・ベルガーという代理店だ。そう書いてもらってもかまわないよ」

「わかりました」ティムは答えた。「事件のあらましを教えていただけませんか？——あなたがご覧になったままを」

「警察に話したとおり、わたしは支部の集会に出て帰宅する途中だった。ヴァンビューレン通りを早足で歩いていたが、傘をさしていても、濡れないようにするのに苦労した。で、その明るい色の車の横を通ったんだ。わたしの左側に止まっていた。色は白か、ベージュか、ひょっとしたら淡いグリーンだったかもしれない。よく注意して見たわけではないんでね。交差点に止まっていて、わたしと同じ方向を向いていた。目の隅でちらっと見ただけなんだ、傘越しに」

「セダンでしたか？」

「もっと小さかった。コンバーチブルだったかもしれない。右に折れてパイン通りにはいろうとしたとき、ギャディスさんが——といっても、そのときは誰だかわからなかったが——交差点の、パイン通りをへだてた向かいで信号待ちをしているのが見えた。黒いレインコートを着ていたな。角を曲がってから三十歩ほど進んだとき、悲鳴が聞こえた。大きくはなかったが、ほんとうにぞっとするような声だったよ、わかるだろ？

わたしは来た道をもどってパイン通りを渡り、道路に倒れている彼に駆け寄った。ヴァンビューレン通りの歩道からそう離れていなかった。車は見当たらなかった。テールライトすらね。

次の角でわき道にはいってしまったにちがいない。あたりにはほかに人っ子ひとりいなかった。けが人はそのままにして救急車の到着を待たなければいけないのはわかっていた。でも、どうすればいい？　老人を道路に放置しておいたら、ほかの車にひかれてしまうかもしれない。そこで、わたしは彼を歩道まで引きずりあげた」

ティムの頭のなかにその光景がまざまざと浮かびあがった——闇に沈む、雨に濡れた道路、篠突く雨、傘をさしてレインコートを着た恰幅のいい男が、自分のしていることは間違っているかもしれないと危ぶみながらも、意識不明の被害者のために善意の行為をなそうとする。

「彼は亡くなっていると思いましたか？」

「そうは思わなかった。うん、息はあったはずだ。顔の血が雨に流されても、さらに鼻から出血していたから」

「そういうのが全部見えたんですね？」

「うん。街灯があったし、交差点の真上には信号機もぶら下がっていた。よく見えたよ、はっきりと。電話しなければならなかったので、二ブロック離れた〈モーガンズ・バー〉まで走っていった。警察から、現場にもどってその場に待機していてほしいと言われたので、そのとおりにした」

「ギャディスさんは信号を無視して通りを渡ろうとしていたと思われますか？」

「そうだとしたら、あの車を運転していた者はとんだ大ばか者だ。そんなふうに被害者側に寄与過失（法律用語で、被害発生に被害者側が決定的な寄与をした場合を言う）があるのなら、運転者が逃げる必要はない」

「車体の色は緑色だったかもしれないとおっしゃいましたよね？」マーティン氏がそう断言してくれるのなら、デニーへの疑いは晴れる。

「緑がかっていた。いや、考えてみると、信号の色がボンネットに反射していただけかもしれない」

ティムはさっと居住まいを正した。「それはつまり、車のわきを通り過ぎたとき、信号の色は青だったという意味ですか？」

「何？　ああ、きみの言いたいことがわかった。いやあ、わたしとしたことが、どうして気がつかなかったのかなあ。赤でなければへんだよな。いや、待てよ、わたしが通りかかったとき、青になったばかりで、車はまだ発進していなかったんだ。きっとそうにちがいない」

「現場にもどってこられたときはどうでしたか？　そのときの信号の色を憶えていらっしゃいますか？」

マーティン氏は驚いたように頬をふくらませ、陽気な顔を真ん丸にした。「そういえば、警察はどうしてそのことを訊いてこなかったんだろう？　思いだしてきた。うん、ギャディスさんに駆け寄ったとき、濡れた道路に光が反射していた。そのときの信号の色はパイン通り側が青、ヴァンビューレン通り側が赤だった」

「それでは、信号が変わったのはあなたが背を向けていらしたあいだだったはずですね、一分足らずの」

「そのはずだよ。しかし、妙だな。あの車は信号が青のあいだ止まっていて、赤になってから発進したってことか? 誰がそんなまねをする? 色覚障害があるならべつだが。おや、どうしたね?」

〝色覚障害〟という言葉に呼び起こされた記憶が、ティムの体を電気ショックのように貫いた。赤いセーターの女の子の写真を選びだすのに手間取っていたデニー。赤信号を無視したときのひと言は——「えっ、いまの赤だったか?」胸がふさがるのを覚えながら、彼は立ちあがり、マーティン氏にお礼を述べて、とぼとぼと家に帰った。

両親は彼を待たずに食事を始めていた。ふたりの質問——〝どうして遅くなった? なぜ電話しないの?〟——には、そっけなく気のない返事をした。ぼくはデニー犯人説にとり憑かれそうになっている、と自分に言い聞かせる。また結論に飛びつこうとしている。とにかく、デニーは色の違いがわかる。そうでなければ、どうしてあんなにカラー写真に夢中になる? それに、赤信号でちゃんと止まったところを何度も見ている。色覚障害か。考えてみれば、それについての自分の知識はなきに等しい。ティムは考えこむようにして父親の顔を見た。父親は眼鏡をかけていた。「父さん、その眼鏡はどこで作ったの?」

「どうして知りたいんだね? おまえに眼鏡は必要ない」

「うん。ちょっと考えたんだ」ティムはその場の出まかせを言った。「雑誌に眼科の先生から広告を取れないかなって。学校には眼鏡が必要な子がたくさんいるし」

父親は餌に食いついた。「それなら眼鏡屋を当たるんだな。眼科医院で眼鏡は売っていない——処方箋をくれるだけだ」

「ああ、そういえばそうだね。父さんはどこの先生に診てもらっているの？」

「シュトラウス先生だ。目のことなら、あの先生がいちばんだ。でも、先生から広告を取ろうとしても無駄だよ。医者というのはそういうことはしない。職業倫理の問題だ」父親がわかりきったことをさもうれしそうに話すとき、ティムはけっして口をはさまないことにしていた。

食事が済むとすぐ、ティムは口実を設けて外出し、公衆電話からシュトラウス医師の自宅へ電話をかけた。電話口に出た女性は明らかに夫人で、よほどうまく話を持っていかないと、先生が帰宅していることを認めてくれそうになかった。ティムは辛抱強く説明した――色覚障害について記事を書いているところで、ついてはウィンウッド随一の眼科医である先生の言葉を引用したい。明日はご在宅でしょうか？

シュトラウス夫人は態度をやわらげて言った。「お名前はなんといったかしら？　メルケル？　ちょっと待ってね。先生に確かめてくるわ」彼女は電話口にもどってくると、こう続けた。「いますぐなら時間があるそうよ。明日は忙しくて無理なんですって」

シュトラウス医師は小柄できびきびした、頭の切れそうな人で、かすかなドイツ訛りがあった。葉巻を吸っていた。「メルケルね。きみのお父さんを知ってるよ。乱視だ。色覚障害について知りたいそうだね。きみには色覚障害があるのかね？」

「いいえ。でも、知りあいにそういう人がいて、学内誌に載せるのにいい記事になるんじゃないかと思ったんです」彼は手帳を取りだし、話を促すように鉛筆を構えた。「どんなことでもお話をうかがえればありがたいんですが」

医師は微笑した。「わたしの専門ではないが、症例はいくつも診ているよ。大半の場合、有効な治療法はない。どういうことを知りたいんだね？」

「色覚障害というのは、色がわからないという意味ではありませんよね？」

「うん、そのとおりだ」医師は脚を組んで、ひじ掛け椅子にゆったりと背中をもたせかけた。「むろん網膜が正常に機能していない場合には、すべてが白黒に見えるらしい。そういうのは一色覚と呼ぶ。しかし、そこまで行くのは極端で、例としてもまれだ。大半の色覚異常は二色覚だ。意味がわかるかな？」

「色がふたつしかわからない？」

シュトラウス医師は満足そうにうなずいた。「そのとおり。ある人たちは青と黄色の区別がうまくつけられない。べつのある人たちは赤と緑を見分けるのに苦労する。あとのほうがもっとも一般的な症状だ。一型二色覚《プロタノピア》と呼ばれる。綴りを言おうかね？」

「はい、お願いします」

ティムは医師の口にするスペルを、一文字一文字鉛筆に力をこめて手帳に書きつけた。彼は言った。「ぼくの友だちがそれです。赤と緑がごっちゃになってしまうようなんです」

「うん。そういう人は意外と多いんだよ。通例は先天性で、視細胞の欠損が原因だ。男性の場合、平均して二十五人中ひとりの割合でこの障害を持つ人がいる。女性は割合がずっと低い。だがもちろん、一型二色覚といっても、人によって程度はさまざまだ。話についてこられているかね？」

「はい、大丈夫です。色覚障害というのは、必ず自分でわかるものですか？」

「そうとはかぎらない。程度が軽ければ、自覚はないかもしれない。それより重症なら、すぐに気がつく。たいがい問題は生じない。芝生は緑色だと教えられれば、緑として認識する。国旗の色は赤と白と青だと知っていれば、目にしたときに、そういう色に見える。だが、郵便切手をふたつ並べて置いて、片方が赤、もう片方が緑だったら、色の区別がつかないかもしれない」

ティムはこの機に乗じた。「信号の色はどうでしょうか？　その――ええっと、一型二色覚の人は、赤信号と青信号の区別がつきますか？」

医師はすぐには答えず、長々とした葉巻の灰をていねいに灰皿にはたき落とした。「一、二度、証言台に立ったことはあるな、一型二色覚の患者が事故を起こしたときに。しかし、そういう例は珍しい。通常、信号の光はとても強いから、色に対する視神経の反応がよほど鈍くないかぎり、正しく見分けられるんだ。色覚障害が理由で運転免許の取れない人はめったにいない」

「雨が降っていて、運転者が酔うかどうかしていたら、どうでしょうか？　結果は変わってきますか？」

医師はくちびるを突きだして、ティムの顔をいよいよ興味深そうに見つめた。「何かわたしに隠していることがありそうだね。いや、いいんだ、それはきみの問題だ。質問の答えだが、その可能性はある。雨、霧――そうしたもので結果が変わってくることはありうる。アルコールや麻薬は神経系に作用するから、視神経にも影響が及ぶかもしれない。そうした条件下では、一型二色覚の患者が信号の赤と青を見分けられなかったとしてもおかしくないとは思う」医師はティムの鉛筆が手帳の紙の上を滑るように動いていくのを眺めていた。「さてと、わたしが教えてあげられるのはそれくらいだ。何かほかに質問はあるかね?」

「いいえ。思いつきません。ほんとうに助かりました、先生。どうもありがとうございます」ティムは立ちあがった。

シュトラウス医師は低い声で言った。「大事故だったのかね?」

一瞬ぎくりとしてから、ティムは言葉を返した。「はい、そうなんです」医師はうなずき、彼を玄関ドアまで送りだした。

状況証拠。ティムはこの言葉をこれまでになかったほど真剣に考えた。たしかな事実は何か? 明るい色の小型車が、雨の晩、信号機のある交差点で止まっていた。車の信号は青だった。赤に変わったところで車は発進した。そして、道路を横断中の歩行者をはねた。

デニー・フラッグはそのころ明るい色の車で現場付近を走りまわり、自分を袖にした女の子を探していた。彼はおそらく一型二色覚の色覚障害で――赤と緑の区別がつかない。おそらくマリファナを吸っていた。わかっていることはそれだけだ。嫌疑をかけるには充分だが、とうてい確証にはなりえない。ウィンウッドには一型二色覚の男性がごまんといるはずだ。なかには明るい色の車を持っている人や、あの晩、ヴァンビューレン通りを車で走った人だっているかもしれない。

まあいい。デニーの件は後回しだ。いずれ記事にこと寄せて探りを入れてやろう。いまは学校の勉強のほうが先だ。近々、いちばん苦手な上級代数の試験がある。ジャーナリスト志望なのに、どうして二次方程式が解けるようにならなければいけないのかさっぱり理解できないが、大学へ進学する気でいる以上、教育をつかさどるお偉がたの決めた、ほかのばからしい学習項目と同様に、無理に頭に詰めこむ以外ないだろう。

月曜午後の試験のあと、彼はとうとうデニーと顔をあわせた。彼は《レッド〝ン〟グリーン・マガジン》の編集室にはいってくるなり、こう言った。「わが偉大なる公正な州の、歴代知事のなかでもいちばんのペテン師と、握手した手を握ってみる気はないか？」

ティムはにやりとした。「いい旅だった？」

「まさにな。親父さまさまだったぜ。ぜいたくに過ごせたし、おれが州知事のオフィスの女の子のひとりをデートに誘ったときだって、親父はウィンクしただけだった。その娘《こ》の脚がまた最高でさ」

デニーの弾むような口調が、ティムには少々誇張された、少々とってつけたふうに感じられた。「きみの車で行ったの？」彼は何気なく雑談めかしてたずねた。

一瞬間《ま》があってから、デニーが答えた。「ああ。なんで？」

「きみの運転する車に乗るなんて、お父さんにはそんな度胸があるのかなって思ったんだ」

「ああ、親父なら平気だ」デニーは緊張を解いた。「時速百二十キロ程度に抑えてたし」

「とにかく、帰ってきてくれてうれしいよ。相談したいことがあるんだ。ひき逃げ事件について記事を書こうと思ってる。先日の晩、ギャディスさんってお年寄りがひき逃げにあって亡くなったんだ。人間的興味をそそるだろうし、同時に、安全運転のキャンペーンにもなる。写真をどうしようかと思っていてね。何かアイデアはないかな？」

ティムが話しているあいだに、デニーは腰をおろした。顔が紅潮し、青い目がぎらついている。咳払いをしてから答えた。「さあな。そのうち何か思いつくだろう。その事故ってのはなんなんだ？」

しかたがない。こうなってはこのまま突き進むしかないだろう。「木曜の晩、十時ごろ。雨のなか、明るい色の小型車がヴァンビューレン通りを通りかかった。車は信号待ちをしていたが、やがて交差点に猛スピードで突っこんで、道路を渡ろうとしていた老人をはねた」

ふたりの少年はたがいの視線を避けた。デニーがしゃがれた声で言った。「何が言いたい？」

深々とため息をついて、ティムは答えた。「きみに隠しごとはしたくない。ぼくは、きみがその時間帯に現場周辺を車で走りまわっていたのを知っている」

「誰に聞いた？」

「それはどうでもいい。ぼくはきみが犯人でないことをどうしても確認したいんだ」

デニーは固く握った拳を机にたたきつけた。「おまえのことは友だちだと思っていた。たいした友だちだぜ！　おれを犯人呼ばわりするのか？　ぶちのめしてやるべきかもしれないな」

「本気じゃないだろ。とにかく、決めつけてるわけじゃない。ただ訊いているだけだ。もう一度訊く、はっきりと。きみがやったのか？」

「ふざけるのもたいがいにしろ。どうしておまえの質問に答えなきゃならない？　もう絶交だ。おまえはそのシケた雑誌と仲よくしてりゃいい、扱いは心得たもんだろ」彼は立ちあがり、狭い編集室のドアのほうへ向かった。

「待てよ、デニー！」不意にティムの心に絶対的な確信が生まれた。「車を修理した整備工はどうだ？」デニーから怒った顔でにらみつけられても、ティムは続けた。「何を修理した？　へこんだフェンダーか、それともラジエーターか？　まあいい。きみは怖くなってお父さんに相談し、お父さんはもめごとを避けようと決めた。かくして、きみとお父さんはわざわざ百六十キロも離れたところまで行って車を修理に出した。そこでなら誰も車の傷をあの事故と結びつけて考えないだろうから。そういう次第だったんじゃないのか、デニー？　だが、こういうことはいずれバレる」

かなりの苦労をしてデニーは平静さを取りもどした。「なあ、相棒、おたがい利口になろうぜ。ほら、おれ、車庫から車を出すときにフェンダーをぶつけてさ。それで、町を離れてるあいだに親父が修理に出したんだ。よくあることだろ」

こうして真相はほとんど明らかになった。だが、戦いはまだ始まったばかりだった。「デニー、話しあう必要がある」

「ごめんだね。やる必要があるのは、せいぜいおまえの鼻をぺしゃんこにしてやることぐらいか」だが、実行に移すそぶりは見せなかった。

「よく考えろ」ティムは散らかった机越しに身を乗りだした。「こんなふうに罪を逃れるのは許されることではない」

「おまえ、おれを警察に突きだすつもりか?」

「それは望んでいない」

「おまえにいいことは何もないぜ、何ひとつな。このまま続けてみろ、おまえのこの学校での呼び名はタレこみ屋のティモシーだ。弁護士の手にかかりゃ、おまえの主張なんか、ものの五分で木っ端みじんにされるぜ。そうなったら、この町におまえの友だちはひとりもいなくなる」

「無理を通すのはやめろ。こんな重荷を抱えて生きていけるわけがない」

「嘘つけ」

「神経が参ってしまう。ふたつに引き裂かれてしまうよ」

「そんな心理学のご託はよせ。とにかく、もうすんじまったことだ。あのじいさんは死んだ。いまさら生き返らせられやしない」出し抜けに、彼は肩をすくめて言い逃れをやめた。「だいたい、あのじいさんは信号を無視して道路に出てきたんだぜ。向こうが悪いのに、なんでこっちがつべこべ言われなきゃならない?」

「デニー、きみが故意にやったのでないことはわかっている。でも、彼のほうに責任はない。彼は信号に従っていた。逆にきみが青信号で止まり、赤信号で車を発進させたんだ。目撃者もいる」デニーは平手打ちされたかのように、目をしばたたいた。「きみには色覚障害がある、自覚してるだろう？　それに、あのときはマリファナをやっていた」

「おれを本気で怒らせる気か、このタレこみ屋？」

「いや、その気はない。ただ、事実をはっきりと知ってもらいたいだけだ」

デニーの形相はティムが初めて目にするものだった。くちびるをゆがめて、いまにもわめきださんばかり。だが、口を開いたとき、出てきたのは険しい声だった。「いいだろう。はっきりわかった。だが、どういう違いがある？　どのみち、あと一年でおれは兵役につかされる」

「そんなふうに逃げだすことは許されない。きみには責任がある」

「誰に対して？」

「あのお年寄りの娘さんとか」

「彼女がどうした？」

「収入がないんだ。体が不自由で」

「慈善団体に助けてもらえばいい」

「ばかな。彼女には保険会社から賠償金を受けとる権利がある。きみだって知っているはずだ」

「そういうおまえが知らないことだって山ほどある。未成年者向けの保険ってのがあってな。おれがラリってたと証明できたら、会社は一セントだって払う義務がなくなるんだ。しかも、連中はそういうことはすぐに嗅《か》ぎつける。賭けたっていい」

「でも、きみのお父さんなら払えるよね？」

「まあな。十万ドルだったか。こういう訴訟ではそれが相場らしい。親父から聞いた」

「いいか、デニー。警察に出頭して、こう話すんだ――逃げてすみませんでした、あれは事故ですって。うまく取りはからってもらえるよ。ひょっとしたら免停だけですむかもしれない。でも、黙っていたら重罪になる。きみのお父さんだってただではすまないかもしれない。単に金の問題じゃない。きみの将来がかかっている」

年上の少年の目が怒りのあまり血走った。「説教師かなんかにでもなったつもりか？　牧師さんよ、この罪人はほっといてくれ。するなら自分の心配をしろ。おれをチクったら、おまえはバズーカ砲で撃たれたようなめにあうぜ。うちの親父がおまえのシケた親父の給料を払いつづけると思うか？　この町でほかの仕事が見つかると思うか？　いや、ほかのどこだろうと人物証明書なしに？　おまえがこんなふうにおれを怒らせるのを喜ぶと思うのか？　訊いてみたらどうだ」

デニーの言葉は真実の鞭《むち》となってティムを打ちすえた。彼には父親のうろたえた声が聞こえるようだった――〝おまえの思い違いだよ、ティム。考えすぎにきまっている。おまえには関係のない話じゃないか。ジョージ・フラッグを責めていることにもなるんだよ。冗談じゃない。よしてくれ。母さんのことを考えてみなさい。わたしがクビになったら、倒れてしまいかねない。おまえの進学の件だってある。奨学金だけでは足りない――それはおまえだってよくわかっているはずだ。わたしが失業したら、誰が金を出すんだね？　おまえはデニーを告発するのは自分の使命だとでも考えているようだが、それは本来警察の仕事だ。犯人捜しは彼らにまかせておけばいい。ギャディスさんの娘さんなどほうっておけ。下手をすると、取り返しのつかないことになる。だから、いい子にして、わたしを困らせないでくれ。母さんを苦しめたくないだろう？〟

そして、母親は懇願する――〝ああ、ティム、それはきっと何かの間違いよ。そんな恐ろしい考えは消えてなくなりますようにって、あなたのためにお祈りするわ。誰にもひと言も漏らさないって約束してちょうだい〟

沈黙が長引き、デニーは自分の勝利を確信した。立ちあがり、同情の気持ちが表われていなくもない目でティムを見おろす。「大人になれ、相棒。市民の責任だなんだと、つまらんご託に惑わされるな。この世は自分第一主義で動いてるんだ、嘘じゃない」彼は肩をすくめた。「これは美しき友情の終わりだな。まあいい。おれはやめる。じゃあな」彼は向きを変えて、部屋を出ていった。

ティムの心臓は一マイル競走のあとのように激しく鼓動を打っていた。このままデニーを見逃してしまうのか？　障害のある女性がないがしろにされているのに、傍観する気か？　重大犯罪がなされたと気づいていながら黙っているなんて、どういうつもりだ？　自分の信念にもとづく行動もとれないくせに、編集長を名乗る資格があるのか？

同時に、頭のなかではべつの声が訴えていた。母さんを苦しませたいのか？　父さんを破滅させるのか？　いいとも、なりたいなら密告屋になれ、この裏切り者！

胸の内の葛藤が耐えがたくなって、彼は勢いよく立ちあがると、学校を出て、やみくもに通りを歩いた。自分の眼前で世界が真っぷたつに裂けて、生まれて初めてそのおぞましい内面を目の当たりにしたような気分を覚えた。

自分第一主義の世界。政府からデニーまで、いたるところに嘘と妥協がはびこっている。誰もかれも自分かわいさに不正をなす。フラッグ家のような連中にとって善悪はどういう意味を持つのか？　いや、それを言ったらマークル家にとって？　彼らはいつだって理由をつけて自分たちの利益になることが善、不利益になることが悪だと定義付けようとする。民主主義の理想？　社会福祉？　そんな問題をどれほどの人が気にかけるというのか、本気で？

でも、ぼくは気にかける。気にかけなければ、自分の存在理由《レーゾン・デートル》が失われてしまう。彼は両手をポケットにぐっと突っこんで、木にもたれた。自分はどうしたらいいのだろう？　不意に、目もくらむほど鮮明に自分の選択肢が見えてきた。口をつぐんで自分を偽るか、声をあげて愛する人々を破滅に追いこむか、いっそのこと何もかもほうりだしてヒッピーのコミューンをめざすか。

午後の遅い時間で、太陽は沈もうとしていた。彼は西の地平線に沿って延びる、燃えるような赤とあざやかな緑色の光の帯に目を凝らした。どういう結論を出すにせよ、この先ずっと、あのふたつの色の組み合わせを見るときには心痛を感じずにはいられないだろう。涙がひと粒、頬をつたい、彼は恥ずかしくなって、それをぬぐった。

（藤村裕美訳）

ひとり歩き

ミリアム・アレン・ディフォード

Walking Alone　一九五七年

ミリアム・アレン・ディフォード Miriam Allen deFord（一八八八―一九七五）。アメリカの作家・ジャーナリスト。一九二〇年から雑誌やアンソロジーに短編を執筆する。その大半はSFとミステリで、SFの主だった作品は二冊の短編集にまとめられている。十七世紀の殺人事件を題材にしたノンフィクション *The Overbury Affair*（一九六〇）でアメリカ探偵作家クラブ（MWA）犯罪実話賞を受賞。本編の初出は雑誌〈エラリイ・クイーンズ・ミステリ・マガジン〉*Ellery Queen's Mystery Magazine* 一九五七年十月号。第十二回EQMMコンテストに応募し、オナーロールを獲得した作品で、〈クイーンの定員〉に選ばれた短編集 *The Theme Is Murder*（一九六七）では巻頭に置かれている。

ジョン・ラーセンは仕事場へ向かうバスを待っていた。まだ三月の半《なか》ばだが、いつしか春の気配が忍び寄っている。空気はほのかな温《ぬく》もりを帯び、空も冬には見られなかった青々とした色だ。通りの向かい側では、掲示板の左右に立つポプラの木々が、つんと尖った小さな若芽を枝のそこここにつけていた。

とつぜん、少年時代の早春の記憶があざやかに浮かびあがった。もう三十年もまえのことだが、あのころは起き抜けに開いた窓の外にこんな空が見えると、いわく言いがたい、奇妙な思いで胸がいっぱいになったものだった。何か未知のもの、いまだ経験のないことへの憧れと渇望が入り混じった思いだ。

バスはまだ見えない。バスが遅れれば、こちらも遅刻して、シムズに渋い顔で言われるだろう。「忙しい一日なんだぞ、ラーセン。たまには時間どおりに出勤できんものかね?」だが、忙しい一日にはならないはずだ——そんな日はめったにないのだから。絨毯《じゅうたん》やマットは、野菜や紙ナプキンのようにみながしじゅう買いにくるものではない。

「うんざりだ」わびしい街角でひとりバスを待ちながら、ラーセンはつぶやいた。「まったく、うんざりだよ」

一時間ほどまえの、ケイトの不機嫌な声が思い出された。「ねえ、ジョン、起きてちょうだい！　仕事に遅刻したいの？　ばっさり首にでもされたら、どうするのよ。ほら、急いで！　あたしが好きでこんな早くに起きて、あなたの朝食を作ってると思うの？　せめて用意したらすぐに食べてほしいものだわ」

いつもの、おなじみの独白だ。どうせこちらが出かけたら、ケイトはあの見苦しいカーラーをくっつけたまま、ふたたび寝床にもぐり込むのだろう。そしてだらだらと一日をすごすために、いつまたベッドから這いずり出るのやら。いっそ放っておいてくれれば、こちらは彼女よりはるかに手早く自分で朝食を作れる。だがそれでは、彼女はグズな役立たずの夫の犠牲者としてふるまえなくなるというわけだ。

くたびれた薄手のコートを着たラーセンは身震いした。最初に思ったほど春らしくはなかったが、それでもじきに陽射しが温度をあげてくれるだろう。ふと子供時代の森や野原、遠い昔の自由で身軽な日々が脳裏によみがえった。通りの先に目をやると、まだバスがあらわれる気配はない。

彼はとつぜん、分別にとらわれて気が変わらないうちに、角のドラッグストアへと道を渡った。ポケットをまさぐって十セント硬貨を取り出し、電話ボックスに入った。

「シムズさん？　ラーセンです。あの、ほんとにすみませんけど、今日は店に出られません。腰を痛めて……これから医者に行くんです。明日は具合がどうあれ、きっと出ますから。いや、とても昼休みまでは持ちそうもなくて、虫歯みたいにずきずき痛むんですよ。ええ、わかってます、でも――はあ、ありがとうございます、シムズさん。はい、そうします。申し訳ありません」

それほど具合が悪いなら、なぜケイトに電話させなかったのかシムズはあやしむだろう。この仕事はもっと若いやつにまかせよう、とでも言い出しかねない。えい、ままよ。今さら考えなおしても遅い。

ラーセンは通りのそちら側にとどまり、いつもと逆方向の、市街から遠ざかるバスに乗った。そしてそのまま、終点まで乗っていた。

ひとりきりでいるのは――すばらしかった。誰にもうるさく責めたてられず、時計とにらめっこする必要もない。

バスの終着点は、いちども足を運んだことのない郊外の町だった。彼はしばらくぶらぶら歩きまわって、周囲の家々や庭に見とれた。自分もケイトと結婚したころは、こんな場所に住むことを夢見たものだ。せめて将来の楽しみな子供でもいれば。あるいはケイトがあんな怠惰《たいだ》なやかまし屋になってしまわなければ……。

昼にはすっかり歩き疲れていた。ラーセンは小さな商店街へもどり、人気《ひとけ》のまばらな軽食堂でハンバーガーとコーヒーを腹におさめた。そこにいるあいだに、バスの運行時刻を確かめておいた。いつもどおりの時間に帰宅すれば、このことをケイトに知られ、またぞろガミガミ言われたりせずにすむ。彼女が店に電話をかける恐れはなかった。よほどの急用でないかぎり、夫を売り場から呼び出してもらえないことはわかっているはずだ。

彼は煙草を一箱と雑誌を買って、町の外へと続く有望そうな通りを進みはじめた。

一時間あまり歩いたあと、望みどおりの場所が見つかった。小川の流れる小ぢんまりした森で、往来の少ない道路のわきに日当たりのいい空き地が開かれている。そこなら倒木に腰をおろして雑誌を読みながら煙草をくゆらせ、安らぎと静寂を神経に染み入らせるのにうってつけだった。木立の向こうにはぽつぽつと、丘の上の家々の屋根がのぞいているが、気になるほどの近さではない。ときたま車が左右へ通りすぎてゆくだけで、心地よい避難所におさまった彼に注意を払う者はいなかった。あまりの静けさに、彼はいつしかまどろんでいた。

やがてはっと目覚めると、ラーセンはまず太陽、それから腕時計に目をやった。四時四十分。帰りのバスが出るまで時間はたっぷりとある。彼は立ちあがって伸びをしながら、もう少し向こうまで歩こうか、それともバス停のほうにぶらぶら引き返そうかと思案した。

そのとき、静まり返った通りの先で、干からびた落ち葉を踏みしめる音がした。目をこらすと、十代の初めとおぼしき少女が道の向こう側をこちらへ進んでくるのが見えた。ラーセンは木陰に引っ込み、少女が行きすぎるのを待った。森から見知らぬ男がとつぜんあらわれたら、あの子はぎょっとするだろう。彼はじっと木の幹にもたれて少女を見守った。

愛らしい顔立ちの子で、長い金髪が赤いセーターの衿元に垂れかかっている。紺色のスカートに赤いソックス、茶色い革のぺたんこ靴を履き、片腕に数冊の教科書を抱えている。彼女は歩きながら、か細い澄んだ子供っぽい声で鼻歌を口ずさんでいた。学校帰りにしてはずいぶん遅い時間だが、きっと生徒会でもあったのだろう。あの木々の向こうに屋根が見える家のひとつに住んでいて、どこかそこらに丘をのぼる近道があるにちがいない。

ラーセンは少女が目の前を通りすぎ、少し離れたカーブの向こうへ消え去るのを待った。そのとき、背後から一台の車がゆっくりと、彼女と同じ方向へ進んでくるのが聞こえた。見ると、がたがたの古い黒塗りのクーペで、乗っているのは運転席の男だけだ。ちらりと目に映った姿は——ラーセンと同年代のずんぐりした大男で、もじゃもじゃの黒い髪、帽子はかぶっていない。その車も通りすぎてしまうと、ラーセンは路上へ踏み出して町へともどりはじめた。今にして思えば、あの車を呼びとめてバス停まで乗せてほしいと頼むのだった。そうしていれば!

少女は今では三十メートルほど先のカーブにさしかかろうとしている。車が彼女に追いつき、そこでとまった。

何もかもあっという間《ま》の出来事で、ラーセンにはわけがわからなかった。慣れない昼寝で頭がぼうっとしていたのだ。

運転席の男が飛び出して少女に何か言い、彼女がかぶりを振った。と、男は少女の肩をつかんで車へと押しやった。少女がもがいて悲鳴をあげはじめると、男は片手で彼女の口をふさいだ。そうして少女を車内に押し込むと、続いて自分も乗り込み、ばたんとドアを閉めた。少女がぱっと起きあがり——ひょっとすると、うろたえて呆然とたたずむラーセンに目をとめたのか——ドアの取っ手に手をのばし、またもや悲鳴をあげようとした。男は二度、拳をふりあげて彼女を床に殴り倒すと、ハンドルをつかんで車を急発進させた。はたと我に返ったラーセンがカーブに駆け寄ったときには、車も中の二人も視界から消え去っていた。車のナンバーは見ていない。

郊外の町へともどるあいだじゅう、ラーセンはどうしたものかと思案していた。地元の警察を探し出し、ついさっき見たことを報告すべきなのはわかっていた。だがそうすれば、自分はなぜあそこにいたのかを説明し、氏名と住所を告げなければならないだろう。もしも犯罪現場を目撃したのなら、犯人がつかまれば証人として出廷を求められるはずだ。それでは、仮病を使ってさぼったことをシムズに知られてしまう。ケイトにも。おそらく、シムズには解雇を言い渡される。ケイトは今にも増して日々の人生を耐えがたいものにするだろう。この年齢《とし》では、今のようなしょぼい仕事にすらもう就けないかもしれない。貯金はないし、家財の半分はまだローンの支払いがすんでいないのだ。

この件を通報すればどんなのっぴきならない羽目に陥るか、ジョン・ラーセンにはありありと想像がついた。

それに、くわしい事情はわからない。あの男は少女の父親だという可能性もある。少女はラーセンのようにずる休みをしたか、何か親の言いつけにそむいたのかもしれない。彼が目にしたのは、子供の不品行に対する少々厳しいが正当な懲罰だったのかもしれないのだ。

どのみち、通報しても何の役に立つだろう？　じっさいにあの男を確認できるわけではない。走り去る姿をちらりと見ただけなのだから、もじゃもじゃの黒い髪をした大柄な中年男の集団からあの男を選び出すのは無理な話だ。こちらが二度と抜け出せない泥沼にはまるだけで、何のプラスにもならないだろう。

ラーセンは結局、かなりの余裕を残して町に着いた。あれきり例の黒い車は見かけず、音も耳にしていなかった。道中のそこここに脇道があったから、そのうちのどこかへ消えたのかもしれない。いちおう良心をなだめるために、商店街できょろきょろ警官を探したが、ひとりも見当たらなかった。彼は不安を押し殺し、最初に来たバスに乗り込んだ。だが、それでは市内に早く着きすぎてしまうことに気づき、半分ほど行ったところで降りて、次のバスを待った。

いつもの時間に帰宅すると、いつもどおり、夕食の準備はできていなかった。ラーセンがむっつり腰をおろして夕刊を読みはじめると、ケイトはキッチンからぶつくさ文句を浴びせてきた。どちらも今日一日の出来事を尋ねたりはしなかった。互いの興味を引くようなニュースがあったためしはないからだ。

彼は翌朝シムズに、医師の診断はただの腰痛だったと報告するだけの分別を持ち合わせていた。休みをもらったおかげで、すでにおおむね回復したと告げ、その後もシムズの鋭い視線に気づくと、ときおり顔をしかめて腰をさするようにした。さいわい、その日はひとりの女性客に、数か月まえから売れ残っていた古めかしい階段用の敷物をどっさり買わせることができた。シムズは満足したとみえ、帰りぎわに彼を呼びとめ、腰が早く治るといいなと声をかけてきた。それでも、一日分の減給を申し渡すのは忘れなかった。おかげでラーセンは来週いっぱい、昼食を抜くしかなさそうだった。手取りが減ったのをケイトに知られるわけにはいかない。

二日後の夕方、新聞を買いに立ち寄ると、一面にでかでかと写真が載っていた。〈この少女を見かけませんでしたか？」という見出しがついている。一目でわかった。　説明書きにある失踪当時の服装も、あの子が着ていたものと同じだ。

ディアーン・モリスンという名の少女は、ベルヴィル公立中学の校長の娘で、同校の一年生だった。いつもは父親の車で登下校していたという。だがこの火曜日は、四時半まで父親の仕事がすむのを待っていたものの、さらに一時間はかかりそうなことがわかった。そこでモリスン校長は――過去にもときおりそうしていたように――彼女に一キロ半ほど離れた家まで歩いて帰り、お父さんは遅くなりそうだと母親に話すように言ったのだった。ところが六時ごろに帰宅すると、娘は帰っていなかった。ディアーンはしっかりした子だから、どこかに寄り道したのなら電話をよこしたはずだった。両親は彼女を捜して学校までの道をくまなくたどり、彼女の友人に片っ端から電話した。だが誰もディアーンを見かけていなかった。以後も誰ひとり彼女を見ていない。

誘拐の恐れがあるとして、ＦＢＩが捜査に乗り出していた。彼らと州警、それに郡の警察がベルヴィル周辺の森と丘をしらみつぶしに捜索しているが、これまでのところ、何の痕跡も手がかりも発見されていないという。

「まったく、あなたって人は」ケイトが嚙みついた。「食べるときしか口を開けないの？　黙りこくって、ぼーっとしてばかり。こっちは朝から晩まで、こんな狭いところに閉じ込められてるのよ。なのにあなたは家に帰っても、人を家具のひとつだとでも思ってるみたいね。あたしがどんな思いで――」

ラーセンは彼女に好きなだけしゃべらせておいた。懸命に心を決めようとしていたのだ。名乗り出るべきか、やめておくべきか。かりに名乗り出たとして、それが少しでも役立つのだろうか？　彼があの男の年恰好を話せば、男の身元は割れるかもしれない。だがジョン・ラーセンのほうはどうなる？　生涯最悪の窮地に陥るだろう。

彼はちらりとケイトを見やり、彼女に事実を話して助言を求めようかと考えた。だが彼女の反応を想像しただけで心が萎え、思いなおした。どんな助言をされるかはわかりきっている――余計なまねはやめて。あなたはただでさえ、あたしたち二人をとんだ立場に追い込みかねないことをしたのよ。そんな仕事は警察にまかせておきなさい――あの人たちはそのために給料をもらってるんだから。

ラーセンは朝夕欠かさず新聞を買うようになり、みぞおちに冷たい恐怖を感じながら、何か新たな情報はないかと無理やり紙面に目を走らせた。

一週間後に、かつての採石場で砂利の下に隠されていた少女の遺体が見つかった。頭蓋骨に三か所、タイヤレバーのような重い鈍器によるひびが入っていたという。全身に切り傷とあざがあり、彼女は凌辱されていた。右手には、紅白の格子模様の男物のハンカチが握りしめられていた。

ジョン・ラーセンは夜通し、重苦しい寝息をたてるケイトのかたわらでまんじりともせずに横たわっていた。窓の外がうっすら白みかけたころには、もうしばらく様子を見ようと決めていた。彼は以前に読んだ犯罪小説をあれこれ思い浮かべた。少女の爪の下には犯人の皮膚の断片があるはずだし、警察の鑑識班が彼女の服についた微細な糸くずや毛髪を見つけるだろう。そうして、あらゆる容疑者の車の指紋を調べあげれば、ベルヴィルのように小さな町なら、ほどなくあの黒髪の男にたどり着くはずだ――彼が通りすがりのよそ者だったのでないかぎり。

ラーセンが誘拐の現場を目撃したのは、まったくの偶然だった。彼がたまたまあそこにいなければ――警察はまさに今と同じような捜査をするしかなかったはずだ。自分が本来なら市内で働いているべきときにベルヴィルくんだりの路上で何をしていたのか、疑り深いFBI捜査官に弁解しているさまが目に浮かんだ。今から思えば、あんなふうにまる一日さぼるとは信じがたいほど子供じみていた。誰もわかってはくれないだろう。きっと嘘だと思われる。それどころか、保身のための作り話だと思われて、拷問にでもかけられかねない。

ラーセンは身の毛がよだつ思いでベッドに横たわっていた。話を信じてもらえようともらえまいと、悲惨な結果になるのは同じだ。やはり、あの日はなかったことにするしかない。どのみち、当局はじきに犯人を見つけるだろう――彼らはいつもそうなのだ。そのとき、こちらは余計な厄介事をしょい込まなくてよかったと思うにちがいない。

その三日後に、〈モリスン事件の容疑者逮捕〉という大見出しを目にしたラーセンは、安堵のあまり両目に涙を浮かべたほどだった。彼はバスの車内で立ったまま、むさぼるようにその記事を読んだ。

逮捕されたのはくだんの中学の補助用務員だった。名前はジョーゼフ・ケネリー。記事によれば、ケネリーは当初から疑いをかけられていたという。むろん、彼はあの少女とも顔見知りだった。結婚はしておらず、遺体が発見された採石場のそばにある二間きりの掘っ立て小屋にひとりで住んでいた。しかも前科があり――性犯罪は含まれていないが、治安紊乱《びんらん》と飲酒運転で何度も逮捕されている。少年時代の一時期を精神遅滞児の施設ですごしていた。

警察の見るところ、ケネリーは勤務時間が終わった午後遅くに、少女がひとりで下校するのを目にしたものと思われた。彼がつねづね彼女に不健全な興味を示していたのはあきらかだった。遅まきながら、数名の男子生徒が、ケネリーはよくディアーンの金髪とふっくらしはじめた体形について下卑た冗談を飛ばしていたと証言したのだ。彼は仕事ぶりもだらしなく、モリスン校長とうまくいっていなかった。勤務中の飲酒で再三トラブルを起こし、首にすると脅されていた。そんなわけで、今回の犯罪の動機は明白で――復讐と色情だ。

被害者が握っていたハンカチも、ケネリーのものであることが洗濯屋の目印で確認された。そのうえ彼の左あごには、一、二週間まえについた深い搔き傷があった。

むろん、本人は躍起《やっき》になってすべてを否定した。あの日はいつもどおり車で帰宅して、翌朝出勤するまで小屋を離れなかった。ディアーンばかりか、ほかの誰も見かけてすらいない……。しかし学校の掃除道具入れからほとんど空《から》になったウィスキーの瓶が見つかると、ケネリーは帰宅時にはかなり酔っ払っていたことを認めた。家でもさらに飲み続け、十時ごろに意識を失って、気づくと夜が明けていたという。火曜の午後四時から水曜の午前九時まで、校内でもほかのどこでも、彼を目にした者は見つからなかった。

例のハンカチについて、ケネリーはこう主張した――たしかに自分のものだが、何週間もまえにどこかで失くしたきりだった。それを犯人が見つけたにちがいない。あごの掻き傷？　ああ、こいつは大酒をくらった翌朝、ひげを剃ろうとしたら手が震えて切っちまったのさ。

そこまでは、問題なしだった。ジョン・ラーセンはこの記事を読み、事態を静観したことを感謝した。だがそのあと、一気にずしりと心が沈んだ。

ジョーゼフ・ケネリーは二十六歳だった。写真を見るかぎりでは、ひょろりと背の高い若者で、明るい色の髪はこめかみのあたりが薄くなりかけている。それに彼の車は紺色のセダンだった。

ラーセンはバスを降りると、ロボットさながらのぎごちない足取りで帰宅した。新聞と帽子をいちばん手近な椅子に放り出し、バスルームに入ってドアをロックした。そこが家の中で唯一、ひとりでゆっくり考えられる場所だったのだ。「あなたなの、ジョン？」とケイトが呼びかけてきたものの、夫がどこにいるかに気づくと、キッチンへもどっていった。例によって例のごとく、夕食の準備はろくにできていなかった。彼はよく不思議に思うのだが、ケイトは一日じゅういったい何をしているのだろう？　まあ、以前はラジオにへばりついてすごし、今ではテレビのまえにじっとすわり込んでいるのだろう。

ラーセンは便座に腰をおろして良心と闘った。もはやどうあがいても、自分が証言しても同じだとは思えなかった。彼はディアーン・モリスンが誘拐される現場を目撃し、犯人を目にしていた。そしてそれは、ジョーゼフ・ケネリーではなかったのだ。

だが家から通報するわけにはいかない――ケイトにすぐさま聞きつけられるだろう。何か電話をかけに出かける口実を作らなければ。いっそ彼女に打ち明けようかと、ラーセンはまたちらりと考えた。いや、そんなことをしても無駄だ。ケイトがどんな女かはわかっている。

彼女がノブをがちゃがちゃまわそうとした。

「まあ、あきれた」と叫ぶ声。「どうして鍵なんてかけるの？　気分でも悪いの？」

「だいじょうぶだよ」ラーセンはぶつぶつ答えて鍵を開けた。

「こんな人、見たこともないわ！　家に帰っても一言の挨拶もなし――妻がいるのを忘れてるのかしら。あたしはただの召使いも同然に、あなたの食事を作ってあれこれ世話を焼かされるだけ。他人行儀に、鍵までかけられて！　こっちは日がな一日、ひとりぼっちで身を粉にして働いてるのに――」

「何を話してほしいんだ？　疲れてるんだよ」

「へえっ、あたしのほうは疲れてないとでも？」

「喧嘩はやめよう、ケイト」彼は苛立たしげに言った。そのとき、ふと名案が浮かんだ。「ひどい頭痛がするんだよ。夕食の支度がまだなら、角のドラッグストアで何か薬を買ってこようかな」

「それなら食事がすんでからになさい」ケイトは態度をやわらげた。「食べればいくらか具合がよくなるわ」努めてなごやかに話そうとしている。「いえね、ちょっと夕刊を読んでたの。例の女の子の件だけど、ほんとにひどい話よね。犯人がつかまってよかった。あんな連中は、火あぶりにでもしてやればいいのよ」

「あいつが真犯人だと、どうしてわかるんだ？」ラーセンは問いただささずにはいられなかった。

たちまち、ケイトはいきりたった。

「それじゃ、あなたは警察の知らないことまで知ってるわけ？　お利口さんだこと！　あの男がやったんでなきゃ、どうして逮捕されたの？　警察はちゃんと証拠をつかむまで逮捕したりはしないのよ――そんなこと誰でも知ってるわ」

「そうだな」ラーセンは力なく答え、彼女に言われるまえに皿を並べはじめた。

じっさいに頭痛がしていたが、無理もない。ケイトの言葉に、またも決意が揺らぎはじめていた。彼女は間違っている――警察は無実の男を逮捕したのだ。しかし、だからこそ、ケネリーは有罪になるはずがない。

以前に読んだ、警察の科学捜査研究所のことが脳裏に浮かびあがった。少女の衣服から採取された毛髪や繊維は、ケネリーとは別人の、もじゃもじゃの黒い髪をした大柄な中年男のもののはずだ。ほかにも、こちらが知りもしない科学的検査で判明することが山ほどあり、そのすべてがケネリーへの嫌疑を覆《くつがえ》すにちがいない。あの用務員は当初の証拠をもとに大陪審に起訴されるかもしれないが、公判に付されることはあるまい――警察はじきに真犯人を見つけるはずだ。

ジョン・ラーセンが今さら、わが身を滅ぼすだけの愚かなまねをしなくとも。

彼は電話をしに出かけなかった。

大陪審はじっさいケネリーを起訴し、ケネリーは保釈を認められずに郡の拘置所へ送られた。

ラーセンはしじゅう彼のことを考えはしたものの、あの恐るべき日の衝撃は徐々に薄まっていた。たしかに、犯してもいない罪のためにずっと拘束されているのは気の毒だ。だがどう見てもケネリーはただのごくつぶしで、少々きもを冷やせばいい薬になるだろう。もうそろそろ当局も、彼を公判に付すだけの証拠はないことに気づくはずだ。あるいは何か新たな事実が判明し、真犯人の逮捕に結びつくかもしれない——とはいえ、すでに犯人をつかまえたつもりでいる警察が、血眼《ちまなこ》になってほかの容疑者を捜すはずがないことはラーセンも承知していた。

ケネリーには腕利きの弁護士がついた。どこからか裕福な伯父があらわれ、費用を持つことになったのだ。ローレンス・プレイザーという名のその弁護士は、地元の殺人事件の多くで被告人の弁護を手がけ、ほとんど常に無罪を勝ち取っていた。ケネリーはまんいち公判に付されても、きっと無罪放免になるはずだった。

裁判の日取りが決まった。

ラーセンは無理やり胸に言い聞かせた——ケネリーが無罪にならない恐れが少しでもあると思えば、自分はどんな犠牲を払ってもプレイザー弁護士に事実を話しに行ったはずだ。しかし、無罪になるのは間違いない。ラーセンは店で同僚たちが事件について話すのを聞き、ときにはバスの中でも耳にした。事件は興味の的だった。誰もがケネリーの犯行だと決め込むいっぽうで、彼は無罪放免になると見ていた。ある者はたんに司法への懐疑から、またある者は、情況証拠だけで有罪判決は下せないと考えていたからだ。

ジョン・ラーセンはときおり、くだんの弁護士と話す場面を思い浮かべて身震いした。証言台に立つ気がないのなら、名乗り出ても意味はない。裁判での検事の反対尋問が聞こえるようだった。

「で、あなたはどうしてまさにそのとき、その場に居合わせたのでしょう、ラーセンさん？」

こちらの話を裏付けてくれる者はいない。たったひとりでみなに立ち向かうことになるだろう。検事は彼をケネリーの友人に仕立てあげるか、金を握らされてこんな煙幕を張っているのだと主張しかねない。すべて根も葉もない作り話だと。それどころか、これは被告人ではなくあなた自身の罪を隠すための嘘ではないかと言い出す恐れすらある。ひょっとすると、あの軽食堂にいた人たちがラーセンを憶えていて、彼はたしかにあの午後、ベルヴィルにいたと話してくれるかもしれない。もちろん、いずれは身の証《あかし》を立てられるはずだ。だがそのころには、さんざん悪い評判がたち、万事休すとなっているだろう。

彼はプレイザーの事務所には近づかなかった。ケネリーの裁判は十月にはじまった。

もちろん、ラーセンは足を運べなかった——仕事があったからだ。それでも記事は一語残らず読み続け、ほかのことはいっさい頭に入らなかった。彼が顧客に裁判の話をしているのを見つけたシムズは腹を立て、「ここではみんなに殺人じゃなく、敷物のことを考えてもらう必要があるんだぞ」と息巻いた。「もしも仕事に集中できんのなら、ラーセン——」ラーセンはしおらしくあやまり、以後は用心深くふるまった。

世間の熱狂ぶりには、驚くと同時に恐怖を覚えた。事前の陪審員の選定にも一週間近くを要し、ケネリーは法廷に出入りするたびに激しい罵声を浴びた。少女への暴行殺人は想像しうる最悪の犯罪で、人々は誰かが罰せられることを望んでいた。彼らからその餌食を奪い去ったらどうなるか、考えただけでぞっとした。ジョーゼフ・ケネリーは潔白なのかもしれないなどと、口にするのさえはばかられた。

審理が進むにつれて、ラーセンは悪夢に悩まされはじめた。ろくに食事が喉を通らず、やせ細っていった。ケイトですらそれに気づき、口うるさく注意した。彼女もご多分に漏れず、裁判の経過を逐一追って、毎晩そのことを話したがった。いわく、ケネリーの犯行なのはわかりきっている。あんな男には電気椅子だってもったいないほどだ。かりに無罪放免になったら、リンチされても当然だろう。

「ああ、もう黙ってくれ！」ラーセンはついに怒鳴った。

「あの男に同情してるのね！」彼女が叫び返す。「自分も何かあんなまねをして、うまいこと罪を逃れたいんでしょ！」

返事をせずにすむように、ラーセンはバスルームへ逃げ込んだ。

検察側の証拠調べのあいだじゅう、ラーセンは何か毛髪か繊維についての言及はないかと待ち続けたが、無駄だった。どちらも見つからなかったのだろう。あるいはケネリーの罪を立証するものではなかったので、無視されたのか。おそらく同じ理由から——車内の指紋や血痕についても、誰ひとり触れなかった。ある鑑定証人は、被告人の靴の縫い目から採られた砂利の破片はあの採石場のものだと断言したが、それを言うなら、ケネリーは家から近いあの場所にしじゅう出入りしていた。ケネリーのアリバイを裏付ける証人はいないとしても、それを否定できる証人もいなかった。彼のディアーンへの異常な興味を証言した男子生徒たちは、ごく漠然とした話しかできなかった。ラーセンは肩の荷がおりたように感じはじめた。

しかし、弁護側の仕事は形ばかりのものだった。ケネリーの主張を支持する証人は当の本人だけで、しかもその証言は情けないものだった――事件が起きた肝心かなめの時間帯に、ずっとへべれけだったことを認めたのだ。ラーセンの期待は外れ、ケネリーの責任能力が問われることもなかった。たしかにプレイザーは熱のこもった最終弁論で、直接的な証拠の欠如を指摘し、どの証言も依頼人の有罪を立証してはいないと訴えた。

けれどもその後、地方検事のホルコームが猛然と反撃に出て――被告人の罪を糾弾し、嘆かわしい前科をあばき、彼を「人間の姿をした、卑劣きわまるドブネズミ」と呼んだ。何より致命的だったのは、あのハンカチだ。「そんな偶然はとうてい信じられません」とホルコームは皮肉たっぷりに言った。「わたしの信ずるところをお話ししましょう。おそらくあのハンカチは、哀れな少女が自らの名誉と命を守ろうと夢中で揉み合ううちに、ケネリーのポケットから抜き取ったのでしょう。そしておそらく彼女は襲いかかるモンスターの牙から逃れようと、弱弱しい抵抗を試みて彼の顔を引っ掻いたのです」

廷内に拍手が巻き起こり、傍聴者たちはあやうく退廷を命じられるところだった。

スティース裁判長は、陪審団に説示を与えるさいにも中立を保とうとした。だが、陪審員たちは判事の心がどちらに傾いているかを察知した。彼らも思いは同じだった。ディアーンの痛ましい、小さな遺体の写真がくっきり記憶に刻まれていたからだ。彼らの多くは娘を持っていた。あんなおぞましい罪が犯されたからには、誰かが罰せられなければならなかった。

評決は、誘拐と殺人のどちらについても有罪だった。のちに陪審長が記者団に語ったところによれば、その判断に疑義をはさむ感傷的な愚か者が二、三いたものの、わずか三度の投票で正気づかせることができた。

しかし裁判長は死刑を宣告したりはしないはずだ、とラーセンは藁《わら》にもすがる思いで考えた。情況証拠だけで極刑にはできない。ケネリーはせいぜい終身刑に処されるだけだろう。つまり、いずれは仮釈放されるというわけだ。それぐらいなら、あんなろくでなしにはさして害にもなるまい。

だがケネリーは電気椅子による処刑を言い渡された。裁判長も娘を持っていたのだ。

まだ控訴という手がある、とラーセンは死にもの狂いで考えた。控訴は認められるだろう。そして審理が再開されるまでには、事実が明るみに出ているはずだ。

「ねえ、そんなにカリカリしないで!」ケイトは毎晩、幾度となく言った。「ほんとに、あなたは近ごろどうしちゃったの? それに煙草の吸いすぎよ、ジョン。冗談じゃないわ――煙草にひと財産つぎ込むなんて!」

控訴は棄却された。

新聞には地方検事の満足げな談話が載った。「ケネリーのような冷血漢には、死刑でも足りないほどですよ」

プレイザー弁護士は州最高裁に上告しなかった。「相当の理由がない」というのが彼の言い分だった。
しかし、理由はある。ラーセンにはそれを話すことができた。

彼は二度、プレイザーの事務所に電話しようとした。だがダイヤルをまわしかけたところで、その行為が何を意味するかに気づいて受話器を置いた。もうしばらく様子を見よう。こうした場合は何年間もだらだらと、刑の執行が延期されるものだ。

「しかしなぜ、その情報を伝えてくださるのがこれほど遅れたのでしょう、ラーセンさん?」

という弁護士の言葉が聞こえるようだった。

プレイザーの慈悲にすがり、どうかジョン・ラーセンの名前は出さずに手がかりを洗いなおしてほしいと懇願しても無駄だろう。こちらが法廷で証言しなければ、新たな証拠も意味をなさない。どのみち、今さら無意味なのかもしれない。ことが起きた直後、ケネリーが逮捕されたばかりのときなら——あるいはそれ以前なら——ラーセンの証言は役に立ったろう。だが今ではケネリーを救える見込みはろくになく、たんにこちらが面倒に巻き込まれるだけだ、とラーセンは何度も胸に言い聞かせた。

それにしても誰か——この世にひとりでも——すべてを話せる相手がいれば。誰かがあれこれ助言して、事態をうまくおさめてくれたら!

ケネリーは州刑務所で死刑になるのを待っていた。処刑の日取りは三か月後と定められた。やがて、残り時間は二か月となった。

そして一か月。

プレイザーはケネリーの唯一の親族である伯父を州知事に引き合わせた。だが来たる十一月の選挙での再選を目指している知事は、十代の少女への暴行殺人で有罪となった男の処刑を延期しようとはしなかった。

そうこうするうちに、残り一週間。

そして二日となった。

ジョン・ラーセンは十キロ近くも痩せていた。眠るのが怖かった。いちどなどは悪夢にうなされて悲鳴をあげ、ケイトを起こしてしまったほどだ。もう彼女のうるさい小言もろくに耳に入らなかった。

「具合が悪いなら、医者に行けばいいのに」

「どこも具合は悪くない」

「人を馬鹿にしてるの？　あなたはぜったい、どこかおかしいわ。どうしちゃったのよ、ジョン」彼女はあれこれ理由を考えた。「ねえ、ジョンってば！」そしてとつぜん、泣きだした。「そういうことなのね、もう我慢できない。ほかに好きな女ができたんでしょ！　二十七年間も尽くしたあとで、あたしがそんなことを許すとでも――」

ラーセンは声をあげて笑った。快い響きではなかった。

ふと、突拍子もない計画が脳裏をよぎった。自分でベルヴィルへ行き、あの黒髪の男を見つけ出し、力ずくで罪を白状させるというものだ。

まったくどうかしている。

土壇場になっての延期はなかった。ラーセンもじつのところ、そんなことを本気で期待していたわけではない。ケネリーは予定どおり電気椅子にかけられ、いまわのきわまで無実を叫び続けていた。

その痛ましい記事を一語も漏らさず読んだジョン・ラーセンは、ついに赤裸々な事実と向き合った。

彼にはあの少女が殺されるのを防げなかったかもしれない――あのとき即座に行動しなければ。それでも、じゅうぶん責任はある。

彼はひとりの男を死なせてしまったのだ。好きでもない仕事と嫌気のさしている妻にしがみつくために。彼、すなわちジョン・ラーセンは間違いなく、あの未知の男がディアーン・モリスンを殺したように、一面識もないジョーゼフ・ケネリーを殺したのだ。

彼は殺人者であり、殺人者は死ぬべきだった。だがケネリーを救う勇気がなかったラーセンに、自ら命を絶つ勇気などあろうはずがない。彼にできるのは、忍耐の限界まで耐え抜くことだけだった。

その夜、彼の顔を見たケイトは喉まで出かけた言葉を呑み込んだ。彼は黙って形ばかり夕食をつつくと、すぐさま寝床へ向かった。そして疲れきった獣《けもの》さながらに、半日近く夢も見ずに昏々《こんこん》と眠った。

翌日の午前中、店の客に一枚のマットを見せていたラーセンは、不意にそれを取り落として身をこわばらせた。

彼は金切り声で叫びはじめた。「おれだ！　おれだ！　おれがやったんだ！」

救急車が着くまで、彼は二人がかりで押さえつけられていた……。

そのころベルヴィルの町はずれでは、もじゃもじゃの黒い髪をした大男――誰もが知っていながら気にもとめない無害な〈よき市民〉が、黒いぽんこつ車で寂しい田舎道をうろついていた。ひとり歩きの愛らしい少女はいないかと、両目を光らせて……。


（猪俣美江子訳）

最終列車

フレドリック・ブラウン

The Last Train　一九五〇年

フレドリック・ブラウン Fredric Brown（一九〇六―七二）。アメリカの作家。ミステリとSFの両分野にまたがって活躍した。一九四八年、長編『シカゴ・ブルース』でアメリカ探偵作家クラブ（MWA）最優秀新人賞を受賞。代表作は『通り魔』『不思議な国の殺人』『まっ白な嘘』など。本編の初出は雑誌〈ウィアード・テイルズ〉*Weird Tales* 一九五〇年一月号。

エリオット・ヘイグは、これまで多くの酒場でひとり座って過ごしてきたが、今夜もまた酒場にひとり座っていた。外は薄暗い。奇妙な薄暗さだ。酒場のなかは照明が暗く影が濃く、外より暗いほどだった。カウンター奥のブルーミラーが、その印象をいっそう強めている。その鏡に映るヘイグの姿は、ぼうっとした青い月の光に照らされているようだ。暗い鏡像。しかしはっきり自分の顔が見分けられる。すでに何杯も飲んではいるが、まだ二重には見えない。ひとりしか映っていない。はっきりくっきりひとりきりだ。

何時間も飲んでいるといつもそうなのだが、今夜こそ決行のときかもしれないと思った。なにを決行するのか、よくわからないが重大なことだ。なにもかもだ。ある人生から別の人生への大きな飛躍を果たすのだ。もうずっと前から考えてきたことだった。エリオット・ヘイグという名の、まずまず成功したちんけな悪徳弁護士という顔を棄《す》て、人生のささいな面倒ごとからも、個人的なかかりあいからも、法律的な屁理屈――法律の文言のなかでしか意味のない、というかその外ではろくに意味の感じられない――からもおさらばするのだ。習慣という紐帯《ちゅうたい》を切り捨て、いまでは意味も重要性も生きがいもなくなった人生から逃げ出すのだ。

青い鏡像を見ていると気が滅入《めい》ってきて、ふだんよりもさらに強く、ここにいてはいけないと感じた。次の一杯を飲むためだけにでも、場所を変えなくてはならない。ハイボールの最後のひと口を飲み干し、スツールを滑り降りて固い床に立った。「じゃあな、ジョー」と言って、ぶらぶらと正面玄関に向かった。

バーテンは言った。「どっかで大火事が起こってますね、あの空を見てごらんなさい。町の反対側の材木置き場かな」バーテンは正面の窓のほうに身を乗り出し、外の空を見あげた。

ヘイグは、ドアの外へ出てから空を見あげた。空はピンクがかった灰色で、遠くの火事の明かりに照らされているかのようだった。しかし彼の立っているところからは、光は空全体に広がっているように見え、どこで火が燃えているのかまるで判断がつかなかった。

適当に南に向かって歩きだす。遠くから汽笛が聞こえてきて、それで思い出した。今夜でもいいじゃないか、と思う。今夜でいけないわけはない。いつもの衝動、満たされない何千もの夜の亡霊を、今夜はふだんより強烈に感じる。もうすでに駅に向かって歩いている。しかし、それはしょっちゅうやってきたことだった。汽車が出発するのが見えるところまで行き、あれに乗ればよかったと思う。しかし実際に乗ることはないのだ。

そのときとつぜん、今夜はちがうという気がしてきた。今夜こそほんとうにやるのだ。着の身着のまま、たまたまポケットに入っていた金だけを持って。以前からそうしようと思っていたとおり、きれいさっぱり蒸発するのだ。行方不明と報道させよう。みなに首をひねらせ、彼が急にいなくなってめちゃくちゃになった仕事は、だれかほかの者に始末させるのだ。

駅から数軒手前にまた酒場があり、その開いた戸口にバーテンのウォルター・イェーツが立っていた。彼は言った。「こんばんは、ミスター・ヘイグ。今夜はオーロラがきれいですねえ。こんなすごいの初めて見ましたよ」

「オーロラだったのか」ヘイグは言った。「どこかの大火事の光が反射してるのかと思ったよ」

ウォルターは首をふった。「ちがいますよ。北の空を見てごらんなさい。あっちのほうは空がちらちらしてるでしょう。オーロラですよ」

ヘイグはふり向き、通りに沿って北のほうを見やった。その方角では光が赤みを帯びていて――そう、「ちらちら」という表現がぴったりだった。たしかに美しい。しかし、正体がわかっていてもやはり少し不気味だった。

また向きなおり、ウォルターのそばをすり抜けて店内に入った。「酒を頼むよ、のどがからからなんだ」

しばらくして、ガラス棒でハイボールをかき混ぜながら尋ねた。「ウォルター、次の汽車は何時に出るんだっけ」

「どこ行きの?」

「どこでもさ」

ウォルターは時計を見あげた。「もうすぐですよ。いつ出てもおかしくないってとこですね」

「そりゃ早すぎる。この酒を飲み終わるひまがないじゃないか。その次のは?」

「十時十四分のがありますよ。それが今夜の最終じゃないですかね。ともかく、日付が変わる前のはこれが最後です。そのころには店を閉めてるんで、そのあとはわかりませんがね」

「それはどこ行きの——いやいい、言わないでくれ。知りたくない。知りたくないが、それに乗るぞ」

「どこへ行くかも知らずにですか」

「どこへ行くかも気にせずに、だ」ヘイグは訂正した。「いいかウォルター、おれは本気だぞ。だから頼みがある。おれが失踪したって記事が出ても、だれにも言わないでくれよな。おれがここに来たことも、こんなことを言ってたってことも、黙っててくれ。人に言うつもりはなかったんだ」

ウォルターはまじめな顔でうなずいた。「ぴったり口を閉じてますよ、ミスター・ヘイグ。ずっとひいきにしてもらいましたしね。あたしのおしゃべりから、足どりをたどられることはありませんって」

スツールのうえで、ヘイグの身体がわずかに揺れた。目の焦点を合わせてみたら、ウォルターの顔にはうっすら笑みが浮かんでいる。このやりとりには、胸の騒ぐような既視感があった。以前にも同じことを言ったことがあり、同じ返事を聞いたことがあるような。

彼は鋭く尋ねた。「ウォルター、おれ、前にもおんなじせりふを言ったことがあるんだろう。何度ぐらい言った?」

「ええと、六回か——八回か——いや、十回ぐらいでしたかね。憶えてませんや」

ヘイグは「ちくしょう」とつぶやいた。見つめていたら、ウォルターの顔がぼやけてふたつに分かれ、気を張っていないとひとつに戻らない。その顔はかすかに笑っている。やれやれと言わぬばかりのあきらめの表情。十回ではきかないな、とそれでわかった。「ウォルター、おれ飲んだくれかな」

「とんでもないですよ、ミスター・ヘイグ。たしかにずいぶん飲んでなさるけど――」

ウォルターの顔を見ているのがいやになってきた。

グラスをのぞき込むとからだった。お代わりを注文し、ウォルターが用意しているあいだ、カウンター奥の鏡に映る自分の顔を眺めた。ありがたいことに、ここの鏡はブルーミラーではない。しかしふつうの鏡でも、そこに自分の顔がふたつ映っているのは気持ちのいいことではない。二重の鏡像、まさにヘイグ&ヘイグ（スコッチのブランド名）だ。ただ、それは彼にとっては手垢のついたジョークだし、汽車で逃げたいと思う理由のひとつでもあった。逃げるんだ、ちくしょう、酔っていようがしらふだろうが、今夜の汽車に乗って。

ただその文句にも、聞いた憶えがあるという胸の騒ぐ感覚があった。

何度めなのだろう。

中身の四分の一ほど入ったグラスをのぞき込む。次に気がついたときは半分以上入っていて、ウォルターがなにか言っていた。「ミスター・ヘイグ、ありゃ火事みたいですね、それも大火事だ。ずいぶん明るくなってきたな、オーロラにしちゃ明るすぎる。ちょっと見てきます」

しかし、ヘイグはスツールに座ったまま動かなかった。また顔をあげたときには、ウォルターはカウンターの奥に戻ってラジオをいじっていた。

ヘイグは尋ねた。「火事だったのか」

「きっとそうでしょう。十時十五分のニュースを聞いてみますよ」ラジオからジャズが噴き出してきた。音量を抑えた金管と絶え間ないドラム、それにやたらに高音のクラリネットがやかましくかぶさる。「あと一分で始まりますよ。この局なんです」

「あと一分って――」彼はずり落ちそうになり、スツールから降りた。「それじゃ、もう十時十四分なのか」

答えは待たなかった。開いたドアに向かいながら、床が少し傾いているような気がした。ほんの数軒先、あとは駅舎を抜けるだけだ。間に合うかもしれない。間に合ってもおかしくない。だしぬけに、酒など一滴も飲んでいなかったような気がした。どれだけ足もとがふらついていても、頭はすっきり冴えわたっている。汽車がぴったり定刻に発車することなどめったにない。ウォルターは「あと一分」と言いはしたが、三分とか二分とか四分とかだったのかもしれない。まだ見込みはある。

階段でつまずいたが、起きあがってまた進みだした。ほんの数秒ロスしただけだ。切符売り場の窓口の前を素通りし（切符は乗ってから買えばいい）、奥のドアを抜けてホームに出、改札を通ると、遠ざかる汽車の赤い尾灯《テールライト》が見えた。ほんの数メートル先、しかし取り返しのつかない数メートルだ。それが十メートルになり、百メートルになる。しだいに見えなくなっていく。

駅員がホームの端に立ち、遠ざかる汽車を見送っていた。

ヘイグの足音が聞こえたのだろう、肩ごしに声をかけてきた。「残念だったね、あれが最終だよ」

ヘイグは急に、自分が滑稽に思えて笑いだした。あまりばかげていて、とても真剣に嘆く気になれない。こんなわずかの差で乗り損ねるとは。それに、どっちみち早朝の汽車もある。駅舎に戻って——そうだ、何時まで待てばいいのだろう。彼は尋ねた。「明日の朝一番のは何時に出る?」

「わかってないな」駅員は言った。

初めて駅員はこちらをふり向いた。ヘイグはその顔を見た——燃えあがる真紅の空を背景にして。「わかってないな」彼は言った。「あれが、最終列車だったんだよ」

（安原和見訳）

子供たちが消えた日

ヒュー・ペンティコースト

The Day the Children Vanished　一九五八年

ヒュー・ペンティコースト Hugh Pentecost（一九〇三―八九）。アメリカの作家。ミステリ作家としてのデビュー作は一九二五年、大学生のときに書いた短編「二十三号室の謎」。三〇年代後半から本格的な作家活動にはいる。多作で、本名のジャドスン・フィリップス名義やフィリップ・オーウェン名義でも作品を発表した。本編は雑誌〈ジス・ウィーク・マガジン〉*This Week Magazine* 一九五八年四月二十日号に掲載（初出時の題名は「The Children Vanished」）されたペンティコーストの代表作。七六年には加筆改稿した長編版も刊行された。

ある晴れた冬の午後、レイクビューの公立学校へ毎日通っているクレイトンの九人の子供たちが、乗っていたバスと運転手もろとも地上から姿を消した。あたかも、惑星間を漂う巨大な真空掃除機によって、宇宙へと吸い込まれてしまったかのように。

現に、消失事件後のヒステリー状態の中では、取り乱したクレイトン住民からそんな説が出ており、完全に説明に窮した人々が、少なからずその説を検討する気になっていた。

もちろん、九人の子供とひとりの大人、スクールバスとして使っている特別な車体のステーションワゴンが消えたのは、宇宙空間とも超常現象とも関係ない。それは人間による非情な悪事の結果だった。だが、説明がつかない以上、悲痛な思いを抱えた親たちや途方に暮れた住民の心のうちでは、事件はすっかり黒魔術的な様相を呈していた。

クレイトンはレイクビューから七マイルのところにあった。採石場として急速に発展している町だ。レイクビューはそれよりもかなり大きく、以前から成長に備えた計画を立てており、最近になって新しい学校を建設した。ふたつの町の教育委員会は、クレイトンの東端に住む九人の子供たちを、十分な教室と教師をそなえたレイクビューの学校へ通わせることで合意した。それは一時的な措置となるはずだった。

子供たちは九人しかいなかったため、四十八人乗りの大型スクールバスで通うことはなかった。九人乗りのステーションワゴンを購入し、塗り替えてスクールバスと書き、イースト・クレイトン自動車修理工場の整備工ジェリー・マホーニーが、毎日子供たちの送り迎えをするのに雇われた。

ジェリー・マホーニーは人に好かれていたし、尊敬されてもいた。兵役期間中は空軍の整備士をしていた。彼はエンジンの専門家だった。婚約者のエリザベス・ディーリングは、クレイトン銀行に勤務していて、クレイトンでも選り抜きの美人だった。ふたりとも好人物で、信頼されていた。

九人の子供とジェリー・マホーニーを乗せたステーションワゴンが消えたのは、消失がまず不可能な二マイルの道だった。〝切り通し〟と呼ばれる湖畔の道路だ。二マイルにわたってずっと、太いワイヤーのガードレールが設置され、湖から道路を守っている。隙間はどこにもない。

道の反対側は急勾配になっていて、数千エーカーの山林につながっている。うっそうと茂る林には、トラクターでも入ることはできない。せいぜい、廃採石場へと続くさびれた道を数ヤード進めるくらいだろう。その古い道すらも、茂みを踏みしだき、若木を折らなければ先へ行けないありさまだった。

切り通しのレイクビュー側の端には、ジェイク・ニュージェント老人が経営するガソリンスタンドがあった。バスが消えた日の午後、ジェリー・マホーニーがハンドルを握り、笑ったり叫んだりしている子供たちを乗せたバスが、ニュージェントのところへ寄った。ジェリー・マホーニーは、郵便局からの速達を届けにきたのだ。地方無料郵便の配達員がわざわざ届けずに済むように。ジェリーとジェイク老人はあいさつを交わし、老人は受け取り証にサインした――手紙はシカゴの息子からで、五十ドル貸してほしいという内容だった――そしてジェリーは、子供たちを乗せて切り通しに入って行った。

切り通しのクレイトン側の端はジョー・ゴーマンの食堂で、バスに乗っていた子供たちのひとり、ピーター・ゴーマンはジョーの息子だった。食堂は、子供たちを乗せて切り通しを抜けたあと、最初に停まる場所だった。

四時半になって、ジョー・ゴーマンは、バスが着くのが四十五分ほど遅れていることに気づいた。心配になった彼はレイクビューの学校に電話したが、校長のミス・ブロムフィールドは、バスは定時に出発したと告げた。

「パンクか何かでしょう」ミス・ブロムフィールドはいった。

その後三十分の間に、ミス・ブロムフィールドにはその電話を含めて七本の電話がかかってきた。いずれもバスのことを尋ねる電話だった。九人の子供たちの、七つの家庭から。

ジョー・ゴーマンが、真っ先に真剣な行動を起こした。彼はジェイク・ニュージェントのガソリンスタンドに電話をかけ、バスのことを訊いた。ジェイク老人は、バスはいつもの時間にガソリンスタンドに来たといった。つまり、ジェリーと子供たちに何かあったのは、切り通しでのことになる。ジョーはジープを出し、切り通しを走ってレイクビューへ向かった。ジェイク・ニュージェントのスタンドに着くまで、バスも見なければ、反対方向から来る者も見なかった。

ジェイク・ニュージェントはしっかり者の老人で、体でがたが来ているところはどこもなかった。酒も飲まない。彼がバスを見た——それが手紙を届けるために停まり——切り通しへ走り去るのを見届けたというなら、それを信じるほかない。話を聞きながら、ジョー・ゴーマンの顔には冷汗が浮かんでいた。切り通しは凍結しやすい。来る途中、砂が撒かれていなかったのに彼は気づいていた。大惨事を予想したくなかった。しかし、バスがスリップし、ガードレールを突き破ったとしたら……。

彼はジェイクの電話を借りて、クレイトンのディックラー家に連絡した。ディックラーのふたりの子供、ドロシーとドナルドもジェリーのバスに乗っていて、ジョーの食堂の次に停まるのだ。ディックラー夫妻は、子供が帰ってこないことですでに心配していた。

ジョーは推測めいたことはいわなかった。だが、怯えていた。彼はレイクビューの州警察に電話し、バスが消えたことを話した。警察はさほど重大に受け止めていないようだったが、捜査員をひとり派遣するといった。

ジョーはクレイトンに戻った。このときには、心臓が喉までせり上がるような思いだった。ゆっくりと車を走らせ、ワイヤーでできたガードレールを隅々まで見る。破れたところはどこにもなく、壊れたり曲がったりしている支柱もない。ワイヤーのガードレールを壊さずに、バスが土手から湖に滑り落ちるのは不可能だった。

クレイトン側の食堂に着いたときには、ジョー・ゴーマンはいくぶんほっとしていた。ほっとしていたが、当惑してもいた。五分後、州警察のテリスキーがレイクビューから急行し、車を停めた。

「いったいどういうことだ?」彼はジョーにいった。

ジョーは煙草に火をつけようとしたが、手がひどく震えてできなかった。テリスキーがライターの火をつけ、差し出した。ジョーは煙を深く吸った。

「聞いてくれ」彼はいった。「バスはいつもの時間に切り通しに入った」ジェリーがニュージエントのところに寄ったことを説明する。「だが、こちら側に来ていない」

テリスキーの頰がぴくりとした。「湖か」

ジョーはかぶりを振った。「おーーおれも最初はそう思った。あんたが来る直前にあの道を通ったんだーー目を配りながら。ガードレールはどこも破れていない。傷すらない。支柱も曲がっていない。バスは湖に落ちたんじゃない。命をかけてもいい」

「じゃあ、ほかに何がある?」テリスキーが訊いた。「山を登れるはずがない」

「わかっている」ジョーがいい、ふたりの男は顔を見合わせた。

「何かの悪ふざけだろう」テリスキーがいった。

「何の悪ふざけだっていうんだ? おれには笑い事じゃないんだーーディックラー家にとっても。彼らと話をした」

「特別映画か何かを観に行く許可をもらったのだろう」とテリスキー。

「親に何も告げずにか？　少なくとも、ミス・ブロムフィールドはそうならそうというだろう。彼女とも話をしたんだ。いいか、テリスキー。バスは切り通しに入り、そこから出てきていない。今は切り通しにはいないし、湖に落ちたのでもない」

テリスキーはしばらく黙っていた。やがて、あくまでも常識的にいった。「バスはこちら側には来なかった。ガードレールを調べてみるが、あんたのいう通りだろう。スリップして湖に落ちたんじゃない。山を登ったわけでもない。だったら、何が残る？」

「頭がおかしくなったってことだ！」ジョーがいった。

「残る答えはひとつだけだ。ステーションワゴンは、切り通しには入らなかった」

ジョー・ゴーマンはうなずいた。「一理ある」彼はいった。「だが、なぜジェイク・ニュージエントが嘘をつく？　ジェリーはもう一時間四十五分は遅れている。切り通しに入らなかったとしたら、どこにいるんだ？　どこへ行ける？　全員が無事なら、どうして電話を寄越さないい？」

一台の車が停まった。男が出てきて、ふたりのほうへ走ってきた。行方不明になったふたりの子供の父親、カール・ディックラーだ。「来てくれてよかった、テリスキー。何が起こったんだ？」

「何かの冗談だ」テリスキーがいった。「何なのかはわからないが。バスは切り通しを走っていないんだ」

「いいや、走っていた！」カール・ディックラーはいった。

「こちら側に来ていないんだ」ジョー・ゴーマンがいった。「おれはもちろん、ピートを待っていたんだから」

「だけど、走っていたんだよ！」ディックラーがいった。「レイクビューに行く途中、すれ違ったんだ。ジェイク・ニュージェントのスタンドから半マイルほど来たところだった。見たんだよ！　うちの子供たちに手を振ったんだ！」

三人は顔を見合わせた。

「こちら側には出てきていない」ジョー・ゴーマンは声を震わせていった。

ディックラーはよろめき、警官につかまって体を支えた。「湖か！」彼はささやいた。

だが、バスは湖に落ちてはいなかった。ジョー・ゴーマンの調査は正しかったことがわかった。破れたワイヤーも、曲がった支柱もなく、傷すらない……。

捜索が始まったのは、暗くなりかけてからのことだった。州警察の警官、子供たちの家族、町の行政委員、保安官、二十五人から三十人の志願者による保安官代理、消えた子供たちの、百人を超える学校の友達。

湖は完全に除外された。ガードレールが無傷だっただけでなく、湖面には厚さ一インチほどの氷が張っていたからだ。切り通しに沿った岸から二マイルの滑らかな氷の表面には、どこにも割れた形跡はなかった。

男も、女も、子供たちも、道の反対側の林に群れをなした。最初から無駄だと知りながら。この道が〝切り通し〟と呼ばれているのは、山の斜面から切り出されたためだった。高さ七フィートほどの砂利の土手が、道に沿ってほぼ隙間なく続いている。そこには、棄てられた採石場に通じる古い道があった。最初の十ヤードを歩いただけで、ここに車が入ってきていないのは明らかだった。とても入れないだろう。

周辺の町や村に、何百件と電話がかけられた。誰ひとり、ステーションワゴンも、子供たちも、ジェリー・マホーニーも見ていなかった。いよいよ不可能に直面しなくてはならなくなった。

バスは切り通しに入ったまま、出てこなかった。湖に落ちたのでもなければ、分け入ることのできない茂みを登ったわけでもない。ただ消えてしまった！　どこかへ行ってしまったのだ！……

誰もが心から心配し、ディックラー、ジョー・ゴーマン、ウィリアムズ、トレント、アイシャム、ノートン、ジェニングスという、消えた子供たちの親に同情を寄せた。だがジェリー・マホーニーの家族や恋人のことは、ほとんど頭になかった。

理性的なこととはいえなかったが、夜が更け、ほんのわずかな手がかりも見つからず、筋道立った仮説も出ないとなるに至って、人々はジェリー・マホーニーのことを噂しはじめた。彼はバスの運転手だ。そのバスは、どこかへ行ってしまった。ジェリーはただひとりの大人だ。どんなふうにそれが——消失が——行われたとしても、ジェリー・マホーニーがハンドルを握らなければ、バスはどこへも行けない。ジェリーが一枚嚙んでいるのは間違いない。

ほんの一時間前まで、ジェリーが尊敬され、信頼され、好かれていたことは関係なかった。

子供たちは消えた。ジェリーが彼らをどこかへ連れて行ったのだ。何のために？　身代金だ。朝にはいっせいに脅迫状が送られてくるに違いないと、人々は噂した。大量誘拐だ。ジェリーが子供たちをどこかに隠しているのだ。クレイトンには裕福な子供がいないから、彼は七つの家族すべてに身代金を要求するつもりなのだ。

こうしてジェリー・マホーニーは悪人になった。ほかに疑うべき人間がいなかったからだ。ジェリーの父親やジェリーの恋人が、いなくなった子供の親と同じくらい彼の身を案じていることに思い至る者は誰もいなかった。

九時半になって、メイソン巡査部長と州警察のテリスキー、保安官のジョージ・ピーボディ、そしてジョー・ゴーマンとカール・ディックラーをはじめとする十数人の町民が、ジェリー・マホーニーの家の居間になだれ込んだ。そこでは、白髪の老人が張りぐるみの肘掛椅子に座り、ジェリーの婚約者のエリザベス・ディーリングがそばの床にしゃがんで、老人の膝に顔をうずめて泣いていた。

老人は、やや細身のグレーのフランネルのスーツを着ていた。真っ赤なベストに真鍮《しんちゅう》のボタン、緑のネクタイといういでたちだ。ネクタイは、セント・パトリック・デー（アイルランドの聖人セント・パトリックの祝日。三月十七日）のパレードのためにデザインされたものに違いない。娘のブロンドの髪を撫でると、小指にはまった指輪の、ずっしりとした金の台に収まったスクエアカットのダイヤモンドが照明を受けて光った。彼はメイソン巡査部長と、それに続く小さな集団を見上げた。巡査部長の険しい顔を見て、ブルーの目から輝きが失われる。

「なあ、パット」メイソン巡査部長がいった。「ジェリーは子供たちに何をした？」パット・マホーニーの薄いブルーの目が、巡査部長の目をじっと見た。続いて愉快そうなしわが、目尻と口元に浮かんだ。

「答える前に、あんたに訊きたいことがある」パット・マホーニーはいった。

「何だ？」

「女房を殴るのはやめたかね、巡査部長？」パット・マホーニーは訊いた。けたたましい笑い声だけが、部屋の中に響いた……。

年長者の中には今も、マホーニー・アンド・フェイが、キース＝オーフィアム・ヴォードヴィル・サーキットで、八人のスター芸人のうち四番目に名を連ねていた頃のことを覚えている者もいた。パット・マホーニーはダンスが得意なアイルランド系のコメディアンで、ノーラ・フェイ――すなわちミセス・マホーニー――は、ダンスでは彼に引けを取らないうえに、天使のようなソプラノの歌声の持ち主だった。

ショービジネスにかかわる者の大半がそうであるように、パットもほら吹きで、うぬぼれ屋で、有名人とのつき合いを匂わせた。だが彼はまぎれもないプロの芸人で、新しい演目は一日に何時間も練習して完璧なものにし、四十年間舞台を休んだことはなかった。そして、ミシガン州グランドラピッズの安ホテルで息子のジェリーが生まれるまでは、稼ぎの半分を怠け者や社会の落伍者たちに与えていた。

今、彼がはめているダイヤの指輪は、何度となく質屋を出入りしていた。それは思い出したくないほど昔から、彼とノーラの安心の基盤だった。

パットとふたりきりになれば、五分としないうちに昔話を聞かされるだろう――ソフィー・タッカーやスミス・アンド・デール、ウィリアムズ・アンド・ウルファス、ジョー・ジャクソンといった、彼が心酔してきた人々の話を。彼はその全員を知っていたし、全員と共演したことがあった。「だがな」と、彼はいうだろう。そして淡いブルーの目に、奇妙なきらめきが宿るだろう。「中でも一番はノーラ・フェイ――すなわちミセス・マホーニーだ」

ノーラの話が始まると、パット・マホーニーを止めることはできない。最初は彼女の歌とダンスの才能を語るが、やがては尽きることのない忍耐、親切心、思いやり、愚かでうぬぼれ屋のアイルランド系コメディアンへの愛情、母親としての優しさ、そして最後に、厳しい悲劇に直面したときの迷いのない勇気について、長々と話して聞かせるのだった。

マホーニーとフェイは、ヴォードヴィリアンの最終目標、ブロードウェイのパレス劇場にはついに出ずじまいだった。パットは事態を打開すべくいくつもの演目を考え出し、ついに成功した。

「わしらは宝石に覆われたカウボーイ服に身を包み、宝石で飾った銃を手に、宝石で飾ったブーツを履いた。そして、少しばかりソフトシュー（底の柔らかい靴を履いて踊るタップダンス）を踊ったあと、突然明かりが消え、宝石だけが見えるって寸法さ――そういうふうに特別に作らせてあるんだ――それから早業へと変わり、銃を抜いてくるくる回し、さばいてみせる。すると会場は大受けだ！ああ、そいつをよその町でやってみたところ、エージェントはついに、ずっと夢見てきたパレス劇場の契約を結んでくれたんだ」

そこから長い沈黙が流れ、パットは派手なハンカチを尻ポケットから出し、どこか怒ったように荒々しく鼻をかむのだ。「今もその衣装を見せてやれる。屋根裏のトランクにしまってあるからな。わしらが——わしとノーラが——最後に演じたときに身に着けていたそのままに。あれはアトランティック・シティだった。出番を終え、拍手喝采がまだ耳にこだましているうちに、あいつは楽屋の床に倒れて痛みに身悶えしたんだ。

それからノーラは教えてくれた。数か月前から次第にひどくなっていると。わしには知られたくなかったのだ。医者にははっきりと、もってあと数か月だろうといわれていたそうだ。わしには一言もいわなかった——パレス劇場目指して頑張っていたから——それが夢だと知っていたからだ。それからわずか三週間で——妻はあの世へ行ってしまった。わしとジェリーを置いて——あの世へ行ってしまったのだ。妻が息を引き取ったとき、わしらはベッドのそばにいた——最後の言葉はジェリーに向かっていったものだった。『パットをお願い』そういったんだ。『面倒を見てあげる人がいないと、何もできないの』それからわしに笑いかけた。すべての歳月が、そのほほえみに込められていた」

そして、話し終えると決まって、パット・マホーニーは手の甲で涙をぬぐい、こういうのだった。「よければ、もう帰らせてもらうよ……」

パットがメイソン巡査部長に向かって「女房を殴るのはやめたかね」という古い冗談をいったとき、誰ひとり笑わなかった。パットは巡査部長の向こうにいるテリスキー、ジョー・ゴーマン、カール・ディックラー、消えたバスにふたりの娘が乗っていたジェニングス夫妻、そして、太ってぜいぜい息をしているジョージ・ピーボディ保安官を見た。

「さっきした質問はな、巡査部長」彼はいった。「あんたがわしにした質問と同じくらい、意味のないものだ。あんたは、ノーラの息子が子供たちに何をしたかと訊いた。そんな質問には答えられん。あんたはこういったかね？『お気持ちはよくわかります、パット・マホーニー、そしてエリザベス・ディーリング。こんな不安なときに、わたしたちに何かできますか？』とね。わしには聞こえなかったがね、巡査部長」

「すまなかった、パット」メイソンはいった。「子供たちがいなくなったんだ。ジェリーがどこかへ連れて行ったとしか思えない」

「違うわ！」エリザベス・ディーリングが叫んだ。「ジェリーはそんな人じゃないと、みんな知っているはずよ！」

彼らはそうは見えなかったが、それを責めることはできなかった。説明のつかない出来事に直面すれば、怯え、うろたえずにはいられない。子供が危険な目に遭っているときに、冷静に反応できるはずがないのだ。彼らは怒ったようにつぶやいた。パットはジョー・ゴーマンとカール・ディックラーの苦悩に満ちた顔と、ミセス・ジェニングスの泣き腫らした目を見た。

「ジェリーは何か妙なことをいっていなかったか、パット？」メイソンが訊いた。「最近の行動は普通だったか？」

「ノーラの息子ほど普通の子はいない」パット・マホーニーはいった。「あんたも知ってるだろう、巡査部長。あの子が小さい頃から知ってるじゃないか」

ミセス・ジェニングスが金切り声でいった。「息子をかばっているのよ。息子をかばうのは当然だわ。でも、あの人がわたしたちの子供をさらったのよ！」

「ハーメルンの笛吹きがまた出てきたんだろう」パット・マホーニーはいった。

「この人にちゃんとした話をさせて！」ミセス・ジェニングスが叫び、周囲の人々はさっきより大きな声でぶつぶついった。

「最後にジェリーを見たのはいつだ、パット？」

「朝食のときだ」パットはいった。「あいつは、昼はジョー・ゴーマンの食堂で食べるんだ」彼の口元がぴくぴくした。「とっくに夕食のために家に帰っているはずだが」

「ジェリーは金に困っていたのか？」メイソンがいった。

「金？　あいつは——今までは——人に尊敬されていたんじゃなかったか？　素晴らしい女性に愛されている男じゃなかったか？　なぜ金など必要になる？」

「この人に筋の通った話をさせて！」ミセス・ジェニングスが絶望したようにいった。

ジョー・ゴーマンが一歩前へ出た。「パット、ジェリーは急に具合が悪くなったのかもしれない。外国の戦地にいた人間は、そうなることがあるんだ。あんたは何らかの兆候に気づいていて、それをいいたくないんだろう。だが、うちのピートはあのバスに乗っていたんだ。カールのふたりの子供と、ミセス・ジェニングスのふたりの子供も。おれたちは途方に暮れているんだ、パット——だから、何か知っていることがあったら話してくれ！　おれたちの子供は、あのバスに乗っていたんだ！」

ジョー・ゴーマンの話を聞くうちに、パット・マホーニーの目は苦悩でいっぱいになった。

「わしの子供もあのバスに乗っているんだ、ジョー」

全員が彼を見ていた。憎しみの目で見る者もあった。やがて、遠くからサイレンの音が聞こえてきた。州警察のパトカーが、レイクビューから猛スピードでやってくるところだった。

「何かの知らせだ！」誰かが叫んだ。

「知らせだ！」

人々は足をもつれさせながら家を出て、近づいてくる車を迎えた――エリザベス・ディーリングを残して。彼女は家の中で、老人に取りすがっていた。

「わからない」彼女の声は震えていた。「あの人たちは、ジェリーが子供たちに危害を加えたと思っているわ、パット！　どうして？　どうしてあの人たちは、彼がそんなことをしたと思うの？　どうして？」

パット老人は遠くを見るような目をした。「グレート・サーストンの話はしたことがあったかな？」彼は訊いた。「あれほど見事な奇術は見たことがなかった」

「パット！」エリザベスは、恐怖に目を見開いていった。

「初めてその舞台を見たのはスー・シティだった。彼はケープをはためかせ、シルクハットをかぶって登場した。そして……」

何てこと、この人は正気を失っている。エリザベス・ディーリングは心の中でつぶやいた。

どうかいい知らせでありますように！　無事に見つかっていますように！

外ではサイレンの音が近づいてきた。

サイレンを鳴り響かせたパトカーは知らせを運んできたが、クレイトンの人々が聞きたかったものではなかった。

だが、心強い知らせもあった。悲劇が起きてから数時間以内に全域に警報が出され、夜明けとともに軍のヘリコプターの一団が周囲数百マイルの捜索を開始する。消えたステーションワゴンと乗客の手配が五州に出され、検察当局は最も優秀な部下を送り込んで、捜索の指揮と調整に当たらせるというのだ。

関係者のヒステリックな反応に影響されることなく、この事件を冷静に見ている警察幹部には持論があった。当然、バスの消失には合理的な説明があるはずだし、検察当局から送られてきた猫背で学者のような容貌の捜査官クライド・ハヴィランドは、クレイトンに到着し次第、その説明を打ち立てるよう命令された。だがそれより、幹部たちは消失の理由に何の疑いも抱いていなかった。集団誘拐だ。犯罪史上でも類を見ないものだった。

誘拐された子供の家族に裕福な者はいなかったので、ハヴィランドと上司たちは、この奇妙な茶番劇の次の動きは、町全体に対する子供たちの身代金の要求だろうと確信していた。ＦＢＩは、州境を越えた関与があればすぐに行動に移れるよう通告されていた。

母親たちは泣き、男たちは運転手のジェリー・マホーニーが裏でかかわっているに違いないと、怒りとともに噂していた。その一方で、官憲は粛々と効率的に仕事をしていた。空軍は、二等軍曹ジェリー・マホーニーの全データをＦＢＩに提供した。軍でジェリーを知っていた者たちは、寝ているところを起こされ、あるいはレストランや劇場から引っぱり出されて質問を受けた。彼が裏社会に入るかもしれないと口にしたことはなかったか？　何か気になったことはないか？

町役場のデスクを前に、クライド・ハヴィランドは成果の一部を保安官のジョージ・ピーボディ、三人の行政委員、メイソン巡査部長とふたりの州警察の警官に報告した。鼈甲縁《べっこうぶち》の眼鏡を注意深く拭いているハヴィランドは、物静かで頼りがいのありそうな男だった。州では素晴らしい評価を得ていた。クレイトンの人々にも知られていないわけではなかった。隣町のジョンズヴィルで起こった、とりわけ凶悪な殺人事件を解決したことがあり、その際に数週間にわたってクレイトンに出入りしていたからだ。

「これまでのところ」彼はかすかに笑みを浮かべていった。「ジェリー・マホーニーに関する報告はきわめて類まれなものです」

「どのように？」メイソン巡査部長が、血のにおいを嗅ぎたくて仕方がないかのようにいった。

「模範市民です」ハヴィランドはいった。「誰も彼の悪口をいう者はない。怒りっぽくはない。恨みを抱いたことも、人をだましたこともない。貯金もある。クレイトン銀行の彼の預金額を見たら、驚く人もいることでしょう。一見すると、彼ほど疑いとはほど遠い人物はいません」

「何にでも、初めてということがあります」カール・ディックラーがいった。彼は子供たちの親であると同時に、行政委員でもあった。

「今夜は零度まで下がりそうだ」ジョージ・ピーボディ保安官が浮かない顔でいった。「あの子供たちが外にいれば――」

「いわせてもらえば、今頃はとんでもなく遠くまで行っているでしょうね」メイソン巡査部長がいった。

ハヴィランドは眼鏡のレンズの奥から、まばたきもせずに彼を見た。「あの切り通しを出ていないとすれば、話は別です」

「誰も子供たちを見ていません」メイソンがいった。「しかし、そこにいないのだから、出てきたのでしょう」

「子供たちは出てきていない」ジョー・ゴーマンがいった。「道の出口の食堂の窓から、ずっと見ていたんだ」

「食料貯蔵室の冷蔵庫から何かを出そうとして、三秒ほど目を離したすきかもしれない」メイソンがいった。

「それで、目抜き通りに沿った家の連中全員が、同じときにクローゼットに頭を突っ込んでいたというのか！」ジョー・ゴーマンがいった。

「あるいは、何者かが空から手を伸ばし、ステーションワゴンを宇宙へと持ち去ったかですね」ハヴィランドはいった。いいながら、ピーボディの丸々太った顔に目をやった彼は、その表情を見て急いでつけ加えた。「もちろん、冗談ですよ」

ピーボディは神経質そうに笑った。「今のところ、それが唯一うまい説明ですね」

カール・ディックラーは頬に手を当てた。時計の針のように正確に、そこの神経が引きつり出したからだ。「わたしはジェリーが好きだ。わたしにも、あなたが聞き出したのと同じ報告ができますよ、ミスター・ハヴィランド。しかし、事実を見過ごすことはできない。彼なら命をかけて子供たちを守っただろうといえたかもしれません。しかし、彼はそうしましたか？それにあの老人――父親です。質問にまともに答えようとしなかった。彼にはどこか妙なところがあります。ミスター・ハヴィランド、わたしの子供たちは――外のどこかにいるはずなんです！」彼は霜に覆われた窓ガラスを手ぶりで示した。

「ここから二百マイル圏内のハイウェイはすべてパトロールしています、ミスター・ディックラー」ハヴィランドはいった。「ステーションワゴンが町を走り抜けたとき、誰もがクローゼットに頭を突っ込んでいたというメイソンの説が正しいとして、彼らが昼間のうちにここを出ていったとすれば、クレイトンを出てから百回は目撃されているはずです。スクールバスと書かれたステーションワゴンを見たという報告は、ひとつもありません」ハヴィランドは言葉を切って煙草に火をつけた。先細の指はニコチンに染まっていた。

「犯罪捜査をしたことがなければいっておきますが、ミスター・ディックラー、普通は手配中の男を見たと思った人たちから電話が殺到するものなのです。バス一台――それにいっぱいの子供たち。誰かが見ているはずです！　ところが、でたらめな情報すら入ってこない。どこかに隠れ場所があって――教えていただかなくても結構。ないのはわかっていますから――夜になってから移動したとすれば、かなりの距離まで行けるかもしれない。しかし、警報はあらゆるところに出ています。五マイルも走らないうちに捕まってしまうでしょう」

「そのことはもう何時間も話し合っているんです！」ディックラーが、引きつる頬を乱暴につねりながらいった。「あなたはどうするおつもりですか、ハヴィランド？」

「われわれが間違っているのでなければ」ハヴィランドはいった。「まもなく誘拐の知らせが入るでしょう。今夜――あるいは明日の朝にでも――手紙か、電話か、あるいは思いがけない方法で。だが、知らせはあるはずです。金を要求されるでしょう。ほかにどんな目的があります？　知らせがあれば、臨機応変に対処しなくてはなりません。こうした事件はそういうものなのです」

「その間、ただ座って待っているのですか！」ディックラーの声には、絶望に似た響きが入り込んでいた。「妻に何といえばいいんです？」

「親御さんは家に帰ったほうがいいでしょう。誘拐犯から連絡があるかもしれませんからね。子供たちの無事を確認させるため、電話口に出されるのはあなたの子供かもしれません」ハヴィランドはいった。「夜が明け次第――」

「子供たちは無事だと思いますか？」ディックラーが叫んだ。

ハヴィランドはしばらく、取り乱した父親を見ていた。それから穏やかにいった。「わたしに何の保証ができるでしょう、ミスター・ディックラー？　できたとしても、あなたは信用しないでしょうね。こうしたゲームを仕掛ける人間には感情もなく、理性もありません。そいつらと戦うには、静かに動かなくてはならない。相手を怖がらせれば、どんなことになるかわかりません。ですから、みなさんは家に帰って待っていてくださいといっているのです」彼は煙草を床に落とし、踵で揉み消した。「そして、祈っていてください」

ジェリー・マホーニーの恋人、エリザベス・ディーリングは、心配で具合が悪くなりそうだった。彼女にはジェリーが一番の気がかりだった。子供たちとともに消えたジェリー。もっとひどいことに、友人たちに疑われているジェリー。だが、それよりも気がかりなのはパット・マホーニー老人のことだった。

怒った人々が家を出て行ってから、彼のいうことは支離滅裂だった。遠い昔のヴォードヴィル時代のことを、いつまでも話しつづけた。スー・シティでグレート・サーストンを初めて見たときの記憶に取りつかれているかのようだ。彼はカードの奇術を覚えていた。女性をのこぎりで真っ二つにするのを見たのも。そして、妻のノーラがすっかり煙に巻かれ、子供のように喜んだことも。彼はその偉大な男がしたことを、全部覚えているようだった。

エリザベスがどう頑張っても、パットを現在に連れ戻すことはできなかった。この悲劇で、正気の世界から完全に転げ落ちたかのようだ。玄関ポーチにしっかりとした足音が聞こえたときには、彼女は心の一部でほっとしていた。だが別の一部では、メイソン巡査部長と見知らぬ長身の男を見たとき、何か知らせがあるに違いないと恐れていた――ジェリーにまつわる悪い知らせが。

メイソンは最初に訪ねてきたときよりも攻撃的ではなくなっていた。彼はハヴィランドを紹介し、パットと話がしたいといってきた。エリザベスはふたりを居間へ通した。そこでは今もパットが張りぐるみの肘掛椅子に座っていた。

　メイソンはハヴィランドを紹介した。「ミスター・ハヴィランドは、検察当局から来た特別捜査官なんだ、パット」

　パットの目が輝いた。「すると、あんたがジョンズヴィルの殺人事件を解決した人かね？　あれは見事な仕事ぶりだった」

「ありがとうございます」ハヴィランドがいった。パットを見た彼は、派手なベストにネクタイ、指にきらめくダイヤモンドに面食らった。パットに会う心の準備はしてきたつもりだが、不十分だったようだ。

「座ってくれ」パットがいった。「礼儀正しくお願いすれば、リズがコーヒーをいれてくれるだろう」

　メイソンがうなずくのを見て、エリザベスはキッチンへ引っ込んだ。メイソンはそれを追いかけ、新しい知らせは何もないと告げた。ハヴィランドはパットの隣の長椅子に腰を下ろし、長い脚を伸ばして、パットに煙草を勧めた。

「煙草は吸わないんだ」パットがいった。「実は葉巻以外は好きじゃなくてね。ノーラはあのにおいが大嫌いだった。そうなったら、やめるほかあるまい？　あんたは昔のヴォードヴィルを見たことがあるか、ミスター・ハヴィランド？」

「子供の頃に」ハヴィランドはそういって、煙草に火をつけた。「しかし、あなたを拝見することはできませんでしたが、ミスター・マホーニー」

「パットと呼んでくれ。みんなにそう呼ばれている。わしは大したことがなかった。歌も踊りも三流の芸人だった。だがノーラは——ああ、あんたがわしのノーラを見ていれば……」

ハヴィランドは続きを待ったが、パットはかけがえのない思い出に没頭してしまったようだった。

「息子さんのことはさぞ心配でしょうね、パット」彼はいった。

ほんの一瞬、気のいい無力な老人の仮面がパットの顔から滑り落ちた。「あんたは違うのか？」彼は激しい口調でいった。それから、ほとんど一瞬のうちに仮面は元通りになり、パットはけたたましく笑った。「何か仮説があるんだろう、ミスター・ハヴィランド？　この事件にどう取り組むつもりだ？」

「わたしの考えでは」ハヴィランドは打ち解けた口調でいった。「子供たちとあなたの息子さんは誘拐されたのです。まもなく誘拐犯から連絡があるでしょう。十中八九、町全体に多額の身代金が要求されると思います」

パットはうなずいた。「わしはこのダイヤの指輪を差し出そう」彼はいった。「こいつは一度ならずジェリーを厄介事から救ってくれた」

ハヴィランドの目が細くなった。「前にもそんな目に遭ったことが？」

「あいつの主な厄介事は父親さ」パットはいった。「ときには食うに困ることもあった。だがいつでも、この指輪で何か食べられるだけの金を手に入れることができた」笑みを含んだ明るい目でハヴィランドを見た。「バスがどうやって消えたのか、わかったんだな？」

「いいえ」ハヴィランドはいった。

「もちろん、それは大した問題じゃない。そうだろう?」

「ええと、もしわかっていれば——」

「大した問題じゃない」パットはいった。「問題は、これから何が起ころうとしているかだ」

「金の要求のことをいっているんですか?」

「それがこれから起こる出来事ならな」パットはいった。けたたましい笑い声が、急にハヴィランドの神経に障った。このおどけた老人は、何かを知っている!

「あなたは別の説をお持ちなのですね、パット?」怒りを声に出さないようにして、ハヴィランドが訊いた。

「キース＝オーフィアム・サーキットの、グレート・サーストンを見たことがあるか?」パットは訊いた。

「いいえ、残念ながら」ハヴィランドは答えた。

「あれほど見事な奇術は見たことがなかった」パットはいった。「フーディーニよりも素晴らしかった。誰よりも素晴らしかった。初めて見たのはスー・シティで——」

「事件のことですが、パット」ハヴィランドが口を挟んだ。「仮説があるんですね?」

「仮説などない」パットはいった。「だが、何が起ころうとしているのかはわかる」

ハヴィランドは身を乗り出した。「何が起こるんです?」

「ふたつのうちひとつだ」パットはいった。「町の連中はみな、見つからないと知りつつ湖にステーションワゴンを探しに行くだろう。そして、見つからないと知りつつ森を探すだろう。それがひとつ。もうひとつは、ミスター・ハヴィランド、みんながあんたの説に同意する――いっておくが、なかなかいい説だ――そして、誰もが家で知らせを待つ。いずれにせよ、同じ結果になるんじゃないかね？」

「同じ結果？」

「そうとも。クレイトンの誰ひとり、仕事に行かない。採石場は開かない。小さな店や会社は休みになる。人々は捜索に出るか、待つかだ……」

「それで？」

「それで、誰にどんな得があると思う？」パットが訊いた。

ハヴィランドは煙草を灰皿に押しつけて消した。「誰にも、どんな得もないでしょう。採石場の経営者は少しばかり損をするでしょうし、店や会社も同じです」

「何の意味もないというのか？」パットはにやりとしていった。

ハヴィランドは立ち上がった。もうたくさんだ。メイソンとエリザベスが、コーヒーを持ってキッチンから戻ってきた。「おっしゃっていることには、ほとんど意味がないようですが、ミスター・マホーニー」

パットの目が光った。「あんたはグレート・サーストンを見たことがないといったな？」

「見たことありません」ハヴィランドはいった。

「まあ、今にわかるさ。連中が家でじっと待つことになっているなら、家で待つだろう。捜索に出ることになっているなら、捜索に出るだろう。ああ、コーヒーだ！　実にいい香りだ。座ってくれ、巡査部長。ところで、賭けをしよう、ミスター・ハヴィランド」パットがいった。

「わたしは賭けをしないもので」ハヴィランドはいった。

「まあ、賭けみたいなものということさ」パットはいった。「明日の朝、みんなが捜索に出るのに賭けよう。家で待つようにとあんたが命令したとしても、捜索に出るのに賭けるよ」

「いいですか、パット、何か知っているなら……」

夢見るような表情がパットの目に宿った。「ノーラがグレート・サーストンにあまりに夢中だったので、スー・シティにいる間じゅう、わしは彼を追いかけた。ひょっとしたら、簡単な奇術をいくつか教えてもらえるかもしれないと思ったのだ。ノーラのためというふりをしていたが、本当は自分たちの出し物に使えないかと考えていた。彼は何も教えてはくれなかった――奇術のトリックについてはということだ。だが、自分の商売の原理を教えてくれた」

「お砂糖は？」エリザベスがハヴィランドに訊いた。かわいそうなパット、と彼女は思った。

「原理というのは」パットがいった。「自分が考えさせたいことだけを観客に考えさせ、見せたいものだけを見せることなのだ」パットの目が輝いた。「それで思い出したが、あんたに見せたいものがある、ハヴィランド」

ハヴィランドはコーヒーをがぶりと飲んだ。どういうわけか、この老人に心を奪われていた。パットが階段の下で手招きし、ハヴィランドはそれに従った。

メイソンを見るエリザベスの目には涙が浮かんでいた。「あの人はすっかりおかしくなってしまったわ」彼女はいった。「ミスター・ハヴィランドに何を見せようとしているかわかる？」メイソン巡査部長は首を横に振った。

「カウボーイ服よ！」エリザベスはそういって長椅子にくずおれ、静かに泣きはじめた。「カウボーイ服を見せるつもりなの」

その通りだった。ハヴィランドは屋根裏部屋へ連れて行かれ、斜めになった梁にぶつからないよう頭を下げていなくてはならなかった。パット老人は衣装トランクを開け、銀の覆いを開けてトマト料理を見せるウェイターよろしく、二着のカウボーイ服を披露した。トランクの両側に、一着ずつきちんとかけられている——ノーラのと彼のだ。革ズボン、シャツ、ベスト、ブーツ、ステットソン帽、ガンベルト——どれも舞台用の宝石に覆われている。

「……そして、照明が消えると」パットは話を続けていた。「見えるのはこのきらめく宝石だけとなる。そしてわしらは銃を抜き……」突然、パットは宝石をちりばめた二丁の六連発銃を手に取り、くるくると回してみせた。「あの頃は、ジェシー・ジェイムズよりも素早く銃を抜き、構えることができたものさ！」

ハヴィランドはわれに返った。この老人は正気じゃない。「いいものを見せてもらいました、ミスター・マホーニー」彼はいった。「しかし、そろそろおいとましませんと……」

夜明けとともに、ハヴィランドはメイソン巡査部長とジョージ・ピーボディ保安官に、バスが消えた現場へと案内させた。ほかの人々は家にいて、誘拐犯からの連絡を待っていた。町じゆうが恐ろしい一夜を過ごしていた。不吉な予兆と暗い想像に満ちた一夜だった。ハヴィランドは二マイルにわたる切り通しを隅から隅まで精査した。事実から目をそらすことはできない。こんなことが起こるはずはない――だが、起こったのだ。

八時半頃、彼はクレイトンのジョーの食堂に戻った。足踏みして暖を取り、湯気の立つブラックコーヒーを飲みながら、それと一緒に腹に入れる卵とトーストを待ちわびていた。親たち全員の確認は取っていた。電話も、ドアの下から手紙が入ることも、朝の郵便もなかった。

ハヴィランドは朝食を食べそびれた。ジョー・ゴーマンが卵料理をグリルから取り出したとき、州警察のテリスキーが飛び込んできたのだ。健康な若者のテリスキーは紙のように白い顔をし、喉を詰まらせたようにいった。「見つかりました」彼はいった。「少なくとも、居場所がわかりました。ヘリコプターが見つけたんです。たった今、町に知らせたところです」

ジョー・ゴーマンはカウンターの後ろで、卵の皿を取り落とした。カウンターのスツールに座っていたハヴィランドは振り返った。テリスキーの顔を見て、うなじの毛が逆立った。

「切り通しから入った先の古い採石場です」テリスキーはそういって、息継ぎした。「バスは見当たりませんでした。そこへは登らなかったのでしょう。でも、子供たちの」テリスキーはカウンターで自分の体を支えた。「教科書に」彼はいった。「コートが二着――採石場の入口に落ちていました。それと採石場の中にも――同じものが。子供のひとりがかぶっていた、赤いベレー帽――」

「ピーター!」ジョー・ゴーマンが叫んだ。

ハヴィランドはドアへ向かった。クレイトンの目抜き通りはぞっとするような眺めだった。人々は家から駆け出し、口々に叫び声をあげ、狂ったように切り通しを目指した。車に乗ろうとする者は、目の前の人々を押しやった。秩序はなかった――あるのは、やみくもなパニックだけだ。

食堂の外の縁石に立ったハヴィランドは、全身が氷のように冷たくなっていた。パット・マホーニーの家のほうを見たとき、激しく泣きじゃくる女が石を拾い上げ、パットの家の正面の窓に投げつけた。

「行きましょう――何をしているんです?」州警察のパトカーの運転席からテリスキーが叫んだ。

ハヴィランドは凍りついたようにその場に立ち尽くし、パット・マホーニーの家の割れた窓ガラスを見ていた。廃採石場は深さが六十フィートあり、常に湧いてくる氷のような水が、縁から六フィートのところまで満たしているのを彼は知っていた。

消防車がサイレンを鳴らしながら通り過ぎて行った。鉱山の水をポンプで抜くのだ。だがそれは、大西洋の水をティーカップで汲み出すようなものだろう。

「ハヴィランド!」テリスキーが必死に呼びかけた。

ハヴィランドはまだパット・マホーニーの家を見ていた。けたたましい老人の笑い声が耳にこだまする。「賭けをしよう、ミスター・ハヴィランド。家で待つようにとあんたが命令したとしても、捜索に出るのに賭けるよ」

これまで経験したことのない怒りが、ハヴィランドの体の中の氷を押し流した。パットは知っていたのだ！　あの偏屈じじいは、ゆうべのうちに知っていたのだ！

採石場で目にしたような光景を、ハヴィランドはそれまで見たことがなかった。

切り通しから採石場まで二百ヤードほど続く、草ぼうぼうになって久しい古い道が、まるでバッファローの群れが通ったかのように踏みしだかれていた。

町に知らせが届いてから十五分と経たないうちに、クレイトンじゅうの人間とレイクビューの人口の半分が、採石場へと駆けつけていたのだ。

夜明けに飛び立った最初の軍のヘリコプターのうち一機が、打ち捨てられた石切り場の隅に散らばった服や教科書を見つけていた。

パイロットは高度を下げてその奇妙なものを判別し、すぐさま州警察に無線で連絡した。そして人々が殺到したのだ。

ハヴィランドは悲劇に直面しても客観的でいられるよう訓練を受けていたが、目にしたものに心が引き裂かれそうになっていた。女たちが前へ出ようと押し合いへし合いし、叫び、服や教科書を確かめようとしている。子供たち全員が、この冷たい墓所にいるとは限らない。それだけが絶望の中の唯一の望みだった。だが、誰も信じてはいなかった。テリスキーがふと漏らしたように、殺人狂のしわざと思われた。

ハヴィランドは動揺しているピーボディ保安官から、採石場についてできるだけの情報を引き出した。

「昔からクレイトンでは大理石が採れたのです」ピーボディはいった。「ニューヨークの大きなビルの半分は、クレイトン採石場の大理石を使っています。ここは、六十年近く前にクレイトン大理石会社が開いた最初の採石場のひとつです。新しい採石場ができたので、ここは閉鎖されたわけです」

寒さにもかかわらず、ピーボディは汗をかいていた。彼は格子縞のハンティングシャツの袖で顔を拭いた。「深さは六十フィートで、壁は切り立っています」彼はいった。「石は十フィートの塊で切り出すので、十フィートごとに小さな岩棚ができていますが、仮に水がなくても、子供たちが登ってくることはできないでしょう」

ハヴィランドは、採石場から水を汲み出しはじめている消防車を見やった。「大した役には立たないだろう」

「ポンプで汲み出すスピードより、水が湧くほうが速いでしょうね」ピーボディはいった。「いっても仕方ありません。何かやっているという気になりたいのでしょうから」太った保安官の唇は、厳しく結ばれていた。「なぜジェリー・マホーニーはこんなことをしたんでしょう？　なぜ？　あの老人は少しおかしくなっていて、息子も正気をなくしているのだとしかいえません」

「腑に落ちないことがある」ハヴィランドはいった。煙草に火をつける自分の手が震えているのに気づく。採石場の入口近くにいる女性のヒステリックな金切り声が神経に障った。「ステーションワゴンはどこにある？」

「きっとここまで運転してきて――子供たちをこんな目に遭わせ、暗くなるまで待って逃げたんでしょう」

「だが、暗くなる前にこのあたりの森は探したはずだ」ハヴィランドはいった。

「どういうわけか見逃していたんですよ」ピーボディは頑固にいった。

「九人乗りのステーションワゴンを見逃すのは、容易なことじゃない」

「だけど、見逃したんです。なぜかは知りませんが、見逃したんですよ」ピーボディは首を振った。「ここで唯一役に立つのは、フックでしょうね。操業中の採石場からクレーンが向かっています。到着には一時間以上かかるでしょう。フックで底をさらい、子供たちが引き揚げられるまで、誰もこの場を動かないでしょうね」

　ただし、とハヴィランドは思った。リンチの機運が高まれば別だ。赤いベストにグリーンのネクタイを締め、小指にダイヤを光らせた老人のことを思い出す。割れた窓ガラスを――そして、一時代前の群衆がどんな行動を起こしたかを。

　誰かがハヴィランドのコートの袖を引っぱった。見ると、ジェリー・マホーニーの恋人エリザベス・ディーリングだった。

「じゃあ、本当だったんですね」彼女はつぶやいた。脚がよろめき、ハヴィランドにぎゅっとつかまって体を支える。

「子供たちの持ち物が見つかったのは本当です」ハヴィランドはいった。「今、本当のことといえるのはそれだけですよ、ミス・ディーリング」彼は自分の言葉に少し驚いていた。直感的に、目の前に広がる光景を自分が一切信じていないのがわかっていた。「この地域一帯は、ゆうべ暗くなる前に捜索が行われました」彼はいった。「教科書やコート、ベレー帽を発見した者は誰もいません。ステーションワゴンを見た者もいません」

「そんなことをいってどうなるのです?」ピーボディがいった。彼は目を細めてじっとエリザベス・ディーリングを見ていた。「わたしだって、見ているものを信じられません、ミスター・ハヴィランド。だが、信じるしかない」太った男の次の言葉は、鞭《むち》のひと打ちのように辛辣に響いた。「たぶん、きみはクレイトンでただひとり運がよかった人だな、リズ。危ういところでやつが殺人狂だとわかったのだから——結婚する前にね」

「やめて、ジョージ!」娘は叫んだ。「どうしてそんなことを信じるの——」

「ほかに何を信じればいい?」ピーボディはそういって、背を向けた。

エリザベス・ディーリングはハヴィランドにすがり、泣いていた。背の高い男は彼女の頭越しに、採石場の入口に集まっている何百人もの人々を見た。以前ペンシルヴェニアで見た鉱山事故を思い出す。町じゅうの人々が縦坑の上に集まり、死者が引き揚げられるのを待っていた。

「ここを出ましょう」彼は急に力を取り戻し、エリザベス・ディーリングにいった。

クレイトンに人けはなかった。商店は閉まっている。ジョーの食堂も閉まっていた。鉄道の駅長は勤務中で、行方不明になった子供たちの親の友人や親類から来たたくさんの電報をさばいていた。銀行から通りを挟んだ向かいにある電話局では、女性ふたりが持ち場についていた。年を取った出納係のミスター・グレンジャーと速記者ひとりだけが、銀行に出勤していた。ミスター・グレンジャーはクレイトン大理石会社の給与の準備をしていた。だが、ふたりの警備員を乗せたトラックが会社から金を取りに来るかどうかはわからなかった。

そのほかは、平常通りに営業しているものは何もなかった。通り沿いのホテルすら休業していた。数人のセールスマンが車で町へ来て、ニュースを聞くと、切り通しを通って悲劇の現場へと向かって行った。ごく高齢の老人が数人、家の玄関をよろよろと出たり入ったりし、目抜き通りから切り通しのほうを心配そうに見ていた。診療所まで閉まっていた。町の医師と看護師は、全員が悲劇の現場へ駆けつけていた。

通りの先にあるパット・マホーニーの家では、正面の窓に新聞が貼られ、穴をふさいでいた。パット・マホーニーは居間で、大きな張りぐるみの肘掛椅子に腰を下ろしていた。ゆっくりと前後に椅子を揺らしながら、膝に広げたスクラップブックを見ている。黒々とした大きな見出しが、ショービジネス専門紙の最上段を飾っていた。

マホーニー・アンド・フェイ
バッファローで大当たり

その下にはパットとノーラの写真があった。宝石を飾ったカウボーイ服を着て、六連発銃をまっすぐカメラに向けている。記事には出し物の説明が書かれていた。宝石だけが見える暗闇のダンスに、火を噴く六連発銃。「ここ数年で最も独創的な出し物だ」バッファローの批評家はこう書いていた。「マホーニーとフェイは、いつもの演目にひと味加えたことで、全米の観客を楽しませることだろう。パレス劇場への出演が決まっても驚くことではない」

パットはスクラップブックを閉じ、かたわらの床に置いた。上着の胸ポケットから財布を出す。それは書類や名刺で膨らんでいた。エルクス慈善保護会名誉会員、一九二七年ウィチタ名誉警察署長、その他いくつかの友愛団体の会員証。

雲母板で注意深く保護されているのは、何枚かのスナップ写真だった。今では色褪せていたが、さまざまな成長段階でのジェリーとノーラの写真であることは見て取れる。生後六か月のジェリー。一歳のジェリー。四歳のジェリー。そしてノーラは息子に優しくほほえみかけていた。この写真からは愛が輝き出しているようだとパットは思った。

パットは写真を戻し、財布をポケットにしまった。椅子から立ち上がり、階段へ向かう。彼を知る者は驚いただろう。誰もがきびきびと若々しく動くパットしか見たことがなかった。合図ひとつで今でもタップダンスを踊れたし、いつでもその用意があるという印象を与えていた。だが、今の彼はのろのろと、ほとんどつらそうに動いていた――疲れた老人で、それを誰に隠す必要もなかった。隠す者は誰もいない。ジェリーはいなくなり、リズも出て行ってしまった。

彼は二階へ行き、屋根裏部屋へ通じるドアへ向かった。ドアを開け、明かりをつけ、庇の下のスペースに入る。そこで彼は、ハヴィランドに見せた衣装トランクを開けた。左側から宝石で飾られたカウボーイの衣装を取り出す——革ズボン、ブーツ、ベストにシャツ、ステットソン帽、そして六連発銃が収まったガンベルト。彼は時間をかけてそれらを二階の寝室に運んだ。そこでパット・マホーニーは衣装を着はじめた。

そしてようやく、バスルームのドアの裏についている姿見の前に立った。踵の高い靴のせいで、普段より二インチ背が高く見える。ステットソン帽は、粋な角度で頭に載っていた。宝石をちりばめた革ズボンとベストが、窓から射す太陽の光にきらめく。突然、パット老人が素早く脚を広げて構えると、銃がホルスターから飛び出して目まぐるしく回転し、ぴたりと鏡を狙った。

「手を上げろ、腰抜けどもめ！」パットは叫んだ。宝石に覆われたガンマンが、鏡の中から険しい顔で見返していた。

やがて、彼はゆっくりと顔をそむけ、引き出しの上の銀の写真立てを見た。とても若かった頃のノーラが、穏やかな笑みを浮かべて彼を見ていた。

「わしは大丈夫だ」パットはいった。「見ていてごらん。これもまた、大当たりを取るだろう。息子のことは心配するな。わしがついている限り心配ない。見ていてごらん……」

その日はクレイトンにとって恐ろしい一日だったが、電話局の主任交換手、ガートルード・ネイラーはのちに、最も恐ろしかったのはパット・マホーニー老人が目抜き通りを歩いてくるのを見たときだったと語った——通りの真ん中を、奇抜なカウボーイの服を着て。彼は左右を見ながらゆっくりと、通りの中央の白線の上を歩いていた。

「映画では何度となく見たことがあるわ」ガートルード・ネイラーはいった。「人けのない町を歩くカウボーイが、敵が現れるのを待っている――銃を抜く瞬間を。パットの両手は、ホルスターに入ったあの馬鹿げた銃の上をさまよっていた。しじゅう親指と他の指の先をこすり合わせながら。わたしはミリーにそれを見せ、ふたりして笑おうとしたの。でもどういうわけか、それが何より恐ろしい光景に思えたのよ。ジェリー・マホーニーが子供たちを殺し、その父親が、すっかりおかしくなっているんだもの」

銀行にいたミスター・グレンジャーも、宝石で飾った老ガンマンが窓口に近づいてきたとき、ほとんど同じ反応を示した。

「おはよう、ミスター・グレンジャー」パットは陽気にいった。

ミスター・グレンジャーは、蒼白になった唇を舐めた。「おはよう、パット」

「今朝は忙しくなさそうだな」パットはいった。

「あ――ああ」ミスター・グレンジャーはいった。殺人者の父親が――サーカス見物の子供のような格好をしている。精神病患者を収容するクッション張りの保護室行きだなと、ミスター・グレンジャーは思った。

「忙しくないなら」パットはいった。「この三か月の、わしの口座の明細が見たい」そういいながら、彼は振り向いてカウンターにもたれ、通りに面したガラス窓の外を見た。その手は銃のそばにあり、ひっきりなしに指先を親指の腹にこすりつけていた。

「明細書は毎月出しているだろう、パット」ミスター・グレンジャーはいった。

「それでも、この三か月の明細が見たいんだ」パットはいった。

「彼の気の済むようにしたほうがいいと思いました」ミスター・グレンジャーはのちに語った。「そこで、記録を取りに金庫室へ向かいました。金庫室のドアを開けて中に入ったとき、彼がまたいったのです。ごくさりげない口調で。『わしがあんたなら、ミスター・グレンジャー、その金庫室のドアを閉め、そのまま中にいるね。そして手あたり次第警報を鳴らすだろう。これから強盗が入るぞ、ミスター・グレンジャー』

わたしはこれも彼のたわごとだと思っていました。自分が銀行強盗に入るといったのだと思ったのです。だからあのカウボーイの衣装を身につけているのだと。子供返りしたのだろうと思いました。怖かったです。彼は正気をなくしたと思ったものですから。そこで金庫室のドアを閉め、警報のスイッチを入れました。ところが、作動しませんでした。そのときには知りませんでしたが、銀行への送電線はすべて切断されていたのです」

電話交換手のガートルードとミリーは、その後の展開を特等席で見ていた。彼女たちの目の前で、黒いセダンが銀行の前に停まり、黒い服と帽子に身を包んだ四人の男が出てきて、銀行のステップを駆け上がった。ふたりは小さなスーツケースを持ち、ふたりは銃を手にしていた。

すると突然、銀行のドアが勢いよく開き、古風なカウボーイが姿を現した。手は銃の上に構えている。彼は奇妙なジグのステップを見せたあと、しっかりと腰を落として身構えた。四人の男はその眺めに仰天し、凍りついたかに見えた。

「手を上げろ、腰抜けどもめ！」パット老人が叫んだ。銃がホルスターから抜かれ、くるくると回転した。突然、それがまっすぐ賊に向かって火を噴いた。

四人の男はとっさに身を守った。沈みかけた船の甲板から身を躍らせるように。ひとりは銀行の建物の角に隠れた。ふたりは車の横手に身を隠した。四人目は車に駆け込もうとしたが、銃に狙いをつけられた。

「最初の一発は頭上を狙った！」パットは叫んだ。「あと一インチでも動いてみろ、こっぱみじんにしてやるぞ！」銃がまた回転したかと思うと、無防備な賊をぴたりと狙った。「よし、前へ出て、銃を捨てろ」パットは命令した。

銃でまともに狙いをつけられた男は、ただちに従った。銃はパットから数フィートの路上に落ち、賊はゆっくりと両手を上げた。パットは捨てられた銃にじりじりと近づいた。

ほかの男たちは動かなかった。そのとき、ガートルードとミリーは、銀行の角に隠れた男がゆっくりと銃を上げ、パットに狙いをつけるのを見た。彼女とミリーはいっせいに叫び、パットがはっと振り返った。その瞬間、銃声が響きわたった。

パット老人は肩を押さえて崩れ落ちた。だが、銃を撃った男と、車の後ろのふたりも同様だった。ガートルードとミリーは、ハヴィランドの背の高い体が、隣のホテルの角から出てくるのを見た。煙の立ちのぼる銃を手にしている。彼はとても静かな声で話したのだろう。ガートルードにもミリーにも聞こえなかったが、何といったにせよ、賊は降参した。やがてふたりは、エリザベス・ディーリングが通りを駆けてきて、パット老人のもとへ向かうのを見た。老人は倒れ、肩をつかんだ指の間からは血がしたたっていた……。

州警察のテリスキーの車がサイレンを鳴らし、猛スピードで切り通しを走っていた。古い採石場に通じる角を曲がるときにはタイヤがきしみ、横滑りしながら荒れた道へと入って行った。車が石の上で跳ね、藪を引き裂く。突然、目の前に新しい採石場から来たクレーンが現れた。キャタピラ付きのトラクターに載せられ、少しずつ道を進んで行く。テリスキーは車から飛び降り、クレーンを追い越しざまに、運転席の男に叫んだ。

「そいつにもう用はない！」テリスキーは大声でいった。足をもつれさせ、息を切らしながら空地へと急ぐ。そこでは数百人の人々が、悲しみに打たれた沈黙の中、遺体の引き揚げ作業が始まるのを待っていた。

「みんな！」テリスキーが叫んだ。「みんな！　聞いてくれ！」半分笑いながら、半分息を切らしていう。「子供たちはそこにはいない！　無事だ。全員無事なんだ――子供たちも、ジェリー・マホーニーもみんな！　そこにはいない。あんたたちより先に、家に帰っていることだろう！　子供たちは――」ここで彼は前のめりに倒れ、湿ったローム土のにおいのする空気を吸い込んだ。

二十分後、クレイトンは大騒ぎだった。駆ける人々、車を走らせる人々、踏み板に乗ったりバンパーにしがみついたりする人々。町の中心にある銀行の真向かいには、屋根に黄色いスクールバスの表示をつけたステーションワゴンが停まり、そこから子供たちが飛び出してきた。泣き笑いしている親たちに向かって手を振り、叫びながら。そして、明るいブルーの目をしたハンサムなアイルランド系の若者は、エリザベス・ディーリングと固い抱擁《ほうよう》を交わした……。

煙草に火をつけるハヴィランドの手は、わずかに震えていた。まだ正午にもなっていないのに、これで三箱目だ。

「まだ会えませんよ」彼はジェリー・マホーニーにいった。「医師の診察中ですから。もうすぐです」

「まだわからないんです」ジェリーがいった。「みんなは、ぼくが子供たちに危害を加えたと思っているんですか？」

「町がどんな様子だったか、あなたは知らないのよ」エリザベス・ディーリングはそういって、彼の腕にしっかりとしがみついた。

ジェリー・マホーニーは振り向いて、割れた窓の上に貼られた新聞紙を見て険しい顔になった。「教えてください。簡潔に。父のことを」彼はいった。

ハヴィランドはかぶりを振り、まだ放心状態であるかのような笑みを浮かべた。「お父さんは驚くべき人ですよ、ミスター・マホーニー」彼はいった。「その頭は、独特の奇妙な働きをするようだ……。バスの消失は、彼にはほかの人とは違った印象を与えたのです。彼はそれを奇術のトリックとして見て、奇術のトリックとして考えたのです――というよりも、奇術のトリックの一部として。彼はわたしに話してくれたのに、わたしは聞く耳を持ちませんでした。彼は奇術師の仕事を、自分が考えさせたいことだけを相手に考えさせ、見せたいものだけを見せることだといいました。子供たちの消失と、採石場でのぞっとするような死の偽装――それはお父さんにとって、ひとつの意味を持っていました、ミスター・マホーニー。誰かがクレイトンの人たち全員を町から出したかったのです。なぜでしょう？

あなたの素晴らしいお父さんが思いつく、筋道立った理由はひとつしかありませんでした。採石場の給与です。十万ドル近い現金があり、町にはそれを守る人がひとりもいない。誰もが子供たちを探しに出ているのだから、賊はただ銀行へ行き、金を奪えばいいのです。警察官もいない。邪魔するものは何もない」

「しかし、どうして父はそのことをあなたにいわなかったんでしょう？」ジェリーが尋ねた。

「この町がどんな状況だったか、あなたはまだわかっていない、ミスター・マホーニー」ハヴィランドはいった。「みんな、あなたが子供たちに何かしたと思っていました。そしてお父さんは、そのことについて何か知っていると。たとえわたしでも、彼が自分の意見をいえば、頭がおかしくなったか何かを隠そうとしているかのどちらかだと思ったでしょう。だから、いわなかったのです――いくつかヒントはくれましたがね。そして突然、彼は事実上、この町にひとりきりになった。そこで二階へ上がってあのカウボーイの衣装に身を包み、完全に落ち着き払って銀行へ向かい、来るとわかっている賊を待ち構えたのです。そして、賊は来ました」

「でも、どうしてカウボーイ服を？」エリザベス・ディーリングが訊いた。

「一風変わった、素晴らしい頭の持ち主である彼は、自分の姿の奇抜さに、賊が少しばかりうろたえるだろうと踏んだのです。あの銃を撃てば、彼らはパニックになるだろうと。実際、ほぼその通りになりました」

「わからないのは」エリザベスがいった。「まっすぐに狙いをつけて撃ったのに、どうして誰にも当たらなかったのかということよ！」

「あれは舞台用の銃だ――小道具なんだ」ジェリーがいった。「ただ火が出るだけなんだよ」

ハヴィランドはうなずいた。「彼は賊に銃を捨てさせ、本物の銃を手に入れて、それを突きつける気だったのでしょう。もう少しでうまくいくところでした。だが、建物の角に隠れた男の撃った弾が彼に当たってしまった。幸い、それと同時にわたしが駆けつけ、後ろから全員をとらえることができました」

「でも、どうして駆けつけたんです？」ジェリーが訊いた。

「お父さんのことが頭を離れなかったので」ハヴィランドはいった。「彼は何が起こるかわかっているようだった。わたしが家にいろと命じても命じなくても、人々は子供たちを探しに行くとね。そして突然、なぜ彼がそういったのかがわかったのです」

「よかった」ジェリーはいった。「あなたが賊から、ぼくたちの居場所を聞き出したんですね？」

ハヴィランドはうなずいた。「どうやってのけたのか、まだ完全にはわからないのですがね、ジェリー」

「ごく簡単なことですよ」ジェリーはいった。「子供たちを乗せた帰り道、切り通しに入って半マイルほど走ったあたりでした。ちょうど反対側から来たカール・ディックラーの車とすれ違ったとき、大きなトレーラートラックが前方に現れました。トラックは停まっていて、後方にふたりの男が立っていました。

故障だな、とぼくは思いました。バスを停めると、突然銃がぼくと子供たちに突きつけられました。彼らはほとんど口をききませんでした。いわれた通りにしろというだけで。彼らは大型トラックの後ろを開け、傾斜路を引き出しました。子供たちがいなければ逃げ出していたかもしれません。バスをトラックの中へ入れろと命令されました。それから、ステーションワゴンをトラックの中に乗り入れると、彼らは後方のドアを閉め、それで終わりです。トラックはぼくたちを乗せて走り去りました――この町の目抜き通りを抜けて！」

ハヴィランドはかぶりを振った。「禁酒法時代に何百回と使われた古い手だ。まったく思いも寄らなかった！」

「十分と経たないうちに」ジェリーは続けた。「ハスケル家の敷地にある、使われていない大きな納屋に着きました。そこにずっと閉じ込められていたんです。子供たちにはとても親切でしたよ――ホットドッグにアイスクリーム、ソーダなんかを与えて。

それで、ぼくたちは理由もわからずただ待っていました。しかし、誰も危害を加えられなかったし、子供たちもあなたがたが考えているほど怖がってはいませんでした」ジェリーは笑った。「ええ、ぼくたちは無事切り通しを出ました――そして、町のみなさんのすぐそばにいたんです。ただし、誰にも見られずに」

医師が戸口に現れた。「少しだけなら顔を見てもいいぞ、ジェリー」彼はいった。「相当強い鎮痛剤を与えた。肩から銃弾を摘出したので、少々痛むだろうからね。かなり眠気に襲われているが――きみの顔を見れば気分がよくなるだろう。だが、あまり長居はしないでくれ」

ジェリーは階段を駆け上がり、パット・マホーニーが寝ている寝室へと向かった。パットの顔は真っ青で、目は半ば閉じていた。ジェリーはベッドのそばにひざまずいた。

「お父さん」彼はささやいた。「無茶なことを！」

パットは目を開けた。「無事か、ジェリー？」

「無事です、お父さん」

「子供たちは？」

「元気です。髪の毛一本、触れられていません」ジェリーは手を伸ばし、パットの手を包んだ。

「いいですか、二丁拳銃のマホーニー……」

パットは息子に向かってにやりと笑った。「あれは大当たりだった、ジェリー。まったく大当たりだった」

「そうですとも」ジェリーはいった。続いて何かいいかけたが、パットが自分を通り越して、引き出しの上の銀縁の写真立てを見ているのに気づいた。

「心配ないといっただろう、おまえ」パットはささやいた。「わしがついている限り、おまえの息子は心配ないと」それからジェリーに笑みを向けると、目を閉じて眠りに落ちた。

ジェリーはそっと部屋を出て、自分の恋人を探しに行った。

（白須清美訳）

短編ミステリの二百年

小森　収

本稿で言及されている短編のうち、**太字（ゴシック体）**のものは本書および『短編ミステリの二百年』既巻収録短編、右上に「*」がついたものは編者のおすすめ短編である。

（編集部）

第三章　英米ディテクティヴストーリイの展開（承前）

9　アメリカン・パズルストーリイの陰の流れ1――M・D・ポースト

アメリカの短編パズルストーリイには、時として、異色としか言いようのない探偵役が登場し、異色としか言いようのないパズルストーリイのシリーズが出来上がることがあります。それらのひとつひとつは、類例のないままに、ひとり屹立するのですが、結果として、孤立した異色のパズルストーリイという、陰の流れというか、ひとつの底流を形作ることになってしまう。共通点はひとつ。探偵役の推理が、ある思想的な営為を体現し、謎を解くことを通じて、その思想を実現してみせるところにあります。具体的に名をあげるなら、次の三つです。メルヴィル・デイヴィスン・ポーストのアンクル・アブナーのシリーズ。トマス・シジスマンド・

ストリブリングのヘンリー・ポジオリ教授のシリーズ。そして、トマス・フラナガンのテナント少佐のシリーズです。

ポーストのアンクル・アブナーものの短編は、江戸川乱歩が「*ドゥームドーフの謎」（「ドゥームドーフ殺人事件」）を評価したこともあって、比較的早くにその名が知られました。これと、『黄金の十二』に入った**「ナボテの葡《ぶ》萄園《どうえん》」**の二作で、とりあえず、その名声が伝わったというわけです。それでも、全貌を知ることが出来たのは、ハヤカワ・ミステリ文庫に『アンクル・アブナーの叡智』が入り（七六年）、創元推理文庫に『アブナー伯父の事件簿』が入った（七八年）あたりということになります。とくに『アブナー伯父の事件簿』の戸川安宣による解説は、チャールズ・A・ノートンの力が与《あずか》っているとはいえ、執筆順を推定し、詳細を極めています。資料としても重要なので、ここで、改めて執筆順に一覧にしておきましょう。邦訳題名は『事件簿』に準じるのを基本とし、カッコをつけたのは、『叡智』でのもの。カッコつきの題名しかないのは、『事件簿』には収められていない作品です。**「ナボテの葡萄園」**「*養女」「*藁人形」だけが、両方とも同じ邦題です。

天の使い（神の使者）／（手の跡）／（死者の家）／（第十戒）／悪魔の道具（黄金の十字架）／*私刑（黄昏の怪事件）／地の掟（魔女と使い魔）／（金貨）／*不可抗力（神のみわざ）／ナボテの葡萄園（ナボテの葡萄園）／（ドゥームドーフ殺人事件）／*海賊の宝物（宝さ

がし〉／〈奇跡の時代〉／養女〈養女〉／藁人形〈藁人形〉／〈血の犠牲〉*／偶然の恩恵〈神の摂理〉／〈禿鷹の目〉／悪魔の足跡／アベルの血／闇夜の光／〈ヒルハウス〉の謎

「悪魔の足跡」以下の四編は、雑誌掲載のまま埋もれていたのが、第二次大戦後に発掘されたものです。初出も一九二七～二八年で、それまでの作品が一九一〇年代の執筆・発表であるのに対して、時間が経ってから書かれたもののようです。

アンクル・アブナーのシリーズは、「ドゥームドーフの謎」と**「ナボテの葡萄園」**が、衆目一致するところの代表作で、この二作が最初に紹介されたのは、とりあえず妥当なところでしょう。小説の背景は、第三代大統領ジェファースン時代（一八〇一～〇九年）というのが通説ですが、『事件簿』ではノートンの一八五〇年代説が紹介されていて、これは、なかなか説得的です。どちらにしても十九世紀のヴァージニア西部（ポーストの生まれたウェストヴァージニアという州は、南北戦争時に北軍側にまわることで分離・成立するので、まだ存在しない）を舞台にしています。ヴァージニアは独立時の十三州のひとつですが、南北戦争では南軍側で、激戦地となって蹂躙《じゅうりん》されます。

右のリストの順に読んでいくと、初めの数編は、謎解きミステリの骨法を、ポーストがまだ自らのものにしていないのが見てとれます。牛の飼育と売買が主要な産業で、土地が個人の地位を保証する（と、くり返し書かれています）世界で起きる、物欲が動機の事件をアブナーが解決するのですが、初期の短編では、事件そのものを描くよりも前に、アブナーが事件の真相を摑んでいる場合もあって、アブナーが行うのは、謎の解明というより、事件の顛末を語ることになります。

　私見によれば、「私刑《リンチ》」が、アブナーものの最初の佳作になります。アブナーと語り手のマーティンの行く手に、ひとりの男が立ちふさがる。脇道を通すまいとするのです。もともと、アブナーたちはその脇道に入るつもりはないのですが、通行の自由を私的に制限するなどということを、アブナーが黙視するわけがありません。マーティンを先に行かせて、脇道に入ろうとすると、アブナーを止められないと知った男は、逆に、マーティンにも同道を求めます。道の行く手では、人殺しの牛泥棒を私刑にかけようとしていたのです。アブナーは状況証拠を推理することで、有力な目撃者その人が嫌疑濃厚であることを論証します。そして、その場の人人が、その新たな容疑者を処刑しようとすると、アブナーはこう言い放つのです。「わしは、なにも証明してはいない。わしは、一つの考えを立証すべく盲進した場合、情況証拠がどういう役割を演ずるかを、示したにすぎない」と。そして、正規の裁判にかけるべく、人々を導きます。

　ここにはっきりしているのは、アブナーの第一義が正義の実現にあるということです。では、それは法に忠実であるということでしょうか？　確かに「私刑」の場合はそうです。しかし、悪徳弁護士が法の網をかいくぐる物語で世に出たポーストが、法を盲信するはずがありません。また、法のわずかな綻びを利用して私財をたくわえた人間は、アブナー伯父の物語にいくたりも登場します。法が拠って立つのは、正義を成すという主権者の意志の下でのことであり、法はその主権者の意志を後ろ盾にして、初めて機能する。**「ナボテの葡萄園」**の素晴らしさは、起立するというアクションで、その事実を描ききったところにあります。とくに、アブナーの相棒のランドルフは、少々見栄坊で俗物的な人間に、くり返し描かれている（といったことを、的確に読み取るためにも、執筆順に読むことをおすすめします）のが、ここで絶妙な効果を発揮します。

「金貨」は現金を隠匿して死んだ男の隠し場所探しですが、ストーム医師という脇役の初登場の仕方が不気味で、そこが読ませます。この医師は**「ナボテの葡萄園」**や「養女」といった重要な作品に登場し、大切な役回りを演じます。

次の「不可抗力」は、もうひとつの邦題が「神のみわざ」です。ナイフ投げの芸人が誤って聾啞の牧童を殺してしまいます。犯人は明らかで、おそらく故意だろうということも推察できる話ですが、その先にひとつ仕掛けがあって、このあたりから、ポーストはパズルストーリイの書き方を自分のものにしたようです。「不可抗力」のクライマックスは、意外性がもたらされるところではなくて、犯人とアブナーの法談義にあります。それそのものは、平凡と言えますが、The Act of God（これがそのまま日本語の「不可抗力」の意になる）という題名が活きるのは、犯人が自分がしたことを「神の摂理による裁きのようなやり方であった。人の目には、神の摂理によるものであるかのように見えることを願って（中略）そして、見た者は、あんたをのぞいて、一人残らず納得した。（中略）今やあんたは、自分が知ったことによる責任を果たさなければならない」と、アブナーに、あたかも彼が神の替わりであるかのように求めるところにあるのです。

神のみわざが、もっとも純粋にアブナー譚に登場するのが「ドゥームドーフの謎」であることは、どなたも異存ないでしょう。『事件簿』の解説で、戸川安宣も、前例のある解決であることに触れながら、ポーストは密室ものとしてこれを書いたのではなく（しかし、密室ものとして読まれることを拒みません）て、「悪に対する神の御業、という観点からの発想」と指摘しています。発表こそ**「ナボテの葡萄園」**は少し遅れていますが、推定される執筆順では「不可抗力」**「ナボテの葡萄園」**「ドゥームドーフの謎」と続いていて、このころのポーストがのっているのが分かります。

「海賊の宝物」「奇跡の時代」はともに、伏線一発といったパズルストーリイですが、伏線のキレでは前者に軍配があがります。そして「養女」「藁人形」という、注目すべき二作品が書かれます。「養女」は一種の不可能興味で読者を引っぱりますが、これは、この時代でなければ成立しないという点で、不満をもつ人もいるかもしれません。しかし、養女といいながら、実質は白人奴隷として売られてきた娘の描写には、静かな凄みがあります。おそらく英語が出来ないのでしょうが、懸命に証拠を伝えようとする姿がサスペンスをはらみ、その小道具もなかなか巧みに使われています。「藁人形」は囮の容疑者と真犯人のふたりしか、関係者がいないような小説なので、犯人はすぐに分かります。もともと、アブナー伯父の話には、ムダな登場人物が出ないので、犯人は分かるものが多いのも事実です。しかし、「藁人形」は推理の面白さで解決をつけていて、しかも、その推論の逆説的なスマートさは、ちょっとチェスタトンを思わせます。

「血の犠牲」は、冒頭に出てくる女性の、茨の冠を作っている姿が印象的で、こういう綾をミステリの解決にもってくるところに、ポーストの小説家としてのセンスを感じます。逆に言えば、それがなければ他愛ない話なのです。ただし、いかにも南北戦争が始まりそうな火種が、小説の重要な構成要素になっていて、ノートンの一八五〇年代説を支持しているように、私には思えます。

「血の犠牲」「偶然の恩恵」「禿鷹の目」の三編は、初出誌が不明で、執筆時期も分からないようです。「偶然の恩恵」「禿鷹の目」は、読者よりも先に、アブナーが事件そのものを知ってしまっている（当然ながら真相を看破している）という点で、初期作品を思わせるので、執筆時期も最初の方なのかもしれません。ただ、それ以上の根拠はないし、一九二〇年代に書かれた四編のうち最初の「悪魔の足跡」も同パターンなので、強く主張は出来ませんね。

その二〇年代の四編は、さすがに力が落ちていますが、最後に書かれた唯一の中編「〈ヒルハウス〉の謎」には、触れておく必要がありそうです。モチーフは「私刑」と同じといっていいでしょう。ひとりの男の死をめぐって、その近辺にいた者が容疑者になるのですが、それぞれがそれぞれに、事件に対して反応し、その中で早急な結論に飛びつこうとする人々をアブナーが諫《いさ》めます。ゆったりと書かれ、これはこれで読ませる一編ではありますが、ここには「私刑」にみなぎっていたサスペンスや、正当な法の場に事件を持ち込まんとするアブナーの気迫は、もはやありません。そして、そのことは単なる寂しさを超えて、このシリーズの根幹に関わるあるものが欠落しているように、私には感じられてしまいます。

一九七〇年代の半ば、ミステリマガジンが〈シャーロック・ホームズのライヴァルたち〉の紹介を始めたとき、私は醒めた目でそれらを見ていました。私には、古めかしくつまらない作品ばかりに見えましたし、六〇年代から七〇年代のクライムストーリイの数々に接した目には、その誌面は逆行以外の何物にも見えませんでした。しかしながら、そのころのミステリマガジンに紹介されることはなかったけれど、六〇年代にどういうわけか散発的に翻訳されていたアブナーものを、バックナンバーで読むとき、私は幸福なミステリの読者でした。それらの中には「ドゥームドーフの謎」や**「ナボテの葡萄園」**は入っていませんから、必ずしも傑作を読んでいたわけではないのです。

今回読み返して、はっきりしたのは、アブナーが立ち向かっていたのは、いまだ開拓期といっていいアメリカ南部の、無法すれすれの社会だということでした。その容赦なさや残酷さは、どこかアンブローズ・ビアスを連想させるものがあって、しかし、考えてみれば、このふたりは、南部出身の同時代者なのです。

アブナーは（ヴァージニアだから、たぶんプロテスタントでしょう）、神が正義を実現し、神の助けの下に人は正義を実現するという信仰を持っているようです。アブナーの推理が持つ力強さは、推理の確かさが、確かであることによって、神の摂理を実現したと信じうるという、アブナーの信仰から来ているのでしょう。無法ないしは私的な法の施行（些細な法手続きの不備を利用して〈うまくやる〉ことも含めて）がまかりとおっていたであろう、開拓期の南部では、それはひとつの理想であったでしょう。また、理想であるがゆえに、しばしば実現もしなかったでしょう。むしろ、原理的な思考は煙たがられたり、孤立することも多かったにちがいありません。しかも、アブナーが立ち向かったのは、個々の事件を解決することだけではないのです。それを正当な場で裁くことによって、社会の安定を図るという広い視野を、アブナーは持っていました。直接的な力強い男として描かれることで、アブナーは開拓期のヴァージニアで、神の導きによる正義を成すという名の下に、名推理を披露していったのです。アブナーの推論には、他の探偵（たとえばエラリイ・クイーン）にはないものが、その背後に張りついている。それは公正な正義が顧みられない場所で、正義を実現するという、ある種アウェイ状態の中での切羽詰まった緊張感のようなものです。

ストリブリングのポジオリ教授も、フラナガンのテナント少佐も、これと似たような緊張感の下で探偵として活躍したのではないか。それが私のいう陰の流れなのです。

10　アメリカン・パズルストーリイの陰の流れ2――T・S・ストリブリング

＊「ベナレスへの道」の結末に触れています。

T・S・ストリブリングの代表作と目される、ポジオリ教授シリーズの第一短編集『カリブ諸島の手がかり』の邦訳が出たのは、一九九七年のことでした。原著刊行から七十年近くが経っていました。むろん、それ以前にも散発的に翻訳はあり、とくに最終話「ベナレスへの道」の結末は、知られた話でした。とはいえ、「ベナレスへの道」を単発で訳されても困るわけで、ミステリマガジンで読んではいたのですが、記憶に残っていません。しかも、翻訳されたストリブリングの多くは、戦後の作品でした。それにしても、クイーンの高評価のわりに、『カリブ諸島の手がかり』の翻訳は、ずいぶん、時間がかかったものです。もっとも、そのあとは順調そのもので、十年ほどの間に二冊の短編集が出ました。第二次大戦後に、エラリイ・クイーンの求めに応じて、ＥＱＭＭに書かれた作品を集めた『ポジオリ教授の事件簿』と、その二冊の間に書かれた作品を発掘して編まれた『ポジオリ教授の冒険』です。

『カリブ諸島の手がかり』は、驚くほど短かい期間に書かれました。一九二五年から翌二六年にかけて、アドヴェンチャーというパルプマガジンに、毎月連載されたのです。全五編とはいえ、二百枚を超える長さの中編も含まれています。原題の *Clues of the Caribbees* の Clues が、Cruise にかけてあるのは明らかで、実際、ポジオリは、「亡命者たち」*のキュラソー島をふり*だしに、「カパイシアンの長官」のハイチ、「アントゥンの指紋」のマルティニーク島、「クリケット」のバルバドス島、「ベナレスへの道」のトリニダード島と、カリブ海の島々をめぐりながら、事件に巻き込まれていきます。

カリブ海の植民地の歴史というのは、旧宗主国が多様なこと、移住労働者の人種が多様なこと、その上で混血が進んだことといった要因から、中南米と比較して、さらに一枚上手の複雑さがあります。しかも、米西戦争後、この地域の覇権は、旧宗主国よりも、むしろアメリカに移りつつある。四十年ほどのちにミス・マープルが旅行した、リゾート地としてのカリブ海とは、わけが違います。そんな土地を、イタリア系アメリカ人の学者が、どういうわけか旅している。エキゾチシズムや異郷での冒険は、パルプマガジンにおいて、類例がないというものではないでしょうが、それにしても、ポジオリという探偵は異彩を放っています。

「亡命者たち」は、蘭領西インドのキュラソーで一番のホテルが舞台です。ベネズエラの独裁者ポンパローネが亡命し、もっとも近い外国であるキュラソーのホテルに投宿します。ホテルの主人は歓待しますが、その席上、主人は毒殺されてしまう。ポンパローネは身のあかしをたてるために、投宿者の中で事件の捜査や犯罪の調査の心得のある人間を募り、そこに名乗り出たのが、心理学者のポジオリなのです。ポジオリは、いきなり自白剤の使用を提言し、そんなものを使った証言は法廷で採用されないと周囲をあわてさせる。このあたり、ポジオリの推理が法的な効力を度外視していることと同時に、いささか山師めいたポジオリの性格を示しています。事件は、ポンパローネが自分の秘書を犯人だと告発したり、毒殺がポンパローネを狙ったものだという疑いが生じたりして、混迷していきます。ホテルから場面が動かないことも手伝って、この作品は、あまり異郷での事件という感じを与えません。それでも、ベネズエラという国が、独裁者を次々と輩出しては、二度と帰国することのない亡命をくり返させるというディテイルが、この小説の根幹に関わっています。このディテイルが事実か否か、風刺的な誇張としても妥当か否かは、議論の余地がありますが、南米（に分類されるものの、島嶼《とうしょ》部を多く含み、カリブに近い性質を持つ）の一国ベネズエラが持つ、アメリカ人からは奇異としか見えない、この特質が、この小説の謎解きに、独特の色彩を与えているのは確かなことでしょう。

続く「カパイシアンの長官」では、ポジオリは本格的に異文化のただ中での冒険に放り込まれます。かつてフランスの植民地であったハイチは、ラテンアメリカの最初の独立国ですが、このころはアメリカによる軍政が敷かれていました。小説でも、徴税官がクレイというアメリカ人ですね。アメリカによる実質的な植民地支配の原動力となったのが海兵隊で、「海兵隊がもどってくる」に脅し文句のニュアンスがあるのは、そのためです。「カパイシアンの長官」はシリーズ中でも一、二を争うほど長い作品ですが、ポジオリは、北部の町カパイシアンの為政官から、反乱軍《カコ》の指導者であるヴードゥー教のまじない師の正体を暴くよう依頼され、丸め込まれるような形で対決させせられてしまいます。この小説は、幻想的な冒険譚とでもいったものので、推理の妙味には欠けています。

「アントゥンの指紋」は、ポジオリがマルティニーク島のフランス人勲爵士と、奇妙な賭け（建築物が犯罪にどのような影響を与えるか）をするところから始まり、国立銀行の盗難事件を捜査することになります。凝った指紋のトリックは、黄金期のミステリらしいとも言えますが、カリブのフランス海外県に投げ込まれることで、その異様さに別のニュアンスが生じているところが、このシリーズらしいと言えます。「クリケット」は題名からも分かるように、イギリスの植民地が舞台ですが、選球眼が取り柄の貧乏な白人に、准男爵の子息（クリケットのチームメイトでもある）殺しの容疑がかかります。ポジオリは准男爵から、容疑者を島から逃がしてほしいと頼まれます。息子にはっきりとした自殺の理由があったのです。自殺では体面に関わるけれど、かといって濡れ衣の殺人で逮捕はさせられない。ところが、ポジオリは、逆に、その自殺の理由なるものが犯人の偽装であることを看破します。イギリス人の間にある階級差と、さらに、船に潜り込んでしまえば、社会から隔絶してしまうという、社会の在りようが、ここでも事件の要となっています。

そして、最終話「ベナレスへの道」です。インド人移民労働者《クーリー》を多数抱えるトリニダード島で起きた花嫁殺しに、ポジオリが巻き込まれます。ふとした出来心から、白人が決して足を踏み入れない寺院（訪ねてくるクーリーに一宿一飯をほどこす）で、寝苦しい一夜を過ごしたのですが、その寺院は殺人現場でもあったのです。ポジオリは理不尽な逮捕の末に、幻想的かつ悲劇的な結末を迎えます。

ポジオリというのは、正体の分からない人で、心理学者であったり犯罪学者であったり犯罪心理学者であったりし、教授なのか講師なのかも定かではありません。学者としては、少々軽薄な気もします。いかがわしさがあると言ってもいい。本人の言うところを信じれば、分析能力に少し長《た》けているということになるのでしょう。「理論的な分析は好きですよ」とポジオリは言います。その裏には、実際の行動とは切り離しておきたい、いや、行動のみならず、実際問題とも無関係なもの（試験問題のようなものでしょうか？）として考えたいという意識があります。それがもっとも具体的な形で現われるのは「カパイシアンの長官」で、「難問を分析するのは楽しいけれども、反乱者と会見しに密林へ赴くとなると、それはまたべつの話」なのです。もちろん、そこでは、そんなポジオリの気持ちは、見事に打ち砕かれます。そして、その行きつくところが「ベナレスへの道」なのは、必然のことと納得できて、ポジオリは傍観的な分析者としてではなく、生死という自己のもっとも重要な価値を賭けて、事件に直面させられるのです。

心理学と一応は言っておいてもいい、あるいは、もっと広く、分析的思考としておいてもいいでしょう。ポジオリが得意とし、自分の拠り所としている、その能力は、直接的にはアカデミズムによって、さらに、その背後にあるアメリカ社会や西欧社会の思考体系・思想によって、とりあえずは、効力を保証されています。ところが、カリブでポジオリが遭遇する事件では、どこか、論理のバックグラウンドとなる常識を揺るがすような奇妙な条件——次々と亡命する独裁者、人の心を読む呪術師の反乱指導者（しかも、反乱は政府に取り立てられるための常套手段なのです）、鼻歌まじりで公然と贋金を作る男、紛れ込んでしまえば身を隠してしまえる船、白人が絶対に訪れない寺院——が立ちはだかるのです。そんなカリブという異なった文化の世界で、ポジオリの分析は本当に通用するのか？ 現に実在し、自分もその中に存在する世界を、純粋に理論的分析の対象とのみとらえることなど、可能なのか？ 『カリブ諸島の手がかり』がユニークで、不思議な魅力を持っていたのは、逆説的にその問題意識が貫かれているところ、すなわち、その点について深く省みることのない無邪気さゆえに、ポジオリが命を失ってしまうところにありました。「カパイシアンの長官」で、フランスの去ったハイチに覇権を得つつあるアメリカという国家の、当のその一員としてのポジオリの無邪気さは、三十年ののちに、グレアム・グリーンが The Quiet American と描いたパイルという男を連想させます。もちろん、ポジオリの論理が足元をすくわれるのは、第三世界においてのみの話ではありません。第二短編集以降に顕著ですが、アメリカにあっても、それは起こりうる。そういう状況設定が多用されています。ポジオリが時として犯人にしてやられ、むしろ犯人像に印象が残るのは、しばしば指摘されることです。名探偵の操る論理が、無惨にも現実の前に裏切られる。ポジオリは、そんな世界に生かされ、また殺されたのでした。

では、ポジオリ教授のシリーズは、西欧社会が生んだ論理的思考が、その限界を自覚させられる物語と言っていいのでしょうか?

鍍金《めっき》はすぐに剥げ落ちます。

「ベナレスへの道」における、ポジオリの逮捕は、かなり杜撰な決めつけによるものですが、ひるがえって、たとえば「アントゥンの指紋」におけるポジオリも、「仕上げに完璧を期すフランス人の血に加えて、黒人のゆっくりと事を運ぶ粘り強さも受け継いだ」から、犯人は「フランス人と黒人の混血に違いありません」といった推理で、相手に肩をすくめさせます。ポジオリの専門という心理学も、ちょっと怪しげで、しかも、それはポジオリの無邪気さを示すものではなく、ストリブリングの無理解を示すことが、徐々に明らかになってきます。『カリブ諸島の手がかり』の五編の次に書かれた「パンパタールの真珠」は、第一短編集の延長にあって、黒人の使用人の悪巧みを逆利用する夫人が（巻末のF氏の解説は、ひとつの見方としているけれど、それ以外の読みはこの場合ないのではないでしょうか）愉快ですが、次に書かれた、一般には問題作とされる「つきまとう影」は、馬脚をあらわした作品だと、私は考えます。「つきまとう影」は、不可能興味の連続で読者を引っぱっていきますが、ある意味で「ベナレスへの道」と同じく、スーパーナチュラルな小説です。けれど、そこには、もう「ベナレスへの道」の衝撃はありません。しかも、問題は、結末がスーパーナチュラルなことではありません。ポジオリが事件を論文にし、しかも、それがために大学を辞するはめに到ったという、思わせぶりな設定にあります。この事件をいったいどうすればアカデミズムの論理に耐える論文に仕上げうるのか？　まして、それが職を辞さねばならないような衝撃を持ちうるのか？　その部分の説得力がまるでありません。それは、アカデミズムが最低限持っている方法論の厳密さ（皮肉りたければ、融通の利かなさと言ってもいいですが）や、心理学が科学たらんとして現実に果たした試行錯誤に比して、あまりに安直で、それらを矮小化したものでしかありませんでした。はっきり言ってしまえば、ストリブリングには、心理学について、俗に流布しているイメージ以上の知識がなかったのでしょう。先に指摘したポジオリの正体の分からなさは、なんのことはない、作者の無理解だったのです。「つきまとう影」が、解決に困って、スーパーナチュラルな結末に逃げたとは言いませんが、これでなにかが動揺するほど、この世界はちゃちではありません。

　ポジオリが単なる探偵となったそれ以後の作品は、大げさな身振りのないぶん、普通の謎解きミステリですが、同時に、その手の内が俗な発想を出ないことも露呈しました。「チン・リーの復活」は、単なる中国人への無理解を謎解きに仕組んだものであり、それ以上の意味はありません。「ジャラッキ伯爵、釣りに行く」のエキゾティックな犯罪者に、単なるエキゾチシズム以外のものを認めることは出来ません。「ジャラッキ伯爵への手紙」では、抽象概念に忠節をつくすという、文学的にも野心的なディテイルを思いついていながら、単なるブラックボックスとしてやり過ごすところに、この作家の眼の低さを見ます。「八十一番目の標石」にいたっては、不気味さを並べたてただけの話に終わっていました。「警察署長の秘密」は、待ち合わせになぜ中途半端な時間を指定したかという魅力的な謎が、宙に浮いたまま終わるうえに、この手の発想は、謎解きの形をとらないアイデアストーリイで、より生きるという例を、これから紹介することになるでしょう。

欧米の知識人が異文化研究に関して業績をあげるのは、心理学ではなく、文化人類学の方法論においてでした。彼らは距離をおいて分析対象を観察するのではなく、対象の集団に入り込むことで研究し、成果をあげました。その成果は個々の研究だけでなく、構造主義というひとつの思想を形成するに到りました。時代的に、ストリブリングに、それに見合う結果を求めることは出来ません。しかし、おそらく最後のポジオリもの「木陰の男」においてさえ、ここに出てくるような犯罪は、実際には、ストリブリングが描いたように南米がアメリカに仕掛けるのではなく、逆に、あまたの国際謀略小説がのちに描いたように、CIAが南米に仕掛ける類のものでした。そこにまで、無理解はついてまわっていたのです。野崎六助は大著『北米探偵小説論』において、ストリブリングについて『カリブ諸島の手がかり』のみを論じ、あとは切って捨てていますが、それは正しい態度だったかもしれません。

11　アメリカン・パズルストーリイの陰の流れ3――トマス・フラナガン

　トマス・フラナガンの書いたミステリは『アデスタを吹く冷たい風』一冊だけです。処女作*「北イタリア物語」（「玉を懐《いだ》いて罪あり」）は、ボルジア家全盛時のイタリアを舞台にした歴史ミステリで、これもすぐれた作品ではあります。しかし、*「アデスタを吹く冷たい風」に始まる、テナント少佐の活躍する四作こそが、フラナガンの名をミステリ史に残すことになるでしょう。日本語版短編集の収録は発表順になっていませんが、ここは順番を守った方がいい。「アデスタを吹く冷たい風」**「良心の問題」***「獅子のたてがみ」*「国のしきたり」です。

　主人公のテナントは、「将軍」という独裁者が統治する、共和国とは名ばかりの軍事政権国家――地中海に面した小国らしい――の憲兵少佐です。テナントに言わせれば、将軍の施政は「全体主義よりいくらかまし」らしい。テナントは王政のころからの軍人で、憲兵隊長大佐にまでなりました。いでたちも、かつての将校ふうですし、紳士階級の出身――「葡萄酒は大事に扱かわんと、まずくなる」と知っている――とあります。しかし、将軍の武力による政権奪取（解放戦争と呼ぶことを強制されている）のときに、憲兵隊長を追われ、少佐に降格させられたらしい。第一話「アデスタを吹く冷たい風」は、夜ごと国境を越えてくる葡萄酒商人ゴマールに、武器密輸の疑いがかかるものの、何度調べても武器が出て来ないという話です。解放戦争末期に、政府軍が国境付近に大量の武器を埋めたという情報があり、その武器が流れ込んでいるというのです。テナントは当時、将軍と敵対していて、武器を埋めた側です。いささか、ややこしいですが、葡萄酒商人が国境を越えてくる向こう側にある国は、ただ〈共和国〉と呼ばれ、テナントたちのいる将軍が独裁する国も、また、(名ばかりとはいえ)共和国です。テナントは、武器を密輸する葡萄酒商人への憎悪を隠しません。ゴマールの手で銃が掘り出されれば、祖国を滅ぼすと言っているのです。また「おれはなにも怖れてはおらん。卑怯者だから怖れんのだ。希望を失ったから怖れることがなくなったのだ」と、ひとりごちます。将軍の〈共和国〉は、アメリカと国交がある一方で**「良心の問題」**で描かれているように、潜伏する旧ナチの高官が、将軍の周囲にいる権力者たちの間に友人をたくさん持っているらしい。テナントは軍人としては傑物と評価されていますが、解放戦争末期に、自分の率いる部隊を、将軍陣地内に引き入れてしまいます。そうして、現在は、党籍がなく冷遇されながらも、将軍の下にいるのです。

「アデスタを吹く冷たい風」は、かつての内戦時に埋められた武器が、どのようにして、再び運び込まれているのかという謎でした。**「良心の問題」**は、ドイツの収容所を生き延びたユダヤ人が殺され、その犯人に浮上したのが、潜伏したナチの高官で、テナントのすぐ目の前で、殺人の罪を問われることなく逃亡しようとしているという事件でした。「獅子のたてがみ」は、将軍の盟友である憲兵隊長が、テナントにあるスパイの殺害——その狙撃手の裁判が進行中という設定です――を命令しますが、そのスパイ容疑に濡れ衣の疑いが生じています。「国のしきたり」は、国境を越えて来る列車での密輸が嗅ぎつけられますが、その方法がどうしても分からない。それぞれ別個に情報を入手した、テナントと情報機関の旅団長が、国境の駅へ捜査に来ます。

真実の解明よりも、将軍の気に入る答えを見つけることを求められる、独裁政権下の憲兵として、テナントは事件にあたります。その中で、自分の良心を裏切らずにすむ方法を探すのです。一九三〇年代から四〇年代にかけて、アメリカのパズルストーリイは、名探偵が謎を見事な推論で解き明かす小説と、謎を名探偵が脱するべき危地ととらえ、鮮やかにそれを成し遂げてみせる小説に分かれたと、第二巻で指摘しておきました。そして五〇年代に登場したテナント少佐のシリーズは、テナントが見事な推理で謎を解き明かすことで、自分の良心を裏切らねばならないという危地を、脱してみせたのでした。そうした矛盾した状況をくぐりぬけるテナントの魅力、その陰影に富んだ肖像は、パズルストーリイのヒーローとして以外の方法では、とても描けなかったでしょう。

テナント少佐ものから一編を収録するにあたっては、どれにするか迷いました。作品の出来は四作ともに甲乙つけがたい。「アデスタを吹く冷たい風」は代表作の風格がありますが、テナントものがアンソロジーに採られる場合は、必ずこれというのが現状でしょう。そこで第二作であり、共和国内でのテナントの立ち位置をもっともよく示している**「良心の問題」**を採ることにしました。幸いなことに従来の訳書では割愛されていた図版を収録することが出来ました。

　かつて、私はこのシリーズについて「逆境の中でなお、自分の意志と良心に従いうるという、ひとつの神話として、この四編が読み継がれんことを」と書きました。それにつけ加えることはないのですが、ここでは、さらにもうひとつ指摘しておきましょう。

　テナントは自分の意志で選んで、将軍の下で憲兵少佐となっているということです。かつて彼が政府軍として戦った、その政府軍を国王の軍隊ととってはなりません。それは革命共和国政府です。「二派に分かれた国内が、それぞれ、正当な理由もなく政権をねらって、長い国内戦をつづけた」とあるではないですか。よその〈共和国〉からやってくるゴマールは、武器の隠し場所を知っていました。テナントの共和国政府と、ゴマールの〈共和国〉は、連帯していたのです。自分が率いた軍隊を敵の陣地に引き入れる？　テナントがそんな間違いをする軍人に見えますか？　共和国政府軍に「希望を失った」から「全体主義よりいくらかまし」な将軍を、自分で選んだのです。党籍も得られないのに（あるいは得る気もないのに）。かつて王制の下で、将官に手が届きそうになったことさえある、紳士階級のエリート軍人が、共和国軍に、すなわち革命に身を投じ、あげく、共和国からやって来るゴマールを売国奴と見ることしか出来なくなった。そこに、共産主義革命に幻滅を見て、独裁政権下で働くことを選択したテナントの苦渋を読むこと。テナント少佐のシリーズの彫りの深さの秘密は、そこにあるからです。

幕間　ふたつの戦争、ふたつの浜辺

ここで幕間です。ここでは、ふたつの短編小説を読むことにしましょう。ひとつは一九四八年にニューヨーカーに掲載されたもので、もうひとつは一九七一年にＥＱＭＭに発表されました。どちらも読みごたえのある小説です。

Ｊ・Ｄ・サリンジャーの「バナナフィッシュにうってつけの日」*（「バナナフィッシュ日和」）は、サリンジャーが壮大な構想の下に描こうとした一族の物語の、始まりの一編です。短編集『ナイン・ストーリーズ』の巻頭に収められています。

フロリダのホテルの一室から、小説は始まります。グラス夫人という若い女性（というか、原文 girl なので女の子）が、ニューヨークへの長距離電話がつながるのを待っています。ホテルにはニューヨークの広告マンが九十七人（！）泊まり込んでいて、電話が通じにくいのです（当時は、交換台を通して電話をつなげてもらいます）。ようやく通じたニューヨークの相手は、彼女の母親でした。母親はどうも、彼女の夫シーモア（新婚、あるいは、新婚早々兵隊にとられたのが復員してきたばかりらしい）に、不安と不信感を持っているようです。会話のはしばしから、心配の種となった新郎の奇行がほのめかされます。――木に向かって何かをした（だから、母親は彼に車の運転をさせたくないし、娘は白線寄りに車を走らせるよう、あらかじめ彼に頼んだ）とか、彼女の名前をきちんと呼ばないとか、例の窓の一件（なんなんだろう?）とか、伯母さんの椅子になにかしたらしいとか、その他いっぱい、エトセトラ。それらのひとつひとつは、どの程度重大な問題なのか、読者には量りづらいのですが、父親が精神分析医に相談したところ、陸軍が彼を退院させたのは犯罪行為だったと言われた（ということから、読者には、シーモアが入院していたことが分かるという仕組みです）というのですから、心穏やかでないのも当然なのでしょう。

もっとも、そんな会話にも、ファッションや流行の話、昨今のフロリダの様子（このホテルには戦争前にも泊まったことがある）といった話題が入り込んできます。確かに、それがために、この会話には、真に差し迫ったところが欠けているのも事実です。けれど、娘は親の心配を振り切って、夫とフロリダに来ているわけですから、夫についての話は、あまりしたくない。そもそも、通じにくい電話に、これ幸いと、あるいはそれと意図しないまでも、到着から二日も連絡を先延ばしにしていて、だから、母親は開口一番、電話をしてこないことを詰《なじ》ったのでした。お気楽な会話にともすれば流れようとするのは、娘が頻繁に母親の言葉を遮ることとともに、リアルな会話を描くという効果以外に、娘には母親に口にしてほしくない言葉や話題があることをも示しているのです。

場面が変わって、シビルという幼い女の子が、母親にオイルを塗ってもらいながら「もっと鏡見て」というフレーズをくり返しています。See more glass すなわちシーモア・グラスです。あまり面白がってくり返すので、すでに母親はうんざりしている。オイルを塗り終えると、マティーニを飲みにホテルに戻ってしまいます。シビルは浜へ出て、シーモア・グラスと逢います。シーモアは浮き輪に彼女を乗せて、沖へ向かいます。バナナフィッシュという欲深な魚の話をしながら。そして、波をかぶりびしょ濡れになったシビルが、バナナフィッシュを見たといい、ふたりの蜜月は終わります。

以前、私はこの短編について「戦時の体験の衝撃が抜けることのない人間が、平時に対して感じる疎外感と絶望感を、シャープに描いた」もので「この短編をミステリに近しく感じるのは、おそらく、その洗練されたサスペンスのためだろう」と書き「大切なのは、これがミステリであるかないかではない。このソフィスティケイションをミステリが忘れないことなのである」と文章を結びました。これだけ言ってしまえば、もういいという気持ちもありますし、同じく短編集『ナイン・ストーリーズ』に収められた「エズミに捧ぐ——愛と汚辱のうちに」*の方が、同じモチーフを描きながら、作品の射程も長く、良く出来ていて、個人の好みからしても、実はより好きだったりしますが、それでも「バナナフィッシュにうってつけの日」の、沖へ出ていく静かなサスペンス——ひとつの戦争が終わり、復員しても疎外感に苦しむ男が、戦いの「た」の字も知らない幼児の乗る浮き輪を押して、平和なホテルから離れていき、危険な沖へ沖へと向かうサスペンスは、捨てがたいのです。ミステリとして。

続いてスタンリイ・エリンの「清算」*です。邦訳は『最後の一壜』に収録されました。

マイアミの沖合に停泊するベリンダ二世号の船上から、話は始まります。真っ昼間、上空ではは沿岸警備隊のヘリコプターの爆音が騒々しい。ベリンダ二世号には四人の男が乗っています。口数の多いふたりの中年男は、どうやら、バーボンの二日酔いらしい。二十歳前後の若いふたりは寡黙で、とくにチャッピーという男は最低限のことしか喋らないようです。年かさの男が「三十五分だ。この前は三十三分だった。ま、三十分きっかりとみておけばまちがいないな」と、タイムリミットが三十分であることを示します。沿岸警備隊のヘリが戻るまでの時間のようです。若い男デルとチャッピーは、ボートを出して、ベリンダ二世号を離れ、ビーチへ向かいます。チャッピーはナイフを帯びている。浜からでもボートが見えようかというところで、チャッピーは海に潜ります。「待っているように見えちゃまずい」から、デルはボートの故障を装います。ベリンダ二世号はさらに沖合のメキシコ湾流の中へと遠ざかっている。

浜にあがったチャッピーは、ホテルのプールから建物へと入ります。ここらは、きびきびした動作の描写に終始し、チャッピーはマッサージ台の上で太陽灯を浴びている男を探し当てます。隙をついて手刀の一撃で命を奪うと、男の耳を切り取ります。そして、急いでデルの待つボートに戻ります。途中、プールに飛び込んだ女の子に、突然、水しぶきを浴びせられるのが、定石ながら巧い。チャッピーはデルの待つボートまで泳ぎ、そして、ベリンダ二世号に戻ります。沿岸警備隊のヘリコプターの音が聞こえ始めます。「あの音を聞いただけで気分が悪くなるよ」とデル。背嚢《はいのう》の重みを思い出すというのです。軽口まじりとはいえ、本音らしい。一仕事終えて、これからどうしようかというところで、「ダナン（ヴェトナム戦争の米軍基地・引用者註）以外ならどこだって大歓迎」という会話に続くものだからです。

ベリンダ二世号では年かさのふたり、金持ちのブロデリックと、友人でその弁護士のイェイツが待っています。「息切れしてるようすさえない」「本物のタフ・ガイだ」と気楽なことを言っていられるのは、若いふたりが仕事の証拠を差し出すまでのことでした。切り取られた耳をみたブロデリックは言います。「ほんとにだれかを殺したのか？　つまり、彼を殺したのか？」と。

紹介はここらで止めるのが適切なのでしょうが、「清算」に関しては、さらに書いてしまいます。

誰ともしれない被害者（それが誰かは、あしたの新聞を読めばわかると、チャッピーはうそぶきます）を殺したうえに、その動機たるや、十セント対十ドルの賭けだったのです。チャッピーはブロデリックに、十ドル払えと清算を要求します。タイムリミットの三十分は、沿岸警備隊のヘリから、帰船するチャッピーの姿を見られないためというのが、その理由ですが、どう考えても、差し迫った条件とは思えません。戦時のシミュレーション、いや、むしろ戦争ごっこにおける遊びの設定に近いでしょう。本当に見も知らぬ人間を殺すなどと思ってもみなかった、ふたりの男たちは狼狽しますが、そんなときでも、イェイツは弁護士として忠告することを忘れません。金は払え、しかし、この連中を船で国外へ送るのはやめろと。このあたり巧いですね。しかし、ことは、これで終わりません。チャッピーは、さらに本番の決着をつけることを迫ります。

「あんたはおれにこういったんだよ、もしおれがこの賭けに勝ったら、あんたがなにも知らなかったことを率直に認めるって。おれの目をまっすぐに見て、いまのヴェトナムにも、あんたが朝鮮で所属していた腰抜け中隊に引けをとらない優秀な兵隊がいることを認めるって」

チャッピーが本当に望んだ清算は、そういうことでした。

七一年といえば、ヴェトナム戦争は、いつ終わるともしれない長期化の果て、アメリカからすれば泥沼のような状態に引きずり込まれていて、しかも、六〇年代後半の国内の反戦運動の盛り上がりをもってしても、戦争から手を引くことが出来ずにいました。それでも、確かなことは、ふたつありました。ひとつは、戦争に賛成であろうが反対であろうが、アメリカ人は、この戦争が失敗だったと認識していること。もうひとつは、もっともワリを食ったのは、戦場にかり出された若い兵士たちだったということです（ここでは、戦争に行かされた兵士たちの加害者性は棚上げにしていますが、関連して、かつて本の雑誌に連載した「小森収の12番勝負」の第三回ルシアン・ネイハム『シャドー81』の巻を興味のある人は、読んでください）。ヴェトナム帰還兵の問題は、以後、アメリカの宿痾《しゅくあ》となり、ついにはＰＴＳＤという概念を生む一因となります。

「清算」は、そうした社会を背景に、白昼の殺人を簡潔に描き、その起点となった（おそらくは酒の席での）四人の出会いと賭けの顚末を暗示することで、戦争がなにを招いたかを描き出したのでした。

「バナナフィッシュにうってつけの日」と「清算」が描いたのは、戦争を経験したアメリカのふたつの浜辺でした。浜辺は平穏なリゾートですが、そこから臨む海は広大で、必ずしも穏やかではないうえに、その果てには異なる世界が存在しています。戦争とは海の向こうで起こる殺し合いでした（ここを読んで、では南北戦争はどうなんだ？　と考えたあなたは、鋭い。しかし、それはまた別の考察になります）。

第二次大戦が終わったフロリダの浜辺は平穏そのものでした。「バナナフィッシュにうってつけの日」は、リゾートのホテルの一室で電話にふける女たち（電話の向こう側も含みます）をしりめに、シーモアは沖へと向かいます。自分の言動を狂気の兆しとしか見ない、妻の一族とは異なり、名前を聞かれて戯れに答えただけであろう「シー・モア・グラース」という言葉を、喜んで受け入れてくれた少女を伴って。欲深な魚バナナフィッシュを実際に見ることは、シーモアにも不可能でしょうが、おそらくは、戦地において、彼はバナナフィッシュの存在を、人間の内に見つけたのでしょう。危険な沖へ出ていくのは、バナナフィッシュを見つけるためでした。ここでは脅威は沖にあります。浜辺から沖へ向かうことで、脅威の中に真実を見つけることが可能かもしれないという、甘い（そう、確かにそれは甘いとしか言いようがない。あるいは甘美だったかもしれない）期待は、しかし、無惨に砕かれます。少女はバナナフィッシュを見たと言ってしまうのです。海の彼方で脅威にさらされながら、シーモアの見つけたものは、ついに、平穏な浜辺の人々には知られないままに、終わりました。

四半世紀が経過して、さらなる戦争を経験したアメリカでも、やはり、浜辺は平穏でした。

けれども、「清算」では、小説は沖合から始まり、すぐに脅威は沖から浜をめがけてやって来ることが明らかになりました。脅威は沖にあって、そこへ行かなければ平穏な日常とは無関係なものではなく、沖からやって来るものに変わっていたのです。沖から秘かにやって来た脅威は、無差別で防ぎようもないものでした。ここには、戦場で人をとらえた何かが、平時の社会を侵犯するという発想が見てとれます。

しかし、「清算」に潜んでいるのは、その認識だけではありません。脅威が存在するはずの沖合で、浜辺に侵入する脅威となるチャッピーたちとともにいたのは、チャッピーの被害者とどんな関係かは、あるいは無関係なのかは、不明であるにしろ、その被害者と同類の、平穏な浜辺にいても不思議のない中年の男たちでした。彼らは社会的には成功者ですが、あろうことか、チャッピーが穏やかな浜辺で人を殺している間、自分たちは沖に出て、その時間をやり過ごしているのです。沿岸警備隊のヘリコプターの爆音を、彼らは、自分たちのゲームのタイムリミット設定のために、仮想敵のようにあつかいますが、実際は、そのヘリコプターは、沖からやって来るかもしれない脅威に対して、彼らの生命や財産を守るために、飛んでいるのでした。

しかも、彼らは、朝鮮戦争に従軍した、かつてのチャッピーたちだったのです。彼らが真に清算を迫られたのは、賭けた金ではありませんでした。彼らが上手に戦争を行い、行った戦争をうまくやり過ごし、その後、何事もなかったかのように平時で成功するのが、当たり前のことであるという、彼らの認識そのものの清算を迫られたのです。

ふたつの戦争にヴィヴィッドに反応した、ソフィスティケイションとサスペンスにあふれる、ふたつの浜辺の短編小説が、アメリカに存在しました。そのふたつの小説が書かれたあいだの約四半世紀は、アメリカの短編ミステリが、もっとも華麗に花開いた期間でした。これから、その四半世紀に、本書は足を踏み入れることになります。

第四章　ＥＱＭＭ年次《アニュアル》コンテストとスタンリイ・エリンの衝撃

1　ＥＱＭＭ年次コンテスト受賞作

編集者としてのエラリイ・クイーンは、本書第二巻の第三章で、一度評価をしておきました。ただし、そこでは、ミステリ・リーグに関しての記述が多くて、ＥＱＭＭについては、成功したとしか書いていません。しかし、編集者クイーンを考えるとき、もっとも評価しなければならないのが、ＥＱＭＭであることは、間違いありません。それは、単に、雑誌として成功したと書いて、終わりに出来るほど、軽い業績ではありません。それどころか、ＥＱＭＭこそ、第二次大戦後の短編ミステリの主要な舞台であり、そして、とりわけ重要なのが、ＥＱＭＭ年次コンテストであると、私は考えています。ＥＱＭＭコンテスト（以下、年次の一語は省略します）という、画期的、かつ、きわめて戦略的な手法で、クイーンはＥＱＭＭを成功させたのみならず、短編ミステリの発展と隆盛の礎《いしずえ》を築きました。おまけに、このコンテストからは、クイーンも計算してはいなかったにちがいない、望外の才能も生まれました。幕間で読んだ「清算」の作者、スタンリイ・エリンです。

ＥＱＭＭ。エラリイ・クイーンズ・ミステリ・マガジンの創刊は、一九四一年の秋でした。当初、新作の掲載がなかったことは、本書第二巻でも引用したアントニー・バウチャーも指摘するところですが、すぐにそれは可能になっていきました。それでも、再録ないしは発掘作品が、雑誌の目玉であることに変わりはありません。フランシス・Ｍ・ネヴィンズＪr.は『エラリイ・クイーンの世界』で、四一年～四五年に作られたアンソロジーと、ＥＱＭＭの再録作品とのダブリが、極力抑えられていると書いています。しかし、定期刊行物の雑誌が、旧作の再録ばかりで、もつわけがありません。質の高い短編の新作が必要なことは明らかです。ミステリ・リーグの収録短編の質が上がっていかなかったことは、以前に触れました。その轍を再度踏むわけにはいきません。そこで、クイーンが打ち出したのが、世界じゅうから短編ミステリを公募するという、大規模なコンテストでした。それがＥＱＭＭコンテストです。

第一回のコンテストは戦争の終わった一九四五年に公募されました。従来、このコンテストは年度表記がまちまちで、混乱することがあったので、きちんと整理しておきましょう。第一回目のコンテストは一九四五年十月に締め切られ、翌四六年に発表、ＥＱＭＭに掲載され、受賞作によるアンソロジー *The Queen's Award 1946* が出版されました。年末（十～十二月）締め切り、翌年発表のスケジュールは、以後、守られることになります。ただし、そのコンテストのことを表記する場合、作品の執筆、応募の四五年をとるか、発表の四六年をとるかで、年次に狂いが出るのです。この原稿では、出来るかぎり、コンテストの回数（第一回）でカウントすることにしますが、年号が欲しい場合もあるので、そのときは執筆・応募の年をとることにします。つまり、一九四五年度の第一回コンテストです。

第一回コンテストは、マンリイ・ウェイド・ウェルマンの「戦士の星*」が、第一席を獲得し、EQMM四六年四月号に掲載されました。以後、第二回コンテストが、四六年に募集、四七年に発表され、順次続いていきました。そして、第十二回コンテストが、五六年に募集、五七年に発表されて、そこで一度中断します。四年のブランクを経て、六一年に第十三回コンテストが開催、翌年、結果が発表されました。第一席は、コーネル・ウールリッチの「一滴の血*」でした。そして、それを最後に、EQMMコンテストは、その使命を終えます。

コンテストの第一席作品十三編は、名だたる粒ぞろいで、のちに『黄金の13／現代篇』として一冊にまとめられました。これほどハイレベルな、短編ミステリのアンソロジーも珍しく、クオリティの高いことでは、世にミステリのアンソロジーはあまたあれど、確実に五指に入るでしょう。第一席作品、すなわち、受賞作と言っていいでしょうが、それらにこれほどの作品群を集めえたというだけでも、コンテストとして有意義だったにちがいありません。けれど、EQMMコンテストが画期的だったのは、それだけが理由ではないのです。

EQMMコンテストの全貌を知るには、その受賞作を見る必要があります。ただし、それは、いまとなっては、たいへん厄介なことです。まず、コンテスト受賞作のリストをご覧いただくことにしましょう。長いものになります。煩雑さを避けるため、このリストに関しては、邦訳の別題表記を省略します。未訳作品は原題を表記します。

第一回コンテスト（一九四五年）
第一席　マンリイ・ウェイド・ウェルマン「戦士の星」
第二席　ウィリアム・フォークナー「調合の誤り」／マニング・コールズ「幽霊に手錠はかけられぬ」／T・S・ストリブリング「ジャラッキ伯爵、釣りに行く」／フィリップ・マクドナルド「殺意の家」／ヘレン・マクロイ「東洋趣味《シノワズリ》」／アントニー・ギルバート「死刑台には二度のぼれない」
第三席　ナイオ・マーシュ「出口はわかっている」／Q・パトリック「11才の証言」／マイケル・イネス「解剖学教程」／クレイグ・ライス「さよなら、グッドバイ！」
第四席　ケネス・ミラー「女を探せ」／ジェローム&ハロルド・プリンス The Watchers and the Watched／フランシス・クレイン*「青い帽子」／クリフォード・ナイト The Affair at the Circle T
選外佳作（Honourable Mention）　ブリス・オースティン The Final Problem
第二回コンテスト（一九四六年）
第一席　H・F・ハード「名探偵、合衆国大統領」
最高特賞　カーター・ディクスン*「妖魔の森の家」
第二席　Q・パトリック「ルーシイの初恋」／ロイ・ヴィカーズ「手のうちにある殺人」／ヒュー・ペンティコースト「読者への挑戦」／マイケル・イネス「ハンカチーフの悲劇」／レ

スリー・チャータリス「クォーター・デッキ・クラブ」／フィリップ・マクドナルド「木を見て森を見ず」／ヴァイオラ・ブラザーズ・ショア Rope's End／T・S・ストリブリング「八十一番目の標石」
第三席　ヘレン・マクロイ「カーテンの向こう側」／エドマンド・クリスピン「デッドロック」／A・E・マーチン「天から降って来た死体」／エリザベス・サンクセイ・ホールディング People Do Fall Downstairs／スチュアート・パーマー「指紋は偽らず」
処女作特別賞　R・E・ケンダル「駆け込み訴え」／ジャック・フィニイ「未亡人ポーチ」／ハリイ・ケメルマン「*九マイルは遠すぎる」

第三回コンテスト（一九四七年）
第一席　アルフレッド・セグレ「*裁きに数字なし」
第二席　クレイトン・ロースン「この世の外から」／フィリップ・マクドナルド「緑色と金色の紐」／ヒュー・ペンティコースト「心理的拷問」／Q・パトリック「*母親っ子」／ヘレン・マクロイ「*鏡もて見るごとく」／ブレット・ハリデイ「逃亡犯罪人引渡し法」
最優秀処女作特別賞　スタンリイ・エリン「*特別料理」
最優秀シャーロッキアーナ特別賞　ロバート・アーサー「謎の足跡」
最優秀大学生作品特別賞　リンク・クルーセン（プリンストン大学）The Silver Dollar
最優秀はなれわざ特別賞　ジャック・モフェット「*女と虎と」

最優秀国外作品特別賞　A・E・マーチン The Power of the Leaf（オーストラリア）／ホルヘ・ルイス・ボルヘス「八岐の園」（アルゼンチン）／ヴィクター・パーラ The Maul, the Sword, and the Sharp Arrow（ポルトガル）／H・T・アルフォン Fourth Rule for Murderers（フィリピン）／アーサー・ウィリアムズ「この手で人を殺してから」（南アフリカ）

第四回コンテスト（一九四八年）

第一席　ジョルジュ・シムノン「*幸福なるかな、柔和なる者」

第二席　ウィルバー・ダニエル・スティール「土に還る」

第三席　ニコラス・ブレイク「白の研究」／スタンリイ・エリン「*お先棒かつぎ」／ジョゼフ・シアリング「翡翠のリンゴ」／ベン・ヘクト「二重露出」／エドマンド・クリスピン「〈悲愴〉殺人事件」

第四席　バリイ・ペロウン「絞首刑綺譚」／ミリアム・アレン・ディフォード Beyond the Sea of Death／ジョン・ディ・シルヴェストロ The Big Shots／フレドリック・ブラウン「1999年」／ヴィンセント・コーニア The Monster／ケリイ・ルース「打ちそこなったゴルフ・ボール」

特別賞　Q・パトリック「汝は見たもう神なり」／ヘレン・マクロイ「*歌うダイアモンド」／クレイトン・ロースン「天外消失」／レスリー・チャータリス「神の矢」／ロイ・ヴィカー

ズ「つぎはぎ細工の殺人」／リリアン・デ・ラ・トーレ「名提琴のゆくえ」／トーマ・ナルスジャック「吸血鬼」
処女作特別賞　トマス・フラナガン「北イタリア物語」／フロイド・マハンナ「マリアはなんでも知っている」／ミルドレッド・アーサー The Queen Is Dead／ハール・クック Riding the Ghost／ヴィニー・ウィリアムズ A Matter of the Tax Payers' Money／T・M・マクデイド Let Me Help You With Your Murders／メアリー・アダムズ・サレット Subject to Review／I・J・ジェイ The Gewgaw Murder／ジョン・グレンジャー Small Murder／スティーヴン・バー*「ある囚人の回想」／フランシスコ・A・ブランコ The Dwarfs' Club

第五回コンテスト（一九四九年）
第一席　ジョン・ディクスン・カー「パリから来た紳士」
第二席　ウィルバー・ダニエル・スティール**「女たらし」**／A・H・Z・カー*「誰でもない男の裁判」／クレイグ・ライス＆スチュアート・パーマー「汽笛一声」／スタンリイ・エリン*「アプルビー氏の乱れなき世界」／マージェリー・アリンガム*「ある朝、絞首台に」／Q・パトリック*「少年の意志」／フィリップ・マクドナルド「おそろしい愛」
第三席　ヴァイオラ・ブラザーズ・ショア The Case of Karen Smith／ジョン・D・マクドナルド*「懐郷病のビュイック」／ジェローム＆ハロルド・プリンス "Can You Solve This

Crime"／T・S・ストリブリング「個人広告の秘密」／ミリアム・アレン・ディフォード
"I Murdered a Man"／アントニー・バウチャー Crime Must Have a Stop／クレイア&マ
イケル・リプマン The Walking Corpse／ロイ・ヴィカーズ「絹糸編みのスカーフ」／バ
リイ・ペロウン「頭紋」
最優秀シャーロッキアーナ特別賞　オーガスト・ダーレス The Six Silver Spiders
物故作家発掘特別賞（Special Posthumous Award）　フレデリック・アーヴィング・アンダ
ーソン The Man from the Death House
最優秀リドルストーリイ特別賞　ピーター・ゴドフリー「女と龍と」
最優秀怪談特別賞　ジョージ・エヴェレスト Abracadabra, the King of the Dolls
特別賞佳作（Special Added Prizes）　フランシス・ボナミイ「装塡された家」／ウィル・ア
ワズラー The Shadow and the Shadowed／シャーロット・アームストロング「オール・
ザ・ウェイ・ホーム」／ハリイ・ケメルマン「わらの男」
最優秀処女作特別賞　J・キャメロン・スミス The Rustling Tree／ギルバート・トーマス
Natural Selection／スチュアート・C・ベイリー Because of Soney／ダン・ソンタップ
「ダニイ・ボーイ」／ルース・アリックス・アシェン The Woman Who Was Afraid／ヘ
ンリイ・E・ジャイルズ The Sheriff Went to Cincinnati／E・G・アシュトン
Cameron's Cave／H・C・キンケイド Murder on a Bet

第六回コンテスト（一九五〇年）

第一席　シャーロット・アームストロング **「敵」**

第二席　A・H・Z・カー「市庁舎の殺人」／スタンリイ・エリン「好敵手」*／ヴァイオラ・ブラザーズ・ショア 'Bye, 'Bye, Bluebeard／ロイ・ヴィカーズ「ヘアシャツ」*／クレイグ・ライス&スチュアート・パーマー「罠を探せ」

第三席　Q・パトリック「はるか彼方へ」*／ヒュー・ペンティコースト「矛盾だらけの事件」*／オリヴァー・ラ・ファージ Woman Hunt No Good／ナイジェル・モーランド Flowers for an Angel／T・S・ストリブリング Adventure of Andorus Enterprises

佳作（Added Prizes）　ピーター・ゴドフリー「ニュートンの卵」／ケム・ベネット「自由の鐘を鳴らせ」／メアリー・アダムズ・サレット Buck Fever

最優秀「ミステリ」特別賞　C・S・フォレスター「希望を実現した男」

最優秀スパイ小説特別賞　ロード・ダンセイニ Most Dangerous Man in the World

最優秀ユーモア小説特別賞　パーシヴァル・ワイルド「P・モーランの観察術」

最優秀歴史小説特別賞　リリアン・デ・ラ・トーレ「三重の密室」

最優秀パスティーシュ特別賞　バリイ・ペロウン「瓜二つの御者」

最優秀怪談特別賞　ローレンス・カーク「幽霊は年をとらない」

最優秀シャーロッキアーナ特別賞　エドワード・G・アシュトン International Investigators, Inc.

最優秀ショートショート特別賞　ヴィンセント・コーニア O Time, in Your Flight
探偵小説作家のための探偵小説賞　ロバート・アーサー「51番目の密室」
最優秀処女作特別賞　リサ・ロビニュー Perchance to Dream／J・W・ウェルズ His First Bow／ハリー・マイナー Corpus Delicti／ウォルター・E・チョーク Like an Apple／サム・ヤング Gifts for His Highness／ガイ・ド・ヴェリイ Vertigo／ロバート・パッサーノ「*道化役者のパンチネーロ」

第七回コンテスト（一九五一年）
第一席　トマス・フラナガン「アデスタを吹く冷たい風」
最高特賞　エドガー・パングボーン「歌う杖」
第二席　ドロシー・ソールズベリ・デイヴィス「春のあらし」／A・H・Z・カー「虎よ！虎よ！」／スタンリイ・エリン「*君にそっくり」／ヴェロニカ・パーカー・ジョーンズ「帰郷」／ジョン・W・ヴァンダーコック The Challenge
第三席　ジェイムズ・ヤッフェ「*ママは何でも知っている」／メイベル・シーリイ「ネラが住んでいた家」／オクティヴァス・ロイ・コーエン「警官は嘘を吐かない」／エリザベス・ホールディング「さらば大きな女よ」／E・C・ベントリー The Feeble Folk／バリイ・ペロウン「行きずりの女」／マーガレット・ペイジ・フード「緑の雑草」／ベイナード・ケンドリック「5－4＝殺人犯人」

特別賞　ガートルード・ダイアマント「バルドンネッキアの雪」／ジェイン・マクルーア Dark Interlude／ハワード・ショーンフェルド The Tea Pusher／マーク・ヴァン・ドーレン「おふくろ」／Q・パトリック「鳩の好きな女」*／フレッチャー・フローラ「焦熱地帯」／ロバート・パッサーノ「親友」／W・ハイデンフェルト「〈引立て役倶楽部〉の不快な事件」

最優秀処女作特別賞　キティ・ハーウッド Papa's Going Bye-Bye／ジョン・ユージイン・ヘイスティ「犯罪ア・ラ・カルト」／ハワード・F・オルドリッジ The Horns Were Wet／エルバ・O・キャリア Honest Abe／S・R・ロス You Got to Have Luck／バーバラ・ヴェタレイン Dear Departed Harold／マクシー・ブルック Morte d'Alain

第八回コンテスト（一九五二年）

第一席　スティーヴ・フレイジー「追うものと追われるもの」*

第二席　ロイ・ヴィカーズ「猫と老婆」*／スタンリイ・エリン「壁をへだてた目撃者」*／A・H・Z・カー「誰かと、誰かが……」／リリアン・デ・ラ・トーレ The Stroke of Thirteen

第三席　ドロシー・ソールズベリ・デイヴィス「生れながらの殺人者」／エリザー・リプスキイ「慈悲の心」*／ジェイムズ・ヤッフェ「間一髪」／シャーロット・アームストロング「笑っている場合ではない」／トーマス・キッド「空の法廷」／リチャード・デミング「未解決

事件簿」／ブローニング・ノートン The Panther／ゼルダ・ポプキン Junie-No-Name／アントニー・バウチャー「怪物に嫁いだ女」／ヘンリイ・マイヤーズ Nothing so Hard as a Diamond／マーガレット・ペイジ・フード*「早く起こすよ」

特別賞　フィリス・ベントレー「山荘」／フランク・スウィナトン Ms. in a Safe／ウィリアム・マーチ「巣箱」／ヤングマン・カーター London Nights' Entertainment／C・B・ギルフォード「探偵作家は天国へ行ける」／ウィル・スタントン The Town Without a Straight Man／ヒュー・A・マリガン Father Was Always Right／ジョン・F・スーター「フィルムの切れ目」／L・A・G・ストロング The Clue That Wasn't There／ミリアム・アレン・ディフォード The Crazy House

佳作短編（Added Awards: Short Stories）　ハワード・ショーンフェルド*「神の子らはみな靴を持つ」／フレッチャー・フローラ「追われて」／キャリー・ルーカス Unknown Quantity／デニス・ウィーガンド The Street of the Buzzards／ウィリアム・エイブラハムズ The Poison Typewriter／ジョン・L・ヘイワード 'Bye, 'Bye, Darling／レスリー・ビグロウ Glimpses of the Moon／ヘイドン・ハワード Pass the Bottle

佳作ショートショート（Added Awards: Short-Short Stories）　エドガー・パングボーン「にゃおうん」／ウィル・C・ブラウン One for the Road／ベン・レイ・レドマン All Day Sunday／イーヴリン・E・スミス「本当に単純なこと」／ラルフ・ノーマン・ウェーバー The Survivor／グローヴァー・ブリンクマン Caribbean Blow／デイヴィッド・ヴィンセ

ント・シーハン A G Is a G
物故作家発掘特別賞　M・P・シール「プリンス・ザレスキー再び」
処女作特別賞年間最優秀作　E・C・ウィットハム The Silver Spurs
処女作特別賞入選作　ラルフ・ジョーンズ Murder at Chanticleer Hall／ドナルド・マクナット・ダグラス「グリニジ・ヴィレジの幽霊」／ラファエル・ヘイズ The Man Who Could Not Die／E・H・レイニア Cinder City Blues／アルジーン・メルサー Doublecross／シドニー・ローランド The McGregor Affair／エリナー・セント＝ジャーメイン Roll Call／リチャード・ウェスト Hard Bargain／リリアン・キング「記憶の中の男」／C・G・ランバード Helpless Victim／グラディス・クラフ「門は開く」／ジェイムズ・C・ブラフ President Sam Houston: Detective

第九回コンテスト（一九五三年）
第一席　ロイ・ヴィカーズ **「二重像」**
第二席　スタンリイ・エリン「パーティーの夜」*／ゼナ・ヘンダースン「先生、知ってる？」／ドロシー・ソールズベリ・デイヴィス「子供ごころ」／フィリップ・マクドナルド「ずぶ濡れの男」*／ジャニータ・シェリダン「ハワイには蛇はいない」／マーガレット・ミラー「隣りの夫婦」
第三席　ジョン・ロス・マクドナルド「骨折り損のくたびれもうけ」／ヘイドン・ハワード

The Dipping of the Candlemaker／ジェイムズ・ヤッフェ「*ママの春」／ハリー・マイナー Due Process／フィリス・ベントレー「証言の環」／クレイグ・ライス&スチュアート・パーマー「三人目の男」

オナーロール（短編） A・H・Z・カー「*猫探し」／ヘンリイ・マイヤーズ The Pale Sergeant／ジェイムズ・M・アルマン Anything New on the Strangler?／ジョン・D・マクドナルド「悪者は俺に任せろ」／レイ・ブラッドベリ「月は六月その夜更けに」／ディオン・ヘンダースン「全額支払い」／ジョン・F・スーター When Are People Going to Learn?／エリザベス・サンクセイ・ホールディング Glitter of Diamonds／ドロシイ・ダン Follow the Leader／ロバート・ルイス The Ninth Circle／ルーファス・キング「淵の死体」／バリイ・ペロウン「ノエル・ノエル」／ベン・レイ・レドマン The Tougher They Come／ミリアム・アレン・ディフォード The Judgment of En-Lil

オナーロール（ショートショート） マージェリー・アリンガム「背は身を助く」／リー・ヘイズ Banquet and a Half／ジョン・L・ヘイワード Heat Spell／マーク・ヴァン・ドーレン April Fool／バベット・ロスモンド Best of Friends／マシュウ・ガント「第一前哨」／アントニー・バウチャー「学問の問題」／ホディング・カーター Bad Check／ウィリアム・オファレル「証拠物件A」／ピーター・ゴドフリー Hail and Farewell／スティーヴン・バー Duello

物故作家発掘特別賞 リング・ラードナー Claude Diphthong, Student of Crime

処女作特別賞年間最優秀作　ジョゼフ・ホワイトヒル「石合戦」
処女作特別賞入選作　エミリイ・ジャクスン「誤算」／ブレニ・ジェイムズ Socrates Solves a Murder／サラ・ヘンダースン・ヘイ Mrs. Jellison／ジャン・トンプスン The Mirror of the Man／ラットレル・タッカー Nothing Will Hurt You, Lucy／トマス・ミルステッド「感傷的な殺人」／マイケル・サンズ Wake Up and Live／マリアン・ロイド・ディックス Probation／フレッド・チャラップ On the Very Street You Live／ウィリアム・D・ゲント The Black Ruby／クリスティン・フィールド The Detective／スタンリイ・アントン To Bury a Friend／ウィリアム・リンク&リチャード・レヴィンソン Whistling While You Work

第十回コンテスト（一九五四年）
第一席　スタンリイ・エリン**「決断の時」**
最高特賞　ジョゼフ・ホワイトヒル Stay Away from My Mother
第二席　シャーロット・アームストロング「あなたならどうしますか?」*／シャーリイ・バーカー The Fog on Pemble Green／ドナルド・マクナット・ダグラス「完全主義者」／ヴェロニカ・パーカー・ジョーンズ The Gentleman Caller／エリザー・リプスキイ「夜の虎」*／ウェイド・ミラー「事故への招待」／メアリー・ロバーツ・ラインハート The Splinter／ヴィニー・ウィリアムズ Dodie and the Boogerman／ジェイムズ・ヤッフェ

「ママは祈る」
オナーロール　デイヴィッド・アリグザンダー「優しい修道士」／ローレンス・G・ブロックマン If You Want to Get Killed／フレドリック・ブラウン Killers Three／ヒュー・B・ケイヴ Alike Under the Skin／ロード・ダンセイニ「世界の涯にて」／ポール・W・フェアマン「海亀レース」／トマス・フラナガン「うまくいったようだわね」／アントニー・ギルバート「一度でたくさん」／アーサー・ゴードン The Deadly Cycle／トーマス・キッド「遺書」／ソウル・レヴィンソン Stay on the Sidewalks, Kid／D・マクルーア The Stone on Abdul's Head／フィリップ・マクドナルド*「夢見るなかれ」／ウィラード・マーシュ Life Begins at 2:15／アラン・E・ナース「白いマスクの男」／ヴィン・パッカー Only the Guilty Run／スチュアート・パーマー&クレイグ・ライス「貰いそこねた分け前」／メーベル・シーリイ「お気に召すまま」／ヴィンセント・スターレット Crazy Like a Fox／ジョン・F・スーター「反対答弁」／ネドラ・タイア「ポウ廟の殺人」／マーク・ヴァン・ドーレン The Man Who Made People Mad／ロイ・ヴィカーズ「信念に生きる女」

処女作特別賞年間最優秀作　シルヴィア・ファーンハム・バカラック The Walk-Away Kid

処女作特別賞入選作　リチャード・F・バレット「トラブルをよぶ金髪」／ヴァージニア・バーンハイム Friday the 13th／リー・シェリダン・コックス A Simple Incident／クレイトン・フォックス The Heel of Achilles O'shay／ヴァージニア・ジョーンズ The Compleat

Murderess／W・C・キング「弱点」／J・トレロア・マーティン The Road to Tyburn／シャーロット・モリス It Might Be George／ブライアン・オサリヴァン「お父ちゃん似」／アーマンド・ペレッタ The Man Who Got Away with Murder／R・J・ティリー The Devil and Mr. Wooller／レベッカ・ワイナー "Well?"

第十一回コンテスト（一九五五年）

第一席　A・H・Z・カー*「黒い小猫」

最高特賞　スタンリイ・エリン*「ブレッシントン計画」

第二席　デイヴィッド・アリグザンダー「タルタヴァルに行った男」／トマス・フラナガン「国のしきたり」／マイケル・ギルバート One-Tenth Man／ディオン・ヘンダースン From the Mouse to the Hawk／ヴェロニカ・パーカー・ジョーンズ Mr. Hyde-de-Ho／ルーファス・キング「マイアミプレスの特ダネ」／ウェイド・ミラー「厄日のドライヴ」／フレデリック・ネベル Try It My Way／ジェイムズ・ヤッフェ「家族の一人」

オナーロール　フィリス・ベントレー A Telegram for Miss Phipps／ミリアム・アレン・ディフォード Danger――Women at Work／ドナルド・マクナット・ダグラス「船長には絶対服従」／ポール・W・フェアマン The Hills Cried Murder／C・B・ギルフォード*「新車で飛ばそう」／アーサー・ゴードン「ブラグデン教授の憂鬱」／チャールズ・グリーン「バーニイ王のごあいさつ」／ウィリアム・リンゼイ・グレシャム Don't Believe a Word

She Says／アーサー・ポージス「ステイトリー・ホームズの冒険」／ウォルト・シェルドン「愛のきずな」／アーロン・マーク・スタイン This Was Willi's Day／J・M・スターン「ベッドタイム・ストーリイ」／シオドア・スタージョン&ドン・ウォード The Waiting Thing Inside／ジョン・F・スーター「千マイルかなたの銃声」／フランク・スウィナトン「ソホ街の夜」／ジム・トンプスン*「システムの欠陥」／ネドラ・タイア Tour de Couleur／ジェイムズ・M・アルマン Deputy Sheriff／マーク・ヴァン・ドーレン「雨の夜だけ」／ロイ・ヴィカーズ「おきあがりこぼし」／ジョゼフ・ホワイトヒル Square-o-Rooney／ヴィニー・ウィリアムズ「赤犬の冒険」／ジョゼフ・スタラッド「だれが駒鳥二世を殺したか?」

処女作特別賞年間最優秀作　マイケル・フォレスティアー Gifts to My People

処女作特別賞入選作　エリザベス・アンソニー The Seventh Murder of Henry's Father／エミリー・バーガー The Watcher／ライル・G・ボイド The Tools of Magic／マーティン・ブルック The Fog Closing In／レイ・チェソン Last Swap／マーティン・ダーディス「手紙の効用」／トム・カーセル Young Man in a Hurry／ハリー・ケリイ Nothing Is Black and White／ローランド・F・リー Light in Darkness／ジャック&メアリー・マクドナルド The Apartment Hunter／シオドア・マシスン The Hollow Family／C・E・パーカー Like a Plum Ripening／セシル・E・パーソン The Folding Knife／ポール・ピーチ Sucker's Game／マーヴィン・ロスマン Mr. Diamond's Diamonds／ヘンリイ・スレ

ッサー「人を呪わば」／ロン・スティーヴンス「名人気質」／マージー・スワン Sunday in Our Town／ラルフ・M・サーロウ Blue, Blue Lagoon／ラリー・ヴァン・ベンシューゼン The Clementine Caper／ポール・E・ウォルシュ $100,000 a Pint

第十二回コンテスト（一九五六年）

第一席　アヴラム・デイヴィッドスン「*物は証言できない」

最高特賞　B・J・R・ストルパー Lilith, Stay Away from the Door

第二席　シャーロット・アームストロング「*ミス・マーフィ」／ロバート・ブロック「あの豪勢な墓を掘れ！」／レイ・チェソン You Can't Run Away／スタンリイ・エリン「*神さまの思し召し」／ルーファス・キング「不思議の国の悪意」／トーマス・キッド Cottage for August／ヒュー・ペンティコースト An End to Fear／F・L・ウォーレス Driving Lesson／マンリイ・ウェイド・ウェルマン The Mayor Calls His Family

オナーロール　ポール・アンダースン「火星のダイヤモンド」／シャーリイ・バーカー The Darkened Stair／ケム・ベネット「実験室の悪魔」／フィリス・ベントレー Miss Phipps Goes to School／レスリー・ビグロウ The Silver Cones／ジョン・コリア「犬のお悔み」／セシル・カーティス Third Degree／ドロシー・ソールズベリ・デイヴィス「別居広告」／ミリアム・アレン・ディフォード「ひとり歩き」／リリアン・デ・ラ・トーレ「サン・ジェルマン不死伯爵」／G・C・エドモンソン Stop Being a Sucker／マシュウ・ガ

ント「飢えた眼つき」／ウィリアム・キャンベル・ゴールト「高望みは大怪我のもと」／マイケル・ギルバート「スナップ・ショット」／C・B・ギルフォード「刑事、女難！」／アーサー・ゴードン「月の魔力」／チャールズ・グリーン「セラフィーナのいたずら」／エヴァンス・ハリントン Out of the Midst of the Fire／クリフォード・ナイト Never Kill a Cop／アラン・E・ノース「心の扉」／ウィリアム・オファレル The High, Warm Place／ブレニ・ピーヴハウス So Refreshing!／ヘンリイ・スレッサー「*権威の象徴」／パット・スタッドリイ「雌鹿の処刑」／L・A・G・ストロング The Birdwatcher／ジョゼフ・ホワイトヒル The Town Is Waiting

処女作特別賞年間最優秀作　アルヴィン・ピーヴハウス The Kachina Dolls

処女作特別賞入選作　ジョン・バーデン The Liquidation of Pickle Fat／ライアム・ベック「その手はくわない」／フレッド・バーケンホフ The Mind Reader／ジャクリーン・カットリップ The Man at the Latch／ド・フォーブス So I Can Forget／ルース・ドイル Now I Lay Me Down／ローズ・フィネガン Paid in Full／ローレン・グッド「かくて砂漠に花咲かん」／A・ハリス The Last Week／アーネスト・ハリスン Voluntary Murder／ステラ・リプリー Last Laugh／スタンリイ・ローゼン Waiting for the Dawn／ジーン・サコール Five Letter Word／アンドリュー・サーモンド Never the Twain／J・バーン・サージェント Command Performance／ギルバート・シェヒトマン Where There's a Will／ミリセント・シャーウッド A True Blue Friend／サイモン・ス

ティル Kelman's Eyes／チャールズ・M・スウォート Man of the Week／ロバート・トゥーイ「死を呼ぶトラブル」／ボブ・ヴァン・スコイク Home from Camp／ニコルスン・ウィリアムズ A Way with Women

第十三回コンテスト（一九六一年）

第一席　コーネル・ウールリッチ「一滴の血」

第二席　マーガレット・オースティン「エラリイのママをご紹介」／ハロルド・R・ダニエルズ「大虎の死」／ドロシー・ソールズベリ・デイヴィス「捉われた魂」／スタンリイ・エリン「*倅の質問」／パット・マガー「高い買物」／ヒュー・ペンティコースト「*ある殺人」

選外作　ジョージ・サムナー・オールビー The Talking Tree／シャーロット・アームストロング「もう片方の靴」／リチャード・バンクス「ロボット殺し」／ウィリアム・E・バレット「誰も信じてくれない」／フィリス・ベントレー「危険な休日」／マージョリイ・カールトン Monday Is a Quiet Place／ヤングマン・カーター「世界一のお尋ね者」／アヴラム・デイヴィッドスン「ある拳銃」／ジェイコブ・ヘイ The Reformation of Fogarty／パトリシア・ハイスミス「ミセス・アフトンの嘆き」／ハリイ・ケメルマン「アデルフィの壺」／ルーファス・キング「神の復讐」／ドン・ノールトン「キュリアス・クイント」／ハロルド・Q・マスア「密告者の報酬」／マーガレット・ミラー「*谷の向こうの家」／H・C・ニール The Pegasus Pilfer／フレデリック・ネベル「干し草の中の針」／タルメイ

ジ・パウエル「誰かが悲しんでくれる」／ホーリイ・ロス「水晶の鏡」／マーク・ヴァン・ドーレン This Other Honor

最優秀処女作賞　アリス・スキャンラン・リーチ「ざんげ室にて」

処女作賞　L・E・ビーニイ「路上の出来事」／ラーレイ・ボンド「男の階段」／K・T・エドワーズ A Matter of Judgment／エドワード・フォーブス The Man Who Heard Whispers／ハーブ・ゴールドスタイン Go Play With Your Sister／ウィリアム・ノース・ジェイム「ご静粛に願います」／パット・ウォレス・ラトナー Trouble House／マグナス・ルーデンス The Red Eggs／ロバート・ピカリング A Lesson in Logic／スーザン・シヤーズ「人の心は」／クライド・シェーファー The Day the Sheriff's Dog Died／ジェーン・スピード「人を呪わば……」／トーマス・P・ストーン A Time for Tea／リトライス・ウィギントン Vengeance Is Mine. . .

最高特賞というのは、Special Award of Meritが原語で、第一席に次ぐ、ナンバー2という位置づけのようです。コンテスト終盤に向かうほど、受賞作数が激増していることが、一目で見てとれます。

では、EQMMコンテストとは、そもそも、どういうものだったのでしょう?

2 初期コンテストから見るクイーンの戦略

一九四一年のEQMM創刊は、危なっかしいものだったと考えられます。

一九四六年の一月に、クレイグ・ライスが、タイムの表紙を飾り、大きく取り上げられたことがありました。ミステリ作家が取り上げられることなどなかった時代ですから、事件といってよかったでしょう。その年のEQMM六月号に、第一回コンテスト第三席の彼女の作品「さよなら、グッドバイ！」（「グッドバイ・グッドバイ！」）が掲載され、クイーンが解説を書きました。クイーンはタイムの紹介記事を引いて、しかるのちに、クレイグ・ライスが雑誌には一度も書いたことがないというくだりに噛みつきます。EQMM四三年三月号に、ライスは最初の短編「胸が張り裂ける」（「うぶな心が張り裂ける」）を書いていると。もう一編も自分たちの金庫の中にあるというのは、ご愛嬌《あいきょう》としても、ここを読んで、書誌にうるさいクイーンと微笑を浮かべていられるのは、後世の読者です。タイムが、流行作家の紹介記事を書くときに、EQMMは参照されていなかったのです。

EQMMの船出とは、そういうものだったと知っておく必要がありそうです。ミステリ雑誌とそこに載る小説は、低級な読物であるという、おそらくはおおむね事実であっただろうことと、それに対してミステリ・リーグでクイーンが、あるべきミステリ像を唱え続けたことを思い出してください。そのミステリ・リーグも失敗していたし、ミステリの雑誌といえば、いわゆるパルプマガジンしかなく、実際、人々の多くは、パルプマガジンのようなものしかイメージできなかったことでしょう。理想のミステリマガジンの姿は、フレデリック・ダネイの頭の中にしか存在せず、彼の頭の中にも、どの程度具体的に、その姿があったのか、分かったものではありません。クイーンが自説の正しさを証明するためには、低級でないミステリの新作を、EQMMが提供してみせる必要があったのです。それもコンスタントに。

広く世界じゅうに短編ミステリを募る。実戦的には、力のあるイギリス作家の参加を求めながら、アメリカの作家を掘り当てていく。そうすることで、EQMMがクオリティを保ちながら提供できる十数編（つまり月に一〜二編）の短編ミステリの新作を確保する。もちろん、年鑑ふうのアンソロジーを作ることも、計画に入っていたでしょう。問題は、どの程度の作家が、どのくらい本気で応募してくるかです。

T・S・ストリブリング、ヘレン・マクロイ、Q・パトリック、クレイグ・ライス。第一回コンテストの第二席第三席に入賞した、アメリカのミステリ作家です。このうち、現役バリバリと言えたのは、Q・パトリックくらいではないでしょうか。ストリブリングは異色のパルプ作家でしたが、ミステリから離れていたのをクイーンが惜しんで復帰させたという経緯がありました。ヘレン・マクロイ、クレイグ・ライスはともに、短編を書き始めたのがEQMMで、マクロイにいたっては、「東洋趣味《シノワズリ》」（「燕京綺譚」）が初短編でした。フィリップ・マクドナルド、マイケル・イネス、マニング・コールズ、ナイオ・マーシュといったイギリス作家（ただし、フィリップ・マクドナルドはアメリカに移っていましたし、ナイオ・マーシュはニュージーランドですけれど）が、応募してくれたのは、クイーンにしてみれば、してやったりではなかったでしょうか。イネスも初短編でした。意外なことに、そして、編集者クイーンが喜んだであろうことに、ウィリアム・フォークナーの名が第二席にあります。凡作ですが、EQMMを飾るにはうってつけだったにちがいありません。フランシス・M・ネヴィンズの『エラリー・クイーン 推理の芸術』には、フォークナーが「出来レース」と手紙に書いていたとありますが、ま、そのとおりだったのでしょう。エリンの「特別料理」は、持ち込み原稿がコンテストにまわされたものですし、クリスピンの短編のように、イギリスで新聞初出のものが、入賞した例もあります。現在考えられているような公募のコンテストよりは、少々ルーズなものだったようです。

では、第一回コンテストの受賞作を実際に読んでみましょう。先に、第一席作品を集めた『黄金の13／現代篇』を、名だたる粒ぞろいと書きましたが、本当を言うと、前半はそれほどでもありません。

第一回コンテストの第一席、マンリイ・ウェイド・ウェルマンの「戦士の星」は、インディアン居住区の原住民管理局警察部に、主人公のデイビッド・リターンが赴任するところから始まります。居住区で起きたコミュニティ内の殺人事件を、デイビッドが解決するのです。二十年以上のちに『死者の舞踏場』でアメリカ探偵作家クラブ（以下MWA）賞を獲るトニー・ヒラーマンの先駆と言えますが、クイーンの評価の眼目は、生きた人間としてのインディアンを、名探偵と犯人として描いた、その部分でしょう。それが証拠に、推理と解決はそれほど魅力のあるものではなくて、むしろ、解決ののちに犯人が呟く動機の部分が印象に残ります。題材の目新しさ奇抜さが狙いの作品と見せて、案外、地味な渋い作品に、第一回コンテストの第一席を与えているのです。とはいえ、現在の眼で見て、この作品が第一席というのは、さすがに物足りないものがある。ふり返って、題材そのものが現実に追い越されやすかった（しかも、追い越されるとはとても思えなかった）と言えばそれまでですが。

第一回のコンテストにはヘレン・マクロイの「東洋趣味」の名前も見えます。当時から見ても半世紀前の北京（という呼び方を、正確にはしないのですが）を舞台にして、英米露仏日の外交官たちが入り乱れる、エキゾチシズムあふれる短編です。この作品は「燕京綺譚」の名で翻訳されたときに、考証の確かさが、作者、訳者（田中西二郎）ともに評判になって、のちに世界ミステリ全集『37の短篇』に採られたときも、そこが評価されていました。これ以降、ヘレン・マクロイは、「歌うダイアモンド」「鏡もて見るごとく」「カーテンの向こう側」と、心理的なアイデアを持ち込んだ作品で、コンテストの常連となります。

コンテストの常連といえば、Q・パトリックもそうです。「11才の証言」は、題名どおり、十一歳の少女の一人称で、身持ちの悪い母親をめぐる殺人事件の顚末を物語るのですが、いまとなっては、さすがに結末は読めてしまいます。翌年の「ルーシイの初恋」にしても、その点はあまり変わりません。ただし「ルーシイの初恋」は、意外な結末というよりも、明らかな結末に向かって不可避に事態が進行していく面白さなので、手の内が見えても構わないとも言えます。フィリップ・マクドナルドの「殺意の家」は、第三章で読み返していますが、やはり、古びているように思いました。

マニング・コールズ、アントニー・ギルバートのふたりのイギリス作家の作品も、あまり褒められたものではありません。マニング・コールズの「幽霊に手錠はかけられぬ」は、BBCラジオが幽霊屋敷探訪の実況中継を流しているうちに、アナウンサーから、ゴーストハンター、あげくスタッフまでが行方をくらますという、派手な出だしですが、これでは竜頭蛇尾でしょう。アントニー・ギルバートの「死刑台には二度のぼれない」も、手持ちのキャラクターである弁護士アーサー・クルックのところへ、怯えた男から電話が入るという出だしですが、さして面白みのない、シャーロック・ホームズのライヴァルたちの亜流に終わっています。

これらに比べれば、第四席に入った、新人ケネス・ミラー（！）やフランシス・クレインには、やや好感が持てます。ケネス・ミラーの「女を探せ」は、トリッキイな犯行が出てくるディテクションの小説で、探偵の名はロジャーズ（のちにアーチャーに書き替えられます）でした。目立った欠点もないかわりに、とくに言及しておきたくなるような魅力もありませんが、犯人像や自然描写に手をかけているといった部分に、後年のロス・マクドナルドを思わせるものがあります。フランシス・クレインの「青い帽子」は、イリノイ南部のレストランで、ある大金持ちの老嬢が魚料理を平らげているところを、居合わせた人々が観察しています。彼女の父親はミシシッピーの汽船のボーイあがりで、ショウ・ボートに似せた豪邸（！）は、スティームボート・ゴシックと呼ばれている。眉をひそめさせるところはあるけれど、なにせ大金持ちという、土地の有名人なのです。彼女は身のまわりの世話までする運転手とふたりきりで、マイアミと北部ミシガンとスティームボート・ゴシックとを行き来して、一年を過ごしているのです。彼女の伯母（小説の語り手でもある）は、彼女のことをよく知っているけれど、その分、嫌悪感も強い。語り手の女性の夫は探偵なのですが、金持ちなのが取り柄のこの永遠のオールドミスを一目見て、彼女は結婚していると言い出す。

老嬢の名がエミリーで、これはフォークナーの短編を思い出させますし、恋愛にまつわる過去を語り手と夫が掛け合いで解いていくところ、『おしどり探偵』にクィン氏の回があったら、かくやとばかり。といった具合で、中盤過ぎまでは、すこぶる楽しい。結末は、アメリカ人の習慣に通暁《つうぎょう》していない私などには、ああ、そうですかで終わってしまうので、上手な解決とは言えないでしょう。この作品は、一九七二年に唐突に訳されて、解説も何もつけられませんでしたから、初読時には、まったく面白みを感じず、だいたい、いつごろの話なのかも分からない（よく読めば分かるし、四半世紀昔の作品だと、一言言ってくれていれば、また違っていたかもしれません）まま、私は漫然とページをめくっていたようです。

「青い帽子」や「女を探せ」が第四席で、マニング・コールズやアントニー・ギルバートの後塵を拝しているところには、英国作家へのコンプレックスや、作家の名前を優先した商業性を見ることが出来るのかもしれません。しかし、コンテストが回を重ねるにつれて、そんな歪《いびつ》さは払拭されていきます。

こうして見てくると、不満の残る作品ばかりのように見えますし、実際、そういう気持ちが私にはなくもない。少し物足りなかった「戦士の星」の第一席は、結局妥当だったのではないかと、考えているくらいです。けれど、これらの作品に対する不満は、おおむね、それ以後の短編ミステリが格段の進歩をしたために生じたものでした。しかも、第二席、第三席というのは、ありていに言えば、毎月のEQMMを埋めるに足る出来であれば、良しとしている（それでも、そのレベルは、既成作家の作品の場合、案外高いと私は思います。処女作について少し甘いのは、クイーンの癖です）ように、私には思えます。なにより、このころのクイーンが重きをおいたのは、小説としての面白さを持ったミステリ、小説として面白く読めるミステリでした。Q・パトリックの「ルーシイの初恋」につけた長い解説を読むと、そのことがよく分かります。そこでクイーンは、ミステリをふたつのタイプ――プロットを重視するタイプと、性格描写や雰囲気や背景に重きをおくタイプ――に分けたうえで「この10年間の探偵文壇における注目すべき傾向は、このふたつのグループの作家たちが、意識的に接近してきたことである」としています。当の「ルーシイの初恋」は後者のタイプであり、その魅力を遺憾なく発揮していると力説しているのです。

この解説を典型例として、このころのクイーンの発言には、多分に戦略的なものを、私は感じていますし、それはコンテストのセレクションにも現われていると思うのです。性格描写、文章、登場人物の心理といった、それまでミステリの弱点と考えられていたものを克服することが、急務と考えたのでしょう。プロットや趣向をなおざりにしたとは言いませんが、弱点の克服を第一にした。しかも、プロットやアイデアの重視というとき、それはプロットやアイデアの奇抜さの重視とほぼ同義でした。奇抜さは常に不自然さと隣り合わせであり、往々にして易きにつくことがあったのは否めないでしょう。たとえばヘレン・マクロイの「歌うダイアモンド」は、奇抜なことこのうえないミッシング・リンク・テーマですが、犯行の不自然さをなくすために、いかにマクロイが心をくだいているか（にもかかわらず、いささかの無理が残るところに、このテーマの難しさがあります）。そこを見なければ、ミステリの進歩はなかったはずです。

そんなクイーンの行き方に、敏感に反応したのが、マイケル・イネスだと考えます。第一回コンテストに「解剖学教程」という、不可能興味はあっても、解決の苦しさもあらわな作品を投じたイネスは、第三席を占めましたが、翌年、すぐさま修正してきます。自らの手の内であるシェイクスピア劇の世界を舞台にして、俳優の心理の機微を活かした「ハンカチーフの悲劇」を応募したのです。

もちろん、そうした行き方が実を結ぶばかりではありません。たとえば、第二回コンテストの第一席作品、H・F・ハード「名探偵、合衆国大統領」のように、時の重みに耐えないどころか、当時のレベルで考えてすら、第一席に相当するとは思えないような例もあります（もっとも、アメリカの正義感が、半世紀以上経っても、このころのままだということを示しているという価値は、あるのかもしれませんが）。この年は、最高特賞のカーター・ディクスン「妖魔の森の家」に第一席を与えて、なんの問題もないように思えます。ただし、です。「妖魔の森の家」がパズルストーリイの一級品で、その年の他の受賞作を圧していることを認めたうえで、この作品は、H・M卿という名探偵が不可能興味あふれる謎を解決するという意味で、あまりに従来から存在する謎解きミステリでありすぎたのかもしれません。細かいことを言えば、第二巻のカーのところで書いたように、クロノロジカルな進行を心がけた、三〇年代以降のパズルストーリイのひとつの結晶として、歴史を作ったとも言えますが、ミステリに新しい魅力をつけ加える、新しいミステリを開拓するという、編集者クイーンの持っていたであろう野心を満たすとは言えなかったかもしれません。

この第二回コンテストは、意図は買えるけれど、作品として成功していないものがいくつも見られます。その点、第一席が「名探偵、合衆国大統領」に与えられたことは、まことに象徴的でしょう。マイケル・イネスが、コンテストの性質に合わせて、第一回の応募作から修正して「ハンカチーフの悲劇」を投じたのではないかという推測を、先にしておきましたが、この作品も、感銘を与えるところまでは、いっていないと私は思います。ロイ・ヴィカーズもフィリップ・マクドナルドもT・S・ストリブリングも、それぞれのキャリアに照らして、それぞれの作家らしい作品であると同時に、そこに新味を出そうという意図は分かるのですが、納得できる仕上がりとは言えないでしょう。中には、レスリー・チャータリスの「クォーター・デッキ・クラブ」やスチュアート・パーマーの「指紋は偽らず」のように、シリーズキャラクターを登場させて一丁あがりというだけの作品もあります。チャータリスやパーマーは、ばりばりの商業作家ですから、にぎやかしにコンテストにまわしたのかもしれません。もっとも、チヤータリスを第二席に、パーマーを第三席にと、同じ職人芸にも正当に差をつけているあたりは、さすがと言えるでしょう。

むしろ、この年は、新設された処女作特別賞が注目に値します。いや。良い作品が来たから新設した、という方が当たっているかもしれません。ジャック・フィニイとハリイ・ケメルマンの名前があるのです。

フィニイにはミステリの著作もありますが、主として、過去への郷愁に満ちたファンタジーの作家として、名を成しました。短編集『レベル3』は、強者ぞろいの異色作家短篇集第一期に選ばれましたし、『ゲイルズバーグの春を愛す』はフィーリング小説集のトップバッターでした。フィーリング小説集は、異色作家短篇集ほどヒットしませんでしたから、注釈が必要かもしれません。七〇年代の初めに早川書房から出た、短編集のシリーズで、フィニイ『ゲイルズバーグの春を愛す』、ブルース・J・フリードマン『黒い天使たち』、ローラン・トポール『リュシエンヌに薔薇を』、ナイジェル・ニール『トマト・ケイン』、シャーリイ・ジャクスン『こちらへいらっしゃい』の五冊で打ち切り（予告にはコリアも入っていました）となりました。むしろ雑誌面白半分の日本腰巻文学大賞に「短篇小説は閃光の人生！」という、各巻共通の表4側帯コピーが選ばれて話題になりました。

「未亡人ポーチ」は、サマセット・モームの「ルイーズ」*を原型にしたような、クライムストーリイですが、前半の主人公が犯行に及ぼうとしてそうしきれない過程を細かく描いてサスペンスをあげていくところが、凡手ではありません。「死者のポケットの中には」に通じるところもあります。ただ、後半から結末にかけて、ありきたりなのが残念でした。

ハリイ・ケメルマンの「九マイルは遠すぎる」は、もちろん、ニッキイ・ウェルト教授ものの第一作でもあります。ニッキイ・ウェルトものが短編集にまとまったのも（ついでに言えば、日本に紹介されたのも）、ラビ・シリーズの長編が書かれ始めたのも、一九六〇年代の後半だったので、私は錯覚していて、「九マイルは遠すぎる」が、こんなに早く書かれていたことに、今回初めて気づいて驚きました。似たようなことは、ジェイムズ・ヤッフェのママ・シリーズにも言えて、第二次大戦後に書かれた、このふたつの、すぐれた短編パズルストーリイのシリーズは、ともに、戦後それほど時が経たないうちに始まっているのです。ケメルマンとヤッフェは、のちに、じっくり読むことになりますから、ここでは、私の錯覚だけを記しておきます。

フィニイ、ケメルマンと並ぶと、「駆け込み訴え」のR・E・ケンダルは、知名度で劣るかもしれません。しかし、新人の作とは思えない拾いものです。その町では連続殺人が起きていて、すでに三人犠牲者が出ている。ただし、犯人は逮捕されています。主人公の男が警察を訪ねるところから話は始まりますが、彼はどうやら三件目の犯行が模倣犯によるものだと考えている。最初の二件の模様は広く報道されているから、それを真似るのはわけはない。と言いたいのですが、まともに聞いてもらえません。警察、新聞社とたらい回しにされて、夜の街をさまよい行きついたのは教会でした。神父さんは当然のことながら、仔羊たちの話を聴かんと待ち構えているのですが……という話。結末は予測のつく人がいるかもしれませんが、オチのつけ方に、あからさまを避けるだけの節度がありました。

そして、いろいろな意味で論じる必要の多い、第三回コンテストを迎えます。まず、第一席のアルフレッド・セグレ「裁きに数字なし」が、異様な作品です。他の第一席作品が、おおむね日本語版EQMMに翻訳されている（例外は、このセグレとシムノン）のに対して、この作品の初訳は、ミステリマガジン一九七二年九月号です。翻訳されるのに四半世紀かかったことになります。この作家の名を他で聞くことがありませんし、この作品自体、言及されることがほとんどありません。

舞台は、第二次大戦末期の敗色濃厚なイタリアの田舎です。発表当時の感覚では、つい数年前とも言えます。主人公のバスティアは、オウムを相棒に、手回しオルガンを鳴らしながら、カバラの数字を本当に働かせる組み合わせと称して、幸運な数字を教えることで、小銭や食料を得て――場合によってはブドウ酒を半値にしてもらったりして――います。ある日、彼は、藪の中に首なし死体を見つけます。まっとうな人間あつかいはされていそうにない主人公なので、しかるべき筋に届け出ないのは、呑み込めるのですが、殺人事件を知っているのは自分ひとりだと気づいた彼は、事件にぴったりと合う数字の組み合わせは何かと、考え始めるのです。貧しいにちがいない敗戦直前の村人たちは、富くじ（ナンバーズみたいなものらしい）の正しい数の組み合わせを知ることに熱中しています。神秘的な数の組み合わせを知ることが知恵である世界で、何者とも分からない首なし死体に遭遇した、あまり信頼できそうにないカバラ使いとオウムのコンビを、説明なしの描写一本で描いていく。個性的で魅力的な雰囲気と主人公という点では、これ以上のものは、そうお目にかかれません。結末で明かされる真相も、面白いものです。ただし、それは明かされる事態の面白さではあっても、そこに到る推理の面白さには欠けています。そして、数合わせの神秘と事件の解決が、結局は無関係に終わるので、小説世界の異様な雰囲気が単なる雰囲気づくりに終わっていることは否めません。「裁きに数字なし」は、結果として失敗に終わっているのでしょうが、野心的で魅力的な試みの短編ミステリでした。そして、ほかならぬその作品に第一席は与えられたのです。同じ失敗作でも、第二回のそれとは異なり、そのチャレンジ精神は、七十年以上を経た今日でも、チャレンジ精神であることが了解されます。

さらに、この第三回コンテストでは、アーサー・ウィリアムズという正体不明の人物が応募した「この手で人を殺してから」が、話題を呼びました。完全犯罪が成就する経緯を、そして、その経緯だけを淡々と描いた、クライムストーリイのひとつの典型ですが、著者が自身の正体を完全に隠すことで、本当にあったことなのではと思わせる。盤外戦術もここに極まれりというような作品です。この作品については『37の短篇』の月報に寄せた瀬戸川猛資の文章が、委細をつくしていますので、興味のある方はどうぞ。

といったふうに、第三回コンテストは、クイーンの蒔いた種子が、いろいろな意味で芽吹き始めたという意味で、コンテストの意図が現実のものとなっていった契機と言えるでしょう。そして、そのもっとも重要な事例、ＥＱＭＭコンテストが短編ミステリの歴史にもたらした最大の果実は、この年の最優秀処女作特別賞受賞者であるといっても過言ではありません。

作品は「特別料理」。受賞者はスタンリイ・エリン。

3　屹立する作家の肖像ＡＣＴ１

一九七〇年代の初頭。私がスタンリイ・エリンの短編集『特別料理』を初めて読んだとき、それはすでに古典の仲間入りをしていました。ジョン・コリアやロアルド・ダールに比べると、日本では人気の点で、一歩譲っているような印象を受けました（いまも、そう感じています）が、それでも作家としての評価は高かったし、その名声に翳りが出たことはありません。にもかかわらず、私には腑に落ちないことがありました。それはエラリイ・クイーンの序文です。そもそも、そのころの私は「特別料理」をさして面白いと思っていない。「二壜のソース」*という前例もあるし、平凡なアイデアじゃないかなどと、ミステリしか読まないミステリ初心者にありがちな考え方をしていました。お恥ずかしいかぎりです。しかし、それにしても、クイーンのこの序文は大げさではないか。年月を経て、エリンの良さが分かり、「特別料理」への評価も変わり、この作家が二十世紀でもっとも重要な短編作家のひとりと考えるようになってからも、依然として、その序文で、なぜ、クイーンはこんなに興奮しているのだろうという疑問だけは残りました。確かに、序文なのですから、その本や作家を褒めるのは当然の相場です。無理に褒めている痛々しさを感じる場合さえあるでしょう。クイーンが無理にそうしているとは、とても思えませんが、それにしても、不必要なまでの熱量がそこにはあるように見える。それが不思議だったのです。

エリンが紹介されるとき、このクイーンの序文はよく引かれますから、ご存じの方も多いでしょう。一九四六年十一月二十二日の朝、エージェントを通さない作家直の持ち込み原稿があったことを、業務連絡のひとつとして、クイーンは伝えられます。しかも、それは「とびきり特別」な作品らしい。クイーンは、この日を「何という快哉の日だったことか！」と、のちにふり返ることになります。このときEQMMコンテストは、第二回の応募を締め切ったところでした。クイーンはエリンの了解を得て、この作品を翌年の第三回コンテストの応募作品にまわします。この悠長さ（コンテストの最優秀処女作特別賞を得たのは約一年後、EQMM掲載は一年半ののちです）は、当初、この作品にそれほど期待していなかったのではないかという、意地悪な推測を可能にするかもしれませんが、むしろ、コンテストを通して世に出す方が、エリンのためにも、コンテストのためにも、利があると考えたからでしょう。

そして、驚くべきは、それ以後のエリンの快進撃です。第四回コンテストは「お先棒かつぎ」で第三席。その後、第五回から第九回にかけて五回連続で第二席入選を果たします。作品は「アプルビー氏の乱れなき世界」「好敵手」「君にそっくり」「壁をへだてた目撃者」「パーティーの夜」です。しかも、第四回は、第三席とはいうものの、このときの第二席作品は、ウィルバー・ダニエル・スティールの「土に還る」だけで、以下、第三席、第四席と続きます。「土に還る」を従来の最高特賞（は、この年はなかった）と考えるなら、「お先棒かつぎ」は、実質、第二席と考えられます。また、「パーティーの夜」は、MWA賞の短編賞を受賞します。ついでに書けば、この作品は、日本語版EQMM創刊号に翻訳掲載された、エリン本邦初紹介の作品でもあります。そして、第十回コンテストにおいて、ついに**「決断の時」**が第一席に輝きます。さらに、第十一回コンテストで最高特賞を得た「ブレッシントン計画」は、二度目のMWA賞をエリンにもたらしました。翌年の第十二回コンテストでは、「神さまの思し召し」が、またしても第二席に入ります。EQMMコンテストは、スタンリイ・エリンとともにあったのです。

では、登場してすぐにコンテストの常連入賞者となった、エリンの初期の短編とは、どのようなものだったのでしょうか。「特別料理」は、この一編だけでも、すでに古典と考えられているでしょう。ニューヨークの一角にある（とは書いていないのですが、まあ、そうでしょう）不思議な料理店スビローズを舞台にした、奇妙な話です。客に料理を選択させず、テーブルには塩さえ置かない。水以外の飲み物も刺激物もご法度です。ときおり、スペシャルと称するアミルスタン羊の料理が供され、その美味なること、常連たちを惹きつけてやまない。小説は、コステインが職場の上司であるラフラーに、この店に連れて来られるところから始まります。ラフラーはすでに十年来の常連なのです。やがて、コステインもスビローズの料理に魅せられますが、この店には長年の常連にのみ許された特権がありました。店の主が招待してくれたときにかぎり、調理場に入れてもらえるのです。

アンブローズ・ビアス（とは直接書かれていません）の肖像画や、特別料理の日を境に姿を見せなくなった常連客や、黒人の給仕を暴漢から救ったエピソードなどを、巧みに配置して、おそらくは、そうなのであろう真相に向かって、小説は一直線に進み、そうなのであろう真相には一言も触れずに暗示することで、小説は終わります。以前にも書きましたが、それと書かずに、結末で真相を暗示する術は、この作品でひとつの頂点に達したと私は考えます（私は、ダールの「女主人」*も同時に例としてあげますが、「特別料理」の方が十年以上先行しているのも事実です）。

「特別料理」は、確かに特別で、それはエリンの作品群の中でも、異色の部類に属します。そのことは、以後の歩みを見ると明らかになります。

「お先棒かつぎ」は、五十歳を目前に再就職先を探さねばならなくなった主人公が、「赤毛組合」*を思わせないでもない、ルーティーンワークの就職先を得ます。型にはまった、想像力のない主人公が、そうであるがゆえに、殺人者になることを迫られます。「クリスマス・イヴの凶事」は、エリンには珍しい、オチに意外性をもたせた短かい作品ですが、姉と弟という肉親の確執が、重要なモチーフでした。「アプルビー氏の乱れなき世界」の主人公アプルビー氏は、およそ生産性というものと無縁の古物商を趣味的に営み、それを成り立たせるため、過去の犯罪をお手本にして、金持ちの妻を娶《めと》っては殺しています。そして、次なる犠牲者に近づき、見事結婚にこぎつけたところで、アプルビー氏にとって意外な事実が判明します。「好敵手」は、夫に趣味も外出も認めない妻の抑圧から逃れようと、夜ごとチェスの盤駒にひとりで向かい合う夫が、狂気に蝕まれていきます。

これらの作品に顕著なのは、アメリカ社会のグロテスクな縮図となっていることでしょう。クイーンが『特別料理』の序文で、「本人みずから〝社会学的通念〟と称しているものから出発します」と書いているのも、納得できます。そのことが、もっとも色濃く出ているのが、次の「君にそっくり」です。ある意味で、パトリシア・ハイスミスの『太陽がいっぱい』の先駆とも言えるこの短編は、アメリカ社会における階級の観念を抜きには考えられません。「壁をへだてた目撃者」は、ひょんなことから隣人の犯罪を察知した主人公が、心をひかれた女性のために、事件に足を突っ込むという、ウールリッチばりの話ですが、筋立ての説得力と筆致に雲泥の差があります。同時に、ヒロインが孤独になっていった過去は、すぐのちに出るB・S・バリンジャーのサスペンスミステリを思わせるところもあります。

こうして見てくると、「特別料理」の不気味さ恐ろしさの持つ、純度の高さは、エリンにあっては例外的なもので、作風の本線は、より現実のアメリカ社会に寄り添っていて、それを、時として図式的なまでに(「アプルビー氏の乱れなき世界」や「君にそっくり」の因果応報的な展開を見てください)デフォルメしたものと、了解できるでしょう。それは、しばしば、発想としては常識的で平凡に見えたり、理におちた感じを与えないでもありません。「君にそっくり」の主人公には『太陽がいっぱい』のリプリーが持つ凄みがないのです。

エリンがいぶし銀と呼ばれるのは、そういうところにも理由があるのではないでしょうか。

しかし、エリンは、そうした社会的背景を持ちながら、それを絞りに絞ることで、再び、作品が内に持つ、登場人物の根本的な対立が、非常に高い純度を保った傑作をものし、そうすることで、一級の短編小説家の地位を不動のものにします。それが第十回ＥＱＭＭコンテスト第一席作品**「決断の時」**でした。

スタンリイ・エリンは短編集『特別料理』が代表作であると考えられています。とくに日本では、この短編集が、早川の異色作家短篇集という超の字のつくロングセラーの主要アイテムであったために、とりわけ、その感が強かったように思います。確かに「特別料理」と**「決断の時」**という、おそらく誰が選んでも、エリンのベスト5に入るであろう傑作が二編収められているのですから、それも無理からぬことです。しかし、本来、スタンリイ・エリンという作家は、着想すなわち素材そのものよりも、それをカットする技で一流を極めた人です。そして、それがために、晩年に到るまで、息の長い作家生活を送ることが出来ました。むしろ、**「決断の時」**を含めて、それ以降の変化をたどるべき作家なのです。ここではＥＱＭＭコンテストに即した部分を見るに留めて、その後のエリンについては、改めて読み返すことにしましょう。

「壁をへだてた目撃者」のところで、エリンをコーネル・ウールリッチの短編と比較しました。以前、書いたように、ウールリッチの短編は、ほぼすべてがパルプマガジンに書かれました。自分だけが犯罪に気づいているという、同じ出発点の話であるにもかかわらず、エリンには、ウールリッチのエモーショナルな語り口はありません。そういう意味で抑制が利いています。一方で、展開の説得力や破綻のなさも、ウールリッチには、多くの場合、縁遠かったものでした。なにより、エリンはウールリッチの後継者として、認められたのではありません。おそらくは、サキやコリアの流れをくむ、ダールのライヴァルとして、読まれたことでしょう。つまり、スリックマガジンの短編に伍して存在しうる短編ミステリの書き手として、ＥＱＭＭに登場したのです。

この感覚は、いまとなっては分かりづらい、ないしは意味のないことかもしれません。異色作家短篇集が二度目のモデルチェンジをしたとき、第十八巻の『壜づめの女房』は絶版にして、新たに若島正編になる全三巻のアンソロジーが第十八～二十巻として編まれました。その第十八巻の解説で若島正は、『壜づめの女房』について「あまりはっきりした編集方針は浮かんでこない」と書いています。しかし、『壜づめの女房』の解説（Ｓの署名なので常盤新平でしょうか）には、「ここに登場する作家は（中略）スリック・マガジンで活躍している人たちである」と明記しているのです。若島正がその点を重視しないのは当然だと、私は見ていますが、六〇年代の常盤新平は、そこに意味を見出しただろうとも、私は思います。そして、一九四六年のエラリイ・クイーンが小躍りしたのも、そこだったのではないでしょうか。スリックマガジンのクオリティでクライムストーリイを書く新人作家が、ダイジェスト版《サイズ》のパルプマガジンであるＥＱＭＭに現われたのです。それは、クイーンが待ち望んでいた才能ではなかったでしょうか。

さらに、もうひとつ見逃せないことがあります。サキもコリアも、そして、同時代のダールも、いずれもイギリスの作家でした。サキは、その存在も、小説そのものも、どこをとってもイギリスのものですし、アメリカに住み、おもにアメリカの雑誌に寄稿したコリアにしても、ダールにしても、イギリス人の作家でした。コリアにはボヘミアン的なところがあって、そこが、しばしば（アメリカの読者に）アピールしたであろうことは、想像にかたくありません。ダールでさえ、その出自は争えません。

しかし、スタンリイ・エリンは違います。人となりもニューヨークっ子ならば、初期作品のうち「特別料理」を例外的と指摘したように、アメリカ人の生活感情、社会認識をヴィヴィッドに反映した作品を書き続けました。ここでも、それはクイーンが待望したことでした。すなわち、アメリカ人の手になるアメリカ人のリアリティを反映した小説です。ダシール・ハメットが、アメリカ人の手になる、アメリカ人の出てくるディテクションの小説を書いたように、スタンリイ・エリンは、アメリカ人の手になる、アメリカ人の出てくるクライムストーリイを書いたのです。本書第二巻で指摘した、ミステリ・リーグにおけるクイーンの熱弁を思い出してください。このふたりに、クイーンが肩入れしたのには、なんの不思議もありません。

こうして、あの過熱した序文が生まれました。その結果、当該短編集そのものの序文において、クイーン自身の筆で、クイーンの定員入りが発表されるという、空前絶後の評価を得ることになりました。スタンリイ・エリンという作家の登場は、まさに衝撃であったのです。

4　コンテスト初期の原動力となった作家1――ヘレン・マクロイ

ヘレン・マクロイについては、前々節で少し触れましたが、改めて、読んでみましょう。EQMMコンテストには、「東洋趣味」「カーテンの向こう側」「鏡もて見るごとく」「歌うダイアモンド」と、第一回から四年連続で第二席または第三席に入るという活躍ぶりです。しかも、それぞれに作品のカラーが異なっていて、多芸多才なところを遺憾なく示している。

「東洋趣味」は、十九世紀末の北京を舞台にした、伴野朗を陳舜臣がリライトしたような短編ですが、推理の妙味はいささか軽い。題材からいっても例外的な作品でしょう。トマス・フラナガンが「北イタリア物語」でデビューしたのに似ています。もっとも、作品的には「北イタリア物語」の方がはるかに上でしょうが。

次の「カーテンの向こう側」は、夢という心理的な現象をサスペンス小説に取り入れて、この作家の転機となったものでしょう。森英俊の『世界ミステリ作家事典［本格派篇］』のマクロイの項によると、彼女の作風が大きく変わったのは、四八年の『ひとりで歩く女』からだとあります。余談ですが、今回、この項目を読んで、改めて、森英俊はマクロイを買っているのだなと、感じました。愛情と丁寧さが行間からあふれています。さて、マクロイの作風変化ですが、長編についてはそうなのでしょう（その前の作品は四五年のベイジル・ウィリングもの）が、「カーテンの向こう側」は、それに先んじています。

「カーテンの向こう側」は、ひとりの女が精神分析医を訪ねているところから始まります。彼女は奇妙な夢を見ていて、その夢の正体を知りたいと、やって来たのです。夢の中で、カーテンに隠された何物かに感じる恐怖、自ら目覚めようとすることで、ようやく逃れることの出来るその恐怖の正体を、彼女は知りたいのです。精神分析医からは何も得られないまま帰宅した彼女を待ち受けていたのは、警察でした。新婚の彼女を、夫の前妻殺しの容疑で逮捕するためでした。被害者の死因となった毒薬である、しかも、彼女には必要のない点眼剤を、彼女が購入していた事実がつきとめられたのです。彼女は夫とふたり裁判に臨むことになりますが、ふたりには彼女の弁護士にも伏せていたある秘密があったのです。翌年の「鏡もて見るごとく」は、マクロイの長編代表作となる『暗い鏡の中に』のもととなった短編です。ある女性教師のドッペルゲンガーが各所で目撃され、それがために、気味悪さゆえ次々と職場を追われていくという、怪奇性満点の謎が提示されます。マクロイのシリーズキャラクターであるベイジル・ウィリングが登場しました。続く「歌うダイアモンド」は、ミッシング・リンク・テーマの、やはりパズルストーリイです。ベイジル・ウィリングのもとへ、ある女性が訪れます。〈歌うダイアモンド〉という謎の飛行物体を見たという人々が、全米のみならず、海外からも現われているところなのですが、彼女も目撃者のひとりなのでした。夫が高名な天体物理学者で、新聞記事に〈歌うダイアモンド〉の正体となりうるような仮説もコメントしている。そんな夫を持つ自分が、幻想のような〈歌うダイアモンド〉を見たと大っぴらには言い出せなくて、ごく身近な数人にしか相談できずにいる。その上、彼女が持参した新聞記事によると、〈歌うダイアモンド〉を目撃した人々が次々と死んでいるのです。

「カーテンの向こう側」は、物語が進行していくにつれて、どうしても、小説よりも一足早く、読者には結末が明らかになってしまう展開の仕方をし、アイデアを活かすために、もう少し構成に工夫の余地がありはしないかと思わせます。クイーンが解説で明かしているように、冒頭に登場する精神科医は、以後出て来なくて、そのことも構成を少々歪なものにしています。その点について、マクロイと議論したといいますから、編集者クイーンも本腰を入れています。私は精神分析医を出さない書き方がありえると思いますが、当時の状況とか流行を考えると、そういう書き方が出来たかどうかは、微妙なところでしょう。また、たとえば、ジョン・コリアの「夢判断」*と比較しても、コリアのシンプルな寓話性とは対照的な、リアリスティックな心理的恐怖を「カーテンの向こう側」は求めていて、しかも、その恐怖の正体を、ある人物の計画的な悪意の産物とするところに、やや無理がある——それは不自然という意味ではなく、それでは魅力的な話にならないという意味で——ように思います。

「鏡もて見るごとく」は、謎の魅力という点では、マクロイ作品の中でもピカイチでしょう。ただし、この話は伏線の張り方が難しく、実際に苦しい伏線だと思います。また「カーテンの向こう側」の精神科医が中途半端な存在になったように、このプロットは名探偵の物語とは相性が良くないのではないでしょうか。それはロイ・ヴィカーズの**「二重像」**と比べたときにはっきりします。さらに、長編の『暗い鏡の中に』は解決部分が改良されています。そして、それははっきり改良されたと私も認めますが、にもかかわらず、そこでもベイジル・ウィリングの話、つまり名探偵の活躍する話にしない方が良かったのではないかと思います。

「歌うダイアモンド」は、フィリップ・マクドナルドなみの巨大なミッシング・リンクですが、犯行に大がかりかつ心理的なトリックを用いているのが、マクロイらしいところでしょう。のちのシャーロット・アームストロングの長編『夢を喰う女』を思わせないでもありません。ミッシング・リンクの犯行を成立させるために、マクロイは細かな工夫を積み重ね、犯人が実行することを読者が納得できる犯行として、この事件を描いています。そういう意味で、このパターンを論じるにあたって無視できない作品に仕上がっていますが、それでも、私は〈歌うダイアモンド〉という共通の表現が可能な幻影を、何人もの人が見るという点に、都合の良さを感じます。ただし、それは、まったくありえないこととは言えないので、要は描き方なのでしょうが、そのためには、社会的なマスヒステリアを描く力と紙数が必要なはずだと思うのです。

ヘレン・マクロイは、かなり長い間、心理サスペンスの作家と見られていて、パズルストーリイ作家としての側面が、日本で理解されるようになったのは、『家蠅とカナリア』の創元推理文庫版が出たあたりからではないでしょうか？　もちろん、それ以前に、前段で触れた『世界ミステリ作家事典［本格派篇］』は出ていて、そこでマクロイの作風の変化をあとづけた森英俊の存在を忘れてはなりません。そして、心理サスペンスや、心理的な要素を重視した作風と言っても、内実にはヴァラエティがある。短編で言えば「カーテンの向こう側」は心理サスペンスでしょうし、「鏡もて見るごとく」は巧妙なパズルストーリイでした。「歌うダイアモンド」は、パズルストーリイに、人間心理（この場合は集団心理）を重視した発想を持ち込んだものでした。

さらに言えば、短編におけるマクロイは、実に様々な種類の作品に手を染めていて、むしろ、達者な商業作家という気がしないでもない。

たとえば、「鏡もて見るごとく」や「歌うダイアモンド」以外にも、ベイジル・ウィリングものの短編は、いくつも訳されていますが、ほとんど犯人あて小説に近いものばかりで、とくに「消えた頭取」は、飛行機の中から人間が消失するという派手な謎のうえに、問題編と解決編に分かれていました。「強襲戦術」は、カーの有名な長編のヴァリエイションを、あまり上手ではなく使っていて、感心しません。

「鏡もて見るごとく」や「歌うダイアモンド」がそうであったように、マクロイのパズルストーリイは、解決の部分よりも、謎を提出する部分に、冴えを感じることが多いように思います。たとえば、「殺人即興曲」は、ベイジルのところに、悪天候の夜、ひとりの女が電話を借りに訪ねてきます。歌と掛け合いで有名な男女の芸人コンビのひとりですが、相方の父親が亡くなったのに、その息子と連絡が取れないので、コンビの相棒である彼女に警察から連絡が来たというのです。彼女は、相棒がカーラジオで自分の父の死を知ることを憂えて、発表を待つよう警察を説得し、彼の立ち回り先を探すことにしますが、雷雨のため、彼女の家の電話が不通になります。そこで、近所のベイジルを訪ねると、ベイジルの家の電話も通じなくなっている。

相方の男は父親と夕食をともにすると言っていて、一方、彼の家では、離婚寸前だったという彼の妻が殺されているのが発見されます。行き違いの果てに、関係者が集まったところに、妻殺しの容疑のかかった相方が現われます。彼のアリバイの成立は、本当に父親に会いに行ったのかにかかっていて、時間的には父親の死の発見者（しかし通報はしなかった）になるのです。父親の死は発表が控えられているので、本当に行ったのでなければ、その死を知るはずがないのです。状況は複雑に作ってありますが、問題の焦点はシンプルで、彼が父親の死を知っているか否かです。もっとも、解決とそのトリックに、それほど魅力はなく、やはり目をひくのは、状況の作り方と、それが提示されていくにつれ、謎が深まっていく面白さでしょう。

「ピアノが止んだ時」（「声なき密告者」）は、避暑地に住む女性が、自分たちが毎年ヴォランティアで開いているパーティの協力を求めに、別荘に住むピアニストの女性を訪ねます。家に招き入れられると、同時に犬が飛び込む。その犬は家の中でテーブルをひっくり返すのですが、女性がその家の犬だと思い込んでいたのに対し、ピアニストは女性が連れてきたものと思い込んでいて、どちらも、その犬を知らなかったのでした。なかなかしゃれた導入ですが、走り去った犬は、やがて死体となって見つかる。一方、ピアニストの別荘の過去のいわくが語られ、別荘を買い戻そうと、ニューヨークの弁護士が動いているらしい。パーティの当日、ピアノの演奏中に部屋が突然真っ暗になり、明かりがついたときには、ピアニストが殺されています。ここでも、犯行のトリックや犯人の意外性（伏線も上手に張ってある）よりも、犬殺しのエピソードと、それが事件に関係する理由に魅力があると言えます。

マクロイにはSFと呼んだ方が良い作品群もあり、その代表例は「Q通り十番地」でしょう。未来の超管理社会という、社会批判を含みやすいテーマですが、その点、批判の射程は長く、いまも古びてはいません。もっとも、では、どの程度のオリジナリティを、この「Q通り十番地」が主張できるかと考えると、いささか心もとない。その他、破滅テーマの「風のない場所」や、時間テーマの「八月の黄昏に」にしても、そのテーマにおける斬新さというよりも、前者は、短かいスケッチでそれを試みたところに、後者は、父親との思い出を描くことに、小説の眼目はあって、必ずしも独自性や新しさがあるわけではありません。

ヘレン・マクロイに職人性や商業性をもっとも感じるのは、ある程度のヴォリュームを持った中編を読んだときです。

その恰好の例が「黒い円盤」でしょう。主人公のアレック・ノートンは、協立通信社（ニューヨークにあるという設定）の記者です。ピアソン・シティーという地方都市のホテルで起きた殺人事件を取材してくるよう、編集主任に命じられます。被害者は「二流どころの舞台女優」で、ピアソン・シティーには離婚した夫に会いに来たのでした。到着早々、彼女はホテルで血まみれの死体となって発見されるのですが、どうも、警察は捜査を打ち切ったらしい。ホテルに乗り込んだノートンは、ホテルの関係者は事件に触れられることを嫌がり、警察も事件を捜査する気がないらしいことに気づきます。そして、その背後には町を牛耳っているギャングの存在があったのでした。

ストーリイや設定だけを見れば、ブラック・マスクの中編として差し出されても、気づかない内容です。そもそも、取材を命じる主任の言葉が「同じ列車に乗って、同じ時刻に到着しろ。そして同じホテルへ行って、同じ組部屋に泊れ」というのですから、勢いや活気はあっても、これは、リアリズムとはどこかで手を切った、通俗ハードボイルドでしょう。主人公は、殺人の動機のある人間がひとり、殺人の機会のあった人間がひとりと、容疑者をふたりに絞って（いささか乱暴）動き始めたり、そのうちのひとりが逮捕され、証人となるはずのホテル付の女が殺されたりと、それらしい展開を上手に運んでいきます。ノートンは犯行現場で、黒い円盤を見つけ、それが何なのか、何に使うのかを知るために、様々な人に会っていきます。この部分の手厚さが、ハードボイルドふうの捜査小説の面白さを発揮していて、読んでいて、一番面白いところです。

「人殺しは誰でもする」は、ヒロインが電話をかけようとしたところ、どこかと混線したのか、不倫の男女らしいカップルの会話を耳にします。それが、一方の配偶者を殺そうとする相談だったという話。こちらは、ウールリッチばりのサスペンス小説です。「外の暗闇」は、主人公の判事が、最愛の甥に会うためにやって来ます。甥は虚言癖のある妻を離婚したいのですが、妻のマーシャはそれに応じない。彼女は、たまたま、主人公と同じ列車で、ニューヨークから戻ってきたのですが、車中で見知らぬ男と話し込んでいるのを、主人公は目撃し、そして、その男が次に現われたとき、彼女は初対面を装うのです。地味で平凡な、サスペンス小説とパズルストーリイの混淆《こんこう》ですが、殺人に踏み切ることの出来る性格は、居合わせた中で、ある人物だけだったという推論が、どきりとさせます。そこのところ、少しクリスティを連想させるというか、クリスティだったら、ここを糸口に傑作をものしたかもしれません。

こうした、どこにでもありそうなパターン化された話を粒だてるという、マクロイの中編が、もっとも功を奏したのが**「ふたつの影」**でしょう。ヒロインのエマは小さな娘の保育士として、ある家庭にやって来ます。母親が階段から落ちるという事故で亡くなり、その後に雇われた保育士は解雇されたのです。娘は空想癖があるようで、ショトンとグリダーというふたり組（カップルらしい）の話を四六時中している。近所に住む医師は心配いらないと言っているけれど、まわりの大人たちは眉をひそめている。女の子の父親には愛人があったらしく、しかも、前任の保育士は、事故が殺人であることを匂わせて金を強請《ゆす》ろうとして、逆に馘首《かくしゆ》されたというのです。そして、今度は父親の叔母が、同じように階段から落ちて死んでしまうのです。

誰もが少女の空想と信じて疑わないショトンとグリダーが、実在するのではないかと、ヒロインが疑問を持ち、次の被害者となる父親の叔母とともに、それらしい人影に気づくことから始まり、関係者をその人影にあてはまるかどうか検討していく。カタコトの少女の説明の一言一句を手がかりにしていくところは、出色の面白さです。各人のアリバイが調べられ、その日が暮れると、女の子が行方不明になり、手分けして捜索するうちに、女の子の父親が殺されてしまう。このあたりの展開の急ピッチなのも見事ですが、最後にヒロインが窮地に陥る段取りが急ぎすぎていて、その不自然さから読者に犯人の見当がついてしまうのが、いささか弱いところでしょうか。それでも、真相が判明し、少女のカタコトの空想の背後にあった事実が、逐一解明される部分は、魅力に富んでいます。

「歌うダイアモンド」につけた解説で、クイーンは、ヘレン・マクロイがQ・パトリックとともに、四回連続でコンテストに入賞したことに触れて、その質がずぬけたものであるとして、これからも賞を獲り続けるだろうと書きました。実際は、Q・パトリックと異なり、マクロイはコンテストの常連とはなりませんでした。しかし、短編におけるマクロイのその後は、中盤で小説としての厚みを重視するところや、謎解き、サスペンス、ハードボイルドといった手法の混淆など、奇しくも、戦後アメリカのミステリ全体の行き方と、歩調を合わせるかのようでした。飛び抜けた傑作はないものの、それは確かに、中堅作家として、短編ミステリのひとつの指標を与えてくれる存在だったのです。

5　コンテストの拡大と充実

第三回コンテストは、スタンリイ・エリンが登場したことで、歴史に残ることになるでしょうが、パズルストーリイファンには、クレイトン・ロースンの名が出てくることを、重く見る人もいるでしょう。この年の第二席に「この世の外から」が入り、翌年の特別賞に「天外消失」が入ります。

私はどちらかというと「この世の外から」の方を買いますが、共通して感じるのは、そんなことで巧くいくのかという、あっけなさです。探偵役のマーリニが、あるいはロースンが、奇術師であるせいなのかどうか知りませんが、奇術の種明かしをされたときの他愛なさに似た感覚が、ロースンの短編の解決にはつきまといます。それくらい、方法そのものは、他愛もない。奇術の種明かしは、お客さんをがっかりさせるからやらない方がいいと、昔から言いますね。しかも、それで巧くいってしまう。まあ、おそらく巧くいくんでしょう。奇術師がやれば。けれど、大半の素人に、そんな犯行をやれと言っても、それは無理です。誰にでも奇術が出来るわけはないのです。私の読んだ範囲で、ロースンの短編をひとつ選ぶとすると「世に不可能事なし」*になりますが、あの足跡の冗談のような微笑ましさは、そうした他愛なさが転化したものかもしれません。

ヒュー・ペンティコーストの「心理的拷問」は、精神科医のジョン・スミスが登場しますが、精神科医の探偵というものをあつかいかねていて、駄作の部類でしょう。この作品は、EQMMから五十編の作品を選んだ『世界ベスト・ミステリー50選』で、初めて邦訳されましたが、エレノア・サリヴァンは、よくこれを選んだものです。むしろ、それまで邦訳の必要を認めなかった、日本の編集者の方を私は支持します。もっとも、数年後には、長編『狂気の影』で、魅力的な精神科医探偵ジョン・スミスの活躍を、ペンティコーストは描くことになります。

ブレット・ハリデイには『37の短篇』にも採られた「死刑前夜」*という佳作がありますが、同じく土木技師を描いた「逃亡犯罪人引渡し法」につけられたクイーンの解説は、夫人のヘレン・マクロイを喚問して、ハリデイの作品を語らせるという愉快な趣向です。現代短編ミステリとして質的にすぐれているのは、マイケル・シェーンのシリーズではなくて、技師を中心にしたシリーズで、とりわけ「死刑前夜」が一番いいという証言を引き出していました。

第三回コンテストは、第一席、第二席に次ぐ作品を、特別賞として、シャーロッキアーナや国外作品（ボルヘスの名前も見えます）など、カテゴリーを設けることで、賞そのものをお祭りないしはイヴェント化しようとしているように見えます。それは、前回、処女作特別賞を設けたことの拡張でもありました。そうしたカテゴリーは一定しないまま、コンテストは回を重ねていくのです。

シャーロッキアーナ特別賞の、ロバート・アーサー「謎の足跡」は、戦争中に精神を病んで、自分がシャーロック・ホームズだと思い込んだ男（もともと苗字がホームズなので、子どものころからシャーロックと呼ばれていた）のところへ、彼の病気の一因を作った叔父が殺されたことを知らせにいくという話です。パスティーシュとしては奇妙な部類で、しかも、「ハムレット」の設定にも似ています。シェイクスピアというよりも久生十蘭の。

こうした企画ものは、賞を安っぽく見せるおそれがあって、とくに、乱発すると危険なものです。第三回のコンテストはその気配なきにしもあらずですが、ひとつだけ注目に値するのは、最優秀はなれわざ特別賞の、ジャック・モフェット「女と虎と」です。ただし、この作品を評価するためには、その前提となる著名な短編を、まず読まねばなりません。フランク・R・ストックトンのリドルストーリイ「女か虎か*」です。

「女か虎か」はもともと十九世紀の作品で、欧米ではかなり読まれている短編のようですが、この作品もストックトンも、日本語版ＥＱＭＭに「女か虎か」が掲載されるまで、日本ではあまり知られてはいなかったようです。短編一作が衝撃を与えたという意味では、フレドリック・ブラウンの「うしろを見るな」*と双璧かもしれません。加田伶太郎に「女か西瓜か」を、小松左京に「女か怪物《べム》か」を書かせたのですから、なかなかのインパクトだったと言えるでしょう。「女か虎か」は『37の短篇』に収録され、ポケミス版では『天外消失』に入っているので、簡単に読めますから、内容紹介は省きましょう。若者が開いた扉から出てきたのは女か虎か？　その答えを書かないまま、読者の想像に委ねたところに、この作品の創意のすべてはありました。読者の想像に委ね、なおかつ、どこまでいってもバランスを崩さないよう考え抜いたところに。

この名短編に続編があることをつきとめたのが、エラリイ・クイーンの自慢でした。EQMMに「女か虎か」を再録したときに、その続編「三日月刀の促進士」*をともに掲載したのです。日本語版EQMMに邦訳が載ったときも、二作一緒でした。多くのリストは、日本語版EQMM一九五八年一月号に「女か虎か」「三日月刀の促進士」が掲載されているとしていますが、当該号の目次には「女か虎か」しか載っていないので、注意を要します。ふたつ併せて「女か虎か」というあつかいなのです。「三日月刀の促進士」は、「女か虎か」の話を伝え聞いた他国の使者が、女か虎かを確かめに訪れるという話です。使者を迎えたその国の高官は、それには答えず、別の話を始めます。それは、その国の美女たちの中から妻を娶りたいと訪れた、ある国の王子の話でした。高官の話はそれ自体が、また、ひとつのリドルストーリイになっているという趣向で、正解を言い当てたら、女か虎かを教えましょうと、意地悪く終わっています。

第三回コンテスト最優秀はなれわざ特別賞の「女と虎と」は、この「女か虎か」にひとつの解決を与えたものでした。ジャック・モフェットの創意は、なかなかのもので、なにより、「女か虎か」の一方を取りながら、同時に他方を捨てなかったところに、巧さがありました。それは確かに、ひとつのはなれわざであったと言えるでしょう。ただし、そのはなれわざを成立させるために、モフェットは、王と王女をヘロデとサロメにしなければなりませんでした。そのため、ストックトンが持っていた寓話性とシンプルな強さが失われたことは否めません。

第四回コンテストは、ジョルジュ・シムノンの「幸福なるかな、柔和なる者」が第一席を得ましたが、第二席はウィルバー・ダニエル・スティールの「土に還る」一編のみでした。最高特賞とするには、功績が足りないということでしょうか。両作ともに、グルーミイな雰囲気を持っていて、謎解き小説でありながら、謎解きの部分にわざとウェイトをおかない作品でした。シムノンの「幸福なるかな、柔和なる者」の主人公は、フランスの地方都市というか田舎町に住む、アルメニア移民の仕立て屋カシュダです。妻はフランス語を話すことさえ出来ず、それでも、なんとか生計をたてている。おりしも、町は連続老女殺しで恐慌に陥っている。その夕方、仕事を終えて、日課となっている行きつけのカフェに足を向けます。カシュダの向かいに住む雑貨商もその店の常連です。雑貨商は店の他の客たちひとりひとりから挨拶を受け、病気で身動きできなくなった彼の妻を気遣われ、カードの仲間に迎えられますが、カシュダは、そうではありません。店では時間をかけて白ワインを何杯か呑むのが精一杯です。店の居心地はカシュダにとって、お世辞にも良さそうには見えません。それでも、彼はそれを日課にしているのです。そのとき、カシュダは雑貨商のズボンに白い糸くずを見つけ、反射的に取ろうと(仕立て屋ですから)します。ところが、それは糸くずではなく、新聞紙の切れ端でした。雑貨商はそれを受け取ると、小さく丸めてしまいます。その瞬間、カシュダの頭に疑惑が浮かびます。連続老女殺しの犯人は、犯行後、挑発的な手紙の数々を新聞社に送っていたのですが、それは新聞の文字を切り貼りしたものだったのです。

この作品に十年ほど先だって、ウールリッチあたりがさんざん書いてきた、主人公だけが犯人(らしき男)の正体を知ってしまうという、ありきたりな話です。しかし、シムノンが書くとこうなるという特徴ははっきりしています。カシュダの揺れ動く心理を描く細かさは、おそらく、それまでのミステリにはないものでした。雑貨商に自分の疑惑を気づかれたのではないかという不安、犯人に到る手がかりを見つければ貰える賞金二万フランへの誘惑。このふたつの間で、カシュダの気持ちは揺れ、気がつけば、いつもよりとてつもなく早いペースでワインを重ねている。そんなところへ、パリから事件の捜査にやってきた警部まで、店に姿を見せます。カシュダはなんとか警部と話をするきっかけをつかもうとしますが、うまく行かない。

自分の家の向かいに住む雑貨商とは、当然ながら、帰る方向が一緒です。冬の日暮れは早く、暗い中を戻らねばなりません。雑貨商をカシュダが尾行《つ》けているのか、カシュダを引っぱって雑貨商が歩いているのか、判然としないほど混乱気味に、しかし、ふたりはわずかな距離をおいて歩きます。やがて、雑貨商は店を通りすぎて歩いていく。あとを追わずに、自分の店に入れば安全なことは承知なのに、カシュダは雑貨商のあとを追います。そして、ある家から出てくる老嬢を見つけます。ピアノの個人教授の帰りで自宅はすぐそこらしい。しかし、闇の中で突然彼女の足音が途絶えるのを、カシュダは聞きます。そして、雑貨商が姿を現わし「おやすみ、カシュダ」と一言残して去っていきます。このあと、解決に向かって急展開、カシュダは真相を確かめるために、ある人物に会いにいきます。

シムノンの作品としても、ちょっと厚塗りな感じがしますが、サスペンスの盛り上げ方は、さすがに巧いものです。ところが、この作品の奇妙なところは、犯人がすべてのきっかけとなった最初の殺人をなぜ犯したかが、はっきりしないところなのです。そこを書かずに打ち切ってしまっている。これは明らかに故意で、のみならず、犯人とカシュダに奇妙な共犯意識を芽生えさせて小説は終わります。土屋隆夫の議論に引きつけた言い方をすると、謎解きで割り切れない余剰部分をわざと残していて、しかも、そのことの効果を計算したうえで書いている。クイーンはこの仕立て屋を探偵のひとりとして紹介していますが、私はサスペンス小説の主人公と取りたい。事件の謎は確かに彼が解きますが、事件との関わり方は、名探偵のそれとは異なるように思うのです。そして、三〇年代のパルプマガジンが産み出した、サスペンス小説のひとつのパターンを、見事なまでに洗練させた実例が、ここにはあるのです。

「幸福なるかな、柔和なる者」に次ぐ第二席に入った、ウィルバー・ダニエル・スティールの「土に還る」も、陰鬱な雰囲気では負けません。その日、ある女性の埋葬が行われている。しかも、死者の妹の夫というのが信託銀行の支店長なのですが、出納係が自殺したばかりで、疑惑の焦点になっている。人の集まる葬儀に参列すれば、取材攻勢は必至なのです。加えて、埋葬のための穴を掘っているのは、死者の夫でした。「毛皮用の動物をわなで捕えたり、禁猟の鹿を捕獲したりするだけでは、たいした世すぎはできない」ので、墓掘りも引き受けているのです。姉妹をはさんで、対照的な夫ふたりという人間関係の中、妹の夫が行方不明になります。謎そのものも、その解決も、ここに描かれた人間関係の翳《かげ》の前には、どうしても霞んで見えます。昔は同じような体格だった義弟の黒いスーツを、葬儀に着てくるように与えるといった、陰湿なあてつけが効果的に使われます。事件の真相も、小説の雰囲気同様に、人間の暗部に焦点をあてています。しかし、ここまで来ると、謎があり、それを解くといった形は、いったいなんのために必要なのだろうという疑問が浮かぶことも、否定できません。クライムストーリイで描いた方が、それは効果的に描けるのではないか？　この疑問は、この先、短編のパズルストーリイについて考えるとき、しばしばつきまとう問題になりそうです。

たとえば、この年の処女作特別賞を受賞した、トマス・フラナガンの「北イタリア物語」を考えてみましょう。ここには謎そのものに強烈な魅力があり、その解決に膝を打つ面白さがありました。この作品で有名なのは、最後のオチですが、それは超卓抜なおまけとでも言うべきもので、そこに到る以前に、謎解きの面白さは充分堪能できるのです。中世末のイタリアの一風景が見事に切り取られているのは、その上に立ってのことでした。パズルストーリイであることが、小説の面白さを引き立てこそすれ、「土に還る」のような疑問は起こりません。

そのことは、テナント少佐ものを考えると、さらに、よく分かるのではないでしょうか。

「アデスタを吹く冷たい風」が典型的ですが、このシリーズは、謎もその解決も、それほど独創的なものではありません。しかし、そのどれをとっても、謎は読者の興味を惹くよう魅力的に設えられ、鮮やかさをもって解かれ、しかも、その過程のどこをとっても、テナントという憲兵少佐が将軍の国で生きることの意味を描き出していくことに、貢献しています。この点は大切なことなので、のちに再度触れることになりそうです。ここでは、トマス・フラナガンという重要な作家は、「北イタリア物語」がＥＱＭＭコンテストの処女作特別賞を得ることで登場した事実を、記憶するにとどめましょう。

この年、もうひとり重要な作家が、処女作特別賞を得ています。スティーヴン・バーです。「ある囚人の回想」は、とても処女作とは思えない巧妙なパスティーシュでした。スティーヴン・バーは、六〇年代の短編ミステリ黄金時代の一翼を担った重要な中堅作家なので、この処女作を含めて、そこでまとめて読むことにします。ですが、ここで特記しておきたいのは、トマス・フラナガンの「北イタリア物語」といい、スティーヴン・バーの「ある囚人の回想」といい、第一席や第二席であっても不思議ではない処女作が、コンテストに応募されているという事実です。コンテストのクオリティは確実に向上しているのでした。

6　コンテスト初期の原動力となった作家2――Q・パトリック

ヘレン・マクロイのところで、少し書いておきましたが、エラリイ・クイーンが初期のEQMMコンテストの連続入賞者として指摘したのが、マクロイとQ・パトリックでした。Q・パトリックについて見てみると、以下のようになります。

第一回「11才の証言」(第三席)。第二回「ルーシイの初恋」(第二席)。第三回「母親っ子」(第二席)。第四回「汝は見たもう神なり」(特別賞)。第五回「少年の意志」(第二席)。第六回「はるか彼方へ」(第三席)。第七回「鳩の好きな女」(特別賞)。

堂々の七回連続入賞で、スタンリイ・エリンには及ばないものの、その実力のほどを発揮しているとは言えるでしょう。これらの短編は、どれもクライムストーリイかそのヴァリエイションで、ディテクションの小説は、ひとつもありません。少なくとも、EQMMコンテストにおいて、クライムストーリイの佳作を発表し続けることで、短編ミステリをそちらへ方向づけたのは、スタンリイ・エリンとQ・パトリックだったとは言えるでしょう。そして、そのうちの何編かを含めて短編集『金庫と老婆』がまとめられ、一九六二年のMWA賞の特別賞を受賞しました。このころには、すでにMWA賞の短編賞は短編作品に贈られるようになっていて、その年の受賞作は、クライムストーリイのひとつのエポックと考えられている、デイヴィッド・イーリイの「ヨットクラブ」[*]でした。

　Q・パトリックすなわちパトリック・クェンティンが、いささか複雑な経過をたどった合作作家であることは、日本でも有名でしょう。Q・パトリックという名前は、リチャード・ウェッブが、単独ないしは合作（相手は複数いました）で書いた作品を発表する名前として、用いていたものです。トラント警部というシリーズキャラクターも持っていました。合作相手のひとりヒュー・ホイーラーと本格的に組んで合作を始めたのが、パトリック・クェンティン名義で、一九三六年の『迷走パズル』が長編第一作でした。

　初期の長編作品では、ピーターとアイリスのダルース夫妻に精神科医のレンツ博士を加えたトリオが主人公でした。このあたりのことは、近年創元推理文庫にまとめて新訳が入ったので、ご承知の方も多いでしょう。探偵役のシリーズキャラクターを持っていることからも分かるとおり、ディテクションの小説から、クェンティンはスタートしています。長編にかぎった話をすれば、トリオからレンツ博士が脱落することで、よりサスペンス小説に傾斜していき、五二年の『女郎蜘蛛』では、Q・パトリック名義のキャラクターであるトラント警部が登場するものの、被害者の女性のイメージが小説の進行に従ってぶれていくところに、面白さがあって、そして、この作品をもって合作は終わり、以後はホイーラーの単独作となって、『わが子は殺人者』『二人の妻をもつ男』と、サスペンスミステリの傑作を残します。

　クェンティンの代表作が、五〇年代の長編サスペンス小説と考えられていたせいもあって、そして、それは正当な評価だと思いますが、短編においても、トラント警部やダルース夫妻が主人公となる、ディテクションの小説は、翻訳されてはいるものの、ほぼ忘れられている状態でしょう。

たとえば、ハヤカワ・ポケット・ミステリの『名探偵登場5』には、トラント警部ものの「さよなら公演」が採られています。引退を決意した女優の最後のステージの直前に、その夫が射殺されるという事件です。小説が始まると死体がころがっていて、しかしながら、ショウ・マスト・ゴー・オンなので劇場に行かせろと、トラントは要求されているという、スピードを重視したパルプマガジンふうの出だしです。女優は夫から離婚を迫られていて、芝居の相手役の男優（一緒に劇場入りしようとして、その場にいたのです）との仲が疑わしい。強烈な謎もないし、解決にしても意外性や驚きがあるわけではありません。小味ととるか退屈ととるかは、人それぞれかもしれませんが、ディテクションの小説です。最後のオマケが気がきいていて、しかも、そこにクェンティンらしさがあるのが取り柄でしょう。

ほかにも、トラント警部ものでは「人魚を殺したのは誰？」「白いカーネーション」「土曜の夜の殺人」「一場の殺人」、ダルース夫妻ものでは「ポピイの謎」「ニュー・フェイス殺人事件」といったところを読んでみましたが、どれも、それほど面白いものではない。どちらかというと、トラント警部ものが古めかしく、ダルース夫妻ものに、フランク・グルーバーからクレイグ・ライスあたりを経由したとおぼしい、ディテクションであると同時に、そうすることで主人公が窮地から脱するという展開を、スピードとユーモアをもって描く行き方が見てとれます。また、「八人の招待客」「八人の中の一人」といった状況設定に意をそそいだサスペンスミステりもありますが、高く買えるとは思えません。

日本では、パトリック・クェンティンの初期の長編が、ようやく日の目をみたこともあって、これらの作品も再評価する向きがあるかもしれませんが、それでも、クェンティン＝パトリックの短編ミステリの本領がクライムストーリイにあるという点は、動かしようがないと思います。

コンテストの最初の二回にQ・パトリックが投じた「11才の証言」「ルーシイの初恋」が、いまとなっては少々古びていることは、以前指摘しておきました。ひとつには、これらの作品が結末の意外性に向けて構成されているのが、その原因であるように、私には思えます。比較すれば、「11才の証言」がそこに頼りきっているのに対して、「ルーシイの初恋」は、より、結末を先読みされることに耐えるように書かれている。その分、「ルーシイの初恋」の方が現在も面白さがあると考えます。

「11才の証言」は、この作家が得意とする、アンファンテリブルものですが、『37の短篇』に収められた「少年の意志」や、『世界推理短編傑作集5』に入っている「ある殺人者の肖像*」（「親殺しの肖像」）といった秀作に劣ること、その差は一目瞭然です。「少年の意志」は主人公の性格の弱さにつけ込んで、食い物にしていく、美しいけれど粗暴な少年（イタリアという設定も効いています）を描いて、ヒュー・ウォルポールの「銀の仮面*」を連想させないでもありません。

一方、「ある殺人者の肖像」は、**「姿を消した少年」**とともに、クェンティンがイギリス人という出自を表に出した作品ですが、被害者の肖像で締めくくるところに、余韻を見せました。ともに、おそるべき子どもを淡々と描いていって、種も仕掛けもないことこのうえない。この二編は短編集『金庫と老婆』に収められていて、集中でもすぐれた作品です。『金庫と老婆』はホイーラーの単独作品とされていますが、ちょっと注意が必要です。というのは、確かに中編「金庫と老婆」*はヒッチコックのテレビドラマの原作として書かれたらしく、そこでのクレジットを見てもホイーラーの単独名なのですが、では短編集『金庫と老婆』に収められたものが、すべてそうなのかというと、簡単には分からない。とくに「ある殺人者の肖像」には不明な点、怪しい点が多くて、『世界推理短編傑作集5』の戸川安宣の解説では、ふたりの合作と推定されています。イギリスで少年時代を過ごすことが、重要なモチーフとなっている、この作品と**「姿を消した少年」**は、登場する少年の年回りを考えると、ホイーラーよりもウェッブに近くて、ホイーラーの単独作品とは、ちょっと考えづらいのです。

話がそれました。第三回コンテストの第二席作品「母親っ子」は、題名どおり、母親固着の主人公が、どうもユダヤ人らしい娘に言い寄られることで、母親殺害を考える話です。ここには、まだ結末に意外性を持たせようという意図が見えますが、その意外性が作品の要点である主人公の性格を描き出すことと不可分な点が、より洗練の度合いを増したところでしょう。翌年の「汝は見たもう神なり」は、少女に対して性愛を感じる主人公を描いて、この手の話のはしりと言えるでしょう。さらに翌年の「少年の意志」では、美しさと無邪気な残酷さを併せ持った少年を描きました。この三作で、Q・パトリックは、ある種の異常性は異常なのではなく、人のうちに存在することが珍しくはないのだということを、示してみせました。もっとも、半世紀経って、新しい読者が、これらの短編に面白さは感じることはあっても、衝撃を感じることはないだろうと、私は思います。ですが、そのことをもって、これらの短編に瑕があることを意味するものではないでしょう。

「はるか彼方へ」は今世紀に入って初めて邦訳が出ましたが、クライムストーリイとして平凡な作ではありません。メキシコに対する白日夢のようなイメージが動機を形成するというユニークさと、それと対照的に、いじましいまでに卑俗な欲望が、主人公の犯罪計画を粉砕する、そのコントラストが面白いからです。ただし、この作品の翻訳が遅れた理由は、分からないでもありません。翌年の「鳩の好きな女」と比較すると分かりやすい。「鳩の好きな女」は、粗暴で異様な外国人の男に、ただ鳩にやさしかったという一点で好感を持ったヒロインが、男のアパートで殺人が起きると、頼まれもしないのにアリバイを偽証してやるという話でした。ここでは、そして「少年の意志」や「ある殺人者の肖像」といった作品では、犯罪に到る平凡人のふるまいを説得力をもって描いていくという、ただ、それだけのことで、一編の作品を構成していました。クェンティン＝パトリックの新しさ、面白さはそこにあったので、「はるか彼方へ」は、それに比べれば、新味に欠けたものに見えたかもしれません。

ウィキペディアの英語版によると、ウェッブが創作活動から離れたのには、健康上の理由があったようです。ともあれ、五一年第七回コンテストの「鳩の好きな女」を最後にEQMMコンテストから、Q・パトリックの名前は消え、翌五二年には、最後の合作長編『女郎蜘蛛』が世に出ます。『金庫と老婆』は、およそ十年後に短編の集大成のようにして出され、MWA賞の特別賞を獲得しました。

『金庫と老婆』の邦訳版では原書のうちの何編かが削られているようですが、それでも、クェンティン＝パトリックの短編クライムストーリイ、クライムストーリイの魅力を、犯罪を犯す人間の物語であますところなく伝えているとは言えるでしょう。すべての作品が、あますところなく伝えているとは言えるでしょう。

私は**「姿を消した少年」**という、少し長めの作品に興味があります。「母親っ子」ほど強くはありませんが、ここにも母親離れできない少年が登場し、父親が死んで、母親を独占できると思いきや、両親が経営する女学校は、母親ひとりでは運営が心もとないと判断した亡父の段取りよろしく、おばたちが乗り込んでくるのです。このおばたちたるや、イギリスの小説で頻繁に描かれる公教育が持つ苛烈さを体現したような人々で、第一次大戦中ということもあって、少年に窮乏を強いる。少年の母親は彼女たちの前になす術もありません。といった苦境がゆっくりと描かれ、やがてドイツ軍の空爆に怯えながら、その避難訓練の最中に、少年は復讐の手段を思いつきます。結末は、いくつか考えられるものの中のひとつですが、その悲劇的な決着に、主人公たちが安堵する感覚が、面白いのです。

集中で、もっとも長いのは、中編といっていい表題作の「金庫と老婆」です。金持ちの伯母にたかるようにして生きている姪の夫が、小切手の偽造をして、金をちょろまかしている。気づいた伯母が問い詰めると、逆に大きな金庫の中に閉じ込められてしまう。しかし、ここには「ある殺人者の肖像」にあった、閉じ込める側と閉じ込められる側の、抜き差しならない心理的な関係性はありません。

クェンティン＝パトリックが、クライムストーリイ短編でくり返し描いたのは、日常の中で正常な人が、異常な殺人者になる過程でした。それは確かに、ひとつの新鮮な目のつけどころで、いくつかの作品――「ある殺人者の肖像」「母親っ子」など――では、いまとなってはひとつのパターンないしは定石のように思えるほどの、説得力をもった状況を示したと言えるでしょう。ただ、現在の眼で見て、クェンティン＝パトリックの短編ミステリにわずかな不満を感じるのは、すべてを説明しつくそうとするかのような書き方、説明過多に見える書き方です。先ほど**「姿を消した少年」**を推奨しましたが、それでも、たとえば、おばさんを事故死に見せかける犯行の準備をするくだりで、少年の心の内を「だが、自分がしようとしていることを本気で評価したことはなかった。事故が起きる。それだけだ」と、踏み込んで説明してしまう。こういうところに、たとえば、スタンリイ・エリンと比べて、抑制のなさ我慢のなさを、私は感じてしまいます。

もっとも、四〇年代のクライムストーリイにそこまで求めるのは、酷というものでしょう。逆に言えば、だからこそ、ジョン・コリアやロアルド・ダールやスタンリイ・エリンといった人々は、ユニークな作家だった、あるいは、いまに到るもユニークな作家であるのです。

7　最盛期に向けて

第五回EQMMコンテストの第一席に輝いたのは、ジョン・ディクスン・カーの「パリから来た紳士」でした。マニア好みの趣味趣向を貫いたという意味で、ユニークな作品と言えますが、正直なところ、「妖魔の森の家」が最高特賞で、これが第一席というのは、作品評価としては首を傾げざるをえません。スティーヴン・バーの「ある囚人の回想」も、マニア趣味の作品でしたが、そういう趣味の部分を除いても、ひとつのミステリとして仕上げるための手管が、抜群の面白さでした。「パリから来た紳士」は、わざわざクイーンが、作品のあとに解説をつけて（『黄金の13／現代篇』にも収められています）います。確かに専門的な知識なので必要な解説ではあるものの、そうした部分も含めて、ミステリマニアがにやにや笑いながら、知る人ぞ知る異色作として遇していれば良い作品のように、私には思えます。そういえば、「妖魔の森の家」にも、クイーンの詳細な技術解説がついていて、これも微笑ましいものでしたが、その時点でのパズルストーリイの先端技術を書き記すという側面を、持つことになっていました。パズルストーリイに関心のある人は、必読の解説です。ただし、日本語版EQMM創刊号には抄訳しか載っていないので、完訳の必要があります。

もともと、ミステリマニア（ミステリにかぎらずマニアはそうかもしれませんが）には、こういう楽屋落ちを喜ぶ傾きがあるのは事実で、また、それは一概に悪いことだとは言えません。ただし、このあと、EQMMコンテストには、この手の作品が定番のように現われて、それはそれで、うんざりさせられるのも確かです。ロバート・アーサーの「51番目の密室」、C・B・ギルフォードの「探偵作家は天国へ行ける」といった作品は、私には過大評価（とりわけ日本で）のように思えます。

この年の第二席はヴァラエティに富んでいて、まず、前回に続く第二席のウィルバー・ダニエル・スティール**「女たらし」**が、奇妙なシチュエーションと奇妙な登場人物の性格で、読ませます。主人公が狩りに来て、森の中で迷っているという出だしで、しかも、その朝、ニューヨークを出発する回想場面では、狩猟仲間の細君と不倫の関係にあって、金曜日には商用で留守にする夫のいぬ間に、逢引きの目論みが出来ている。この男、女に関して、少なからず自信を持っているようなのです。迷った森から抜け出たところで、男は農家を見つけます。無口な男と愛想のない妻が、それでも一夜の宿を提供してくれます。この無愛想な妻が、さして魅力的に見えないのに、男が手を出してしまうのが、苦笑させつつ面白い。女にその気があるのかどうかも、よく分からないままに、また、誘いにのったのか、なにかの偶然なのかも、よく分からないうちに、男は女をものにしてしまう。そして翌朝、男を送っていく馬車の中で女心の一端が明かされて……という話。

私は「土に還る」よりも、この**「女たらし」**の方がすぐれていると考えます。ウィルバー・ダニエル・スティールはスリックマガジンの短編作家のようですが、トリッキイな殺害方法の

「青い殺し屋」も含めて、無教養や野蛮さと金銭的な成功者の対立というモチーフがくり返され、その部分が小説として生きているという点でも「女たらし」が、もっとも良く出来ていると思いました。

　クレイグ・ライスとスチュアート・パーマーの合作第一作「汽笛一声」は、そのユーモアとあわただしさが、一作目だけに初々しい。マージェリー・アリンガム「ある朝、絞首台に」は、アルバート・キャンピオンが登場する謎解きミステリですが、話の進め方など、悠然として古式ゆかしい感じを与えます。金を握った伯母とそれを頼りに来た甥という、イギリスのミステリに掃いて捨てるほどあるパターンを、ふたりの性格の綾と消えた凶器というふたつの興味から、心地よいミステリに仕立てています。犯人の用いたトリックだけを取り出せば、この作品は、日本の有名なある長編の先行例と言えます。ただし、この短編の本邦初訳は一九七七年なので、おそらく、偶然の一致と考えられます。しかも、問題にすべきは、作品の後先ではなくて、同じトリック（アイデア）から、異なった味わいが引き出されているという点でしょう。ともあれ、この年、第二席を獲ったディテクションの小説は、このふたつです。

　あとは、すでに紹介したエリンの「アプルビー氏の乱れなき世界」、Ｑ・パトリックの「少年の意志」、フィリップ・マクドナルドの「おそろしい愛」といった作品で、クライムストーリイが優勢になってきているのが分かります。これらの作家に加えて、コンテストに初登場した重要な作家がいます。「誰でもない男の裁判」のＡ・Ｈ・Ｚ・カーです。この作家については、のちに詳述しますので、ここでは名をあげるに留めますが、コンテスト前半のＱ・パトリックと入れ替わるようにして、後半で活躍したのが、A・H・Z・カーでした。

第三席以下の作品では、ハリイ・ケメルマンの「わらの男」が入っているのが目につくところでしょうか。T・S・ストリブリングやロイ・ヴィカーズといったヴェテランの手堅い作品も入っている。ピーター・ゴドフリー「女と龍と」は、リドルストーリイだと思うとだまされますが、幻想小説としても凡手としか思えません。フランシス・ボナミイの「装塡された家」は論功行賞に近く、ケメルマンやアームストロングと同列というのは、過褒というものでしょう。むしろ、バリイ・ペロウンの「頭紋」が、マガジンライターらしい気楽に読ませる短編になっていました。

とくに目をやっておく必要がありそうなのが、第三席に入ったジョン・D・マクドナルドの「懐郷病のビュイック」です。私は『37の短篇』で初めて読んで（ジャンルは「捜査」となっていました）、そのときは、達者に書かれてはいるけれど、平凡な作品だと思っていました。その評価そのものは、いまも変わってはいません。ただし、コンテスト受賞作という流れの中で見ると、この前後からアメリカで一般的になってきた、警察小説の行き方が、ここにも影を落としていることが分かります。

ある地方都市に、工場誘致のふれこみで、ビジネスマンがやって来る。その男、実は銀行強盗の一味のひとりで、ある日、その地の銀行をグループで襲います。銀行の向かいが銃砲店だったため、非常ベルが鳴るとすぐに射合いが始まり、双方に被害者が出ます。手がかりは、射合いの果てに残された、一台のビュイックです。

そもそも筆づかいが、犯罪実話ふうのそれで（出てくる関係者の名前を律儀に書くところなど）、そういう意味ではロイ・ヴィカーズを思わせないでもない。地元の警察が捜査を開始し、連邦警察があとから乗り込み、地元の捜査員はかやの外に置かれるようになるという、いまや常識となったパターンが見られますが、このあたりが、私が、警察小説流が影を落としたと考える部分です。残されたビュイックに対する警察の捜査と、それが空振りに終わるプロセスが、手際よく描かれるところもそうです。短編ですから、あっさりしていますけれど。この作品が、警察小説にならなかったのは、最後におかしな名探偵が突然現われて、警察を出し抜いて謎を解いてしまうという趣向のためです。愉快ではありますが、木に竹を接いだ感じは否めないし、そこが積極的な美点になるというほどでもありません。ジョン・D・マクドナルドの短編には、こういう定型をはずすことがままあるのですが、この小説で、この解決の仕方なら、警察小説にしてしまうことも出来たでしょう。

「懐郷病のビュイック」は、パルプ作家ジョン・Dが、長編作家へと脱皮する時期に書かれたもの（処女長編刊行が五〇年）で、著者にとっても転換点の時期の作品でした。同時に、ハードボイルドから警察小説へとシフトしていく（『都筑道夫ポケミス全解説』を参照のこと）という、ペイパーバックの流行によってもたらされた、アメリカ製ミステリの潮流が、コンテストの短編作品にも反映されている点を、見逃してはならないでしょう。短編における、パルプマガジン以後のハードボイルドと、ローレンス・トリートからエド・マクベインに到る警察小説の系譜については、本書第四巻で読み返すことになるでしょうから、ここでは、その点に注意を喚起するにとどめておきます。

翌年の第六回コンテストと続けて見てみると、第二席にスタンリイ・エリン、A・H・Z・カー、ライス&パーマーが、連続して入っています。ロイ・ヴィカーズ、T・S・ストリブリング、Q・パトリック、未訳ですが、ヴァイオラ・ブラザーズ・ショアといった名前も、二年連続で見られます。クライムストーリイが優勢なこと。しかしながら、ディテクションの小説もかなりあること。ハードボイルドが少ないこと。アメリカの作家が増えていること。回を重ねてはっきりしてきたのは、以上のような特徴でしょう。

第六回のコンテストは、第四回あたりから見られた作品数増加の傾向を受けています。また、第五回同様、様々な名目の特別賞が設けられています。試みとしては面白いかもしれませんし、例年のお祭りと考えれば、ひとつの方法かもしれません。けれど、それらが素晴らしい作品を送り出したかというと、いささか疑問です。

たとえば、ピーター・ゴドフリーの「ニュートンの卵」は、不可解な状況での死があり、奇妙な動機が明かされる解明がありますし、そこに到る冒頭からの手順も、常識的なところからはずれようとしています。にもかかわらず、解決が単なる辻褄あわせにしか見えない。投げかけられる謎の面白さもなければ、解決部分に推理の面白さもないからです。ケム・ベネットの「自由の鐘を鳴らせ」に到っては、電話のダイヤルについての思いつきだけが、むき出しで小説に組み込まれているだけでした。特別賞のC・S・フォレスターの「希望を実現した男」は、確かに、この作家がこういう作品も書くのかという驚きはあります。それに、自分と同姓同名の人間の墓を見つけるというアイデアは、確かに面白い（走っている車から、墓碑銘が見えたのかという疑問はありますが）。しかし、話の落としどころが平凡で、オチのつけ方にも工夫が欲しいところでしょう。ローレンス・カークの「幽霊は年をとらない」も、冒頭には魅力があります。世間と没交渉の老婦人がいて、空襲で亡くなるのですが、空襲のはるか前に実は死んでいて、幽霊だったのではないかという疑問が「私」に生じる。やがて、奇妙な電話がかかるようになり、老婦人の過去にからんで、ひとつ怪異の可能性に私は思い当たる。結末のところで、スーパーナチュラルな話にするか、それを拒むかで、どっちつかずになった気味があり、そこが惜しいと思います。

これらの作品に共通するのは、なんらかの思いつき、アイデアが中心にあって、しかし、それが小説の中で有効に働いていないことでしょう。一時期、たとえばヘンリイ・スレッサーなんかを典型として、アイデアストーリイと呼ばれていたことがありました。それは、アイデア（おもにオチに関するそれ）を核に作品を仕上げて一丁上がりという、職人性を認めると同時に、そこから出ない不満を持たせたネーミングでした。ここに並べたものは、そこまでもいっていない。ちょっとした意外なアイデアを発想の始まりにしながら、肝心の意外性や、読者の虚をつくための手続きといった部分が、明らかにないがしろにされているのです。むしろ、処女作特別賞のひとつ、ロバート・パッサーノの「道化役者のパンチネーロ」が、粗削りながら面白い。ニューヨークでタクシー強盗を働いている男を描いたクライムストーリイです。ロイは様々な言い訳をしては、まともに働くことを拒否している青年で、タクシーに乗って運転手に銃をつきつけては、売上げを奪っています。それも、大きな犯罪は警察が本気を出すので、そうはならない少額の強盗を働くというのです。その淡々とした犯罪の顚末を描くのですが、ロイという青年の言動と、それが示すキャラクターに的を絞っているところに、面白さがあります。とはいえ、結末に向けて、なんらかの形で加速する感じが欲しいのも確かですが、処女作としては今後を期待したくなる出来です。

そんな中で、第三席に入ったヒュー・ペンティコーストの「矛盾だらけの事件」には、ちょっと立ち止まってみる価値があります。殺人を自供している犯人を、警部補が取り調べているという始まりです。自供しているのは、きわめて背の低いホテルのボーイで、泊まり客が被害者です。ボーイは競馬のノミ屋との取り次ぎをしていたのですが、被害者が穴狙いに大金をつぎ込んだ金を、取り次ぎがずにノンでしまったところ、その馬が勝ったために犯行に及んだというのです。もっともな動機ですが、警部補はすぐにその供述の矛盾に気がつきます。以後、警部補の指摘に合わせて、ボーイは供述を変えていくのですが、そのたびに新たな矛盾が現われて……という話。ころころと変わっていく供述と、その供述の矛盾が、スピード感といささかのユーモアをもって描かれていき、さすがにヴェテランの技と言えるでしょう。

こんなふうに総括すると、このころのコンテストは低調な印象を与えるかもしれませんが、実は、そうではないのです。というのも、第五回の特別賞佳作で、コンテストに初登場した作家が、翌年、第六回の第一席を見事に射止め、続く第七回の第一席作品とともに、ディテクションの小説に新たな可能性を開いたからです。すなわち、ＥＱＭＭコンテストは、このころから、第一席作品によって、ということは、可能性や将来性ではなく、実際に高いクオリティを示すことで、短編ミステリ全体に影響を与えうるようになったのです。

一九五〇年第六回コンテスト第一席は、前年「オール・ザ・ウェイ・ホーム」（「帰り道」）でコンテストに初登場した、シャーロット・アームストロングの「敵」でした。そして第七回はトマス・フラナガンの「アデスタを吹く冷たい風」。

ＥＱＭＭコンテストの黄金時代の始まりです。

8　パズルストーリイの栄光――「敵」と「アデスタを吹く冷たい風」

シャーロット・アームストロングは、第二次大戦中に小説家として出発しましたが、一般的には四六年の長編第三作『疑われざる者』が最初の成功作とされていて、ＭＷＡ賞を獲った『毒薬の小壜』を代表作とする、戦後アメリカのサスペンス小説家というのが、大方の見方でしょう。もっとも、私は、彼女について、創元推理文庫で解説を書く機会が多くて、そのたびに、サスペンス小説ではないとくり返してきました。サスペンス小説と呼ぶには、主人公たちが能動的にすぎるように思えるからです。詳しくは、それらの解説に目を通していただくとして、短編に目を向けると、ＥＱＭＭコンテストに初登場したのが、第五回コンテスト特別賞佳作の「オール・ザ・ウェイ・ホーム」（「帰り道」）、第六回コンテスト第一席の「敵」の後、第八回の「笑っている場合ではない」（第三席）、第十回の「あなたならどうしますか？」（第二席）、そして第十二回に第二席に入った「ミス・マーフィ」（「すでに失われたり」）と、のちに短編集『あなたならどうしますか？』に収録される作品が並びます。

「敵」は、マイク・ラッセルものの、おそらくは初めての作品でしょう。この弁護士は、登場数も少なく、シリーズキャラクターとしては、あまり知られていませんが、「宵の一刻」「生垣を隔てて」と登場作品を見ていくと、年齢のわりに老成した雰囲気と若者たちへの接し方から、ある共通性を窺うことが出来ます。しかも、三作ともにディテクションの小説（もっともストレイトなのが「敵」で、ひねったのが「生垣を隔てて」です）で、謎とその解明を通じて、ラッセルの個性が浮かび上がってくる仕掛けになっています。その特性がもっとも効果をあげているのが「敵」です。

「敵」は、若い弁護士のラッセルが老判事と、静かに夏の午後を過ごしているところから始まります。戸外で騒ぎが始まり、ラッセルが行ってみると、子どもたちと年輩の男が言い争いになっている。子どもたちのひとりが大切にしていた犬が、男の家の敷地内で死んだらしい。常から男とその家族（いささか偏屈なところのある男は、再婚早々妻が病を得たため、足の不自由な義理の娘が慣れない家事を切り盛りし、家全体が精神的に余裕がない）は、子どもたちとの間に、小さな諍いが絶えなかったという事情もあって、男が犬を殺したと子どもたちが非難しているのです。犬は毒殺されていて、死んでからそれほど時間は経っていない。子どもたちは、「ぼくらの敵」である「頭がへん」な「意地悪じいさん」が犬を殺したと信じて疑いません。ラッセルは「近頃の大人は子供たちに何を教えているんですか？　現実から顔をそむけることですか？」と憤《いきどお》ります。そして、子どもたちの担任の女教師と連絡をとり、子どもたち自身の手で真相究明のための捜査を始めさせるのです。これで、その男が犯人だったら、短編小説にはならないわけで、かぎられた人間関係の中の話ゆえに、犯人そのものに意外性はありません。しかし、真相があぶり出す人間関係にはドキリとさせるものを含みつつ、事件は解決します。

この小説が応募された一九五〇年とは、どういう年だったのでしょうか？　この年、アメリカはとてつもない混乱に陥っていました。五〇年の二月、ひとりの上院議員——「上院で影の薄い、とるにたらぬ人物のように見え」ていた（R・H・ロービア）ひとりの上院議員が、演説中に突然、国務省内には共産主義者がうようよいて、その名前を自分も国務長官も知っていると発言したのです。その上院議員の名はジョゼフ・R・マッカーシー。とんでもない社会的ヒステリーと、いたちごっこが始まりました。この発言の事実性を調査するための委員会が設置されました。そして、マッカーシーの発言が事実無根であることが判明するころには、マッカーシーは異なる場所、異なる状況で、似たような、しかし微妙に異なった発言をくり返していたのです。マッカーシーに賛成する人も反対する人も、賞賛する人も嫌悪する人も、ともに振りまわされました。アメリカじゅうで共産主義者と疑われた人々が、赤狩りの査問を受け、そのうちのある人たちは職を失い、ある人たちは投獄されたのです。混乱は数年にわたって続きました。

「敵」は、そのさなかに書かれ、混乱の渦中で活字になりました。人に疑いをかけるには、合理的な根拠が必要であるという、シンプルで力強いメッセイジ――それも、子どもたちに納得させなければならないものとして――を伴ってこの短編は世に出たのです。

「敵」にはマッカーシーのマの字も出て来ません。しかし、マッカーシー旋風に無縁と考える方がどうかしています。考えてもみてください。3・11直後の日本で――たとえば、子どもたちが学校で、稀少な動物の赤ちゃんなり雛なりを育てているとしましょう。ひ弱な動物を外界から守る備えは万全を期し、先生たちは絶対安全と太鼓判を押し、それを誰もが信じていた。ところが、その絶対安全な備えをかいくぐって、その動物が死んでしまう。事態を前にして「想定外」と弁解をくり返す先生たちに対する子どもたちの目には、にわかに不信の色が浮かぶ……という話を書いたとしましょう。それと書かなくたって、福島第一原発を連想しない人はいないにちがいありません。

しかも、「敵」の持つメッセイジの根本にある、合理的に判断をくだすという態度は、パズルストーリイに、あるいは、もっと広く、ディテクションの小説に、さらに言えば、追跡型のミステリであれ、サスペンス小説であれ、ミステリには共通して広く登場するものでした。パズルストーリイには必須といってもいいものです。パズルストーリイがパズルストーリイであるというだけで、社会的な主張にも文学的な主張にもなりうる。「敵」のユニークな点はそこにありました。もちろん、合理的な根拠で犯人を指摘するという話なら、どんなものでもいいわけではありません。それと語らず、一見まったく関係ないように見えながら、マッカーシズムへの批判となるには、最適といっていい事件とその解決が配置され、最後に子どもたちがかわす会話の卓抜で粋なことが、この短編を最高の後味にしました。

クイーン自身、数年後に『ガラスの村』という、やはりマッカーシズムへの反応を抜きには考えがたい長編を発表しています。事態がもっともホットな時期に、いち早く反応を示した「敵」に第一席が与えられたことは、むしろ当然といえるでしょう。さらに翌年、トマス・フラナガンが「アデスタを吹く冷たい風」を投じて来ました。合理的な解決が必ずしも期待されないどころか、それが忌避されることさえある捜査官という、矛盾した状態に置かれたヒーローの物語でした。パズルストーリイの主人公が推理すること、それ自体が、主人公の肖像を陰影のある彫りの深いものにするという、一種のはなれわざが、このシリーズの特徴でしょう。その上、ストーリイ展開が、事件の進行と並行しているので、サスペンスも申し分ない。「アデスタを吹く冷たい風」は、そうした特徴を旗幟《きし》鮮明に掲げたシリーズ第一作でした。いや、これがシリーズになるとは、読者は思えなかったかもしれません。それに続く「良心の問題」や「獅子のたてがみ」の構成の巧みさは、読み取りやすいと思いますが、「国のしきたり」の室内劇ふうの展開も見事なもので、ハメットのそれをさえ思い出させます。

テナント少佐のシリーズにおいても、アームストロングの「敵」同様、パズルストーリイがパズルストーリイであるというだけで、そのことが、ある思想を強烈に主張するに等しくなっていました。ただし、こうした在りようは、そう簡単に成立するものではありません。ラッセル弁護士、テナント少佐ともに、その作品数が少ないのは偶然ではありません。にもかかわらず、「敵」と「アデスタを吹く冷たい風」という稀なはずの作品が、二年連続して書かれ、ともに第一席を得ました。パズルストーリイの存在それ自体が、現代的かつ文学的な意味を持ちうる。ふたつの作品の連続受賞は、そのことをきわめて端的に示した事例となったのです。

9　アームストロングの全体像

『あなたならどうしますか?』は一九五七年にまとめられました。日本でも、比較的早く『悪の仮面』という題名で訳出されましたが、「敵」を含む何編かがカットされ、完訳版が出たのは一九九五年のことでした。その中で、一番古い作品は「オール・ザ・ウェイ・ホーム」のようで、それ以前の短編は、今回探したかぎりでは見つかりませんでした。

「オール・ザ・ウェイ・ホーム」は、ちょっと、ウールリッチが書きそうな（日本語版EQMMに初めて訳されたときも「ウールリッチばりのムード」と書かれていました）サスペンス小説です。主人公は若妻の美容師なのですが、彼女の夫には冤罪で一時刑務所に入れられていた過去があって、警察に関わることを極端に恐れています。ある夜、夫の運転する自動車が死体（すぐに他殺だったと分かる）を轢いてしまう。彼女は近所の家に知らせに走りますが、関わり合いを恐れて、夫が途中から連れ戻す。結局、彼女は、謎の男に連れ去られて消えた、死体の発見者となってしまうのです。彼女が知らせに走ったのは、実は被害者の家で、その妻に彼女は顔を見られている。そして、なんたる偶然か、彼女の勤める美容室にその女が客として現われたのです。

自分（たち）だけが、犯罪のある部分を目撃し、それを警察に知らせずに危機的状況に陥る。ウールリッチが発明したのかどうかは定かではないにしても、好んで多用したシチュエーションであり、サスペンスを醸成させるには抜群の効果があります。ＥＱＭＭコンテストについて書いていると、ウールリッチが書きそうなといった形容が何度か出てきますが、それだけ、ウールリッチがサスペンス小説の原型を書いていたということです。そして、その後、多くの後続者たちが洗練された作品を世に出したことで、ウールリッチの多くの作品は破綻が目立つようになったのも、事実ですけれど。もっとも、「オール・ザ・ウェイ・ホーム」は、ヒロインが危機から逃れる手順の描き方が巧くないので、平凡な作品に終わっています。

「笑っている場合ではない」は、のべつ嘘をついている女性の、いかにもいつもどおりの虚言（怪しい男が自分を追って来る）を、ダブルデートで初対面の男だけが、今度はホントなのではと気にするという話です。「オール・ザ・ウェイ・ホーム」同様に、奇妙な状況設定一発で、その後の展開からサスペンスの在りようまで決めてしまうところ、アイデアとその活かし方が見事ととるか、それだけと考えるかは分かれるところかもしれません。

「ポーキングホーン氏の十の手がかり」はパズルストーリイの愉快なパロディで、アームストロングにしては珍しい、お遊びの一編でした。けれども、もともと、この作家は、必ずしもパズルストーリイやディテクションの小説を得意としているわけではありません。長編においても、部分的にディテクションふうになることはあっても、動きの多い展開で読ませる作風なので、論理性といっても、それが主人公の行動の指針になる程度です。彼女の歩みを見ていると、短編においても、サスペンス小説やクライムストーリイを洗練させる方向に進んでいきます。シャーロット・アームストロングの短編の中で、「敵」は例外的な存在です。これは、この作家の面白いところで、長編でも代表作の『毒薬の小壜』は、作品内に悪意が存在しないという意味で、やはり例外的な存在でした。

「あなたならどうしますか？」は、ヒロインが長年想い続けてきた男性と、彼女の従妹の結婚が決まります。ところが、その従妹の死んだはずの前夫を、彼女が町で見かけるのです。誰もが、自分の想いびとを取られた腹いせから言っていると考えて、信じてもらえません。リドルストーリイふうの結末のつけ方が巧みでした。

次のコンテスト入選作「ミス・マーフィ」は異色のサスペンス小説で、注目に値します。ミス・マーフィが勤める高校には、不思議な四人組がいます。ある女子生徒ひとりを三人の男子生徒が取り囲む形で隊列を組み、校内を闊歩するのです。具体的には語られませんが、この四人組は非行にあたる行いも過去にはあって、学校側から目をつけられている。しかし、ミス・マーフィは、自分たちの隊列を崩さないことで、彼らが自らの意志を通すところに、ある種の気高さのようなものを感じていて、秘かに好感を抱いています。ある夜、彼女は、病気がちの姉の薬を買うため薬局へ行き、帰りに電話ボックスに閉じ込められてしまいます。おまけに電話は故障中でかけることが出来ません。そこへ車に乗った四人組が通りかかり、彼女のことに気づいているのかいないのか、車を停める。やがて、ミス・マーフィは救出されますが、翌日、彼女が閉じ込められている間に、学校で狼藉が働かれていることが判明します。疑いをかけられた四人組は、アリバイとして電話ボックスに閉じ込められた彼女のことを持ち出したのでした。

殺人はもちろん、事件らしい事件の起こらない話です。四人組の悪行さえ、あからさまには書かれていません。にもかかわらず、他の人々よりも彼らに好意を抱いていたはずのミス・マーフィが、決定的な嫌悪を彼らに持つに到って終わる。しかも、彼らのアリバイを裏づけ、彼らに感謝されつつ、そうなってしまう。人間の悪意を些細な事柄から浮かび上がらせる。短編ミステリがその境界を広げていく過程で、有力な行き方のひとつとなったのが、こうした種類の短編でした。ただし、この作品が傑作になりそこねたのは、四人組の行動の描写が必ずしも巧くいっていないためで、彼らが目をつけられる理由がいまひとつ呑み込めないせいでしょう。それでも、こうした短編がミステリプロパーの作家によって、ミステリとして書かれ、ミステリの雑誌に発表されたことは記憶にとどめておくことにしましょう。

これらの作品をＥＱＭＭに発表していく一方で、アームストロングは、「あほうどり」*「死刑執行人とドライヴ」*といった中編を、スリックマガジンに発表します。前者はヒュー・ウォルポールの「銀の仮面」を連想させる屈折した悪意、後者はストレイトで強烈な悪意という違いはありますが、どちらも悪意にさらされた主人公を描いたサスペンス小説でした。これらは周到に書かれてはいますが、狙いの単純なサスペンス小説です。長編ミステリのコンデンス版やこうした読物が、スリックマガジンで好まれるようになったという事実は、最盛期を迎えた戦後アメリカミステリが、商業雑誌との親和性も高かったことを示しています。

『あなたならどうしますか？』以後も、アームストロングは、数こそ多くはないようですが、短編ミステリを書いていきます。「当て逃げ」のような凡庸な因果噺（エレノア・サリヴァンのアンソロジーに採られていますが、なぜ、これを選んだのか理解に苦しみます）もあれば、「もう片方の靴」や「旅人のお守り」のようなサスペンス小説もあります。*「冷静なるもの」は、誘拐された老婆が、犯人たちよりはるかに冷静で……という、天藤真の『大誘拐』を連想させる一編でした。これらの作品、たいていは、達者に書かれてはいるものの、驚くようなものは見つかりませんでした。そんな中で*「タイミングの問題」という六六年のショートショートは、ちょっと毛色が変わっています。買物に出た女性が、自分の車に乗ろうとしたところで、ナイフを持った男に襲われる。それを撃退する一部始終だけを描いたものですが、買い忘れを気にすることで頭がいっぱいの女性が、なぜ、刃物を帯びた男に、まったく弱気なところを見せなかったのか？　その感覚的なオチのつけ方は、このころのミステリマガジンに独特な難解さです。星新一の*「鍵」やロアルド・ダールの*「廃墟にて」などとともに、ショートショート特集（六七年三月号）をになった一編ですが、アームストロングも、短編ミステリが洗練を極めた時代を生きたひとりだったのだなと、ちょっと感慨にふけってしまいました。

10　上昇していく受賞作の水準

第七回コンテストで「アデスタを吹く冷たい風」と争って、最高特賞を得たのがエドガー・パングボーンの「歌う杖」でした。パングボーンはSF作家だという知識だけがあって、読んだことがありませんでしたし、ミステリを書いていることも知りませんでした。「歌う杖」は穴居生活をする原始人（という呼称でいいのかどうか、正確には分かりかねますが）の中で起きた殺人事件を描いています。一族の長《おさ》である主人公には兄がいて、この兄は一族とは少し離れて暮らす変わり者ですが、独特の知恵があって、長である弟を支えてもいる。その兄が殺され、兄が見つけて（というか発明して）大切にしていた、〈歌う杖〉が紛失しているのです。

舞台設定の着想は抜群ですし、その世界を説明的でなく描きながら、事件とその解決を見せるところも、そつがありません。しかし、すでにＥＱＭＭコンテストは、それだけで、第一席が獲れるレベルではなくなっていました。その上で、推理の面白さや、推理の過程で描かれる登場人物の綾や、推理することでたち現われてくるなにかがなければ、マスターピースとは言えない。そういう位置にまで、水準は上がっていたのです。

パングボーンには六二年に「完全なる論理」という異色作もあって、出来はこちらの方が良いように私は感じます。

第二席には、ドロシー・ソールズベリ・デイヴィスの「春のあらし」とヴェロニカ・パーカー・ジョーンズの「帰郷」が入っています。奇しくも、ともに三角関係の話でした。ギャングの女になったヒロインが、追われて逃げてきた故郷で、しかし、人に見つからないよう潜んでいるという「帰郷」の方が、ミステリ味は強く、「春のあらし」は、より、ヒロインと愛人となる隣人の関係に焦点があてられています。同時に第二席となった、エリンの「君にそっくり」、A・H・Z・カーの「虎よ！ 虎よ！」よりは、どちらも落ちるとしか言いようがありません。

むしろ第三席に入った、オクテイヴァス・ロイ・コーエンの「警官は嘘を吐かない」の方が、好感は持てます。戦争中に海兵隊で一緒だった戦友が、犯罪者になっている。戦争が終わって、主人公は警官になっているのですが、そこへ件の戦友が連絡を取って来る。FBIはその可能性を折り込み済みで、主人公は即座に上司を通じて連絡し、あとは逮捕の際に、相手を確認するばかり。しかし、段取りの狂いから逮捕が遅れ、なりゆきで、細君と三人、自分の家で食事をすることになり、さらに、もたもたするうちに、警官であることが相手にバレてしまいます。ストレイトノヴェルの作家が、ひとつミステリを書いてやろうという意識で書いたのが明らかです。同じ第三席のベイナード・ケンドリック「5－4＝殺人犯人」は、盲目の探偵ダンカン・マクレインの探偵譚ですが、古式ゆかしいと言えなくもない。どちらの作品も、主人公が事件に巻き込まれる形をとっていて、その分、展開に速度が出ています。もっとも、どちらも、前半のきびびした面白さが、解決部分まで持続しないうらみがあります。

これらの作品は、一応、従来のミステリの枠内にあると言っていいでしょう。しかし、そこから、はみ出ようとした作品も見られました。

パングボーンの「歌う杖」ほど極端ではないにしても、マーガレット・ペイジ・フードの「緑の雑草《グリンゴ》」も、舞台設定が異色です。西部もメキシコ国境付近で、メキシコ人たちの中にひとりの白人の労働者がやってきて、他人の女房に色目を使ったというのが発端なのです。その女房は行方不明になり、夫は、女房その人よりも、乗っていった馬を取り返したがっている。主人公の保安官をはじめ、出てくるのは、みなメキシコ人。謎解きは単純ですが、後年のマーガレット・ミラーに先行する作品といっていいでしょう。

メイベル・シーリイの「ネラが住んでいた家」は、財産を持った若い女をあさる男の登場から、話が始まります。おあつらえ向きの娘を見つけると近づいていって、順調に親しくなっていく。クライムストーリイとしては普通の展開でしょうが、どうも、娘の言葉には不可思議なところがある。と、思っていると、話はクライムストーリイからそれていって……。「ネラが住んでいた家」は、いまとなっては平凡なショートストーリイでしょうが、ミステリのふりをして、こういう話が書かれるようになったことは、記憶にとどめておきましょう。そして、同時代に、ロバート・ブロックやリチャード・マシスンといった作家——もっと、広くいうなら、SFやアーカムハウス系の幻想と怪奇の小説などの、隣接する小説群が存在したことも忘れないでおくことにしましょう。そうした小説群が、異色作家短篇集を構成することになるのです。

フレッチャー・フローラの「焦熱地帯」にも、同様なところがあります。バーにやって来た客が、自分はなぜこんなところに落ちぶれてきたのか、問わず語りを始める。アイデアストーリイのごく初期の作品という印象を持ちます。

似ているようでも、マーク・ヴァン・ドーレンの「おふくろ」は、少し異なったイメージを与えてくれます。ごく短かい作品です。殺人事件の被疑者のもとに、弁護士が接見に来たところのようです。しかし、被疑者の態度には微妙におかしなところがあって、弁護士が了解している事件の経緯とは食い違いがあるらしい。この小説が奇妙なのは、被疑者と弁護士がすれ違ったまま、そのすれ違いを描くことに終始して、小説が終わってしまうからです。長めのショートショートといった作品ですが、アームストロングの最後のところで紹介した「タイミングの問題」に通じるような感覚の短編です。クライムストーリイがヴァリエイションを求めていくと、このような短編が生まれてくる。このことは、頭の片隅に入れておいてください。

同じようなことは、バリイ・ペロウンの「行きずりの女」にも言えて、死体を詰めたトランクを処分したがっているらしい男が、列車の中でトランクをすり替えることを思いつきます。同時に、コンパートメントで若い女性と知り合い、彼女の身の上話を聞くうちに、トランクをめぐる事件が動いていく。偶然を多用していながら、その構成がお手軽な感じを与えないだけの、語りと話づくりの巧さが、この短編にはありました。

「おふくろ」も「行きずりの女」も、ともに、怪談とまではいかないにしても、リアルなクライムストーリイから逸脱しそうになっていました。ただし「おふくろ」と「行きずりの女」を分けるのは、後者がイギリス流の古風な奇譚（ディケンズあたりの十九世紀の小説を連想させる）への回帰に見えることでしょう。

最優秀処女作特別賞のひとつ、ジョン・ユージイン・ヘイスティの「犯罪ア・ラ・カルト」が、荒っぽいユーモアが持ち味のクライムストーリイだったように、新人の作品でさえ、クライムストーリイのヴァリエイションを志向するようになってきました。こうして、クライムストーリイは、アイデアストーリイの量産という形での活況を目前にしながら、より複雑な小説を目指す可能性をはらんでいたのです。


第八回ＥＱＭＭコンテストの第一席作品「追うものと追われるもの」を書いたスティーヴ・フレイジーは、ミステリをそう多くは書いていないようです。西部小説の作家として、もっとも知られているようですが、ＳＦやファンタジーも書いているらしい。著書には名犬ラッシーのシリーズや、怪傑ゾロまであって（おそらくノヴェライゼーションでしょうね）、なんでも屋のパルプ作家ないしはペーパーバック作家なのでしょう。しかし、西部小説作家としての貌《かお》は、「追うものと追われるもの」にもはっきり表れています。

「追うものと追われるもの」は、「残りはあと三人だ」という文章から始まります。四人組の脱獄囚を追いかけて、保安官や刑務所の副所長を中心に追手――ポッシと言ったと思います――が編成され、いま、そのうちのひとりを射殺したのです。森あり山ありの風景といい、二十世紀も中盤になって自警団を組織するあたりといい、西部であろうことは、一目瞭然です。しかも、追手の中にはジェーンズという志願（脱獄囚ひとりあたり二十五ドルの賞金が出るらしい）の民間人がいて、この男が不穏の種でした。射撃の腕が自慢の自動車修理工なのですが、「人狩りがはじまったという知らせが届くと、いつでもいの一番に保安官のところへかけつける」一方で「ハンターが行方不明になったとか飛行機が墜落したとかで救助隊を繰り出すときには、一度だってかけつけたためしがない」のです。犯罪者を「生死にかかわらず」捕えるという錦の御旗のもと、人間を獲物に狩りがしたいという自己の欲求が、他の人の目にもあらわなことに、まったく気づきもしていない。最初のひとりも、半ば嬉々として、この男が撃ち殺したのでした。他のメンバーは、彼に対して、どうしようもない嫌悪感を抱いています。義務として――しかし、そのかぎりにおいて真剣かつ良心的に――この追跡に参加している副保安官のメルビンは、とりわけそうでした。一行は、脱獄囚たちの残した足跡を追って、森に入り、山へ向かいます。

この少々長めの短編は、以後、三人の脱獄囚を追い詰めるメルビンたちの追跡行に終始します。途中、尾根道で無線機を積んだ馬が墜落して、上空から探索と物資の補給をしている飛行機と連絡不能になってからは、鹿や雷鳥を撃って食料を補給しながらの追跡になったり、脱獄囚側の反撃もあったりで、そこをかいくぐったのちは、メルビンとジェーンズのふたりが、ひとり残った最強の敵を追う展開になります。そういう追跡劇のプロットそのものが持つ面白さはあるのですが、それだけでは、この小説の美点を逃してしまいます。

ありの巣のエピソードにもっとも顕著なように、メルビンはジェーンズに反感をつのらせる一方で、それと反比例するかのように、見も知らない殺人犯ケイゴーに親近感を抱くようになります。「舗装道路から五マイルと出外れたことが」ないような刑期百八十年の賭博常習犯が、闇夜でも森の中を正確に逃げ、自然の恐ろしさとおそらくは素晴らしさを感じ取っている。ケイゴーばかりではありません。追手に反撃を仕掛けたストローザースは、なうての銀行強盗でしたが、捕えられたのち、ジェーンズに面と向かって、自分が人を殺したことがないことを誇り、彼のことを蛇みたいな目をしたろくでなしだと罵りました。そして、メルビンをはじめ他の追手のメンバーたちも、ストローザースのこの言葉に心の中で賛意を表しているにちがいないのです。

「追うものと追われるもの」は、ある意味で単純な話です。法を犯して逃げる脱獄囚よりも、それを追う側に、非人間的な残虐性を見出せることがある。あるいは、法の陰に素顔を隠した非人間性こそがタチが悪い。そうした認識をひとつの追跡劇に集約してみせる。しかも、その差が浮き彫りにされるのは、自然の中にひとりの人間として放り出されたときだった。人狩りという物語（広義に犯人追跡を含むなら、かなり間口が広がるでしょう）の中に、ある種の感覚が潜む。これも短編ミステリが洗練されたひとつの形だと私は考えますが、その点については、これからも何度か考えることになるでしょう。ひとつだけ、わずかな瑕を指摘しておけば、このフレイジーの短編で、もっともインパクトが強いのは、結局、冒頭の台詞だったということです。物語の展開とともに、エスカレートしていく感覚、結末で収束する際の力感に乏しいため、最後のケイゴーとの対決が迫力に欠ける。そのためマンハントの物語としては、いささか盛り上がりに欠けていました。

11　大ヴェテランの試行錯誤

ロイ・ヴィカーズは、第二回コンテストの「手のうちにある殺人」第二席に始まり、第四回の「つぎはぎ細工の殺人」、第五回の「絹糸編みのスカーフ」、第六回の「ヘアシャツ」と、迷宮課シリーズでコンテストの常連となりました。しかし、第八回コンテストに到って、ついに、迷宮課シリーズではない作品で、コンテストに臨みました。「猫と老婆」がそれです。それまでにコンテストに送った作品は、迷宮課シリーズの中で見ても、力がこもっていて、決して、シリーズに胡坐をかいたようなものを書いていたわけではありません。それだけに、この変化は見過ごせない。「猫と老婆」は作品の質（が悪いわけではありません）以前に、ミステリとしての方法論の部分で、方向転換がなされているのです。

「猫と老婆」の大きな特徴はふたつあります。ひとつは、殺人を犯したらしい主人公の老婆が、犯行時の記憶を失くしているという設定のため、彼女が犯人であるとは、なかなか明示されないことです。もうひとつは、事件を解決する探偵役（迷宮課にあたるもの）がいないこと、それに付随して、老婆の犯行が露見しないことです。小説としてのスタイルや筆づかいは、迷宮課シリーズと変わらない（事実、短編集『老女の深情け』の巻頭に納まって違和感がありません）ので、ヴィカーズに慣れ親しんだ読者にすれば、始めのうちは、どうも、この老婆は犯人らしいが、書き方が少し違うという印象を与えるに留まるのです。しかし、終わってみれば、この短編はクライムストーリイになっていました。

もともとヴィカーズの迷宮課シリーズは、犯行の背景や、犯人が犯行に到る道筋を書き込む一方、偶然のまぐれ当たりを狙う探偵が謎を解くというものでした。この形が、探偵が謎を解くというよりも、犯行が露見する、あしがつくという方向へ変わることで、クライムストーリイへと変質していくのは、自然というか、必然的なことであったかもしれません。そして、EQMMコンテストの大舞台で、ヴィカーズの倒叙ミステリが、クライムストーリイへ転換したのは、この瞬間でした。しかし、倒叙ミステリからクライムストーリイへという変化は、直線的な進化というわけではありませんでした。そのことを、ヴィカーズが身をもって示したのが、続く第九回コンテストで第一席を射止めた「二重像」でした。

この作品は第二巻に収録しておきました。ロイ・ヴィカーズの短編でひとつと言われれば、私はこれを採ります。しかし、迷宮課シリーズという倒叙ミステリでクイーンに見出されたヴィカーズにしては、少々破格な作品であることも、第二巻で示したとおりです。前年の「猫と老婆」に引き続いて、この「二重像」も、主人公が犯人であるかどうかを明示しないままに、話が進んでいきます。倒叙ミステリを突き詰めたヴィカーズが到達したのは、明らかに犯人だと思われる登場人物を、最初から犯人であるかのように描き（それが倒叙ミステリの手法というものです）ながら、犯人であるとは明示しないことで、読者を宙吊りにするというプロットでした。「猫と老婆」は、そうすることで、倒叙ミステリからクライムストーリイへの道を開き、「二重像」は、倒叙ミステリの書き方で謎解きミステリを書くという異色作となりました。ヘレン・マクロイの「鏡もて見るごとく」と比較して、謎解きミステリとしての巧みさにおいて一日の長があると当時に、読者を宙吊りのままで終わらせる『暗い鏡の中に』の発想にまでは到らなかった。そう言えるかもしれません。しかしながら、キャリアからも年齢からも、老大家といって差し支えないロイ・ヴィカーズでさえ、なお、自分の得意技とも呼べる手法を、さらに進化させていく。そうさせるだけのものがEQMMコンテストにはあり、そして、第一席の栄誉で、その冒険に報いるだけの見識もあったということなのです。

12　クライムストーリイの栄華——「決断の時」と「黒い小猫」

コンテストの第一席作品を集めたアンソロジー『黄金の13／現代篇』のまえがきで、エラリイ・クイーンは、十三作の第一席作品のうち、十編に探偵役が登場することを指摘して「意外にも高い数」と書きました。ミステリ全体におけるディテクションの小説の位置を、クイーンがどう考えていたかを知る、ひとつの手がかりでしょう。「戦士の星」に始まって「二重像」に到る九編は、クイーンの言う探偵役の登場するミステリでした。「追うものと追われるもの」の追跡劇を含めるかどうかは、議論の分かれるところとしても、それ以外はみなディテクションの小説の範疇と見ることが可能です。同時に、第二席や第三席の作品群を読み返し、常連としてコンテストを牽引し、ひいては、短編ミステリ全体に影響を与えたと思われる作家——スタンリイ・エリンを筆頭に、Q・パトリック、ヘレン・マクロイ、シャーロット・アームストロング、A・H・Z・カーといった人々——の存在を考慮に入れるなら、短編ミステリはクライムストーリイへと進むことで発展したことも否定できません。**「敵」**や「アデスタを吹く冷たい風」といったパズルストーリイの傑作でさえ、同時代のクライムストーリイの存在なしに、パズルストーリイの伝統といったものだけからは、とても生まれてくることはなかったでしょう。にもかかわらず、コンテストが九回を数えても、第一席作品はディテクションの小説が占め続けたのです。

第十回コンテストというのは、いかにも一区切りといった回数ですが、ここで初めて探偵役の登場しない小説、ディテクションの小説ではない形式の小説が、第一席を獲得します。しかも、それまで毎回第二席に入る活躍ぶりで、誰の目にも当時の短編ミステリの作家として実力ナンバーワンなのは明らかな作家が、ついに第一席を獲ったという意味でも、画期的な受賞でした。その小説は、ディテクションの小説でないばかりか、殺人はもちろん、犯罪さえ起こらず、そういう意味ではクライムストーリイでさえありませんでした（にもかかわらず、便宜上、私はクライムストーリイに入れることにしてしまっていますが）。スタンリイ・エリン生涯の全作品の中でも最上位に位置することは確実な名編**「決断の時」**です。

「決断の時」はリドルストーリイとして有名ですが、フランク・R・ストックトンの「女か虎か」が女心の機微をゲーム的に仕組んでいるのに比べて、はるかにシリアスな問題に設えてあります。ただし、問題はシンプルです。強烈な自信家で、なにが正しいことであるかの判断に、いささかの揺るぎも狂いもないヒューという男がいます。周囲も彼の判断力を認め、しかも人柄にも好感の持てるところがあって、傲岸不遜なまでに他人をやり込める彼を、微笑とともに見守るしかない。そんな彼のところに、犬猿の仲となる隣人が引っ越してきます。フランス人の引退した奇術師レイモーンです。彼は少々皮肉な知性の持ち主であり、どちらかというと斜めにものを見るところがある。ふたりはことあるごとに衝突しますが、奇術師が自分の住居であるデーン館（本来、ヒューが自分のものにしたかった）に手を加えようとしたことで、対立は決定的なものになります。小説の語り手は、ヒューの義弟なのですが、ヒューの妻である姉から、ある週末ハウスパーティを開くからぜひ来てくれと頼まれる。彼女はヒューに無断でレイモーンを招待することで、一気にふたりの関係改善を図ったのです。その夜、なりゆきから、レイモーンは簡単な奇術を実演してみせることになりますが、それをきっかけに、奇妙な賭けがふたりの間で始まり、ヒューは他人の生命のかかった二者択一の決断を迫られることになるのです。

人は正しい決断が必ず出来る。ヒューのこの確信の背後にあるのは、それが出来ないのは能力ゆえだという意識があります。裏を返せば、能力のある自分にはそれが出来る。ヒューの自信は、また、それが世俗化された価値観や合理性に裏打ちされたもののように見えるために、普遍性を持った能力、誰もがそれを行使することが当然と納得できる能力のように見えています。しかし、それが錯覚にすぎず、ある種の宗教性や伝統的なくびきを無意識に志向していることが描き出されます。

ヒューは先祖がアメリカ建国以前に財を成し、その子孫が、それを利殖で巨額なものにしたおかげで、ヒルトップに君臨できていました。どう見てもピューリタンの末裔です。フランス人のコスモポリタン（したがってカトリックではあるかもしれませんが、敬虔《けいけん》のけの字もない、葬式仏教と選ぶところのないカトリックなのでしょう）で、おまけに奇術師＝芸人というのが、彼のカンにさわるのは、当然といえば当然です。フランス人の登場は、彼らの好きな愛玩物プードルの闖入《ちんにゅう》に始まり、しかも、デーン館というアングロサクソンのオリジンのような名の館を、自分のものにしたのでした。デーモンと聞きまがうような名前の男がです。それだけでも、レイモーンを前に、ヒューの精神状態は常と変わりがないとは言いがたい。そんなところに、あろうことか、そのヒューたちのオリジンに手を加えると言い出したのです。

異様な賭け。正答を得る術のないディレンマ。そんなシンプルなリドルストーリイの背後に秘められていたのは、アメリカ人――アングロサクソンのプロテスタントの白人と一応は限定されますが、ここで問題になるのは、その人種ではなくて、その価値観が支配的なことです――が、当然の前提、普遍的な真実として、考慮することさえ忘れ去ろうとしていた、自らの持つ歴史的な偏りだったのです。そして、語り手が核の時代の宮仕えと自嘲する場面を、わざわざ冒頭に置いていることからも分かるように、ヒューのような男が、核兵器のボタンを押す決断をするのだというメッセイジが、当然ながら込められています。原題 The Moment of Decision の Moment に、重み、重要性の意味もあることは言わずもがなでしょう。

そして「**決断の時**」が素晴らしいのは、そうしたアメリカ人の心性を描いたものと見なくても、この短編がひとつのディレンマの寓話として、見事な結晶となっていることなのです。それほどまでに、これらのディテイルは表舞台から姿を消していました。

ＥＱＭＭコンテストは、犯罪を描かない物語を第一席に選ぶところまでやって来ました。翌年は、さらに、誤って猫を殺しただけの男の話が、第一席を獲得することになります。Ａ・Ｈ・Ｚ・カーの「黒い小猫」です。

「黒い小猫」は、主人公の牧師が、説教の原稿を執筆しているところから始まります。テーマは、犯罪を絶滅するために宗教がいかに力を持つかといったことで、信徒たちには、いささか抽象的にすぎないかなんて心配をしている。他の部屋からは、ひっきりなしに、小さな娘が黒い小猫と戯れる声がしています。二年前に母親を亡くし、父娘ふたり暮らしなのです。彼女が学校で上手に絵を描いたので、担任のミス・ワイリーがご褒美に、黒い小猫を一匹分けてくれたのは、母親を亡くした寂しさを慮《おもんぱか》ってのことかもしれません。執筆に夢中な主人公は、娘の声が猫を探し始めたことにも、無頓着でした。そして、悲劇は起こります。いつのまにか彼の部屋に入ってきていた黒い小猫を、誤って踏んづけてしまい、猫はそのまま無惨な姿で死ぬのです。彼は動揺し、まず一番にやったのは、娘に小猫の死を、過誤とはいえ自分が小猫を殺したことを、隠すことでした。

小猫を誤って殺してしまうことが犯罪ならば、これはクライムストーリイでしょう。そういう問題意識をはらんだクライムストーリイです。「誰でもない男の裁判」が、心ならずも神の声の実現に巻き込まれた神父のディテクティヴストーリイであったように、この「黒い小猫」は、心ならずも罪を犯すことになった牧師のクライムストーリイでした。犯罪と言えるかどうかも分からない、しかし、明白に贖罪の意識を求められる行為を犯してしまった主人公を描いて、淡々と事態は進行し、宗教者としての主人公が一変して終わる。「黒い小猫」には、「誰でもない男の裁判」のような劇的なショック——ミステリであることを忘れたかのような——はありません。しかし、ミステリとはかくもありうるということを忘れさせないだけの、ひとつの世界がここにはあります。**「敵」**と「アデスタを吹く冷たい風」が、二年連続して第一席を獲ったことに意味があったように、**「決断の時」**と「黒い小猫」が二年連続して第一席を獲ったことには、意味があったのです。

本当のことを言うと、「黒い小猫」に、私は少しだけ不満があります。ひとつは、小猫を殺めたことを娘に隠したまま得られる平穏は、本当に平穏なのかという疑問です。そこのところは、確定的には描かれていませんが、主人公が知らせたくないと思っているのは確かです。もうひとつは、技術的なことで、結末近くで「その説教の欠点は、かれが犯罪というものをかれ自身からは遠い、また外部的なものとして考えていたところにある、とかれは理解した」と書いてしまうところにあります。このあたりに、小説家としての弱さをA・H・Z・カーに見てしまうのです。たとえば、異色作家短篇集の多くの作家と比較して。

13　A・H・Z・カーの位置

　A・H・Z・カーは、微妙なポジションにいる作家でした。日本では異色作家短篇集の系列と見られていましたが、それとも、ちょっと毛色が異なる。異色作家短篇集に加えられなかったのは、本国で短編集が編まれていなかったことが大きいかもしれませんが、それが、絶対的な理由とは言えないでしょう。フレドリック・ブラウンのように、日本オリジナルの短編集が、入った例もあるのですから。いわゆる異色作家たちより、ミステリというジャンルに納まってしまうところがあったのは事実で、そこが異色ではなかったのかもしれません。しかし、実力は認められていて、「誰でもない男の裁判」の名はとくに高かったのですが、いかんせん日本語版EQMMのバックナンバーでしか読めない状態が、長く続きました。「黒い小猫」が入った『黄金の13／現代篇』の訳書が出たのが一九七九年。「誰でもない男の裁判」は、一九八九年に出たミステリマガジン四百号記念のアンソロジー特集に、ようやく収録されました。したがって、二〇〇四年に、晶文社から『誰でもない男の裁判』として短編集がまとまったときには、幻の作家がようやく読めるという感慨を持った人もいたことでしょう。

　A・H・Z・カーがEQMMに執筆するきっかけとなったのは、戦前スリックマガジンに書いた短編を、クイーンが発掘再録したことにあるようです。邦訳もある「勘で勝負する男」がそれです。二〇年代から三〇年代にかけてのカーは、おもに、ロマンティックな小説を書いていたといいますが、こういうクイーンの目にとまるような作品も、いくつかあったのでしょう。「勘で勝負する男」は、旅先で交通違反の切符をきられた主人公が、地元のギャングとおぼしき男から、うまく話をつけてやると持ちかけられます。少なからず不安を感じながらも、話にのってしまう。後日、主人公は、そのギャングが翌日撃ちあいで負傷したことを知ります。といった出だしで、ひょんなことから、ギャングに幸運を呼ぶ男と見込まれた主人公の顚末を描いた話でした。一見ウィン‐ウィンの関係に見えながら、相手の期待の高まりについて行けなくなるという心理の面白さが、ミソでした。ただし、構成からして、実話体験談ふうの奇譚になっていて、一応の作品という域を出ません。しかし、旧作再録をきっかけに、新作をもってEQMMコンテストに参加し始めたA・H・Z・カーは、すぐに最重要な作家の仲間入りをします。

まず、第五回コンテストに「誰でもない男の裁判」で第二席に入ると、翌第六回から「市庁舎の殺人」「虎よ！　虎よ！」「誰かと、誰かが……」と三年連続で、第二席を獲得します。そして、第十一回コンテストにおいて「黒い小猫」が第一席に選ばれるに到るのです。

初めに、A・H・Z・カーのことを、ミステリという ジャンルに納まってしまうと書きましたが、事実、これらの第二席の作品群は、いずれもディテクションの小説ばかりです。もっともオーソドックスなのは「市庁舎の殺人」で、人工降雨のエキスパートという被害者の属性が特徴となっていて、謎解きもその点を軸にして動機が絞られていきます。しかしながら、単純にディテクションの小説と呼ばせないだけのなにか――ここでは、探偵役とある人物との関係でした――があるのも事実で、そして、その点が、この作家の株を上げたのも、また事実だったのです。

たとえば「虎よ！　虎よ！」は、傷痍軍人でもある詩人が探偵役を務めますが、彼は護身用の仕込み杖でかつて人を殺したことがありました。その一件は正当防衛が認められ、また、それを契機に、詩の好きな刑事と友人になり、彼の依頼で、今回の事件に巻き込まれます。しかしながら、犯罪とは無縁に日常を営む人間の心にこそ、虎が潜むのかもしれないという不安を、常々、かれはブレイクの詩とともに反芻しています。翌年スティーヴ・フレイジーが「追うものと追われるもの」で描いたように、それは錯覚でもなんでもない、単なる真理でした。そして、友人の刑事の捜査の囮を務めている最中に、気を失った彼が、意識を取り戻すと、かたわらに刺殺死体がころがっていたのでした。

「誰かと、誰かが……」は、どうやら殺人容疑で逮捕されたらしいヒロインのところへ、面会者が現われるところから、始まります。彼は、弁護士よりも先に、彼女のもとへやって来たばかりか、地方検事との取引さえ持ちかけます。彼女は乗り気になれません。しかも、その後に現われた弁護士は、逆に、彼女に不信感を抱いているように見えます。物語は、面会室を出ることなく終わりますが、その間に、彼女が夫殺しに巻き込まれた状況が読者に明かされる一方で、彼女と夫との関係が、少しずつ容貌を変えながら明らかになっていきます。

これらの作品は、ディテクションの小説としては、実は、いまひとつ魅力に欠けます。推理に面白さがないのが、そのおもな理由で、さらに言えば、探偵役に魅力と説得力がない。「虎よ！　虎よ！」の詩人が、いささか大仰に見えるのは、彼の恐れとそれを表そうとする言葉が、説得力に欠けるからでしょう。もっとも、そこに説得力が出せるなら、小説など書かずに、詩人になっているでしょうが。そして、「誰でもない男の裁判」が、頭ひとつ抜け出しているのも、まさに、その点——主人公の置かれた立場と、そこに臨む彼の姿勢——だと言えるでしょう。

「誰でもない男の裁判」は、どうやら時の人であるらしいミラード神父が、ある目的地に向かう列車の中で、遅れを気にしています。周囲の人々は、彼のことを知っているばかりか、彼に対する好意を隠そうともしません。彼はある裁判が行われている法廷に向かっていて、そのことも、みんなは知っている。彼は少々気がふさいでいるようです。そして、彼の回想として、裁判に到るまでの事件がふり返られます。ある著名な作家（おまけに売れている）でもある無神論者が、講演中に、神が存在するなら、いますぐ自分を殺してみろと、挑発したところ（毎度おなじみのその瞬間は、大盛況の講演のクライマックスでもありました）、聴衆のひとりが本当に撃ち殺してしまったのです。しかも、その男は自分の名前さえ分からず——したがって、ジョン・ノーボディと名づけられた——神の声を聞いて、気がつくと銃を手にしていたと主張したのです。たまたま、その聴衆のひとりで、事件を目撃した唯一の聖職者だったミラード神父は、どちらかと言えば、穏当な神父であったにもかかわらず、あるいは穏当であったがゆえに、地元の（おもに経済的な）実力者たちから、独自の調査委員会の長を引き受けさせられてしまいます。そして、犯人が神託を信じていたことは否定できないという結論を、反対する少数意見もあるとしながら出すと、一種マスヒステリアめいた騒ぎ（ノーボディを守る会が結成され、募金が始まると各地から続々と集まり、おかげで高名な弁護士が雇えてしまう！）が起こり、神父はその中心人物となってしまったのでした。その騒動の決着がつくのが、今日の裁判であり、神父は弁護人側の最重要な証人として、法廷内外から、当然のことのように、注視されていたのでした。けれど、騒ぎの過熱と反比例するかのように、神父の心の内には、ある疑惑が生じていて、彼が列車に乗っていたのは、その疑惑を解消するための小さな旅に出たためだったのです。

「誰でもない男の裁判」は、微かな手がかりが疑いを発生させ、そこから謎が解かれるという意味で、ディテクションの小説としての首尾は整っていますが、それでも、そこに大きな魅力があるとは言えません。真相の大部分がある人物の供述となっているのも、手軽なところです。しかし、探偵役に選ばれたのは、事件の中心にいた、そして、心ならずではあっても、事件を大きなものにした当の神父でした。その神父が、ある意味、自身の信仰を賭けて、法廷に立つ。そのドラマティックな展開と主人公の苦渋が、この短編の魅力であって、その魅力が頂点に達したのが、山口雅也言うところの「作者自ら、これがミステリであることを忘れて﹅し﹅ま﹅っ﹅」た瞬間でしょう。そこまで突っ込んでいるからこそ、異色作家短篇集の系列に擬せられることもあるのです。

そうは言っても、A・H・Z・カーが、ディテクションの小説を得意としないことは、変わりがありません。ユーモラスな味つけ（は成功しています）をほどこした「猫探し」にしろ、政界の内幕を上手に取り入れた「ワシントン・パーティの殺人」にしろ、言葉遊びに淫した「姓名判断殺人事件」にしろ、成功しているとは言いがたく、むしろ、パズルストーリイ作家としては手際の悪さを露呈していると言った方がいいでしょう。「女心を読む男」がパズルストーリイのパロディになりそこねているのも、謎解きの論理の面白さを、この作家が摑んでいないからではないでしょうか。

そして、本当のことを言うと、「誰でもない男の裁判」も、犯人像の卑俗さと、そのことがアイロニーにすらならない、この作品の持つ基本的な図式性ゆえに、私は完全に満足できているわけではありません。秀作であることは認め、過ぎたる重荷を背負うことになった、この神父の行く末は、ひとつの短編小説の余韻として得がたいことも認めたうえで、なお、たとえば、グレアム・グリーンが『情事の終わり』で描いたところには、神と信仰そのものの持つ、もういいと言う人間の首根っこを摑まえてでも引きずり込んでしまうかのような、タチの悪さがあって、それに比べると、「誰でもない男の裁判」が根本に持つ、世俗と宗教という構図の単純さと平凡さは、隠しようがないと考えるのです。

「黒い小猫」で第一席を獲るまでに、A・H・Z・カーがEQMMに発表した短編のうち、「轢き逃げ」「復讐」といった作品が訳されています。「轢き逃げ」は、題名のとおりに、轢き逃げ犯となってしまった男が、事故を起こした車を処分しようとして……というクライムストーリイで、「復讐」はスーパーナチュラルな設定を持ち込んだ、やはりクライムストーリイですが、どちらも、さして閃きのない凡庸な作品でした。

したがって、ここまでのA・H・Z・カーは、余技としてミステリを書き始めた作家が、ディテクションの小説の中に、それまで、この手の小説が無視しがちだった心理的な綾――そのもっとも成功した例が「誰でもない男の裁判」の神父のディレンマでしょう――や対人関係の綾を、持ち込もうとしてきたと言えるでしょう。「黒い小猫」は、そうした試みの果てに生まれたクライムストーリイの秀作でした。

「黒い小猫」という、短編ミステリ中でも、この作家のキャリアの中でも異色作をものしたのち、「一握の土」という、自殺未遂者として登場した主人公が、殺人者として終わるクライムストーリイを書いていますが、野心的な佳作に留まっています。「虎よ！　虎よ！」のブレイク同様、エリオットは家賃が高かったとも言えるし、エリオットを借りなければならない時点で、力のない小説になったとも言えます。

むしろ、戦前に書いた旧作の再録らしい二編が良い出来です。

「ジメルマンのソース」*（「お代は舌で」「とっておきの特別料理」）は、日本でもアンソロジーに選ばれていますが、高価な料理の支払いを、有名料理店秘伝のソースのレシピで支払おうという、奇妙でうさんくさい男が登場します。「猫探し」でも成功していた、A・H・Z・カーのユーモアが、ここでも生きていて、こうしたユーモアのある作品を、もう少し読みたかったと思います。未訳作品の中にないのでしょうか？

もうひとつは「決定的なひとひねり」*というクライムストーリイです。冒頭から人を殺した人間の話だと宣言し、妻が殺人者となってしまった男の回想です。事件は適度な意外性と確実な説得力をもって展開し、最後のふたつのパラグラフの見事なこと。「黒い小猫」に欲しかったのは、この技なのです。ミステリマガジンが創刊七百号を迎えたときに、記念のアンソロジーが、杉江松恋を編者にして、海外篇、国内篇とハヤカワ・ミステリ文庫から出ました。海外篇に収められたA・H・Z・カーは、この「決定的なひとひねり」でした。

おそらくは最後の短編となった**「わが家のホープ」**（「ティモシー・マークルの選択」）は、代表作のひとつとなる作品です。学生新聞の編集長で、つい最近、地元の新聞にも記事が掲載されたティムは、そのことで、一躍、自慢の息子になっています。奨学金の見通しもたち、大学を出て、末は大ジャーナリストへと、小さな町の期待の星になっている。どちらかといえば保守的で、カエルというよりはトンビである両親も、良い息子さんをお持ちでと言われて鼻が高い。そんなある日、父親が切り出します。自分の会社の社長から、じきじきに、ティムが編集長を務める学校新聞で、社長の息子のデニーをカメラマンとして使ってもらえないかと言われたのです。写真版に移行するための印刷代をもってもいいと。女の子と車が好きな、なうてのドラ息子を、ティムは歓迎しませんが、父の社長へのおぼえと、立派な印刷に喜ぶ部員のことを考えると、気が重くなります。結局、ティムは話を受け入れ、最初のうちはドラ息子も写真で貢献します（写真に入るクレジットが、社長親子が金で買いたかった名誉なのでした）。

しかし、ある夜、町で轢き逃げ事件が起こり、ティムが記事にしようと調べていくと、デニーのやったことではないかと思えてくる……。

主人公が、人知れず、犯罪の真相を知ってしまう。ウールリッチふう（またしても！）の、広い意味でのサスペンスストーリイとして、主人公が事件に分け入る足取りといい（眼科医との会話の巧いこと！）、その展開の確かなこと（伏線も周到）といい、主人公の陥る葛藤といい、どこにでも起こりうるような、そういう意味で平凡な事件を描いて、なお、これほどの深みを持ちうるのかと、今回、再読して、ため息をつきました。結末の緑と赤のイメージ（初読時には読みきれていませんでした。まあ、ティムよりも年下のガキだった当時の私には、無理というものでしょうが）の見事なこと。A・H・Z・カーの書いたもっともすぐれた小説のひとつでしょう。太田博編集長時代のミステリマガジンに小尾芙佐の手で初めて訳されたとき、**「わが家のホープ」**という原題からは離れた邦題が与えられました。含意とアイロニーに満ちた良い題名なので、今回の藤村訳においても、この題名を踏襲することにしました。

その後、A・H・Z・カーはカリブ海の島を舞台にした『妖術師の島』という処女長編を一九七一年に発表しますが、それで獲得したMWA賞の新人賞を手にすることなく亡くなってしまいました。寡作な作家でしたが、少なくとも「誰でもない男の裁判」「黒い小猫」「ジメルマンのソース」「決定的なひとひねり」**「わが家のホープ」**といった作品で、ミステリの世界に、決して小さくはない足跡を残したと思います。

14　拡大する受賞作

受賞作リストを見ていただければ分かるように、スティーヴ・フレイジーが第一席を受賞した第八回コンテスト以降は、受賞作が大量になり、すなわち、量的な面でも、コンテストがピークを迎えたと言っていいでしょう。第五回や第六回コンテストは、特別賞に趣向を凝らした名目をつけていましたが、第七回以降は、わずかな例外を除いて、処女作にだけ枠を設けるという、元の形に戻し、なおかつ、大量の受賞作を出しました。そして、その傾向のままに、量的に拡大していくのです。

第八回コンテストの第二席作品四作のうち、邦訳のある三作は、すでに取り上げています。ロイ・ヴィカーズの「猫と老婆」は、倒叙ミステリからクライムストーリイへの転換点になったことを指摘しておきました。A・H・Z・カーの「誰かと、誰かが……」は、短かい時間内でサスペンスフルに終始することを意識して、ディテクションの小説を、そうは思わせないという点で、サスペンス小説に傾斜した作品でした。スタンリイ・エリンは「壁をへだてた目撃者」で、アメリカの現代社会を背景にした魅力的なクライムストーリイを、またもや書き上げていました。

ただし、一概にクライムストーリイといっても、様々な作品を同列に評価するわけにはいきません。「猫と老婆」や「壁をへだてた目撃者」が、いま読んでも面白いのに対して、時の重みに耐えかねているものもある。

ドロシー・ソールズベリ・デイヴィスの「生れながらの殺人者」は、この作家お得意の、犯罪者の肖像を描いたものですが、自殺願望があるとさえ思われた、ある伍長の生い立ちを、丁寧に描いていきます。ただし、さすがに古めかしい。殺人者には、そこに到る道筋があるというのは、当然のことでしょうが、そこに小説としての閃きがなければ、所詮、それは社会学的考察にすぎません。そして、そんな考察は、いまや常識でしょう。

エリザー・リプスキイの「慈悲の心」の場合は、さらに評価の回路が込みいってきます。この作品、半世紀を過ぎてもなお問題で在り続けている、幼児へのネグレクトが、題材になっているのです。夜も遅い時間、幼い子どもが泣き叫んでいる。警察が呼ばれ、子どもは保護されますが、そのいきさつをゆっくりと描いていって、何事が起きているのかと読者の興味をひきつつ、物語は説得力充分です。都会で貧しく孤立した若い夫婦が、一夜の気晴らしに出ていたと分かるのは、かなり話が進んでからです。ネグレクトが虐待であるという認識は、これまた、いまや常識の部類でしょうが、それでも、ここまでの部分を読ませるのは、積み重ねられた描写と展開の確かさのおかげでしょう。やがて、両親が戻ってきますが、赤ん坊がいなくなっているのに気づいて逆上する。そこから事件への展開も見事で、カッとなった父親がすぐにナイフを取り出すのも、二度段取りを踏むという丁寧な造りになっている。悪意に欠けた、しかし愚昧《ぐまい》きわまりないネグレクトが引き起こす事件を、巧みに描いて、「生れながらの殺人者」とは異なり、そうした虐待がかなり常態と化した現代でも、なお読ませるのは、小さな出来事を巧みに積み重ねていく部分に、小説的な閃きがあるからでしょう。にもかかわらず、「慈悲の心」に古めかしさというか甘さがあるのは、結末のためだと考えます。現代の読者には、遠い国のお伽噺のように思える、この結末は、しかし、半世紀前にはありえたのかもしれないと、考えさせないでもありません。けれど、仮にそうであったとしても、それは、そんな地点から遠くまで来てしまった自分たちの荒廃を、いささかも慰めるものにはならないのです。

シャーロット・アームストロングの「笑っている場合ではない」は、アームストロングの短編の中では、中程度の出来でしょうが、他の第三席作品と読み比べると、一日の長があると言えます。それは、ジェイムズ・ヤッフェの「間一髪」と比べると、よく分かります。「間一髪」は、中年の独身女性が主人公ですが、溺愛している甥が父親とそりが合わない。純粋で芸術家肌の息子に、その父親は冷笑まじりの丁寧さで皮肉に対応するのです。父親の意に沿わない娘を、息子が妻にすると、関係はさらに悪化しますが、その娘が重篤な病にかかり、治療費の無心を父親がすげなく断ったことから、一気に危機的状況が浮上します。

誰が誰を殺そうとしているのかはっきりしていて、主人公がそれを防げるか否か、つまり、起きてしまった殺人事件の解決ではなく、起こるであろう殺人事件の防止が目的なのです。いかにも、アームストロングの書きそうな話でしょう。そのプロットを、家族愛という、ヤッフェの資質がもっとも生きるモチーフの中で、活かしたものと言えます。しかし、アームストロングなら、さらにもうひとひねり加えるでしょう。あるいは、効果的で意外なエンディングという点では、フレドリック・ブラウンの「不良少年」*の方が、同じモチーフから話を組み立てる巧さが、上回っています。

「間一髪」は、確かに、読んで面白いミステリですが、その面白さは、登場人物の描写や人間関係の在りようといった、小説としての厚みの部分がしっかり創ってあるところにあって、そして、それが必ずしも、謎の仕組み具合や、あるいはミステリとしての構成や、意外性といった、ミステリ固有の特徴に新味や面白みをもたらしているわけではない。コンテスト初期ならばともかく、すでに、それだけでは上位作品に伍していけなくなっていたのでした。ヤッフェは重要な作家なので、機会を改めて、読むことになりますが、このことは頭の片隅に留めておくことにしましょう。

他の第三席作品も見ておきます。

リチャード・デミングの「未解決事件簿」は、警察小説ですが、この時点では、まだ手法自体の新しさだけで評価されてしまっているようです。解決のつけ方も、いささか無理ですしね。アントニー・バウチャーの「怪物に嫁いだ女」は、ヒロインのマリーンが、急な結婚――例によって、相手の男ははるかに年上です――を決めたいとこの介添役として、ソルトレイクシティからハリウッドへやって来ます。いかにも青髭と見せかけて……というツイスト一発の話でした。

この二作品に比べると、マーガレット・ペイジ・フードの「早く起こすよ」は、ヤッフェの「間一髪」と似たような意味から、注目してみたくなります。主人公は、メイン州の島で避暑地のホテルを経営しています。妻はもともと父親の代からの使用人で、愛情よりも職業上の利便から結婚したようです。彼は絵描きになるほどではないけれど、絵の才能があって、それをダシに——肖像画を描いてあげることで——ご婦人連に巧妙に取り入り、顧客を増やし守っているのでした。そんな彼には、シーズンオフに楽しみがひとつあります。唯一の親友（というか、どうも唯一の友人であるらしい）が、逗留に来てくれるのです。小説は、早朝、いささか逡巡しながら、客室のドアをノックしようとする彼の姿から始まり、その年、常とは異なった友人の到着を回想する形で、話が動いていきます。船でやって来た親友には、女の連れがあったのです。彼は短かい婚約期間を、島での滞在にあてたのでした。その女は、自尊心の強い傲岸なボストン人種として描かれます。醜男である主人公の友人とは釣り合わないのですが、そこには理由があって、彼女は交通事故でピアニストとしての生命を断たれ、仕方なく——生徒たちを嫌悪しながら——音楽教師をやっている。結婚は財産めあてなのでした。

親友同士の男たちの間に、女がひとり割り込んでくる。変則的な三角関係ですが、さらに綾がつけてある。主人公も女も、異性との関係を生活の糧と割り切っていたのです。そのことを互いに知ってしまう——彼女の肖像画を描くシーンの巧みなこと——ことで、不思議な同類意識が芽生え、やがて、ふたりは関係を持つ。変則的な三角関係のはずが、普通の三角関係になってしまったのです。このあたりの少々歪なふたりの関係は、出色の面白さです。そして、主人公は三角関係を清算するためには、ひとりが死ななければならないと考えるようになる。微妙な人間関係が、バランスを崩すように崩すようにと動いていく。その間、異性とのつながりを打算でしか見られない人間の醸し出す不穏さはあっても、犯罪の影はありません。そして、クライムストーリイとしての、この小説の面白さはどこにあるのかと考えるとき、犯罪が姿を現わす結末近くではなく、この中盤にあるとしか言いようがない。犯行そのものは、仕掛けと呼ぶほどのものでさえなく、むしろ、つけ足しめいた軽さしか感じません。「間一髪」には一応あった、主人公の推理というようなミステリらしさも、ここにはありません。結末（も、少々軽い）まで含めて、あくまで、少し箍《たが》のはずれた男女のアイロニカルななりゆきが、落ち着いた筆致で描かれるだけなのです。そして、そのように破格であるがゆえに、一読をお勧めしたくなります。

しかしながら、これだけたくさんの入選作を出しておいて、バランスをとることに長《た》けたクイーンが、クライムストーリイ一辺倒にするわけもありません。

フィリス・ベントレーの「山荘」は、探偵小説的な事象を語り合ううちに、実はお話ではなく……という、イギリス人の好きなパターンです。ありきたりの域は出ませんが。イーヴリン・E・スミスの「本当に単純なこと」は密室もののパロディということになるのでしょうが、どちらかというと、脱力ものであって、冗談としてもたいしたことはない。この手の自己言及的というか、パロディ・パスティーシュ系列の作品としては、C・B・ギルフォードの「探偵作家は天国へ行ける」が、もっとも有名でしょう。私はさして買いませんけれど。

ジョン・F・スーターの「フィルムの切れ目」は、一九二〇年代の地方の映画館で少年時代を過ごした主人公の回想譚で、手堅く書かれた小説ですが、事件とその解決は示されてはいても、捜査や推理といったものがまったく書かれていません。同様に、ドナルド・マクナット・ダグラスの「グリニジ・ヴィレジの幽霊」も、過去の回想による怪奇譚と見せかけて、一応の解決はつけてあるものの、謎解きの面白さよりも、貧乏な若者が体験した怪異を達者な筆致で描いて、その点で読ませます。どちらも、昔話を巧みに語って聞かせるという点で、ストーリイテリングの巧さがあります。そして、フーダニットやハウダニットが、安っぽい冗談や、お手軽な推理問題に陥るしかなくなったのならば、犯罪の出てくる上手なお話の方が良いのではないか？　この二編は、そんなことを考えさせもするのです。

さらに、ハワード・ショーンフェルドの「神の子らはみな靴を持つ」やウィリアム・マーチの「巣箱」のような、風変わりな作品も応募され、選ばれることになりました。「神の子らはみな靴を持つ」は、ホーボー——不況下のアメリカで、貨車に無賃乗車する映画「北国の帝王」に出てきたあれです——のコンビを描いた掌編のスケッチですが、刹那的で荒んだ感じを即物的に描いています。シャーロット・アームストロングの「タイミングの問題」にも似た感触があって、今後、本書でこうした作品が、短編ミステリの幅を広げた例として登場するたびに、眉をひそめたり、拒否反応を起こす読者が、現われるかもしれません。この作品は、一九七一年になるまで邦訳されませんでした。「巣箱」は、さらに邦訳が遅く、一九八二年のことですが、こちらは、ニューヨークのど真ん中（公園が見渡せる）で、パーティの席上、かつての殺人事件が話題になります。過去の事件についてのディスカッションという、クリシェに近いひとつのパターンですが、被害者が東欧からの貧しい移民の洗濯屋というのが、珍しいと言えば珍しい。ところが、事件に対する人々の態度は、あれよあれよという間に、推理推論からは離れていって……。オフビートと呼ぶには、生真面目というか、ゆとりがなく、かといって非現実的なショックもない。こちらは、さして評価する気になれません。

フレッチャー・フローラ「追われて」、リリアン・キング「記憶の中の男」、グラディス・クラフ「門は開く」といった作品は、どれも比較的短かく、犯罪の一断面を切り取ってみせていますが、こうした行き方が、半世紀のちに読み返せなくなっているのは、仕方ないことかもしれません。なぜなら、一断面というのは、まあ、体《てい》のいい言い方で、技術的に言えばワンアイデア。そして、アイデアストーリイは、このころから、さんざん書き尽くされることになるからです。第十一回コンテストの処女作特別賞に、ヘンリイ・スレッサーの名があることに注意してください。

時の流れを感じさせるという点では、翌年の第九回コンテストで、第二席に入った、マーガレット・ミラーの「隣りの夫婦」も同じです。隣人の夫婦仲の危機に立ち会った主人公が、ひょんなことから、危機の真相に気づくのですが、こちらは、この主人公を設定するということが、少々古めかしくて、探偵役の尻尾に見えてしまいます。アイデアストーリイの作法からすれば、当事者だけで話を構成するところでしょう。マーガレット・ミラーにして、このころは、こういう短編を書いていたわけです。

コンテストの初期についても、同様のことを書きましたが、第二席第三席の作品群は、EQMMという月刊誌に短編ミステリを安定供給するに足るだけのレベルと考えるべきで、歴史に残る傑作群と考えると、不満だらけということになるでしょう。半世紀経てば、すくうもの落とすものが、当然出てきます。そのことを認めたうえで、それでも、短編ミステリの変化の趨《すう》勢《せい》を、そこからは読み取ることが出来るのです。

第九回の第三席に入ったロス・マクドナルドの「骨折り損のくたびれもうけ」(「雲をつかむような女」)は、恋愛関係の複雑さが、のちの長編を思わせて、アーティフィシャルなプロットづくりが、創作活動の初期からあったことを示しています。しかしながら、そこに、円熟期の迫力や感動がないことも確かで、長編と短編の違いというよりも、作家としての熟成の違いと思わせます。強いて言えば、作家としての深まりが、より複雑な構成をとりうる長編に向かわせたと考えることは、出来るかもしれません。

第十回コンテストの第二席に入った、ドナルド・マクナット・ダグラス「完全主義者」は、いかにも過渡期のクライムストーリイですが、なかなか読ませます。美術品の買い付けを営む男が主人公です。傲岸で完全主義的な性格、しかも、職業がら審美眼は一級という設定を、冒頭の動物園のテラスの場面を描くだけで印象づけ、なかなか考えた出だしです。そこに現われたのが、完璧なまでに美しいけれど、美的センスのまるでない女性。主人公の男は彼女に近づいていきます。親しくなっていく、というべきか、男が女性を攻略していくというべきか、その過程が、巧妙な手順で描かれていき、やがて、結婚した彼女が職業人としても成功(それまでは、美しさは理解しないけれど、図面が引けるという理由で職を得ていたのが、男のおかげで装うことを知って、営業力がつくという皮肉！）していく一方で、夫の言葉から不吉な影を感じ取る。

「完全主義者」は、ゆったりと手厚く描かれた（長さも少し長めです）小説です。ただし、描かれた事件は、ある意味ありきたりです。また、結末のひねりも、通り一遍の域を出ない。過渡期と呼んだのはそのためで、こういう話を、小説としての技巧を凝らすことで、新鮮にあるいは手ごたえのある読物にしてみせるという試みが、このころは評価され、また意味もあったのでしょう。

そのことを強く感じるのは、同じ年にオナーロールを得た、アントニー・ギルバートの「一度でたくさん」を読んだときです。夫婦間の殺意、もっとはっきり言えば、青髭のパターンですが、ここでは、探偵役の弁護士が、最初から登場します。交際相手を求める新聞記事（今様に言えば、熟年の婚活ですね）に主人公が目をとめ、休暇で参加したツアー旅行で知り合った夫婦のうち、妻から、夫に命を狙われていると、告げられるのです。妻は高所恐怖症で、ツアーには、若い娘が参加していて、夫と親しげにふるまう。こういうのを称して、本格のガジェットだかギミックだかに満ちたミステリなどというのはやめにしましょうね。仕掛けとして、手垢にまみれたガジェットを用いるのなら、どこかに、それ相応の緊張感が必要なのです。

それでは、現代の眼から見て、「完全主義者」と「一度でたくさん」は、どちらを採るべきか。答えは簡単。ともに不満が残るのです。邦訳は五年以上「一度でたくさん」の方が先んじています。すなわち、当時のミステリの標準に照らして、日本の読者に受け入れやすいと感じられたのは、「一度でたくさん」の方なのでしょう。逆に言うと、その程度には、「完全主義者」は、新鮮な技巧で描かれていたのです。当時は。しかし、半世紀経ってしまえば、その差はないに等しい。あるいは、そのくらい、半世紀の間に、短編ミステリそのものが進歩発展してしまった。「完全主義者」は、手堅くはあっても、平凡なクライムストーリイであり、「一度でたくさん」は、不自然さの残るディテクションの小説でした。もはや、クライムストーリイであるから、ディテクションの小説であるから、新しいとか優劣が生じるなどということは、ありえません。ひとつ、疑問が生じるとするならば、このふたつは比較できるのか、すべきなのかという点でしょう。この問題は、古くて新しく、眼を瞑ることは可能でも、そう簡単にかたがつくとは思えません。

「完全主義者」とともに第二席に入ったエリザー・リプスキイは、第八回コンテストのところで、子どもの放置を題材にした「慈悲の心」を読みました。今回の「夜の虎」は、ある黒人の囚人の話です。主人公は、善良な黒人の少年のように見えるのですが、小説の冒頭から、眼に銃弾を受けて泣き叫んでいます。少年は、あるパーティに参加して、そこで強盗を働き、反撃されて男を撃ち殺した上、自分も銃弾を受けたらしい。パーティの参加者の証言は、彼が三人組の強盗のひとりで、残るふたりは逃走したとして、食い違いがありません。しかし、黒人の少年は、そんな仲間などいないと主張するのです。少年には、黒人の弁護士がつき、主犯格の他のふたりについて証言することで、罪を軽くする（執行猶予がつくかもしれない）のが、もっとも有効な弁護方針と考えます。対する検事も、黒人の少年が愚かではあっても、悪辣な人間ではないと考えていて、出来れば死刑にしたくない。共犯者について証言すればよいのだから、そういう展開になることを予期しているのです。ところが、少年はいっかな話にのってこない。黒人の弁護士も――したがって読者も――少年の言うことは事実で、そんなふたりなど存在しないのではないかと疑い始める。しかし、それにしては、パーティ参加者の口裏が、そんなに短かい時間に合わせられるものなのか？

「慈悲の心」もそうでしたが、リプスキイの短編は、シンプルな設定に深く絞り込んだ問題意識を潜ませていて、ストーリイの組み立て方も丹念です。嘘をついているのは、パーティの人人なのか、少年なのか、そして、それはなぜか？　単純なだけに、謎は深まるという、これは好例でしょう。ある種の人情噺にすることで甘さが残った「慈悲の心」と比べて、「夜の虎」の結末は苦いものです。その分、第三席から第二席にランクアップしたと言えるかもしれません。それでも真相の明かされ方が、少々手軽で、そこが惜しいところでしょう。少なくとも、インパクトを持った真相であるにもかかわらず、その衝撃に見合った結末ではないのです。この作品は、黒人弁護士が巧く描ければ、傑作になった可能性もあったでしょうが、それには、長さが必要だったかもしれません。

リプスキイは、リチャード・ウィドマークの出世作となった映画「死の接吻」の原作者ですが、そちらの資料ではエリアザー・リプスキーと表記されています。

リプスキイ同様、地味ながら丁寧な展開が魅力的なのが、オナーロールに入ったポール・W・フェアマンの「海亀レース」です。主人公のマーティという刑事が、ヴェテランの警部補ファレンと、殺人事件の容疑者のところへ出向くところから始まります。被害者は、おそらく暴力を背景に、違法な高利貸しをやっている男で、主人公たちが訪れたのは、その犠牲者のひとりでした。容疑者は、その日、被害者宅を訪れたことは認めますが、殺人は否認する、かたわらでは、男の妻が心配そうな様子を見せる。しかしながら、ファレンには隠していた切り札、隣人の目撃証言があって、男を逮捕してしまいます。男の妻は心配のあまり、警察まで一緒に行くと言い出し、夫が逮捕されても、警察の廊下を動こうとしません。ここにいても、出来ることはないという説得も、彼女には力を持ちません。マーティの眼には、そして、読者の眼にも、ファレンの逮捕は少々強引に映っていて（なんせ、目撃証言一発、それも犯行そのものではないのですから）、それだけに、男の妻に対する同情心が湧きおこる。しかし、海千山千のファレンは、そんなことはどこ吹く風のようです。

捜査官の人間的な感情を主たる題材にしていて、警察小説のはしりと言っていいでしょう。警察小説の常道ですが、逮捕して一件落着となると、すぐに次の事件の処理が待っています。そして、その事件の切った張ったが終わって、署に戻ってみると……。あっさりした結末は、物足りなく思う人もいるかもしれませんが、軽い中に、さわやかさがあって、奇妙な題名（直訳です）も効いています。もっとも、エルロイを通過した読者には、リプスキイの「慈悲の心」のように、甘さを感じる人もいるかもしれません。

上手なクライムストーリイという点では、同じくオナーロールに入った、デイヴィッド・アリグザンダーの「優しい修道士」も、一気に読ませます。主人公のケヴィンは助修士ですが、妹の死を知らされる。彼女はケヴィンの幼馴染でもある、ローリー・オバノンというギャングの女になったあげく、麻薬漬けになって捨てられ、自殺したのです。ところが、遺品の中に日記があって、中身は、オバノンを破滅させるだけの証拠になりそうです。ケヴィンは信仰の道を棄て、やはり幼馴染の刑事を訪れ、ある仮定の話をする。ケヴィンが俗世に還るのを見送る神父も、幼馴染の刑事も――そして読者も――ケヴィンが復讐に走ることを危惧します。

ムダのない一直線な進行は、アイデアストーリイのはしりとして良質です。また、ケヴィンが俗世に戻って働く、デリカテッセンの老兄弟が、少ない登場場面ながら、巧く描かれていて、ポイントをあげています。

ただし、こういう小説は、その後、あまりに書かれすぎたというのが、私の率直な印象です。アイデアストーリイの消費という問題は、さらに考察する必要がありますが、それとは別に、このデイヴィッド・アリグザンダーは、近年、邦訳の短編集がまとめられました。そうした作家は何人かいて、それらの作家をふり返ってみましょう。

15 中堅作家群像

デイヴィッド・アリグザンダーは、いくつかの長編が翻訳されたのち、長年、忘れられた作家となっていました（それは日本のみならず、本国でもそうだったようです）が、二〇〇六年九月に論創社から、短編集『絞首人の一ダース』が出版され、これが好評を得ました。私が持っているのは、同年十一月の第二刷です。原著は六一年刊行ですが、スタンリイ・エリンが序文を寄せているのが、意外でした。「優しい修道士」も、この短編集に収録されています。

第十一回コンテストの第二席に入ったのが「タルタヴァルに行った男」で、これが短編集の巻頭を飾っています。酒場にたむろしている、タルタヴァルに行ったという老人の零落した姿を描いたものですが、タルタヴァルというのが何なのか分からないのが、そして、最後に明らかになるのが、ミソです。歴史上の重大事件のひとこまを切り取ってみせたものですが、小説としては歪というか、出来は正直よろしくない、タルタヴァルというのは、アメリカ人にとっても常識の範疇ではないようですが、それが分かったからといって、衝撃があるわけでもないうえに、結局は「作者によるメモ」をつけて楽屋落ちを明かすしかないところに、この作品の弱さがあります。ロアルド・ダールが「誕生と破局」(「始まりと大惨事」)に「作者によるメモ」をつけたところを考えてみるとき、アリグザンダーの弱さと技術に欠けることは明らかでしょう。さらに特定の知識、知見に寄りかかる危うさは「空気にひそむ何か」にもあてはまっていて、この作品にも「作者によるメモ」がついていますが、これも不必要、なしですませるべきものでしょう。ある特定の知識が必要な作話法は、日本人(というか外国人)にはさらに理解が遠くなるものですが、アリグザンダーには荷がかっています。では、そういった話は所詮、知識に寄りかかっただけのものにしかならないのか? 外国人、文化的背景の異なった人々には、面白みのないものにしかならないのか? その疑問に答えてくれるのが、アヴラム・デイヴィッドスンのMWA賞受賞作「ラホール駐屯地での出来事」*（「ラホーア兵営事件」）で、この作品はあとでゆっくりと読むことになるでしょう。「悪の顔」は、サイコサスペンスの風味を持ったパズルストーリイ、「向こうのやつら」は、特定の殺人者だけが死後の生を生きているというファンタジーですが、ともに凡作の域を出ません。どちらも、根幹となるアイデアと言えるだけのものはあるのですが、その展開のさせ方に、閃きがありません。

こうして見てくると、デイヴィッド・アリグザンダーは、思いつきや発見と言えるようなアイデアを小説に仕組むのは、それほど巧くないことが分かります。むしろ、単純なサスペンス小説の方が出来はいい。『絞首人の一ダース』に関して言えば、最後の方に収録されている一群の作品です。「見知らぬ男」は、地下鉄を舞台にしたショートショートに近い作品ですが、甘味のある人情噺に仕上がっていました。「雨がやむとき」は、理不尽な闖入者にヒロインが苦しめられる、定石のような話でした。中でも、もっとも良く出来ているのは「蛇どもがやってくる」*でしょう。午後の暖かい公園にいる四人の描写から始まって、母親が居眠りをしている間に、その娘である少女を、性犯罪者であるらしい男が、アイスクリームを餌に誘拐します。主人公はアルコール中毒から立ち直ろうとしている男で、最初の二十四時間を、ようやく、酒なしでやり過ごしたところです。男が少女を連れ去ったことに気づくと、魅入られたように、尾行を始めます。ポケットには、最後の生命線がわりに一ドル札を握りしめている。どうしても酒が欲しくなったときに、これで酒が買えるという安心感が、パニックを防いでくれるのです。ところが、少女を連れた男を尾行して、ニューヨークじゅうを移動するうちに、所持金の一ドルが減っていくというのが、サスペンスを盛り上げます。途中、何度か、他の人々とコミュニケイションを取ろうとして、それを主人公が、自分がアル中であるがゆえに躊躇《ちゅうちょ》するというのも、巧く作ってあります。ウールリッチを源流に、ヘレン・マクロイやシャーロット・アームストロングといった作家が、上手に進化させた、短編サスペンスミステリの実例のひとつが、ここにはあります。

結局のところ『絞首人の一ダース』で、真に推奨するに足るのは、「蛇どもがやってくる」以外には、「アンクル・トム」*と「デビュー戦」*の二編ということになりそうです。

「デビュー戦」は、ある裁判——若い母親による嬰児殺しの事件——の傍聴をするために、勤めを辞めたという女性の話です。つつましく暮らしているらしい彼女は、以前は有能なコピーライターだったようなのですが、職を追われ、いまでは、かつて広告部門にいたデパートに、売り子として再雇用されていました。その店を辞めてしまったのです。傍聴が終われば、求人広告と首っぴきの日々が待っています。それでも、裁判のすべてに立ち会おうと決めました。なぜなら、それは彼女の息子だったかもしれない若い弁護士が、初めて立つ法廷だったからです。その若い弁護士の父親も、著名な弁護士で、ヒロインは、いまは父となり成功者となった、かつての若き弁護士の恋人だったのです。

いささかセンチメンタルの度が過ぎると感じる人がいるかもしれませんが、それでも、かつて恋した男の息子に、自分が産んだかもしれない可能性を重ね合わせる女心を、丁寧に描いていく話。そう思わせておいて、彼女の過去を描きすすみ、彼女が優秀なコピーライターでなくなり、生活に色彩を失っていった理由にまで足を踏み入れるに到って、過度なセンチメンタリズムと見えたものが、彼女が追い込まれた悲劇の結果だったことに読者は気づくという仕掛けです。そして、読者がそこまで読み進んだときには、裁判と小説はクライマックスを迎え、長い年月彼女の心を殺してきた悲劇は完成します。

一方の「アンクル・トム」は、比較的北部に近い南部の人口五千人あまり（うち、黒人が千五百人くらい）の町に住む、十五歳の黒人の少年が語り手です。一九五四年のブラウン対教育委員会裁判の連邦最高裁判決を受けて、公立学校の人種統合を目の前にしています。ワシントンのえらい判事さんたちがそう決めたから、黒人と白人が同じ学校に通うことになったのです。二十世紀も半ばを迎え、少年は面と向かって厳しい差別を受けることはなく、白人の友だちも多い。うまくやっていく自信もあるのです。それでも、判決に対して「ぶつぶつ文句を言う人」はいて、同じ学校に通うことに一抹の不安がないわけではありません。少年はアメリカンフットボールのエンドをこなせるし、フォワードパスを投げることが出来る。町の名士であるビリー・ウィーヴァー少佐の息子（とは大の仲良し）からは、アメフトのチーム入りを乞われますが、一年目は慎重に様子を見るつもりでいるのです。

この少年には祖父がいて、これが「アンクル・トム」つまり、白人にへりくだりおべっかを使うことを処世術にした、老人なのでした。少年はアンクル・トムを「黒人から嫌われるだけじゃなく、まともな白人からも相手にされない」と断言しますが、身についた老人のふるまいは変わりようがありません。自分の孫が白人と同じ学校に行くと知るや、将来合衆国副大統領になるつもりかと皮肉をとばします（副というのがいじましい）。一方で、ＫＫＫがリンチに来る（ＫＫＫのリンチなんて、少年は見たことも聞いたこともない）と心配するのです。少年には、そうした祖父はズレた老人にしか見えません。学校生活は手探りながら順調に始まっているのに、老人の皮肉や嫌味はエスカレートするばかりです。そして、穏やかに進んでいた統合を壊す事態が起きます。少年の祖父は、半ば故意の早合点というか、わざとというか、自分の孫がアメフトのチームのキャプテンになると、白人の集まる酒場にわざわざ足を運んで吹聴したのです。翌日の休み時間、ボール遊びで、それまではまわってきていた黒人の子たちへのパスが、ぴたりと止まります。祖父はしてやったりの表情です。

少年の視点から、黒人の地位向上を自ら壊しているとしか思えない老人の姿を、彼自身の起こす事件――ほとんど破滅に向かっている――を通して描いて、これは間然するところのない短編小説でした。「デビュー戦」と「アンクル・トム」に共通して言えるのは、社会的な弱者として追い込まれた人間のやるせなさであり、その感情が爆発する方向の屈折ぶりです。「蛇どもがやってくる」にも、それはあてはまりますが、面白いミステリを書こうとして、小説としての魅力を重視した成果を、そこには見ることが出来ます。

ジェイムズ・ヤッフェは、その初期の短編シリーズ「不可能犯罪課」ものが、シリーズ外の二作も含めて、日本では一冊にまとまっています（『不可能犯罪課の事件簿』）。ヤッフェはティーンエイジャーのパズルストーリイ作家として、EQMMにデビューしたことで有名ですが、その処女作が「不可能犯罪課」でした。一九四三年のことです。シリーズは「喜歌劇殺人事件」までの六編が四年あまりで書かれました。

ありていに言ってしまえば、このシリーズはアマチュアの手すさびで、まあ、読めたものではない。「キロシブ氏の遺骨」のように、クイーンによる欠陥の指摘つきという掲載もあれば、「袋小路」のように、初歩的なアイデア不成立を抱えたものもある。私に言わせれば、どの作品も、そうした指摘されている部分よりも前のところで、小説としての欠点弱点を露呈しているとしか思えません。ヤッフェ自身、当時を正確に省みてもいるようです。強いてあげるなら「皇帝のキノコの秘密」が、まともな作品ということになるのでしょうが、これにしても、もっと巧く結末が書けるはずです。

これらの作品は、将来プロになるアマチュアが、十代のころに書いた作品としてなら、立派な部類で、将来性を見込んだクイーンは眼があったとは言えます。ただし、普通、こうした作品は、埋もれたまま陽の目を見なくて当然なのです。ここから伸びなければ、シャーロック・ホームズのライヴァルになれなかった作家止まりだったと言えるでしょう。そんなレベルは、十代で卒業して当たり前なのです。ヤッフェの特殊性は、その卒業が、人知れずではなく公然と行われたことにつきます。

問題はシリーズ外の二編です。「間一髪」は以前に紹介しましたが、もう一編の「家族の一人」の方が出来はいいのです。小さな子どもを持つ夫婦がベビーシッターを探しているところに、運よく、夫が子どものころ彼の子守だったフリーダという女性が、募集記事を見て連絡してきます。よく知った、しかも有能なベビーシッターを得て、一安心したところで、妻が不穏な新聞記事を見つけます。西海岸で、子どもが亡くなった事件があり、子どもの叔母が遺体の検死を要求したところ、砒素《ひそ》が検出され、子どもの乳母が容疑者として手配されているというのです。時期といい、ドイツ系という条件といい、フリーダにあてはまる。そして少しずつ、妻はフリーダへの疑惑をつのらせていく。

解説にもあるとおり、セイヤーズの「疑惑」*を連想させる、ドメスティックなサスペンス小説です。これは不可能犯罪課にも、また「間一髪」にもあてはまりますが、ヤッフェは話のパターンは既存のものを用いることが多く、むしろ、そのパターンの典型に対して勝負を挑むところがあります。つまり、その点では、抽斗は増えたかもしれませんが、不可能犯罪課のころと変化はありません。変わったのは、小説に仕組む丁寧さであり、人間関係を描く巧さです。アリグザンダー同様、小説としての魅力を書き込むことで、ミステリを充実させていった姿が、ここにはあります。その結実が、ブロンクスのママにあったことは確かな事実で、作家は年月を経て上達することを示した好例となりました。

ルーファス・キングは、第九回コンテストのオナーロールに「淵の死体」(「水中の死体」)が入り、第十一回と第十二回の第二席に「マイアミプレスの特ダネ」(「マイアミ各紙乞転載」)と「不思議の国の悪意」が入っています。ルーファス・キングは、第二次大戦前に功なり名をとげた作家のようですが、日本での紹介は、散発的な例外を除いて、最近になってからのことでした。短編集は、クイーンの定員に選ばれた『不思議の国の悪意』が、邦訳されています。森英俊の『世界ミステリ作家事典［本格派篇］』での紹介が、先鞭をつけた作家というのが何人かいて、ルーファス・キングも、そのひとりでしょう。ただし、そこでも、通俗味が勝っているとか、スリラーに流れるといった評言があるのには意を留める必要があります。

実際、表題作であり代表作でもある「不思議の国の悪意」にしても、アリスの世界を借りて、少女失踪事件を描くという基本アイデアだけで、認められているようにしか思えません。テンポはいいけれど、事件の展開はご都合主義（転居した老婆から、突然、電話がかかってくるところなど）です。この短編は、事件そのものや、犯人よりも、魔法使いと少女に思われていた老婆の方が、謎めいていて魅力的なのですから、結末では、そちらに、なんらかのサプライズなり効果なりがあるべきでしょう。それが尻切れトンボになっているのでは、思わせぶりにストーリイを展開するための駒でしかなかったということになってしまいます。

「淵の死体」は、ギャング同士の殺し合いの目撃証人となった老嬢のところへ、裁判を経たのち、死刑になったギャングの娘が復讐にやって来て……という、短かいながらサスペンス充分の話で、集中の佳作ではあります。しかし、たとえば、クリスティの「夜鶯荘*」が持つような小説的な閃きがないのも確かです。同じように、「ロック・ピットの死体」は、完全犯罪が成就して終わりますが、もう少しニュアンスというか、含みを持たせた終わり方が出来ないものかと、思わせるのです。そうした弱点は、「思い出のために」のような、手がかり一発の話で、もっとも顕著になるもので、見当のつく解決以外に、結末に取り柄がないというのでは、さすがに苦しい。

むしろ、ルーファス・キングの美点であるテンポと早い展開が活きるのは、「マイアミプレスの特ダネ」のような、冒険小説ふう（スリラーふうというべきか）の話でしょう。事件の解決が、謎を解く魅力というよりも、主人公が窮地を脱する魅力になっているという意味で、クレイグ・ライスやフランク・グルーバーといった作家に連なる、アメリカミステリのひとつの王道です。にもかかわらず、「マイアミプレスの特ダネ」にも、スピードのために安易に流れた展開や文章がある。森英俊の「通俗味」とか「流れる」といった評言が示すのは、そうしたキングの持つ安直さなのかもしれません。

16　コンテストの拡張とイヴェント化

では、また、EQMMコンテスト入選作を読む作業を続けていくことにしましょう。コンテストも終盤に入ってきました。

第九回コンテストの第二席に、ゼナ・ヘンダースンの名が見えるのは、少し驚きです。著名なSF作家ですが、繊細でサスペンス味のある短編を、旧・奇想天外でいくつか読んで、好感を持っていたものの、EQMMコンテストにまで応募していたとは、知りませんでした。ドロシー・ソールズベリ・デイヴィスの「子供ごころ」は、父娘といってもいいほど年齢の離れたカップルが結婚を目前にしていて、娘の父親（母親は死んでいる）も、口さがないご近所も、その結婚をいかがわしいものと見ています。そして、娘の父親が殺される。動機があるのは、娘とその婚約者のふたりきり。老婚約者が犯人と、誰もが疑っている。おまけに、当夜、娘夫婦が不在のおりに、彼の孫らしき子どもの泣き声が聞かれていて（つまり、彼があやしていない）、その間の犯行と考えられています。この作家には珍しく、捜査官を主人公にしたディテクションの小説です。手がかりによる論理というよりは、人間性から判断して犯人とするには無理があるという形で、この齢の離れたカップルのどちらも、犯人とは考えづらいと、読者に思わせます。ただし、解決はつくものの、やはりディテクションの小説は苦手なようで、もう少しすっきりした形で、小説を終わらせていればと思わせます。フィリップ・マクドナルドの「ずぶ濡れの男」はシンプルなサスペンス小説で、第二巻で触れました。

しかし、やはり、この回の第二席はＭＷＡ賞を獲ったスタンリイ・エリンの「パーティーの夜」につきるでしょう。それまで、リアリスティックなクライムストーリイを書いてきたエリンが、同じ筆致でありながら、幻想的な結末をもった一種の怪奇小説を書いてみせた。作家として一回り大きくなったのは確かです。「パーティーの夜」は、邦訳されたエリンの最初の作品（日本語版ＥＱＭＭ創刊号）でもあり、日本でも知名度の高い部類でしょう。翌年**「決断の時」**でＥＱＭＭコンテストを制し、さらに、その翌年「ブレッシントン計画」で、再度ＭＷＡ賞をさらったことは、前にも書きました。エリンの最盛期と言っても過言ではない。そして、いまにして思うと、ＥＱＭＭの最盛期であったのかもしれません。

第十回コンテストのオナーロールにはネドラ・タイアの名前も見えます。「ポウ廟の殺人」は、ポオ由縁の地で、ポオの姿形をした死体が見つかるという発端ですが、さすがに、犯行の無理が目立ちます。無理といえば、アラン・Ｅ・ナースの「白いマスクの男」もそうで、手術室に侵入して毒薬の注射をする犯行方法という、思いつき一本で書いたことが明白です。また、第九回の第三席に入った、フィリス・ベントレーのミス・フィップスもの「証言の環」も、証言の連鎖反応が探偵を解決に導くという思いつきが、あまりに露骨です。このあたりのディテクションの小説を読むと、謎解きミステリが衰勢となっていった理由が了解できます。謎を投げかける魅力や、推理の面白さといった、地味だけれど肝心な部分をないがしろにして、こうすれば犯行が出来るという、ハウダニットの解法の思いつきだけで書いてしまう。都筑道夫が『黄色い部屋はいかに改装されたか？』で指摘したことは、日本にのみあてはまることではありませんでした。

第十一回コンテストのオナーロールに入った、Ｃ・Ｂ・ギルフォード「新車で飛ばそう」は、当時流行の不良少年ものですが、巧く小説としての綾がつけてある。不良グループが、ふとしたことから、善良な中年男の自動車に目をつける。初めは軽い気持ちで、あの車に乗ってみたいと考えるのですが、男とのやりとりが重なるうちに、男を怯えさせることに魅力を感じるようになる。一方で、男も、タックスペイヤーとして警察の保護を受けられるという考えが、甘い思い込みと知ると、自分よりもはるかに若い子どもたちに脅威を覚えていく。このあたりの、心理的なバランスが崩れていく過程を、双方から描いていって、説得力充分です。ただし、結末を甘く感じてしまうのは、この作品のせいではなくて、半世紀経って、さらに、世の中が悪くなっているためでしょう。

アーサー・ゴードンの「ブラグデン教授の憂鬱」は、妻が溺愛するペット（この場合は犬）を、夫がどうしても好きになれないという、いまでは、ひとつのパターンとなったプロットです。嫌う理由に身を投げ出す音をもってきたのが、なかなか巧みですが、ニューロティックないしは幻想的な結末は、まあ、ありきたりでしょう。

チャールズ・グリーンはE・S・ガードナーのペンネイムで、「バーニイ王のごあいさつ」が訳されたときには、ガードナーだとは思われていなかったようです。少年のいたずら電話だけから、これだけの事件を展開させる技量は、さすがのものですが、結婚記念日に子どもをおいて豪遊できるだけの裕福な家庭の息子の、ひとり合点の大騒ぎと、鼻白む人もいるかもしれません。

ウォルト・シェルドンの「愛のきずな」は、異色の作品です。日本に駐留する米軍の軍事警察捜査員が主人公なのです。冒頭から、日本人の密輸組織のボスの逮捕に向かっている。彼には、日本人の妻がいるのですが、逮捕する相手は、その妻の兄なのでした。具体的な地名などを避けているわりには、描写は緻密で、エキゾチシズムだけの観光ミステリとは、少々肌合いが異なる。身内を逮捕することで、妻とふたりで育んできたものを壊してしまうことを、彼は恐れている。シンプルな逮捕劇に、回想シーンをはさんで、自らの義務と、妻の国の持つしがらみ（を、彼なりに理解しようとしている）との矛盾が、主人公を捕えているのです。

　シェルドンには「走り続ける男」という、やはり在日軍事警察官を主人公にした、悪徳警官ものの短編もありますが、設定や人物配置が考えられているわりには、そこから先の事件の展開に弱さがあって、異色作に留まっています。けれど、日本を舞台にした欧米人の作品にしては珍しく、日本の描き方に丁寧さがあります。「走り続ける男」の解説には、日本在住で、テレビ関係の仕事をしているとあります。

　シェルドンには、この二作以外にも「探索者」というSFショートショートや、ハードボイルド・ミステリィ・マガジンに訳された*「天使・大売出し」という作品があります。前者は、アイデア一発でさして買えませんが、後者は、有能な宣伝マンがギャングのイメージアップの仕事を引き受けるという、暗黒街小説ないしは通俗ハードボイルドとしては異色といっていい設定で、一読の価値はあります。

　異色といえば、ジム・トンプスンの「システムの欠陥」も、そう呼んでいいでしょう。主人公は大手割賦販売店に勤めるサラリーマンです。一目支払い能力がなく、おそらく支払う気もないであろう客が、彼のところを訪れます。定職も収入もない。頭金さえ払えない。誰が審査しようと、販売を許可するはずのない客です。ところが、その男に会ってしまうと、どういうわけか、審査してはねる気が失せてしまう。踏み倒されることは百パーセント確実な相手に、信用を与えてしまうのです。その男に会うと断れない。同じことが、契約課課長のダンにも起こる。ふたりして、回収できないと分かっている相手に、売ってしまうのです。信用しているわけではない。踏み倒されると分かっていて、なお、どういうわけだか売ってしまう。このヌケヌケしたおかしさは、さすが『ポップ1280』の作家です。ふたりは、完璧なシステムで信用販売を行う、自分の会社の仕組みを承知しています。必ずや監査が入り、ふたりの責任は問われることになる。案の定、本社からドランス部長がやって来ます。

ジム・トンプスンは、平凡にノワールの作家と割り切れるほど単純な存在ではありません。しかし、それにしても、EQMMコンテストに応募していたことも意外なら、こうした作品を書いていたことも、意外でした。それだけ、様々な作家にとって、魅力的なコンテストであったということなのでしょう。


EQMMコンテストには、作家を惹きつける魅力があったようです。その魅力は、品質本位とミステリというジャンルの拡張という、クイーンのふたつの編集方針から発していたと考えて間違いないでしょう。一方で、たとえば、第十回コンテストの処女作特別賞には、編集者クイーンの趣味や気質が、作家に対してのみならず、商業的センスとうまく融合した好例を見つけることが出来ます。

W・C・キングの「弱点」は、凡庸なショートショートと言ってしまえば、それまでなのですが、この作家が応募した動機が微笑ましい。細君が、過去のコンテストで処女作特別賞を得たので、自分にも同じくらい上手に書くことが出来るだろうと、やってみたというのです。細君の作品というのは、以前に名前だけはあげた、リリアン・キングの「記憶の中の男」です。

ともに平凡な作品ですし、ふたりとも、その後作家として名を成したわけではないようです。処女作に点が甘いのは、クイーンの流儀ですが、それだけではなく、このあたりには、ＳＦのファンジンに近い感覚があります。将来の職業作家を発掘するというよりは、ミステリ愛好家の手すさび大歓迎――そして、もちろん、このことは、スタンリイ・エリン級の新人再来の可能性を排除しません――という気持ちが表れていますし、夫婦で応募といったエピソードを紹介することで、投稿をディスクジョッキーに手紙を書く感じに近づけている。そこまで言うには、小説を書くという行為は難度が高いかもしれませんが、少なくとも、投稿そのものをイヴェント化しているとは、言えるでしょう。後年の日本で、白井佳夫がキネマ旬報の映画評ページを、職業評論家ばかりでなく、読者の映画評に開放したのと似通った、読者を巻き込んでいく感覚がそこにはあります。実を言うと、この感覚は、雑誌編集者の才能として大きいのです。同じような感覚は、ブライアン・オサリヴァンの「お父ちゃん似」にも出ています。九歳の子どもの投稿、しかも、その父親は作家という、作ったような話題性です。もちろん、九歳の子どもの筆としてなら、微笑とともに読まれるであろう程度には書けている。ふり返ってみれば、十代の作家の処女作と持ち上げたヤッフェのあつかいも、初めは同じようなものだったのかもしれません。ヤッフェは、その後研鑽を重ね、押しも押されもせぬミステリ作家になったというだけの話です。

他方で、第十一回コンテストの処女作特別賞には、大物ヘンリイ・スレッサーの名前を見つけることが出来ます。「人を呪わば」は、作家としてのスタートが、中産階級の夫婦のすれ違いという、スレッサーお得意の話だったことを示しています。

また、冒頭に記したゼナ・ヘンダースン以外にも、レイ・ブラッドベリ、ポール・アンダースンといったミステリプロパー以外の作家にとっても、魅力のある応募先であったようです。そして、そんな作家の中で、もっとも成功したのが、第十二回コンテストを制し、その後MWA賞をも獲得した、しかし、明らかに本業は幻想的なSF作家である、アヴラム・デイヴィッドスンということになるでしょう。

17　異端児デイヴィッドスン

アヴラム・デイヴィッドスンのEQMM初登場は、一九五六年十二月号掲載の「エリヤの聖画像」*でした。もっとも、この作品が邦訳されたのは一九九九年のことで、四十年以上の時が流れています。アヴラム・デイヴィッドスンは、確かに評価するのが難しい作家なので、時間がかかるのも仕方のないことかもしれません。MWA賞の短編賞と、EQMMコンテストの第一席の両方を獲得した作家は、コーネル・ウールリッチ、スタンリイ・エリン、アヴラム・デイヴィッドスンの三人しかいませんが、ウールリッチ、エリンに比べて、アヴラム・デイヴィッドスンの日本での評価はないというか、少なくともはっきりしない。ミステリよりはましかもしれませんが、SFや幻想小説の書き手としても、広く定まった評価があるとは思えない。

亡くなった殊能将之が二〇〇五年に編んだ短編集『どんがらがん』は、そんな状況を変えてやろうという微笑ましい野心を感じさせますが、それでも、再評価とまではいかなかったように思います。『どんがらがん』を奇想天外な短編集として高く評価する向きも、収録されたデイヴィッドスンのミステリ短編は、敬して遠ざけているように見えました。では、アヴラム・デイヴィッドスンは、どのような短編ミステリを書いたのでしょう?

「エリヤの聖画像」の主人公はキプロス島の古物商で、抜け目のない商売をしています。彼は、無名の小さな修道院からやって来た修道士から、イコンの模写を引き取ります。調べてみると、模写の原画に価値があることが分かり、古物商はその修道院へ向かう……という話で、ヒッチコック劇場の原作になったというだけはあって、皮肉で残酷なオチが待っているアイデアストーリイでした。しかし、そういうオチを持ったクライムストーリイという部分が、デイヴィッドスンの特徴というわけではありません。そもそも、ユリウス暦からグレゴリウス暦への移行を拒否——なぜ、一般人と祝日を同じにするという利便性のために、ローマカトリックの暦に合わせせなければならないのか——して、東方正教会から異端視されている小さな修道院という設定が、日本人にはもちろん、多くの英語圏の人たちにさえ、エキゾチシズムを通り越しているでしょう。そして、そんな設定を用いながらというか、用いたためにというか、まことしやかなディテイルの書き込みぶりが、異彩を放つ。そういうところに、この作家の個性はありまず。あるいは、こうも言えるでしょう。そうした意表をついたシチュエーションを除けば、話は存外平凡でもある。

それは「エリヤの聖画像」だけにかぎりません。試しに、日本語版EQMMに紹介された短編を、いくつかながめてみましょう。

「聖者」は、どうやら北アフリカを舞台にしていて、素性不明の男が殺されるに到るまでを描いた短かい作品ですが、殺される動機が人を喰っていて、それが話のオチになっています。けれど、それだけなら、人を喰ったオチのアイデアストーリイでしかありません。その男の素性が、ムスリムの修道僧に身をやつした、おそらくは共産主義者であるスペイン人を師とあおぐ、コミンテルンの末端の手先だというのが、話を異様にしている――そのわりに、設定として以上の細部には踏み込まないし、スパイ小説的な手触りもありません――うえに、そこに到るまでに、「幾つかの人格を脱皮してきた」というのですから、話のオチ以上に人を喰っています。

「エジプトからきた旅人」は、一八二一年のレグホーンすなわちリヴォルノ（かつて栄えた地中海の港で国際都市）で、イギリス人たちが消息を絶った同胞の船の行方を案じています。乗組員の妻たちは心痛に苦しんでいる。しかし、物語が進むうちに、海外で根なし草のように生きるイギリス人社会のうちの乱脈ぶりが、事件の背後にあることが分かってきます。確かに、この時代この場所であることを要求する話なのですが、ここでも、設定そのものの持つ奇抜さに比べれば、話そのものは平凡と言わざるをえない。ただし、この作家の（イギリスの）帝国主義へのこだわりは、のちに大きく開花することになります。

デイヴィッドスンの短編は、異国を舞台にしたものばかりではありません。「ドヤ街の人々」は、女を渡り歩く作家くずれで呑んだくれのアメリカ人が、殺人に到るまでを、少々幻想的な筆致で描いたものでした。「君はまだ汚れなき花嫁」では、結婚当日に花嫁が消息を絶つという謎を設えながら、謎の解決とは別方向へ結末が向かっていきます。「前奏曲の創作者」のように、妻が親戚から相続した遺産で生きているような画家が、妻の両親と折り合えないあげくに、妻殺しの疑いを抱かれる話もあります。とくに、最後の話は、ジョン・コリアのクライムストーリイを連想させますが、それは同時に、コリアならもう少しシャープに書いただろうなと思わせるということでもありました。

これらの短編――比較的短かいものが多い――を読んで感じるのは、人物や設定の作り込みと、そのことから生じるディテイルとその描写に熱心なことでしょう。むしろ、そこを考え書くことが、主目的のようにさえ見えます。プロットやストーリイは類型を類型のままに用いただけ、せいぜい「君はまだ汚れなき花嫁」のように、プロットのパターンを少々だらしなく逸脱してみせるくらいでしょうか。ここまでのデイヴィッドスンは、風変わりな設定の話を好む作家にすぎません。

第十二回EQMMコンテストの第一席を獲得した「物は証言できない」は、では、どのような短編だったのでしょう。

一八五〇年。ディープサウスのように、奴隷労働を用いて大規模農業を経営するのではないものの、奴隷制度は当然のことであり、必要であると誰もが考えている町。小説中に境界諸州という言葉が出てきますが、すでに、いつかは起こると予想されている南北戦争では、南軍側につくであろう州のある町です。二十五年前に、ひとつの新聞広告が物議をかもしました。ベイリスという金儲けに長けた弁護士が出したその広告は、黒人奴隷を高値で買い取るというもので、黒人奴隷を大量に使う大型農業のない境界諸州では、やがて、黒人奴隷のだぶつきが起こり、南部のプランテーションにまわさざるをえなくなると、読んだのでした。そこで利ざやを取ろうというのです。奴隷制度になんの疑いもない町の人々も、しかし、こんなふうにあからさまな商売には眉をひそめます。結果、その弁護士は大儲けをし、ビジネスパートナーにはこと欠きませんが、誰も、彼とのつき合いを表ざたにはしたくない。親しくなることは論外でした。その日、ベイリスは詐欺まがいの手口で売りつけた奴隷が、二日で死んでしまったとして、示談交渉を受けます。彼はその奴隷が以前から慢性の肺結核であったことを承知で、それを隠していたのです。知らぬ存ぜぬで通す弁護士に対して、ひとつだけ、彼がそのことを知っていたと証明する術があったのですが、同時に、それが裁判で採用されることのない方法であるのも、彼は知り抜いていたのでした。

あこぎな弁護士兼奴隷商の繁栄と没落（と呼ぶには、少々いじましいですが）を描いて、リベラルなクイーン好みのクライムストーリイと言えるでしょう。ただし、因果応報ぶりが、あまりに型どおりなのと、「暗闇がベイリスを包みこんだ」で小説を終わらせることが出来ない弱さ――訳すのに難しいフレーズで終わっていて、日本語にすると、とりわけムダな文章に見えます。英語では、この終わり方もありうるのだろうし、そう終わりたい気持ちも分からなくはありませんが、それでも、原文のこれは不要ではないかと私は感じます――とがあいまって、作品の衝撃を弱めていると思います。むしろ、単純に南部奴隷州とひとくくりに出来ない、奴隷制度を抱えた社会の実相——ベイリスにだまされた男は「どこかの貧乏白人に黒人の監督をまかせ、自分は町でのうのうと遊び暮らしている連中とはちがう。手持ちの奴隷はたったの四、五人で、本人と息子が奴隷と肩をならべて働いている」と描かれます——を、巧妙なディテイルで描いたところに、この小説の面白さはあります。それは、奴隷を物あつかいして恥じないベイリスの因果応報を描く一方で、彼に嫌悪をおぼえながらも、奴隷を人間あつかいは出来ない人々をも、手厚く描いていたのです。

「物は証言できない」は、デイヴィッドスンにしては分かりやすい作品と言えるでしょう。小説の狙いははっきりしていて、誤解の余地があまりない。しかし、MWA賞を受賞した「ラホール駐屯地での出来事」は、そういうわけにはいきません。それが証拠に、受賞直後に訳されているにもかかわらず、積極的に言及されたことがほとんどないのです。実は、私も『どんがらがん』で何度目かを読んで、初めてそのからくりを知りました。これはある知識の必要な作品なのです。

第二次大戦直後、語り手である私はイギリスに駐留したのち、何かものを書くために居残っているらしい。私は、ある酒場で老人と出会います。老人は自分が体験したという恐ろしい出来事——しかも、若い新聞記者が、その一部始終を書いた記事の切り抜きさえ持っていると言います——を酔いにまかせたかのように話し始めます。それはインドのラホール駐屯地での出来事でした。兵営内である兵士が同僚の兵士を射殺したのです。三人の兵士たちが、現地の混血娘たちとカップルを作っていたのですが、そのうちのひとりが些細なことで営倉送りになっている間に、別のひとりが彼のつきあっていた娘と婚約してしまったのです。怒りくるった兵士は、酒の勢いもあって、恋人を奪った男を撃ち殺してしまいます。酒場の客たちは、老人の話を本気にしません。老人は幾晩となく、この話をしているのでしょう。唯一の証拠だという新聞記事も、老人以外の人間は見たことがありません。老人は自分の話がホラ呼ばわりされることを嫌がります。のみならず、事の原因となった混血の娘が結婚したのは、結局は自分だったと言い出します。居並ぶ客たちが老人の話をヨタだと言い放つ中、私だけが、あることに気づきます。これはキプリングが詩に書いた事件ではないかと。そして、老人の繰り言が、実は殺人事件の真相を語っているのだと。

この凝った短編とキプリングの詩との関係は、通常言われる、本歌と本歌取りの関係とはいささか異なります。キプリングの詩を下敷きにはしていますが、小説中の人物が、小説中の人物に対して、その詩を前提として、その詩が描く事件の真相を語っているのです。この小説は作家が読者に向かって目配せをしている小説ではありません。人に知られた詩に依拠しながら、その詩のあつかう殺人事件の真相を、自分のかつての体験として話す男の話。誰もがホラだと思うような、しかし、ひとたび詩との関連に気づかれれば、自分のスキャンダラスな過去の真相が露呈してしまう話。いつか誰かが気づくかもしれないという不安と期待をないまぜにして、老人は夜ごと話していたのでしょう。そして、ついに、その日が来たのです。それは一瞬のことでした。真相に気づいた人間が現われたことに老人が気づいた瞬間「あっというまにすべてが消えて、混濁とした老人の記憶だけが残った」のでした。見事な短編。しかも、厳密には、老人の話がキプリングの詩を本歌取りにしたホラである可能性をも残している。まさに閃光の人生ではありませんか。

この短編の読者は、キプリングの詩の内容を知っている必要はありません。ただ、そういう詩があって、それが老人の語る事件を描いているという事実だけを知っていれば、良い——『どんがらがん』では適切に解説されています。そのおかげを私は蒙《こうむ》りました——のです。説明では分かりにくいという方は、拙著『本の窓から』に、この短編をもとにたとえ話をした回を収めていますから、ご一読ください。

しかも、語り手がこの話を聞いたときのイギリスは、帝国主義の栄光も、帝国主義者であったがゆえに忘れ去られようとしたキプリングとともに、人々には実感できなくなりつつあったのです。第二次大戦で疲弊し、在英アメリカ軍はさながら駐屯兵のような存在で、大いばりしては、イギリス人にある種の劣等感さえ抱かせていました。そんなアメリカの軍人への反感を、老人は、小説の冒頭で、ヤンキーだからじゃない、異国にいる兵士だからだと喝破しているのです。この小説に奥行を与える重要なディテイルでしょう。

『どんがらがん』に付された、殊能将之によるデイヴィッドスンの評伝によると、六三年あたりから、デイヴィッドスンは経済的に追いまくられるようになり、不遇の時代を迎えたようです。エラリイ・クイーンの代作も、お金のためだったのでしょうか。その後は、おもに、ファンタジーで傑作を残したとされていますが、それらも、書かれた当時に評価が高かったわけではないようです。

「お守りの値段」はダールの「誕生と破局」を思わせる手法であり、「自然の調和」も、現代社会が人知れず犠牲者を求めるというクライムストーリイで、リチャード・マシスンあたりが書きそうな話を、デイヴィッドスンふうの凝った書き方をしてみせたものです。このふたつは、ミステリマガジンで紹介されましたが、ともに買えるほどの出来ではありません。

むしろ『どんがらがん』に収録された三編の方が、出来はよいでしょう。*「クィーン・エステル、おうちはどこさ?」は、英領西インドからアメリカに稼ぎにきている家政婦のエステルの話ですが、そりの合わない奥さんが事故に到る顛末をコミカルな筆致で描きます。*「パシャルーニー大尉」は、南米に牧場をいくつも持っている父親が、息子をアメリカの寄宿学校に訪ねる——何万頭も馬や牛を飼っているという話をしては、息子はホラ吹きと思われている——という、心温まる話が、さらにハートウォームな犯罪小説に変わっていきます。そして、*「眺めのいい静かな部屋」です。奇妙な冒頭は、いささかハッタリ気味ではありますが、老人ホームでの人間関係の機微と、些細な事件が重大な結果を招くというクライムストーリイの定石を活かしきって、ひとつの秘密を拠り所に生きてきた男が、もうひとつの秘密を持つことで、短かいであろうこの先の人生に光を見出すという、苦い話を苦いと感じさせない仕上がりになっています。

これらの三編は、デイヴィッドスンのアメリカ人らしからぬ異国への眼差しが、良い結果をもたらしています。「眺めのいい静かな部屋」に表だって外国は出て来ませんが、主人公の過去の経歴と、彼と対立する男の経歴は、アメリカ人の外国との関わりを巧妙に背景に取り入れたと言っていいでしょう。

ミステリマガジンの十五周年記念号に掲載された「見えない法律」は、SFの雑誌かアンソロジーに書かれたものを、EQMMが再録したもののようです。近未来のアメリカで、大統領選を勝ち抜いたばかりの主人公が、歴代大統領が彼自身にだけ告げられる秘密を知らされます。任期中に一度だけ、国家を破滅に追いやる可能性のある人間を、極秘のうちに殺せるという、とんでもないシステムが初代大統領ワシントンの時代から、受け継がれてきたというのです。そして、就任早々の彼に、危機が訪れます。アメリカ大統領の外には出せない秘密という、アイデア一発と思いきや、ラストのひねり方はさすがなものでした。

「臣民の自由」*は、邦訳がアントニー・バウチャー編『年刊推理小説・ベスト16』に収録されただけなので、あまり知られていませんが、様々な抽斗を持つこの作家の中でも、とりわけ読みごたえがあります。デイヴィッドスン作品でも、高位にくる逸品と私は考えます。ただし、これはスパイ小説ブームの中で書かれた、数少ないすぐれた短編スパイ小説でした。なので、六〇年代のスパイ小説ブームのところまで取っておくことにしましょう。

こうしてアヴラム・デイヴィッドスンの短編ミステリを見ていくと、そこに繰り出される短編の芸に、目をくらまされるのですが、その際に共通する彼の強みは、「臣民の自由」に付された解説（たぶんバウチャーのもの）に指摘されています。「アヴラム・デヴィッドソンは考えられるあらゆる時間と空間について書き、しかも、自分がその場にいたように書く（著者名表記は引用元のまま・引用者註）」。

言い得て妙というものでしょう。

七〇年代に入ってからのアヴラム・デイヴィッドスンは、「トレフォイル Co.」「新道の狙撃者」*といった短編が、ミステリマガジンに紹介されました。前者は、様々なタイプの上司に仕えるにはコツがいる……という話に見せかけて、ホラ話めいたサゲが決まるという、ユーモラスなナンセンス小説でした。後者は「谷間をはしる道路ができるのに、二年かかった。道は、年に一人、人を殺した」というしゃれた書き出しです。道が出来るために犠牲者も出たその新道で、道行く自動車を狙った、無目的と思われる狙撃事件が連続します。幸いなことに、何件か続いた狙撃で、死傷者は出ませんが、物騒なことこのうえない。病弱な息子、不満屋の妻、働く気のない弟と、家族の厄介ごとを一身に抱えるジョーも、その新道を通勤に使うひとりでした。そして、ついに狙撃は人の生命を奪います。短編のミッシング・リンク・テーマにしては、狙撃事件をひとつひとつ丁重に描いていって、ジョーが気づく事件の真相は、そう意外なものではありませんが、それと気づくタイミングと段取りの手が込んでいて、おまけに、そこから結末まで一気呵成なのが、展開をドラマティックにしていました。

しかし、このころのデイヴィッドスンは、すでにミステリ作家とは言えなくなっていたのでしょう。『どんがらがん』に付された殊能将之の文章によれば、六九年に「自分がほんとうに書きたい小説（*The Phoenix and the Mirror* と *The Island Under the Earth* を指す。ともにファンタジーのようです・引用者註）を発表したとたん、『売れない通好みのカルト作家』になってしまった」とあります。また、七八年の短編「ナポリ」で、世界幻想文学大賞を受賞します。そんなデイヴィッドスンですが、もう一冊だけ読んでおきたい短編集があります。おそらく七〇年代前半のどこかで短期間に集中的に書かれ、七五年に発表された『エステルハージ博士の事件簿』です。

事件簿（原文は「The enquiries」）とついているものの、エステルハージ博士は、貴族の末裔（エステルハージは、実在したハンガリーの大貴族の苗字なんですね）で、五つ以上の博士号を持ちますが、名探偵というよりは狂言まわしに近い。もっと言えば、デイヴィッドスンが書きたかったのは、そこで起こる事件や、その解決――しないこともあります――よりも、事件の起こる（あるいは、起きる事件を通して）スキタイ＝パンノニア＝トランスバルカニア三重帝国という、二十世紀初頭の東欧に設定された、老王が統べる架空の帝国そのものだったのでしょう。

最初の短編「眠れる童女、ポリー・チャームズ」*は、異色作家短篇集のアンソロジーが再編集された折に、アメリカ篇『狼の一族』に収録されました。世紀末のチープな見世物を素材にした怪奇譚と、ひとまずは言えるのかもしれませんが、結末のオチがその意外性以上に、秘められた健気さを雄弁に物語るところが、この短編のチャームポイントです。この作品が巻頭というのは、慎重に配慮されていて、ここでは、まだスキタイ＝パンノニア＝トランスバルカニア三重帝国というのは、奇妙な背景にすぎません。言いかえれば、この話は、この架空の帝国でなくても、成立するでしょう。

続く「エルサレムの宝冠*　または、告げ口頭」あたりから、架空の三重帝国は、単なる設定を超えて、そこに生きる人々や風習、制度、文化を、細密なディティルをもって描かれていきます。封建制の残照というか、ウェストファリア体制の遺物とでもいうべき社会を、フィクションであるがゆえに自在に描くという壮大な意図の小説です。もっとも、そんなことは読めば分かりますし、そこだけを取り出して、奇妙な想像力の小説と規定してしまいには出来ません。この小説の凄みは、その先にあるように思います。

たとえば第三話の「熊と暮らす老女*」です。殊能将之が解説で探偵小説とカテゴライズしたのは、この作品だと考えられますが、ここでの解決は、見事に相矛盾するふたつの結末のどちらかという形になっています。しかも、それはストックトンの「女か虎か」のような、リドルストーリイ（どちらでもありうる）ではありません。ありえないほどの途方もない偶然が起きたか、でなければ人狼伝説が事実であることを認めるしかないという、結末なのです。エステルハージはひとりごちます。「（ありえない偶然を）事実と認めるほかはない。人狼伝説を認める方が気楽ではあってもだ」。ここに読み取れるのは、シャーロック・ホームズ以後、多くの名探偵が口にするしないにかかわらず当然の真理と認める〈不可能を消去して、最後に残ったものが如何に奇妙なことであっても、それが真実となる〉というテーゼに対する挑戦であり批判です。

私がこの短編集でもっとも魅かれるのは「*真珠の擬母」ですが、ひなびたドサまわりの人魚伝説と見えたものが、パズルストーリイそこのけの解決を見ることで、お伽噺のようなハッピーエンドを迎える。そのバックボーンには、たとえば「差別もある明るい都政」というスローガンを掲げてみせた、封建主義者・呉智英を想起させるところさえあります。

「*神聖伏魔殿」は、集中でもとりわけ難解な一編ですが、中世このかた強固なキリスト教社会から抑圧されたカルトが、近代社会の陰謀で世に放たれるという、予見に満ちた図式の一編でしょう。「イギリス人魔術師　ジョージ・ペンバートン・スミス卿」のような、肩のこらないコメディでさえ、錬金術と科学のあわいとでも呼ぶべき世紀末らしさが、その背景にはあります。こうして見てくると、近代化に遅れをとり、貧しさを抱えながら、おそらくは第一次世界大戦によって根絶やしにされるであろう社会の持つ何かを、架空の帝国の中に幻視するというのが、この短編集におけるデイヴィッドスンの一貫した態度でしょう。そうした態度ゆえに、最終話「*夢幻泡影　その面差しは王に似て」は、短かいながらも、端正な一巻の掉尾《ちょうび》を飾るにふさわしい作品となったのでした。

『エステルハージ博士の事件簿』はミステリとは呼べないかもしれません。まして、シャーロック・ホームズのパスティーシュなどではありえませんが、こういう短編集をミステリの範囲内に含めないのは、大きな損失であり、収録作品のすべてに「*」をつけたいと私は考えています。

18　使命の終わり

第十二回コンテストのオナーロールには、いくつか読むべき短編があります。

ミリアム・アレン・ディフォードの**「ひとり歩き」**は、地味な作品ながら、サスペンスに富んだ、しっかりした小説で、読みごたえがあります。主人公のラーセンは、仕事と妻に倦《う》んでいて、その日、通勤に使うバスが遅れたことをきっかけに、仮病を使って会社を休み、職場とは反対方向のバスに乗ってしまいます。バレれば、上司はもちろん妻からも、うんざりするような非難を浴びること必至ですが、それだけに解放感もある。妻や会社というわずらわしいくびきから逃れて、その日一日ひとり歩きを満喫します。ところが、夕方になって、彼は少女が自動車に連れ込まれ、拉致されるのを目撃します。あっという間の出来事でした。すぐに通報することを考えますが、そうした場合、なぜ、そんなところにいたのか釈明することが、彼には出来ません。警察はともかく、会社や妻に対して。彼は心の内に様々な口実をもうけ、口をぬぐって帰宅します。事件は新聞で報じられ、被害者の名前を知る。心中の穏やかさを欠いていくうちに、犯人逮捕をやはり新聞で知ります。ところが、報道された犯人の写真は、彼が目撃した人間とは、まったく異なっていたのでした。

主人公ひとりが知っている冤罪事件が進むにつれて、彼の心はかき乱され、それ以外のことが考えられなくなる。その経過を見事なディテイルの積み重ねで描いて、サスペンスがゆるみません。その後の展開には意外なところはなく、予想される悲劇に向かって一直線に進み、主人公はそれを避けることが出来ず、読者もまた、それを避けることは出来ません。一散に破局へ向かって走ったのちに、最後のパラグラフで、人が社会から一瞬離脱して、無防備なひとり歩きをしたところを狙って、陥穽《かんせい》がそれを待っているという恐怖が、別の側面から読者を襲います。ここに到って、この短編が、見事に企まれた小説であることが、了解されるのです。

ミリアム・アレン・ディフォードの名前が、ミステリファンの間で意識されるようになったのは、一九七一年にハンス・S・サンテッスン編の『密室殺人傑作選』が出たときではないでしょうか。この本は、テーマ別アンソロジーの邦訳の嚆矢《こうし》となったもので、エドワード・D・ホックの「長い墜落」*の紹介や、トマス・フラナガンの「北イタリア物語」の再評価に貢献しましたが、「時の網」というディフォードの掌編が収録されていました。この作品は密室もののSFミステリという読まれ方をしたように思いますが、今回改めて読み返してみると、タイムトラベルテーマと悪魔との契約の話を、うまく組み合わせて、軽妙な一編に仕立てていました。

ディフォードの本邦初紹介は、私が思っていたよりも古くて、日本語版EQMMの五八年九月号に載った「死手譲渡」というクライムストーリイが、それのようです。重篤な持病を持った大金持ち付きの看護婦が主人公なのですが、主治医が数日留守にする間に、一服盛って金庫の金を持ち去ってしまおうと計画しています。シンプルな完全犯罪と思いきや、被害者に察知されていますが、その大金持ちは、むしろ自分の病気に嫌気がさしていて、死にたがっていることが分かるという、後半の展開から、グロテスクな結末まで、短かい枚数でたたみかけるのが見事でした。

ディフォードには、こういう完全犯罪を狙うクライムストーリイが、しばしば見られます。「探しだされ読まれるために」や「正直な届出人」といった作品ですが、両作ともに、出来はいまひとつです。これらの作品よりは、「わが子帰る」*の方が、謎の投げかけ方という点では成功しています。西部の富豪で暴君的な男が、息子をいじめ抜いて育てたあげく、家出されています。その富豪が殺され、しかも、死の直前の虫の息の状態で「ゴードン」と息子の名前を告げます。ニューヨークの新聞で、父親の死を知ったという、そのゴードンが家に帰ってくるなり、母親が警察に通報する。息子を逮捕してほしい、と。一方、息子の方は、自分は偽物で、本物そっくりなために、詐欺の片棒をかついだのだと主張します。本当の息子は、死んでいて、彼から実家の詳細を聞き出した黒幕が、ニューヨークにいるというのです。母親と自称息子の偽物は、まっこうから証言が食い違っていて、しかも、母親は息子と信じきっていて、優秀な弁護士をつけて、精神疾患による責任能力なしの無罪を勝ち取ろうとする。ただ、この作品も、凝った計画犯罪が、かえって不自然さをもたらし、真相の露見を早めたきらいがあります。「正直な届出人」にせよ「わが子帰る」にせよ、犯罪計画の複雑さそのものよりも、前者の孤独な関係者の群像や、後者の暴君に支配された家族といった、背後の人間関係についての嗅覚に、この作家の特徴はあります。そういう美点が、サスペンスに満ちたミステリとして結実したのが、「ひとり歩き」と言えるでしょう。この作品は、第一席や第二席でも不思議ではない秀作であり、ディフォードの個人短編集の巻頭を飾ったそうです。

マシュウ・ガントの「飢えた眼つき」も、好短編です。ハイウェイが迂回工事中のため、ろくに客の来ない砂漠で、宿屋兼自動車修理工場を細々とやっている主人公には、若くて男好きのする妻がいて、そこに羽振り良さそうな男がやって来る。そう。『郵便配達は二度ベルを鳴らす』を、パパダキスの側から描いたような短編です。虚虚実実の駆け引きが、宿屋の主人の一人称で手際よく描かれます。マシュウ・ガントは、第九回コンテストでも「第一前哨」という奇妙なショートショートが入っていて、あなどれない実力の持ち主です。

ヘンリイ・スレッサーの「権威の象徴」は、犯罪とも言えないような小さな犯罪を描いて、ユーモラスな中に、ある個人像を的確に描いた小品です。主人公はひょんなことから聴診器を手に入れ、それをブラ下げて病院内を歩くだけで、医師として人から敬意を表してもらえるという経験をします。医学的専門的な会話は極力避け、しかし、患者を元気づけるような、いかにも医師らしい会話をしてみせる。ひとつの権威の象徴を身にまとうことで、些細でいじましい優越感のようなものに浸れるのです。初めはおそるおそる、次第に大胆に、主人公は医師になりすまます遊びを続けます。しかし、そんな小細工が、いつまでも露見しないわけがないぞ。と思いながら読んでいった読者に、結末で、さらに頰をゆるませるところに、スレッサーの技の冴えがあります。しゃれた喜劇を観る趣《おもむき》がありました。これを、第十回コンテストで、やはりオナーロールに入った「白いマスクの男」と比べてみましょう。医師のふりをして手術室に入ることは、案外簡単だというアイデアを、手術室で殺人を犯すという形で謎解きに仕組んだ退屈な作品でした。そうしたアプローチの仕方が閉塞したのち、「権威の象徴」のような行き方もあると気づいたところに、このころの短編ミステリの進歩はあったと言えます。

五〇年代の後半に、EQMMコンテストは四年間中断し、そして一度だけ復活して、第一席としてコーネル・ウールリッチの「一滴の血」を世に出しました。この間のブランクと一度かぎりの復活の理由は、不明のままです。晩年不遇だったウールリッチに、EQMMはやさしかったと言いますから、ウールリッチを助けるためだけに、第十三回コンテストを開催したのではないかと、邪推したことが、私にはありました。フランシス・M・ネヴィンズの『エラリー・クイーン 推理の芸術』には、「一滴の血」がすでに一九五八年に買い取られていた作品で、その稿料を引いたのでしょう、第一席賞金として支払われた千百五十ドルという半端な金額が「彼(ウールリッチ・引用者註)がまじめにキャリアを再開する後押しになることをフレッドは望んだのだろう」と書かれています。私の邪推も、それほど的外れではなかったのかもしれません。コンテストがなくとも、新作短編に困らなくなっていたことは、その間、EQMMがなんの問題もなく継続したことが、逆説的に証明しているといえるでしょう。それどころか、EQMMがもたらした短編ミステリの革新は、ミステリシーンの標準を変えたばかりか、アメリカの商業雑誌の短編小説にも影響を与えたと言えるかもしれません。それが証拠に、スリックマガジンの初出の作品に、MWA賞短編賞が与えられるようになっていきます。このことについては、のちに詳述します。

　そうした一定の役割を果たし、使命を終えたかに見えたＥＱＭＭコンテストが、再度復活して選んだのは、どのような作品だったのでしょうか。

「一滴の血」は倒叙ミステリでした。しかも、ピンポイントに唯一の手がかりである一滴の血に焦点を絞っていて、犯人と探偵に名を与えず、事件そのものを極力抽象的に描くという挙に出ました。彼の特質である、抒情的なサスペンスが健在だったこともあって、従来のウールリッチの路線から、そうはずれたものとはとらえられなかったようです。確かに〈一滴の血〉一発にすべてを賭けた作法は、むしろ、発想としては古めかしいものだったでしょう。あるいは、当時、手垢がつこうとしていたアイデアストーリイにも、似ていたかもしれません。たとえ、それが二〇年代のトリック小説とは比較にならないほどのサスペンスをたたえていようと、犯人の行為や人物像を手厚く描くための方法として発達した倒叙ミステリという手法を、まったく正反対の行き方で、ワンアイデアを活かすために使ったという、歴史的な意義を持っていようと——そもそも、ロイ・ヴィカーズのところで書いたように、一九六〇年代といえば、倒叙ミステリはクライムストーリイに吸収されていました——この「一滴の血」自体が、いささかの古風さと職人性を併せ持った佳作である（もしくは、そこにとどまる）ことは、否定できません。

　さて、最後のコンテストは六編の第二席作品を選出しました。まず、スタンリイ・エリン——またしても！——の「倅の質問」です。結局、エリンは、第三回コンテストの最優秀処女作賞を「特別料理」で得て以後、第四回から第十三回の十回のコンテストすべてに入賞し、第四回の第三席を除けば、すべて第二席以上（第一席が一回、最高特賞が一回を含む）を獲得し、そのうちの二作品がMWA賞の短編賞に輝きました。しかも、エリンはその後も寡作ながら、高品質な短編を発表し続け、短編ミステリ全体が衰勢を迎えても、ひとり、短編ミステリの牙城を守り続けることになります。第二短編集以降のエリンについては、何回かに分けて、その全貌を知る必要があるので、ここでは、EQMMコンテストでの最終的な戦績を確認するに留めておきます。くり返しますが、短編ミステリの革新に小さからぬ影響を与えたEQMMコンテストは、スタンリイ・エリンの衝撃的な出現と、その活躍とともにあったのです。

他の第二席作品は、以下のとおり。ハロルド・R・ダニエルズ「大虎の死」、ヒュー・ペンティコースト「ある殺人」、ドロシー・ソールズベリ・デイヴィス「捉われた魂」、パット・マガー「高い買物」（「正義は高くつく」）、マーガレット・オースティン「エラリイのママをご紹介」（「エラリイのママ登場」）の五作品です。選外作にはパトリシア・ハイスミスの名も見えます。「ミセス・アフトンの嘆き」は、夫の症状について、精神分析医のバウァのもとに通うミセス・アフトンの物語でした。平凡なオチのアイデアストーリイでしたが、オチのつけ方（最後の台詞）に、ハイスミスのセンスが出ていました。

EQMMコンテストの使命が終わったと私が感じたのは、この第二席五作品を読んだことが大きいようです。確かに、ひどくつまらないものはない。客観的に見るならば、初期のコンテストで第一席を獲った作品――「戦士の星」や「名探偵、合衆国大統領」と比較したとして、劣るかと言われれば、少なくとも、考え込むでしょう。しかし、その十五年ばかりの間に、短編ミステリの基準は、ほかならぬEQMM自身が押し上げてしまっていました。

「捉われた魂」は、地方の弁護士を語り手に、奔放な娘を中心とする人間関係が、殺人へと向かう話ですが、正直なところ、私には、何度も入賞した、このD・S・デイヴィスという作家を買う気になれません。人間関係を手厚く描こうとする姿勢はあるのですが、いかんせん、小説的な閃き、人間関係の綾についての嗅覚に欠けた、面白みのない部分で登場人物についての描写を重ねているだけのように思えてならないのです。

パット・マガーの「高い買物」は、季節はずれとなった避暑地の山荘で、妻とふたりきりのところを、拳銃強盗らしき暴漢に襲撃された主人公の話です。深夜、いきなり銃撃され、妻に続いて、自分も銃弾を浴びます。かろうじて犯人と格闘し、逃しはするものの、命は助かります。ところが、捜査が始まると、暴漢は見つからず、あろうことか、妻殺しの容疑がかけられてしまいます。『幻の女』ふうの展開で、主人公に不利な事実が次から次へと出てくる段取りも巧みですし、サゲのつけ方も見事です。にもかかわらず、会話で提示されていくだけのディテイルは、小説というよりは、推理問題の段取りに見えてしまう。核となるアイデアは良いのにです。

反対に、マーガレット・オースティンは、ミステリ作家のママをもつ子どものひとりエラリイ（そのほかの子も、そういう名前がついているのです）を語り手に、しろうと探偵ぶりをも発揮したがるママの話で、愉快な小説を書こうとはしていますが、パズルストーリイとしての構えが、いかにも旧式です。ヤッフェのママとの隔たりを測ることで、パズルストーリイの進歩の度合いを測定できるという意味はあるのかもしれませんが。

ハロルド・R・ダニエルズは、大虎と呼ばれた元ボクサーの無法者が殺された事件について、所轄の警部の捜査に不正の疑いが持ち上がり、その警部とは旧知でありながら出世レースの勝者となることで疎遠となっている警部が、調査にやって来ます。警察小説として新味を出そうとしているのは分かりますし、伏線の張り方や構成など小説を構築する巧みさもあります。話の落としどころも心得たものです。これは立派な第二席作品で、EQMMのクオリティを守る作品ではあるでしょう。しかし、この作品に、短編ミステリの将来を開拓する力があるとは思えません。けれども、第十二回コンテストの第二席に入ったシャーロット・アームストロングの「ミス・マーフィ」には、その力を感じることが出来るのです。

結局、最終回の第二席作品で魅力的だったのは、ヒュー・ペンティコーストの「ある殺人」でした。ここに描かれるいじめの構図は、現代の日本に若干の修正で通用しそう（いじめを庇おうとした主人公に矛先が向く）ですが、その場合に修正しなければならない部分に、アメリカという国と軍隊という組織（ミリタリ・アカデミーの話なのです）の特殊性が端的に描かれているとも言えます。ひょんなところから不似合なタカ派の学校にやってきた耳の悪いらしい軟弱そうな教師をめぐる、青春小説として折り目正しい魅力があります。ペンティコーストという作家は多作なだけに、当たりはずれが大きいのですが、秀作長編『狂気の影』にも一脈通じるような、アメリカ人のメンタリティのある部分に批判的に焦点をあててみせた佳作と言えるでしょう。もっとも、この短編、クライムストーリイであるかどうかも微妙で、そもそもミステリと呼べるかどうかも怪しいところなのですが。

19 総　括

第一回ＥＱＭＭ年次コンテストは、一九四五年六月に公募され、同年十月に応募が締め切られました。賞金は第一席一編に二千ドル、第二席六編に各五百ドルと、告知されました。パルプマガジンの稿料の標準が一語一セント。二千ドルといえば、最盛期のフィッツジェラルドが、スリックマガジンに短編を書いたときのギャラに、ほぼ匹敵します。短編ミステリのコンテストとしては、破格の金額だったと言っていいでしょう。第十三回コンテストでは、第一席賞金が千五百ドルに減額されていましたが、それでも、たいしたものです。このころ、イギリスでは、シャーロック・ホームズのライヴァルたちが覇を競った、雑誌の黄金時代は過去のものとなり、短編ミステリのマーケットは消失していました。一九四一年の創刊から四年を経過し、ＥＱＭＭは新作として発表される短編ミステリの質の向上と、その安定が急務でした。

第一回コンテストの応募総数は八百三十八編でした。この数は多いと見るべきなのでしょう。少なくとも、選考の準備期間――つまり締め切りから結果発表まで――に用意した期間が三週間であったことから、クイーンたちが、これほどの応募数を想定していなかったであろうことは、容易に分かります。しかも、実際の選考では、五人の選考委員が推す第一席作品が五作品に割れてしまい、収拾がつかなくなったあげく、その五編以外からダークホースの一編を第一席にしたというのです。割れてしまった五作品は、おそらく、第二席にまわったものと思われますが、結果的には、さらに第三席、第四席が、それぞれ四編ずつ加えられて、ブリス・オースティンの楽屋落ち的な一編が選外佳作（Honourable Mention）として追加されました。

翌年の第二回コンテストでもっとも重要な出来事は、クイーン自ら言うように、処女作特別賞（Special Prizes for First-Published Stories）が新設できたことでした。すなわち、R・E・ケンダル、ジャック・フィニイ、ハリイ・ケメルマンという、それまでまったくミステリを書いたことのない三人の作家を、コンテストを通じて発掘しました。そして、これを機に、新人の発掘を制度化したのです。ここで注意が必要なのは、この場合の処女作は〈ミステリの〉という限定つきなので、著名な作家でも初めて活字になるミステリ作品を書いた場合は、該当させるという方針でした。ケンダルはその後、活躍する姿を見ませんが、フィニイとケメルマンは押しも押されもしない作家となりました。ケメルマンの「九マイルは遠すぎる」に到っては、彼の代表作ですらあります。このふたりは、第一席を得たH・F・ハードよりも、作家として大成したと言ってもいいでしょう。

処女作特別賞によって、コンテストから新人を発掘するという方針は、早くも翌年大きな果実をもたらします。スタンリイ・エリンが「特別料理」で衝撃的なデビューを果たしたのです。

さらにその翌年、第四回コンテストでも、トマス・フラナガン「北イタリア物語」、スティーヴン・バー「ある囚人の回想」と、前年のエリン同様、第一席作品を凌ごうかという処女作が登場します。その後、第十三回までに、この賞を得て、その後日本でも知られた作家となった人に、ヘンリイ・スレッサーやロバート・トゥーイがいます。

クイーンが新人作家の発掘を重視するようになったのは、第二回コンテストがきっかけですが、そこに脈ありと見て突き進んでいった判断は、歴史に残る好判断だと言っても過言ではありません。第四回コンテストのアンソロジーに付された序文では「探偵小説コンテストに出来る最も重要なことは新人を奨励すること」と言いきっています。以前、新人に甘いのはクイーンの癖と書きましたが、評価の甘さは癖ではあっても、そこに新人を世に出そうとする意識的な働きがあったことも、また確かなことでした。

第二回のコンテストは、H・F・ハードの「名探偵、合衆国大統領」とカーター・ディクスンの「妖魔の森の家」が、最後まで第一席を争い、第一席を譲った「妖魔の森の家」に最高特賞（Special Award of Merit）が与えられました。以後、最高特賞は、第七回のエドガー・パングボーン「歌う杖」、第十回のジョゼフ・ホワイトヒル Stay Away from My Mother、第十一回のスタンリイ・エリン「ブレッシントン計画」、第十二回のB・J・R・ストルパー Lilith, Stay Away from the Door に与えられました。「妖魔の森の家」が第一席を逃したことについては、ミステリの間口を広げようとするクイーンの意向の反映ではないかという推測をしておきました。同様なことは、第三回コンテストにも言えて、第一席を得た「裁きに数字なし」は、他のいずれの第二席作品よりも、伝統的なミステリというカテゴリーから逸脱していると見られる作品でした。

第四回コンテストは全三十一編に賞が与えられ、ここから、コンテストの量的拡大が顕著になります。翌第五回は三十三編。第六回と第七回が三十編。第八回が五十五編。第九回が五十三編。第十回が四十七編。第十一回が五十六編。そして第十二回に到って六十編を数えます。ここまで来ると、いささか拡大も過ぎていると言わざるをえませんが、コンテストにはお祭りの側面もあるので、一概に悪いとも言えないでしょう。

第四回コンテストからは、編集者クイーンに余裕が見てとれます。ジョルジュ・シムノンというヴェテランに第一席を与えたのは、私にはその現われに見えます。もちろん、それに値する作品が応募されたという事実が、まず一番にありますが、それまでの三作の第一席作品に見られた、ことさらに新鮮さ目新しさをアピールする必要を、クイーンが感じなくなったのではないでしょうか。序文でも「ディテクティヴ・ストーリイ・ライターたちは基本に戻りつつある」と総括しています。クイーンはハードボイルドミステリの影響を、大きく見積もっていたように思えます。ここで言うハードボイルドとは、クライムストーリイや、ウールリッチ流のサスペンスストーリイまで含んだ、パルプマガジンの混沌をさすと考えてください。また、実際、多くのハードボイルド作品の価値を認め、ＥＱＭＭに再録しています。そして、クライムストーリイへの主流の移行を、必然的なものと思っていたように見えます。自身が『災厄の町』でストレイトノヴェルへの接近を試みたように。このことは、十三回のコンテストを終えて『黄金の13／現代篇』を編んだときに「十三の第一席受賞作のうち、十篇（意外にも高い数）は、実に千差万別の探偵が登場する探偵小説である」と、まえがきに書いた「意外にも高い数」という表現にも現われています。

もちろん、このことは、オールドスタイルのディテクションの小説が、そのままの形で生き残ることを意味はしませんでした。むしろ、本章で指摘したように、シャーロット・アームストロングの「**敵**」とトマス・フラナガンの「アデスタを吹く冷たい風」の連続受賞、スタンリイ・エリンの「**決断の時**」とA・H・Z・カー「黒い小猫」の連続受賞が、それぞれ、パズルストーリイとクライムストーリイの可能性と標準を示したことの意味と重要性は、何物にも代えがたい、EQMMコンテストの貢献と言えます。謎解きミステリの第一人者クイーンが（おそらくは、自身にとって、いささか悲観的に）予想したミステリの未来像は、良い意味で裏切られ、短編ミステリは新しい地平を拓いたのです。

コンテストの後半は、大量の受賞作を出したのが、特徴でした。しかも、第十二回と第十三回の間の四年間のブランクというのが、また重要です。それは五七年から六〇年にあたりますが、直前に、五三年のマンハント、セイント・ディテクティヴ・マガジン、五六年のアルフレッド・ヒッチコック・ミステリ・マガジン、マイケル・シェイン・ミステリ・マガジンといった、後発誌の創刊がありました。そうした雑誌の創刊は、それはそれで、EQMMにとって安閑としてはいられないことだったかもしれません。しかし、本当のライヴァルは、スリックマガジンの一般誌ではなかったでしょうか。サスペンスに満ちた中短編のみならず、長編のコンデンス版の掲載も含めて、ミステリ作家の書くミステリ作品が、一般誌に買い上げられるようになった。クイーンが目指したミステリの品質向上は、市場の拡大をも伴っていたのです。一方で、新人作家の登竜門として、ペイパーバック書下ろしという制度が機能する。第二次大戦後のアメリカ・ミステリの隆盛は、その国の商業システムが、あるジャンルの文芸と、もっとも幸福な結びつきを成した実例だと、私は思います。

実際、ＭＷＡ賞の短編賞では、五七年発表作品で翌五八年受賞のジェラルド・カーシュから、スリックマガジン初出作品が増えていくのです。内訳は以下のとおりです。

一九五八年　ジェラルド・カーシュ「壜の中の手記」*（「壜の中の謎の手記」）
一九五九年　ウィリアム・オファレル「その向こうは——闇」*（「そのさきは——闇」）
一九六〇年　ロアルド・ダール「女主人」
一九六一年　ジョン・ダラム「虎よ」（「獣の心」）
一九六二年　アヴラム・デイヴィッドスン「ラホール駐屯地での出来事」（「ラホーア兵営事件」）
一九六三年　デイヴィッド・イーリイ「ヨットクラブ」

新人作家のコスモポリタン初出短編が受賞したイーリイの場合が、一区切りと考えられるので、ここで止めておきますが、これら六作品のうち、ＥＱＭＭ初出はアヴラム・デイヴィッドスンだけです。これと、スルース・ミステリ・マガジン創刊号が初出のウィリアム・オファレルを除くと、あとはスリックマガジンに発表されたものです。

カーシュの直前三年の受賞者は、スタンリイ・エリン、フィリップ・マクドナルド、スタンリイ・エリンで、初出はいずれもEQMM——ありていに言えば、コンテスト応募作——でした。その前年までは短編集が対象で、最後の短編集での受賞がロアルド・ダールの『あなたに似た人』だったのです。三年連続でMWA賞の短編賞を独占するということ自体、EQMMの充実と独走を物語ると思います。しかも、その間のコンテスト第一席作品は、そのほかにある（各年に対応する、コンテスト第一席は、ロイ・ヴィカーズ、スタンリイ・エリン、A・H・Z・カー）という事実も、驚異的と言っていいでしょう。エリンに到っては、三作品が連続してMWA賞かEQMMコンテストを制しているのです。

EQMMとEQMMコンテストがもたらした、短編ミステリの変革は、その中心人物であったエラリイ・クイーンの意図をも、おそらくは超えて、大輪の花を咲かせようとしていました。

第五回コンテストの入賞作を収めた *The Queen's Awards Series 5* の序文で、クイーンは短編ミステリのルネッサンスはここに成った、新しい黄金時代に入ったと、高らかに宣言します。これは、その後の受賞作と、そのインパクト、そして、実際に迎えた黄金時代を知る前に書かれたという意味で、おそろしいほど予見的なことでした。編集者クイーンの未来を見通し信じる力こそが、短編ミステリの歴史の中にEQMMコンテストが刻んだ貢献の原動力であったというのが、私のＥＱＭＭコンテストについての総括になります。

第五章　四〇年代アメリカ作家の実力

1　四〇年代アメリカの状況

マイク・アシュリーの『ＳＦ雑誌の歴史』は、二十世紀のアメリカＳＦ雑誌の歴史を詳述した、貴重な書物です。それは単にＳＦのみならず、アメリカの歴史の一部を描き出しているとさえ言えます。短編ミステリの歴史を見るうえでも、非常に有益な資料となっています。その中に興味深い記述がありました。一九四〇年代のアメリカのＳＦ雑誌は、三〇年代のパルプマガジンＳＦを牽引したアスタウンディングに翳りが見え、四〇年代を通じて、パルプマガジンのスクラップ・アンド・ビルドが続きます。そこに大きく影響したのが、四一年の開戦に伴う、割当制から来る用紙不足だというのです。これはどう見ても、ＳＦ雑誌にかぎった話とは考えがたい。しかも、定期刊行の雑誌が無理なことから、雑誌と見まがうような個人短編集やアンソロジーが、盛んに出るようになったとも指摘しています。このことは、ミステリ・リーグの失敗ののち、四一年にＥＱＭＭを創刊したエラリイ・クイーンが、アンソロジーや個人短編集の編纂に力を入れたという事実とも、平仄《ひょうそく》があいます。

四〇年代の短編ＳＦは、スリックマガジンへの浸透を始めますが、それはミステリについても言えました。ことにコリアーズという雑誌にはいささか注意が必要なようです。トマス・ウォルシュが寄稿していたことは第二巻で触れましたが、アール・スタンリイ・ガードナーやロアルド・ダールといった作家の主戦場であり、ジャック・フィニイやカート・ヴォネガットJr.といった作家も、この雑誌の常連でした。四〇年代のアメリカの雑誌状況において、ＳＦとミステリとの違いは、ミステリにＥＱＭＭという巨星が存在していたことです。ＳＦにおいてさえ、パルプマガジンのダイジェスト版《サイズ》への移行は、ＥＱＭＭの成功にならったもののようです。戦争が終わり、ＥＱＭＭは年次コンテストによる秀作の確保に乗り出しました。その経緯と経過は、前章で詳述したとおりです。

五〇年代に入り、唐突にパルプマガジンが終焉を迎えます。少なくとも、ＳＦはそうだったようです。まず、パルプマガジンの有力な出版社ストリート・アンド・スミスが、四九年に一気に――ＳＦのみならず、ミステリからウェスタンからすべて――パルプマガジンから手を引いてしまうのです。それからわずか数年で、パルプマガジンは、あっという間に凋落《ちょうらく》してしまいます。それと平行して五〇年代の黄金時代を支えることになる新しい雑誌が創刊します。ギャラクシーとＦ＆ＳＦ（ファンタジー・アンド・サイエンス・フィクション）の二誌です。とくに、Ｆ＆ＳＦは、ＥＱＭＭを手本にした形跡があります。そもそも、編集長はアントニー・バウチャーでした。後述しますが、Ｆ＆ＳＦは、シャーリイ・ジャクスンのクライムストーリイを掲載したことさえあります。ちなみに、日本でも、ＳＦマガジンは、最初、同誌の日本語版としてスタートしました。

　目をミステリに転じると、五一年のブラック・マスク休刊のあとを受けるかのように、五三年にマンハントが創刊されます。四〇年代のブラック・マスクは青息吐息だったようですが、その反面、ミッキー・スピレインの長編小説がセンセイショナルな当たりを取っていました。スピレインの長編はまずハードカヴァーで出たものの、爆発的な人気を得たのは、ペイパーバックによる力が大きく、シグネットブックは一躍一大ブランドとなります。ペイパーバックという出版形態は二〇年代からあったようですが、盛んになったのは四〇年代に入ってからで、三九年にサイモン&シャスターの系列会社としてポケットブックが、ペイパーバック専門の出版社としてスタートします。大きく開花するのは四五年に戦争が終わってからです。スピレインの『裁くのは俺だ』のペイパーバック発売が四八年（ハードカヴァー版出版の翌年です）。それから十年くらいの間に、ハードカヴァー出版からペイパーバック化という流れの他に、ペイパーバック書下ろしという形が登場し、これが新人の登竜門となっていきます。かつて、パルプマガジンの時代には、一語一セントの原稿料で短編を量産しながら、なんとか長編を書く時間をやりくりし、マガジンライターからブックオーサーへの昇格を目指したような新人たちに、いきなり長編を書いて世に出るチャンスが与えられるようになったのです。

　しばらくは、この時期にキャリアを開始した、ミステリ界の巨人たちの足跡をたどることにしましょう。

2　フレドリック・ブラウン1――四〇年代短編ミステリ&SFの王者

これは、私の印象だけの話で、具体的な根拠やデータがあって言っていることではないので、それは違うだろうと言われれば一言もありませんが、第二次大戦後、もっとも衝撃を与えた、海外の短編ミステリの書き手は誰かと、日本の読者に質問すれば、おそらくロアルド・ダールやヘンリイ・スレッサーが票を集めることでしょう。人によっては、ジョン・コリアやスタンリイ・エリンをあげるかもしれません。では、ひとりの作家ではなく、もっとも衝撃的だった短編を一編選べと質問を変えると、どうでしょう。「南から来た男」*でも「特別料理」でもなく、この短編を指名する人が多いのではないでしょうか。

フレドリック・ブラウンの「うしろを見るな」。

フレドリック・ブラウンは、おもに四〇年代から五〇年代にかけて活躍した作家で、ミステリとSFのふたつのジャンルで作品を残しました。このふたつに手を染めた作家は、アメリカでは珍しくありませんが、その両方で名を残した人は稀で、ブラウンはその稀なひとりです。というよりも、ジャンルを超えて、ちょっと真似手のない発想をするところに、この作家の魅力のひとつがあって、「うしろを見るな」は、その一方の極限でもあります。

「うしろを見るな」は短編集『まっ白な嘘』の掉尾《ちょうび》を飾る有名な作品ですし、近年でも、文春文庫のアンソロジー『厭な物語』に入っていましたから、ご存じの方も多いでしょう。軽々しく内容を紹介できない性質の短編なので、中身には触れませんが、他の作家の作品にはもちろん、フレドリック・ブラウン自身で考えても、類例というものを考えづらい、ユニークな作品です。ポップカルチュアのあるものが、時として極めつきのアヴァンギャルドになってしまう。しかも、ポップカルチュアとして間然するところのないままに、そうなってしまう。その文学における一例ではないでしょうか。

「うしろを見るな」の個性は、その強烈さゆえに、フレドリック・ブラウンというひとりの作家の個性をも超越したものになってしまい、この一編がブラウンのなにかを代表するということもないように、私には思えます。ひとりの作家の存在をも超えて、一編が屹立している。そんな佇まいが、この短編にはあります。実際、フレドリック・ブラウンの短編集『まっ白な嘘』を読むと、「うしろを見るな」を、ブラウンの多くの抽斗のひとつとして見ようにも、その異様さがあまりに際立っているので、次元の違うものがひとつ混じっているようにしか見えないのです。

『まっ白な嘘』は一九五三年に出ましたが、四〇年代に書かれたブラウンの短編ミステリを集めたものです。英語版のウィキペディアには、比較的詳しい（そして、信頼に足ると思われる）ビブリオグラフィがあって、『まっ白な嘘』は圧倒的に四〇年代後半の戦後の作品が多く（五〇年の作品がひとつだけ）、*「町を求む」など、数編が四〇年代前半の作品です。

フレドリック・ブラウンというと、奔放で斬れ味鋭いアイデアが評価されることが多いようですが、のちのヘンリイ・スレッサーやジャック・リッチーといった人たちとは、ちょっと肌合いが異なる。そうした人たちに比べて、不気味なところというか、ある種の生々しさを持っている。サーカスやカーニヴァルの芸人の話が多いのも、そのことに与《あずか》っていて、ブラウンに比べると、スレッサーやリッチーは都会の作家という気がします。たとえば、『まっ白な嘘』巻頭の「*笑う肉屋」は、雪の上の足跡という、密室もののヴァリエイションを真正面からあつかった作品ですが、それが真正面に見えないのは、笑う肉屋という存在の不気味さと、彼をリンチにかけてしまうという野蛮さが——不気味さ、野蛮さともに、非合理的なものとして在るにもかかわらず——説明抜きで存在しているところにあります。

「笑う肉屋」における不気味さや野蛮さは、アクセサリと言ってしまうには重みがあるけれど、それでも、作品の細部を彩るもの、せいぜい、メイントリックを補強するものに留まっていますが、それが表面に出たのが「*むきにくい林檎」でしょう。若い保安官補の一人称で語られる、アンファンテリブルものと見せかけて……という話です。この短編は、いかにも題名から発想されただけの話に見えますが、それにしても、結末の残酷さが生々しい。やられた方もやられた方だけに、血で血を洗う感じが酸鼻を極めています。

サーカスやカーニヴァルの芸人と並んで、ブラウンがくり返し描いた人間に、ミュージシャンがいます。「キャサリン、おまえの咽喉をもう一度」は、そのひとつです。妻を殺して自分も死のうとしたミュージシャンが主人公です。その事件で、自分の手を傷つけてしまい、演奏家としての生命を絶たれているのですが、同時に、記憶も失っていて、周囲の力を借りて、その記憶を取り戻そうとします。この作品もそうですが、フレドリック・ブラウンに意外と多いのは、どちらかというと、地味で平凡なアイデアや設定でありながら、ゆるみのないプロットで、最後まで手堅くまとめたという短編です。偽造の新聞の見出しを使った、ちょっとした冗談で、ある男に今夜が地球の終わりだと信じ込ませる「世界がおしまいになった夜」や、サゲのアイデアが、論理クイズの問題にもなっている「史上で最も偉大な詩」、『世界短編傑作集』の第五巻に採られた（新版にも収録されています）ため『まっ白な嘘』の訳書からは省かれている、駅の待合室での疑心暗鬼を描いた「*危険な連中」などが、それにあたるでしょう。

　もっとも、奇想天外奔放なアイデアというのは、そういう作品が多く書かれるにつれ、驚きがなくなるものです。それは、受け手個人の体験を超えて、社会全体が経験する形で受け継がれるようで、ある個人はそれほどの読書経験がなくても、いまの世の中では驚かなくなっているということがあるものです。十代のころの私が、小林信彦が『未来世界から来た男』の書評中で名指しで褒めた「報復宇宙戦隊」を、平凡なアイデアと受け止めていました。「カイン」などは、そうしたアイデアがむき出しの作品ですが、ここには、アイデアストーリイをどう評価するかという、案外難しい問題が潜んでいます。たとえば「町を求む」は、W・P・マッギヴァーンあたりが長編一冊を費やして描く、アメリカ社会の成り立ちを、一摑みにしてしまったような掌編です。では、それは、そのアイデア一発のお話でしょうか？　「町を求む」の美点は、その着想を、ギャングの側が町を求めて呼びかけるという、ありえない展開にまでもっていったところにあります（読者に話しかけるところは「うしろを見るな」にも似ています）。

あるいは、そこまでを着想と呼ぶべきかもしれません。そのいけしゃあしゃあとしたホラ話めいた感覚が、この話の苦さを際立たせているのです。ここまで来ると、それは、アイデアだけとは、とうてい呼べないでしょう。「アリスティッドの鼻」「ライリーの死」の諷刺は、シャープでもありますが、それ以上に、語り口の控えめさ、節度が、作品の仕上がりに貢献すること大です。

第二短編集の『復讐の女神』は、『まっ白な嘘』の十年後一九六三年の出版ですが、四〇年代前半の旧作が多く、例外なのは、「姿なき殺人者」が四六年の発表で、さらに「名優」（「完全犯罪」）が四九年、「踊るサンドイッチ」*が五一年の作品と、これだけでした。『まっ白な嘘』よりも、口当たりの良い短編が多いというのが、私の印象ですが、その分、長所が地味というか説明しづらい。表題作「復讐の女神」*からしてそうです。ある裕福な広告マン（仕事の余暇にポーカーやゴルフに余念がない）が、突然、生命を狙われます。まったく心当たりがなく、しかも、あれよあれよという間に話が進んでいき、見事な結末まで一気に読ませます。自らのまったく与り知らないところで、いつのまにか、自分に対する殺人の動機が形成されてしまう。ちょっとした盲点とも言える着想で、例がありそうでありません。それを成立させてしまう段取りの確かさは、ブラウンの本領発揮です。ただし、最後の最後の結末は、ここで、また、どんでん返しを重ねたい気持ちは分かりますが、被害者側に気づく術のないところで、動機が形作られるという基本アイデアからは、逸脱してしまうので、良しとすべきかどうかは議論が分かれるかもしれません。

「すりの名人」「名優」といった作品は、「復讐の女神」のリアリズムとは対照的に、コミカルなホラ話的クライムストーリイですし、保険外交員スミス氏が探偵役を務める二編「生命保険と火災保険」「姿なき殺人者」(「スミス氏、顧客をまもる」)も、ユーモアが前面に出ています。前者はまるっきりコメディですし、後者の解決の脱力ぶりは、冗談すれすれでしょう。「猛犬にご注意」の犯罪遂行のサスペンスとオチ、「不良少年」のハッピーエンドなどは、五〇年代のアイデアストーリイを読むかのようで、『まっ白な嘘』で感じられたスレッサーやリッチーとの差が、ここではなくなっていることに気づきます。すなわち、四〇年代のある時点で、ブラウン作品の表面に出てきたある種の不気味さ生々しさを、集中的に集めたのが『まっ白な嘘』だったのでしょう。

巻末の中編「踊るサンドイッチ」は、ノヴェラと分類され、最初は一冊の本として出版されました。しっかりした倒叙ミステリです。ロイ・ヴィカーズのところで、倒叙ミステリは、クライムストーリイに吸収されることで、すたれていったと書きましたが、「踊るサンドイッチ」は、その時期に書かれた、季節はずれの倒叙ミステリでした。罠におちて犯人にされる被害者→真犯人→探偵と、明確に視点が移っていくのです。謎の解明はみえみえです。というより、これはあからさまに書いていると言っていいでしょう。したがって、解決部分の意外性はありません。しかし、それぞれの視点の部分が、サスペンスストーリイ、クライムストーリイ、ディテクションの小説と、各々の魅力を充分に発揮していて、各パートがそれぞれ、どんな窮地に陥っていくか、いかなる犯罪が遂行されるのか、どうやって真犯人の犯行を暴くのかという興味で読者にページをめくらせます。アイラ・レヴィンの『死の接吻』という偉大な先例（作品のスケールもあちらの方が大きい）があるじゃないかと言われれば、それまでですが、巧みな二番手として、私は一定の評価をしたいと思います。

ふたつの短編集に収録されていない、四〇年代前半、すなわちブラウンのキャリアとしても初期の作品を、少し読んでみましょう。

「故国の人質」は、いかにも戦時中の一編です。ひとりのドイツ系アメリカ人がいます。もう何十年もアメリカに住み、立派なアメリカ市民と自他ともに認めている。それがために、勤め先の工場が軍需工場になっても、変わりなく勤務している。そんな男がＦＢＩに助けを求め、送り込まれた男がやって来るところから、話は始まります。彼はドイツの諜報部員からスパイになれと命令され、背けば、ドイツにいる彼のいとこが収容所送りになると脅迫されていたのでした。戦争中にこういう作品を書くと、戦意高揚に流れがちなものですが、ブラウンはユーモラスなアイデア一発の作品ながら、戦意高揚を避けたショートショートに仕上げていました。

しかし、このころのブラウン作品で目立つのは、ディテクションの小説です。

「球形の食屍鬼」の主人公は、民俗学の研究をしている苦学生で、『金枝篇』を題材に論文——迷信の民俗学的研究——を書いています。かたわら、夜勤でアルバイトをしているのが、死体置場なのでした。その夜は、轢き逃げの被害者の死体が一体、身元不明のまま安置されています。仕事といっても留守番のようなものなので、自分の勉強に没頭していると、いつのまにか、死体の顔が食いちぎられている。たったひとつの出入り口は、彼に気づかれずには出入りできないし、あとは、かなり高いところに換気扇があるきりです。換気扇は取り外せても、狭すぎて、人は通れない。事件の奇妙さに当惑するうちに、主人公は気づきます。犯行が可能だったのは自分ひとりで、それは自分が死肉を食らう怪物だと疑われることなのでした。これは、単なるオカルティックな殺人事件より、よほどショックのある危機の降りかかり方——そういう意味では、サスペンスミステリと呼ぶ方が適切かもしれません——です。落ち着くところはハウダニット、トリック収集家の方は一読するのがよろしいでしょう。

「お待ちの間の殺人」は、語り手の探偵の事務所に、殺人事件の捜査が希望の青年が職を求めてやってきます。採用になるなり、めったにないはずの殺人事件の捜査が、転がり込んで来る。言葉は悪いですが、生まれて初めて小説を書く人が考えるような設定です。事件は吝嗇家《りんしょくか》の靴職人が、大金を一万ドル札に換金したその日に殺されたものでした。「魔霊殺人事件」も心理学の教授のもとに、魔物を封じ込めた壜にまつわる事件の依頼が来るもので、出す必要があるのかどうかよく分からない、少々軽薄な女子学生など、「お待ちの間の殺人」同様、いかにも習作です——その解決も含めて。

「球形の食屍鬼」が四三年、あとのふたつが四四年の作品ですが、おずおずと下手な謎解きミステリを書いているとしか思えないのでした。これらの、あまり感心しない、ワンアイデアの謎解きミステリ作家が、同じハウダニットでも異様な迫力をたたえた「笑う肉屋」を書くに到るのは、それはそれで、ひとつの進歩だと思うのですが、実際は、これらの作品以前に「復讐の女神」(四二年)のようなしゃれたミステリを、ブラウンは書いているのです。一方で、スミス氏のシリーズのような、冗談すれすれの謎解きものもあります。四一〜四四年というのは、作品数も多く、玉石混淆《こんこう》のままに多産したということなのでしょう。

フレドリック・ブラウンが長編小説を書くのは、戦後になってからです。まずエド・ハンターものの第一作『シカゴ・ブルース』が四七年に世に出て、ＭＷＡ賞の処女長編賞を得ました。ハンターものは、最近になって未訳だったものが論創社から翻訳されていますが、私が読んだ範囲では、ハードボイルドというよりも、伯父・甥の探偵コンビという、主人公のキャラクターを大切にしたディテクションの小説という印象を受けました。このコンビが短編に登場するのは、「女が男を殺すとき」からです。どうあっても離婚に応じてくれない妻に手を焼いた男が、他の女との間に作った息子(がいても、なお離婚に応じないのです)に財産の大部分を譲る遺言状を作ったところ、それが見つかったらしく紛失している。遺言状を作り直す前に自分を殺すかもしれないから、疎遠になっている弟になりすまして自分の家に滞在し、妻が犯行に及ぶ証拠なり根拠なりを探ってほしい。そういう奇妙な依頼がきて、エドが依頼人の弟になりすます話です。エドとアム伯父の、いささかしろうとっぽい探偵稼業が、心地よく描かれていますが、平均的な出来栄えです。六一年にエド・マクベイン・ミステリ・ブックに発表されましたが、このころ、ブラウンはすでに短編を書く量が減っていて、このシリーズの短編はそう多くはないと推測されます。

SF作家としてのブラウンの短編はのちに改めて見直しますが、ミステリよりも早く、代表作を戦争中からものしているようです。それでも戦後になって才能が開花したとは言えて、こと短編に関するかぎり、戦争直後の五年間の充実ぶりはただごとではなく、そこが全盛期であるように思います。『まっ白な嘘』にまとめられた四〇年代後半の短編群、すなわち、もっとも脂ののったころのブラウンの作品には、咀嚼しにくい何かがついてまわっている。「*叫べ、沈黙よ」「むきにくい林檎」「笑う肉屋」いずれもそうです。

ミステリに遅れること二年。四九年に『発狂した宇宙』が発表され、長編SF作家としての活躍が始まります。ブラウンの長編は、数の上では、圧倒的にミステリが多い。五〇年代の前半は年に二～三作書いていたのですから、それも当然です。日本では、エド・ハンターものが比較的冷遇されたこともあって、長編作家としてのブラウンは、ディテクションの小説ではない、サスペンス小説やアイデア重視のクライムストーリィ作家と目されてきました。それには、短編における技巧家の印象が、与っていたかもしれません。他方、数こそ少ないものの、SF長編の方が評価も高く、広く読まれていたようです。五三年の『天の光はすべて星』、五五年の『火星人ゴーホーム』です。戦後五年間の作品群の力で、ブラウンは五〇年代の雑誌の時代を、名前で客の呼べる大家として遇されました。

3　フレドリック・ブラウン2――彼はアイデアストーリイ作家なのか？

多くの作家――すべてとは言いません――にあてはまることですが、長編小説を書くようになる（書けるようになる）と、短編の執筆数は減っていきます。ブラウンの場合は、戦争中の四〇年代前半に短編数が多く、それに比べれば落ちるものの、戦後もコンスタントに書き続けています。短編の執筆数が減るのは五〇年代の半ばあたりからで、ほぼ同時に、長編もペースダウンしていきます。

「殺しの初演」*は五五年の作品ですが、主人公である地方の警察署長――絵描きを志して当地にやってきて、そのまま居つき、若いころ警官だったことから警察署長の募集に応じた――が、小説の始まりから終わりまで酔っぱらっているというのが、趣向のひとつです。衆人環視の劇場での殺人――しかも、事件直後すぐに封鎖される――で、被害者が恐喝者と、クイーンの『ローマ帽子の謎』を思わせます。「踊るサンドイッチ」が『死の接吻』を連想させたように。冒頭から酩酊した主人公が殺人を目の当たりにする。犯人が実弾とすり替えた空の弾丸の隠し場所というのが、狭義のトリックとして使われていますが、そこよりも、犯人を割り出すための論理が、なかなか周到でした。

六〇年代のブラウンは晩年といっていいのでしょうが（亡くなったのは七二年です）、「踊るサンドイッチ」や「復讐の女神」で見せたような巧さが目立つ作家になっていったようです。長編は六三年を最後に途絶えています。キャリアの終盤を迎えて、注目すべき中編がふたつあります。ひとつは、エド・ハンターものの*「消えた俳優」で、もうひとつは、ミュージシャンたちの間で殺人が起きる*「サックスに殺意をこめて」です。

「消えた俳優」は、シカゴで伯父と探偵事務所を開いているエドのところへ、農場主である男から、行方不明になった息子を探してくれと依頼の電話がかかるところから始まります。三十歳になる息子は十年ちょっと前にシカゴに出て来て、昼間はスクエアに書店勤めをしながら、夜はヒップに小劇場の俳優をやっています（ヒップとスクエアというあたりが、いかにも六〇年代です）。ただし、ギャンブルで多額の借金がある。その穴埋めに父親から八百ドルを借りたものの、書店はクビになったらしく、そのまま行方が知れないのです。父親は警察に駆け込みますが、あまり動いてもらえず、刑事にエドを紹介されたのでした。

ハードボイルドという強面のイメージはありませんが、さりとて、後年の私立探偵小説に比べると、はるかに捜査の様子がきびきびと描かれ、エドが解決に到る手際も見事です。その解決に行きついたところで、アム伯父も同じ解決に辿り着いたらしく、父親の農場へ単身飛んだことが分かる。この動いていく感じが、ディテクションの小説を面白くする鍵だと、改めて気づかせてくれます。しかも、こののち、もうひとひねり（シンプルですが、巧いひねりです）してくれるのですから、一夜を快適に過ごす一編としては文句なしです。

「サックスに殺意をこめて」は、ミュージシャンを廃業し、中古車販売に転身したふたり組のひとりラルフが語り手です。仕事もなんとか軌道に乗ったある日、昔の仲間だったピアニストがトリオを組んで、彼らの町のクラブに一か月の営業にやって来る。仕事としての演奏からは足を洗ったものの、旧友とのジャムセッションは別と、楽器を携えてクラブに行きます。ところが、旧友のトリオは、ドラマーはともかく、サックス奏者がディキシー出身で、即興のところになると、どうもスイングしない。事情を聞くと、代役で替わりが見つかり次第抜ける約束だと言います。そうなると、替わりに入りたくなるのがバンドマン気質というもので、相棒のダニーは一か月だけだからと参加を勧めてくれますが、ダニーの細君のドリスが反対する。このあたりの綾のつけ方描き方は、さすがに巧い。このドリスも元ミュージシャンでラルフとダニーが争い、ダニーと結婚したという設定です。

事件は、突然、ダニーが家にいたところを襲撃されることで始まります。ドアを開けたところを一撃でノックアウトされたというのです。幸い、生命に別条はないけれど、襲われる心当たりがないらしい。ダニーにはギャンブル好きという弱点がありますが、それも違うと本人が言うのです。なぜ襲われたか分からないまま、人違いだったのではないかと考え始めたところで、殺人が起きます。旧友のトリオのサックス奏者が殺されたのです。

「復讐の女神」もそうでしたが、この「サックスに殺意をこめて」も、動機の設定の仕方が巧妙で、ある状況が重なることで、動機が出来上がってしまうという、その状況を作るのが巧いのです。その重なり具合には、上手に伏線も張ってあって、解決されれば膝を打つ仕組み。しかも、最後の手がかりが意表をついていて、一見、謎が増えたように見えて、実はそれで解決できるというのが、これまた膝を打たせる。論理のアクロバットになっているのです。そして、その後にくる、小説としての結末に、また心憎いものがあって、ブラウンの小説巧者ぶりが発揮された一編と言えるでしょう。

これまで、フレドリック・ブラウンの作品の特徴は、奇抜なイマジネーションにあって、しかも、それは時として、哲学的な命題を含むと言われていました。世界SF全集の解説がその評価の典型で、全集の傑作短篇集に収録されたのは「唯我論者」でした。「うしろを見るな」を別格として除けば、『まっ白な嘘』の集中ナンバーワンは「叫べ、沈黙よ」になると思いますが、この短編は、聞く人のないところで木が倒れたとき、その倒れる音は存在するかという、哲学的な問答から始まりました。そして、聞く人がいて、その人が聾者であったらどうか？と、問題がズームアップされていき、ひとつの事件が語られます。

こうした評価には、私は少し疑いの心を持っていて、哲学的だとして、だからどうしたのと思わないでもありません。「唯我論者」もさして買いません。「叫べ、沈黙よ」は結末でほのめかす巧さが、「特別料理」や「女主人」とはまた違う意味で、一級品です。そして、その残酷な犯罪を成就することと引き換えに、夜ごと駅のホームで行われる儀式めいた一幕に、男は耐えなければならない、その過酷さと、それがゆるむ一瞬の怖さを描いたところに、この短編の凄みはあると考えます。それに「危険な連中」もそうでしたが、ブラウンの描く駅には、独特の怖さと寂しさがあって、そのことも魅力のひとつでしょう。つまり、「叫べ、沈黙よ」の結末には、哲学的云々といったこと以前に、小説としての様々な魅力が詰まっているのです。こうしたことは、従来アイデアストーリイとしてのみ読まれたであろう、ブラウンのショートショート（ないしは短編でも短かいもの）にも、あてはまることがあるのではないでしょうか？

六三年の「死の10パーセント」は、物語を形作るアイデアとしては平凡なものです。死を目前に控えた男の回想という枠組みは、さほど珍しくありません。売れない役者である主人公が、ひょんなことから、謎の男と取引をする。俳優としての成功を約束するかわりに、手に入れたものの十パーセントを――厳密に十パーセントを――寄こせというのです。男の正体もすぐに見当がつく、というより早く、これは「悪魔との契約」のパターンだと、読者は認識するかもしれない。そのパターンに、テンパーセンターという言葉さえある、マネージャー業をからませてストーリイを組み立てれば……と発想されたであろう、一見平凡な作品です。しかし、この主人公が恐怖を感じていたのは、実は、読者の予想だにしなかったことでした。その中身には触れませんが、そこに、やはりブラウン印は刻まれています。ですが、いかんせん、この場合は、そこを思いついて、そこを書こうとし、そして、そこを書いただけのものに終わってしまいました。他にも「猫ぎらい」などはその好例でしょう。

そうした陥穽《かんせい》をかいくぐった、ブラウンの素晴らしいショートショートをひとつ見つけました。日本語版ＥＱＭＭ六五年三月号に邦訳された六四年の作品「どうしてなんだ、ベニー？」*です。「死の10パーセント」以上に、話は型どおりに進みます。デートの帰り道で、ベニーは恋人と諍いをします。それでふたりの関係が終わるとは思えないけれど、彼をこらしめてはやりたい。ベニーは彼をおいて、ひとりで帰り始めます。帰宅の途上には、公園の近くに暗い階段があって、そこだけが危険な場所でした。ベニーがそこにさしかかると、反対側から見知らぬ男が階段を登ってきます。階段を数歩下ったところで男に気づいたベニーは、足を止めるために煙草を探し、火をつけます。けれど、火をつけることで、男の顔が目に入ります。ベニーは怖くなって、階段を駆け上る。男の手が伸びてくる……。まったくステロタイプな話を、しかし、巧みに語りおおせて――だが、それだけだと、つまらないものにしかならないでしょう――場面が変わって、男を警官たちが取り調べています。そして、すぐに話は終わります。

「どうしてなんだ、ベニー?」のオチは、平凡でありきたりなものと言えるかもしれません。それだけを取り出せば。しかし、そんな平凡でありきたりなことが、被害者と加害者を悲劇的なまでに決定的なすれ違いに導いてしまったのです。ステロタイプな話から、見過ごされがちな奥行を取り出してみせる。フレドリック・ブラウンの冴えた一編ですが、そのときに冴えていたのが、ブラウンの発想やアイデアや技巧といった言葉で言い表せるものなのか? 正直に言えば、そうした言葉と、それ以上のなにかとを分ける境目が、私には分かっているとは言えません。ただ、そうは呼びたくない――なんというか、そんなことをするのは、もったいない――ほどの奥行を読後に感じさせる一編ではありました。

そうしたフレドリック・ブラウンの着想と、それを活かす小説家としての技量が、最高の純度で結晶したのが**「最終列車」**(「終列車」)の一編です。男が酒場で終列車までの時間を潰しています。男は時間を気にしてはいるけれど、なかなか腰があがらない。夜空は奇妙に赤々として、しかし、それが火事なのかオーロラ（！）なのか判然としません。男は乗り遅れるのだろうなと、読者が気づき、終列車には明らかに間に合わないタイミングで、男は駅に――そう、ブラウンの描く駅です――走ります。

これだけの話が、深く豊かな内実を持って、読者に迫ってくる。なんの変哲もない内容、駅でのラストシーン、稲葉明雄の訳。たったそれだけのことから、私はコーネル・ウールリッチの**「さらばニューヨーク」**を連想しました。中身に似たところはどこにもないのに。この短編はミステリマガジン創刊四百号の〈短篇ミステリベスト40〉に選ばれました。その解説では「カフカ的ともいえる」と評されていました。その余韻を支える、最後の駅員の言葉は、おそらくは考え抜かれたあげく慎重に選ばれた、ありきたりな台詞でした。

この短編は、二〇一九年から翻訳刊行が始まった、ブラウンのSF短編全集にも、新訳で収録されました。SFとミステリの双方の側から評価しうる一編として、同じもの――新訳に準じたあつかいということにして――を本書にも収録することにしました。

「うしろを見るな」や**「最終列車」**は、読み方によっては、哲学的な内容と読めるかもしれません。だからいいとか悪いとかではなく。そうした思索的な短編を書く人は、ブラウンの他にもいるでしょう。しかし、ブラウンは、同時に「消えた俳優」や「サックスに殺意をこめて」といった、達者な話も書く人でした。そうした達者な話を書く人も、ブラウンの他にたくさんいるでしょう。けれど、その両方をやってのける人は、そうはいません。そして、その双方に共通するのは、小説を作る巧さであることに気づくとき、フレドリック・ブラウンを読むことが、いかに小説というものを知るための助けになるかを、改めて認識することになるのです。

4　量産型作家《アヴェレージヒッター》の先駆者――ヒュー・ペンティコースト

ヒュー・ペンティコーストの短編は、ＥＱＭＭコンテストに入賞したものを、以前にいくつか読みました。その中では「ある殺人」を推奨していますが、コンテストの入選作の中で考えると、必ずしも上位に来るものではありません。しかし、この作家は、ＥＱＭＭへの登場回数が膨大なうえに、邦訳もかなりの数にのぼります。なにより、日本語版ＥＱＭＭ創刊当初から、ミステリマガジンを経て、七〇年代以降の光文社のＥＱに到るまで、常に新作の短編のいくつかが翻訳し続けられた作家というのは、他に見当たりません。そういう意味では、日本においても、半世紀近く現役だったわけです。一九〇三年生まれのジャドスン・フィリップス（英語版のウィキペディアは、こちらの本名で項目がたっています）ことヒュー・ペンティコーストは、二十代からパルプマガジンで書き始め、ミステリとスポーツものの作家として地位を築きました。

ミステリの処女作は二五年の「二十三号室の謎」*で、大学生のころに書いたもののようです。「二十三号室の謎」は、日本では、まず田中潤司のアンソロジーに入り、はるか後年に北村薫がアンソロジーに採りました。相続した高価な宝石を受け取った兄妹が、護衛の私立探偵と三人で、ホテルのそれぞれが隣り合った自分の部屋に入ったところ、真ん中の妹の部屋で叫び声がする。弟と探偵がすぐに出てきて中に入ろうとしますが、鍵がかかっていて入れない。押し破って入ると中には誰もいません。廊下ではメイドが見ていて、確かに彼女はその部屋に入ったと証言している。煙のように消えた女は、翌日、死体となって地下室で発見されます。詩人の名探偵の在りようや、彼の事件への関わり方などは、さすがに二〇年代の作品ですが、謎の提出の仕方が巧みで、その謎を解く推理に面白さがあるので、いくつか目につく瑕を覆い隠しています。また、この短編は、クレイトン・ロースンのある作品を思い出させるのですが、ロースンのそれよりも解決の推理の面白さでは上でしょう。

ペンティコーストは三九年の *Cancelled in Red* が出世作と言われ、四〇年代に入って、本格的にミステリ作家としての道を歩み始めます。ペンティコーストには中編作品が多く、そういった作品での、ゆったりと描いていく行き方が、クイーンの眼鏡にかなったのでしょうか、再録、新作を問わず、EQMMの常連となりました。実際、四〇年代から五〇年代前半の作品には、かなりの数の中編が含まれています。

「危険な娘」は、かつてはギャンブラーだったインチキな的屋である「おれ」が、カモをむしっているところから始まります。絶対に当たらない仕掛けの的当てですが、適当なところでサクラを使って、客に怪しまれないように当ててみせる。そのサクラが一仕事して消えたところ、次に会ったときは死ぬ寸前だったという出だし。サクラは死ぬ前にメッセイジを残し、ニューヨークでインチキ賭博に関わったために追われていたことを伝えます。主人公はニューヨークへ向かい、サクラの仇をうつ。インチキ賭博の世界を垣間見せたスリラー中編で、一とおりは読ませますが、細部の都合よさは否めません。これが四八年の作品。

「ひとりぼっち」は、有名俳優を父にもった、しかし、本人は冴えない男の子が、父親が娘ほどの年齢の若い女優を連れて、寄宿学校へ来たことから、一躍人気者になって……という話ですが、平凡で、謎の作りも解き方も魅力がありません。

このころの中編に共通するのは、ストーリイテリングが上手なことです。「マンハッタンの殺人」は、著名な新聞のコラムニストの家庭で、ふたり娘のうちの姉が行方不明になります。宵っ張りのコラムニストの一家は、朝食のときには全員が顔を見せるというのが、唯一のルールだったのですが、姉が姿を見せなかったのです。この小説の語り手であるコラムニストの部下の取材記者も、父親のお気に入りの利発な姉とは対照的な妹も、有能な女性秘書も、その朝食の席に顔を揃えたのに。おりしも、彼らのチームは取材源から情報漏洩の疑いを持たれて危機を迎えていました。しかも、姉の前夫であるごくつぶしの男が殺され、妹が犯行現場近くで目撃されていたのでした。と、事件は派手ですが、推理の面白さには欠けています。同様のことは「名ゴルファーの死」にも言えます。ゴルフのツアーに参戦はするものの、予選落ちの続く若いゴルファーが、一流ゴルファーの知遇とアドヴァイスを得て、初の決勝進出を果たした夜、その一流ゴルファーが殺されるのです。しかし、登場人物の組み合わせと事件の背後の辻褄をあわせただけで、謎の産み出す面白さや謎を解く機智というものがありません。むしろ、前半の回想部分、若いゴルファーの鬱屈と、そこで一流のゴルファーとキャディのコンビに手を差し伸べられた嬉しさといったことを、丁寧に描いていく面白さに目がいきます。そこには、トーナメントプロとしてやっていけるかどうかの選手という、陽のあたりにくい世界を描く面白さがあります。ちょうど「危険な娘」のインチキ賭博師の世界が興味をひいたように。「正義とはなにか」でも、不可能興味や大がかりな仕掛けの犯罪は出てくるものの、圧倒的に面白いのは、夜、野犬狩りのただ中の森で、迷子になった主人公が、野犬と遭遇する前半のサスペンスです。

「二十三号室の謎」にあった、意外な手がかりと、その手がかりからもたらされる意外な推論という、謎解きミステリの一番の美点は失われ、中編作家としてのヒュー・ペンティコーストは、むしろ、ストーリイテリングの作家となっているかのようなのです。

『世界ミステリ作家事典［ハードボイルド・警察小説・サスペンス篇］』のヒュー・ペンティコーストの項目を読むと、この作家が多くのシリーズキャラクターを持っていることが分かります。しかし、四〇～五〇年代の短編を読んでいると、シリーズキャラクターの作品が多いという印象は受けません。しかし、これが六〇年代後半から七〇年代になると、そうではありません。ジェリコ、ピエール・シャンブラン、ダークといったシリーズキャラクターが、翻訳においても花ざかりです。しかしながら、ひとつだけ、五〇年代に書かれ、紹介されているのが、ジョージ伯父さんとその甥で犬好きな少年ジョーイのシリーズです。舞台はレイクヴューという地方都市。かの地の名門の出で、検事にまでなったジョージ伯父さんは、ある事件で犯人を死刑にし、その後、それが冤罪で、真犯人は別にいたことが判明します。それをきっかけにジョージ伯父さんは辞職し、以後、なんの職にも就かず世捨て人になったのでした。ジョージ伯父さんの妹と結婚した、街の薬剤師であるジョーイの父は、経済的な負担を負っていることもあって、ジョージ伯父さんを良く思っていません。

このシリーズは、『シャーロック伯父さん』という短編集にまとまっていて、ということは、評判も良く、作者も気に入っていたのでしょう。本邦初紹介は「ボクのホームズ伯父さん」（「シャーロック伯父さん」）で、日本語版ＥＱＭＭの六〇年五月号でした。発表されたその年に翻訳が出ています。シリーズはおおむね、ジョージ伯父さんの推理というよりは機智といった程度の知恵が、事件を解決する小品です。

「ボクのホームズ伯父さん」は、ジョーイが殺人事件の発見者となり、大陪審で証言を求められています。吝嗇な老婆殺しで、飼っていた番犬も喉を切り裂かれて殺されていたのです。犯人の条件をプロファイルのように指摘するホームズもののパロディがおかしく、犯人絞り込みの論理も、きちんとしていますが、いかんせん、ありきたりで予想がついてしまうという難があります。このほか「左腕投手の殺人」（「カーブの殺人」）では、地元の英雄であるサウスポー（メジャーリーグで投げなかったのを不思議がられている）が、殺人の容疑者となり、事件は左利きの犯人でしかなしえない犯行でした。

中では、冒頭から雨中に自動車を走らせる二人組のお尋ね者を登場させ、洪水の恐れのある豪雨に見舞われたレイクヴューに、そのふたりがやって来て、ジョーイを人質にして、ジョージ伯父さんに山越えの案内を強要する「嵐の闇の中で」*（「どこからともなく」）が、サスペンスにあふれた一編です。どうやってお尋ね者の裏をかくかが、興味の焦点ですが、ふたり組の不審が露見した――レイクヴューの直前で人を轢き殺している――いきさつが、伏線となって巧く使われていました。

唯一の中編「我々が殺す番」*も読ませます。殺人の目撃者となったジョーイを、犯人たち一味から守れるかどうか、その攻防が警察小説として面白く、後半の駆け足が惜しいほど、前半はサスペンスに満ちていました。

レイクヴューはニューイングランドの町と設定されていますが、どこの州かは曖昧で、特定しようとすると矛盾が生じるような書き方をしています。これは長編の『狂気の影』にもあてはまりますが、子どものころから互いに知り合っているような、アメリカの小さな町の人々の生活を肯定的に描くことが、ペンティコーストは得意であるように思えます。さらに言えば、レイクヴューという小さな町で、レギュラーの登場人物をくり返し書き込んでいくことが、作家・読者ともに楽しかったのではないかと思います。そう考えるのは、シリーズの落としだねとでもいうべき、ひとつの中編があるからです。ペンティコーストの短編ミステリというと、まず一番に名前があがる作品。**「子供たちが消えた日」**です。

「ある晴れた冬の午後、レイクビューの公立学校へ毎日通っているクレイトンの九人の子供たちが、乗っていたバスと運転手もろとも地上から姿を消した」という文章から**「子供たちが消えた日」**は始まります。ムダなところのない、謎の生《き》一本といった冒頭です。実際、その「子供たちが消えた」午後の描写は、手厚く説得力がある一方で、たいへんシンプルで不可解です。

クレイトンは、レイクヴュー郊外のさらに小さな町で、七マイルほど離れています。九人の子どもたちがステーションワゴン（をバス替わりにしている）で通る通学路は、一方が湖に面し、他方が急な崖で、車ではとても登れない道が、石切り場に続く以外に道はありません。その日、学校帰りのステーションワゴンが、この湖岸の道路の途中で忽然と消え失せるのです。まず、この道路のクレイトン側の出口にある食堂の主人（彼の子どもも、その車で通学している）が、子どもたちの車が来ないことに気づき、やがて、その日の出来事がひとつひとつ分かっていく。学校は無事に出発していました。レイクヴュー側の道路の始まりにあるガソリンスタンドでは、確かに、帰りの車が道路に入ったことを確認している。まず、途中で湖に落ちたことが考えられますが、ガードレールは切れ目も壊れたところもない。他の親たちも心配になり、探し始める。というふうに不可思議な状況がつのっていくのが、この小説の最大の美点です。一歩一歩、だが着実に、子どもたちは神隠しにでもあったとしか考えられない状況になる。とくに、子どもたちと逆にレイクヴューに向かう車を運転していて、道路の途中で子どもたちの車とすれ違ったという者が出てきて、謎が深まります。その証言が出てくるタイミングも抜群です。

クレイトンの人々の注意は、やがて、運転手のマホーニーに向きます。消え失せた十人のうち、唯一の大人で唯一自動車の運転が出来る者。なにか起きたなら連絡するという分別と、その方法も持っているはずの者。失踪したという事実は同じでも、子どもたちのように純粋に被害者とは考えられなくなっていく。騒然とした中で、人々の心がそう動いていく。マホーニーの父親は、寄席芸人あがりですが、不真面目ともとれる反応を示して、人々の疑いの炎に油を注ぐ結果となります。レイクヴューからやって来た捜査官にも、彼は煙に巻くような態度をとるのです。一日が明け、オフビートな展開の末にあっという間に結末がやって来ます。

自動車消失の方法は、平凡なうえに、本当は少々伏線が欲しいところでしょう。謎とその解明の点では、第二巻で比較した、エドマンド・クリスピンの「喪には黒」*の方が上かもしれません。ですが、真相の面白さは犯行動機の方にあり、こちらには見事な伏線があります。なにより**「子供たちが消えた日」**が素晴らしいのは、前半の謎がつのっていく手順と、それに従って、運転手を疑い、マスヒステリアふうになっていく、小さなコミュニティを描いていくところです。しかも、それが犯人の狙いであり、それを看破したのが、奇矯な元芸人だったというちぐはぐさです。私がジョージ伯父さんのシリーズについて、先のように推測したのは、その延長線上に**「子供たちが消えた日」**という果実が実ったのではないかと考えるからです。

「子供たちが消えた日」は五八年の作品でした。この短編は英米で年間傑作選に選ばれ、長編に必ずしも高評価の作品がない——私自身は『狂気の影』という長編を強く推しますが——ペンティコーストの代表作となりました。では、そのころの他の作品をながめてみましょう。

「罰せない殺人」は、イタリアに仕事で来た弁護士が、伯爵夫人という女性に半世紀近く前の完全犯罪の話を聞かせられます。奇譚の一種ですが、驚くほどのものではなく、用意の結末もさして意外性はありません。

「メイデュウの行方」は、ブロードウェイで得たチョイ役が、トライアウトだけでなくなって食うや食わずとなった主人公が、芸人に好意的という婦人の下宿を紹介されます。あいにく満室だが、メイデュウという娘が何日か行方不明で、その部屋なら一日二日貸せると言います。これまた、落としどころが平凡な話でした。

「ゴムの楔《くさび》」は、市のギャング摘発チームが、ようやくギャングの証人喚問を明日というところにこぎつけた夜、中心となる弁護士の事務所で殺人が起きます。外側からゴムの楔を嚙ませてドアを開かなくさせ、電話で外部に連絡を取ろうとすると、感電死するようにトラップが仕掛けてあったのです。しかし、死んだのは中心となる弁護士ではなく、優秀な女性スタッフでした。他のチームのメンバーはお祝いの会食中で、被害者もその会に参加するはずだったのに、姿を見せなかったのでした。推理の面白さは、犯行がギャングではなく、内部の者によるものと推理していくくだりのみで、それは一番に来るところですから、その後がいかに冴えないかということです。

と、こう書いていくとめぼしいものがないのですが、ひとつだけ読みごたえがあったのが「キャントウェル中尉の失踪」*という中編でした。これは五三年に書かれましたが、邦訳が出たのは遅く、EQの八〇年七月号にビッグボーナスとして掲載されました。小説全文が一通の手紙からなっていて、差出人はキャントウェル中尉の兄で、宛名はキャサリンという女性、すなわちキャントウェル中尉のフィアンセです。時は南北戦争のただ中。熱烈な連邦主義者のキャントウェル兄弟は、兄が商人で弟が軍人です。北軍は優勢ながら、マクレラン将軍には優柔不断なところがあって、いささか心もとない。しかも、キャントウェルの兄には、戦後のマクレランの政治家としての活躍にも期待するところがあって、何としてもマクレランの手で戦勝を導きたい。そこで、自分の伝手を使って弟を南部でスパイさせ、敵軍の勢力を探ることにします。一週間後、ワシントンに戻ってきた弟は、行方不明になり、折れたペイパーナイフや血染めの服などから、弟の身になにかが起きたことが分かります。

いささか古風ながら、南北戦争の戦時下にうごめく人々を描いて、ページをめくらせる力の強い話ですが、それだけだったら、凡庸な奇譚に終わったでしょう。手紙が進むうちに、手紙の中にキャサリンが登場することが増えて、だったら、なんのためにこの手紙を書いているのだろうと、浮かぶはずの疑問が浮かぶか、それとも話の面白さに目がいって、浮かばないかが、読む側には大きいかもしれません。どちらにせよ、心地よい意外性と余韻をもって手紙は終わります。

『世界ミステリ作家事典』のペンティコーストの項目は、森英俊が書いていますが、やはり**「子供たちが消えた日」**と「キャントウェル中尉の失踪」のふたつを「とびぬけている」と評していました。

先に指摘した、アメリカの小さな町を描くペンティコーストの筆致は、いささか保守的でもあり、古めかしいものでもあったでしょうが、作風の基調となるものでもありました。ノンシリーズにおいても、そうです。たとえば「警官は知っている」は、自分の受け持ち管区を「まるで小さな町でも扱うようにやってきた」老署長が、後任である法規第一のやり手署長を出し抜いて、小さな事件を解決しました。こうした、人と人の信頼関係が損なわれていない世界を描くとき、ペンティコーストの筆は冴えます。

「もの云う仔牛」は、苦しい家計を助けるために、かつて生まれたてのころ貰った仔牛を売りに出すことにした、母ひとり子ひとりの少年が主人公です。雄の仔牛は肉牛として売らねば、良い値段になりません。しかし、それは食用ということですから仔牛の死を意味します。酪農用に売れないものかと悩みながら、雑用を手伝ってくれている黒人の運転する車で競りに向かいます。おりしも、そのあたりでは、家畜泥棒の事件が連続している。小説の冒頭で、仔牛の檻に老人の死体を見つけた少年が、背後から羽交い絞めにされ殴打されて気を失います。被害者の老人は、家畜泥棒の捜査が思うように進展しないため、自警団的に心当たりを探ろうとした牧場主でした。凶器となった特殊な杖から、老人の息子が疑われますが、少年には自分だけが知っている秘密があって、彼が頼りにする黒人こそが怪しいのでした。家畜の競り市の模様が巧みに描かれ、その会場で少年が逃げまわる。事件は二転三転しますが、その部分の推理は平凡です。犯人は近隣の牧畜仲間を裏切ってはいるのですが、全体として、少年を取り巻く畜産関係者の信頼は壊れずに終わります。少年の仔牛が食肉用に売られずにすむと書いても、ネタばれにはならないでしょう。

都市を舞台にした「埠頭に証人なし」でも、その保守性は変わりません。あるギャングの死体発見の記事に、夫婦が喜び合うところから始まります。夫は警察官で、潜入捜査の末に、港を牛耳っていたギャングを壊滅させたのですが、ひとりだけ取り逃がしたギャングがいる。夫婦ともども、復讐の標的となって、怯えていたのでした。そのギャングの死体が見つかったのです。ところが、その死体は偽物で、ふたりを安心させるための罠らしい。夫はその手にのったと見せかけて、自分を標的にすることで、残ったひとりのギャングを逆に捕えようとします。わが身を埠頭にさらした主人公に、港の人々は挨拶をおくりますが、彼らがギャングに一報していることも、主人公は知っているのです。そして、予想どおり、生きていたギャングが彼を襲います。

こうした筆致の描き出す世界は、いささか旧弊なものだったかもしれません。時代はすでに六〇年代に入っていました。スポーツや競馬といった、ペンティコーストが熟知していたであろう世界を題材にした作品同様、安定的に作品を量産するための方程式のように、それは見えるのでした。

5　シリーズキャラクターの時代に向かって

ジョン・ジェリコの初登場は六四年の「ジェリコとスキー」でした。古いスタイルのスキーの走法と（当時の）最新の走法の違いを、細を穿って描写するという、凝った始まり方をしました。西ドイツで東側からの逃亡者を手助けしていた青年が、ある事件のためドイツにいられなくなって、アメリカに逃げてきている。そこへ東側の諜報機関から殺し屋が追って来ているという情報が入ってくる。ジェリコは、身体が大きいというだけで「ぼくのところにやってきては味方になってくれという」人が多いうえに、「ぼくは不幸なことに味方になりたいという衝動がある」と描かれ、無関係な事件に首を突っ込むことになります。ペンティコーストには、戦時中のドイツでのアメリカ人の金にあかせたふるまい（ただし、それは当地でのアメリカ人を助けるためではあった）が、より生死のかかったヨーロッパの小国の人々を踏みにじっていて、その復讐が戦後になされるという「明日は昨日」という中編もありました。

ジョン・ジェリコは、二メートルほどの身長（どうも正確な数値は一定していないようです）で、赤い髭が特徴の画家です。負け犬の味方で、子どもを手なずける天賦の才能があると描かれ、弱者の窮地を放っておけない大男という、これまた少々旧弊なアメリカの理想の体現者の趣《おもむき》があります。活躍は二十年に及びますが、永遠の中年ないしは初老の大男です。ジェリコの登場する短編は、たいがいは短かいものです。それも、いきなり事件というか不穏な状況から始まって、その不穏さが増していき、解決することで、あっという間に一編が終わってしまう。ビルの壁面に貼りついていまにも飛び降りそうな女がいると、男が通報するところから始まる「ジェリコといやがらせ」は、女を助けるまでのあわただしさの中に、謎解きを盛り込むといった具合です。招かれた家で眠っていたジェリコが、深夜、雷鳴のさなかに泣き声で起こされ、銃殺死体が発見される「ジェリコと偶像」は、泣き声の正体とともに事件が解決します。ただし、謎のひとつひとつ、解決のそれぞれに、魅力が乏しいのが、このシリーズの難点でしょう。

私の読んだ範囲では「ジェリコと死の手がかり」がもっとも面白いジェリコものでした。訪ねる屋敷への近道を教えられたジェリコは、雨の中、自動車で悪路を走っていて、少女を轢きそうになる。飼い犬が死んでしまい、彼女は途方に暮れていたのでした。少女の身の上を聞くうちに、彼女がこれから訪ねる家の息子――ヴェトナムで交戦中に行方不明となっている――と結婚の約束を交わしていると分かります。おそらく、その家からは認められていないだろう彼女を粗末な小屋に残し、ジェリコは招待主の家へ向かいます。スピーディでサスペンスも充分（マックスという男が巧く働いています）、なにより、ジェリコの正義感が古めかしさを否定しないままに肯定されていました。

ニューヨークのホテル・ボーモントを取り仕切るピエール・シャンブランの短編第一作は「シャンブラン氏と暗い時代」で、一九六八年に書かれました。暗い時代というのは、フランスからの移民であるシャンブランが、ナチス占領下のフランスで、レジスタンス活動をしていた時代を指しています。シャンブランは、どこにいても、ホテル内でトラブルが起きたら察知するレーダーを持っていると、従業員から考えられている、やり手のホテルマンで、ホテル内でのトラブルを解決していく様を、広報担当のマーク・ハスケルが語っていくというスタイルです。

日本で初紹介となった「ビアフラから来た賓客」は、ビアフラで医療活動に従事している老医師が、資金集めのため国連で演説をする目的で、ニューヨークにやって来て宿泊しています。

おりしも、ホテルの上階から女が飛び降りて死んでしまい、彼女は旧知であるその医師と妻に会いにきたものだと分かります。「シャンブラン氏と暗い時代」は、フランスの国連特別代表団がやって来て、昔のレジスタンス仲間であるシャンブランのところに泊まりますが、中のひとりはビシー政権下でナチについていた過去を持っていた……という話。「溶ける白鳥」は、ホテル泥棒の被害が続き、怪しい客の中からひとりに狙いをつけて監視を始めます。同じ日、フランスの国連大使の私的なパーティで、パティシエ（やはりレジスタンス仲間）が約束の氷細工の白鳥を出さなかったと分かります。地下の冷凍庫に行ってみると、パティシエの死体が見つかり、相前後して、ホテル泥棒と目した客を監視していた新人ホテルマンも死体となって見つかります。

シャンブランのシリーズでは、ヨーロッパからひとりでやって来た少年客が誘拐される「シャンブラン氏はクール」が、面白いでしょうか。しかし、冒頭から襲いかかるようなジェリコの直接的で異様なシチュエーションもなく、ホテルを舞台にした事件は、なにより提示される謎が、読者を引きつけるより先に、それが解かれるための段取りに見えてしまっている。巨体で頼ってくる者の味方という設定のジェリコシリーズにも言えることですが、でっぷりした眠そうな瞼の元レジスタンスで、有能なホテルマンといった、探偵役の個性が、個性というよりはキャラクターのメモにしか見えないところにも、弱さがあります。形式上はディテクションの小説でも、探偵役のおなじみの個性で一編を仕上げましたという以上の作品は見当たらないのです。

一九七六年、ペンティコーストは新しい短編シリーズを書き始めました。多国籍企業クオドラント・インターナショナルと戦うジェイソン・ダークのシリーズです。初紹介の「ダーク・プラン」は、EQMM二月号三月号に分載されたものを一編にして訳したものです。利き腕である右腕を失った不自由さを描くところから始まり、二十年以上警官を勤め、私立探偵に転じたダークが、拷問によって肉切り包丁で右腕を潰され、プラスチックの義手となった顚末が描かれます。片腕を失ったダークは、自分の腕を潰した拷問者ではなく、それを手先として使った多国籍企業そのものに挑むことを決めたのでした。

「ダーク・プラン」では、クオドラント・インターナショナルについて知るところを、ダークがまとめた手記を、それを筆記した女性が、エージェントを通して出版社に持ち込もうとします。エージェントも編集者も、衝撃的な内容に、出版に乗り気になります。しかし、出版社の経営レベルから待ったがかかる。標的の多国籍企業からの訴訟は受けきれないというのです。スラップ訴訟というものを、私はこのとき知りました。しかし、ダークにはそれも織り込み済み。実はクオドラント・インターナショナルに内通されるであろう出版社に、話が行くよう仕組んであったのでした。続く後半では、上院で多国籍企業の活動を制限する法案を通す動きがあり、中間派の票を最後にまとめるための演説をするはずの議員が、突然黙り込んでしまう。ひとり娘が誘拐されたのでした。以下、ロビイストや手先となる犯罪者など、外堀から一歩一歩埋めていくかのように、ダークがクオドラント・インターナショナルの中枢へ近づいていきます。このシリーズはディテクションの小説ではなく、むしろ、攻撃と反撃の冒険小説に近い展開をします。ただし、第一作のダークが右腕を失う生々しさは、シリーズが進むにつれて、なくなっていきます。ダークは慎重を極めたアプローチを見せますが、それにしても、こうも多国籍企業側がダークに一杯くわされどおしでは、たいした敵ではないのでは？　という疑問も湧こうというものです。

六〇年代後半から八〇年代にかけて、ヒュー・ペンティコーストの短編で邦訳されたものは、ことごとく、この三シリーズのうちのどれかでした。そこには、シリーズの初期設定に頼りきって、ひとつひとつの作品が薄味になった作品群がありました。処女作で見せた推理の面白さ、戦後すぐの中編に見られたストーリイテリングや、中期のレイクヴューもののように、地方都市のディテイルが生き生きと描かれ、その上でミステリの興味が描かれるといった、ミステリの多様な魅力のどれもが失われていました。六〇年代以降のEQMMは、短編のシリーズが花ざかりとなります。エドワード・D・ホックの怪盗ニックのシリーズやレオポルド警部もの。ウィリアム・ブルテンのストラング先生と、これはシリーズキャラクターではありませんが「読んだ男」シリーズ。そして、七〇年代に入ってアイザック・アシモフの黒後家蜘蛛の会。日本でも有名なものを拾っていくだけで、すぐに、これくらいは浮かびます。これらのシリーズは量産を可能にし、読者も楽しみに待つようになりました。しかし、それは同時に、MWA賞短編賞を獲得することになるクライムストーリイの多くが、スリックマガジンの掲載作で占められるという事態と表裏をなしていました。なにより、わずかな例外を除いて、これらの短編シリーズは過去の遺産の縮小再生産でしかありませんでした。ペンティコーストという作家は、早くから書き始めただけに、それらの結果を先頭きって示す例となったのでした。

訳者紹介

猪俣美江子（いのまた・みえこ）慶應義塾大学文学部卒。英米文学翻訳家。アリンガム《キャンピオン氏の事件簿》、セイヤーズ『大忙しの蜜月旅行』、ピーターズ『雪と毒杯』、ブランド『薔薇の輪』など訳書多数。

門野集（かどの・しゅう）一九六二年生まれ。一橋大学社会学部卒。英米文学翻訳家。訳書にウールリッチ『コーネル・ウールリッチ傑作短篇集』、クイーン『青の殺人』、ノックス『閘門の足跡』、ネヴィンズJr.『コーネル・ウールリッチの生涯』等がある。

白須清美（しらす・きよみ）一九六九年山梨県生まれ。早稲田大学第一文学部卒。英米文学翻訳家。訳書にディクスン『かくして殺人へ』、イネス『霧と雪』、クェンティン『俳優パズル』、イーリイ『タイムアウト』等がある。

直良和美（なおら・かずみ）東京生まれ。お茶の水女子大学理学部卒。英米文学翻訳家。訳書にローザン『チャイナタウン』、フレムリン『泣き声は聞こえない』、テイ『ロウソクのために一シリングを』、デ・ジョバンニ『P分署捜査班　集結』

等がある。

深町眞理子（ふかまち・まりこ）一九三一年生まれ。五一年、都立忍岡高校卒。英米文学翻訳家。ドイル『シャーロック・ホームズの冒険』、クリスティ『ABC殺人事件』、ブランド『招かれざる客たちのビュッフェ』など訳書多数。著書に『翻訳者の仕事部屋』がある。

藤村裕美（ふじむら・ひろみ）國學院大學文学部卒。英米文学翻訳家。訳書にアームストロング『始まりはギフトショップ』、ロラック『悪魔と警視庁』、リッチー『クライム・マシン』（共訳）等がある。

安原和見（やすはら・かずみ）一九六〇年鹿児島県生まれ。東京大学文学部西洋史学科卒。翻訳家。訳書にアダムス『銀河ヒッチハイク・ガイド』、ヒューマン『鋼鉄の黙示録』、ブラウン《フレドリック・ブラウンSF短編全集》等がある。

索　引

・小森収「短編ミステリの二百年」第３章第９節から第５章第５節で言及されたもののうち、書籍は『　』、短編や章題は「　」で表した。**太字（ゴシック体）**のものは本書および『短編ミステリの二百年』既巻収録短編、末尾に「*」がついたものは編者のおすすめ短編である。
・人名は姓→名の順で、著作者に限り記載した。
・複数題名のある作品、複数表記のある人名は最も一般的と思われる表記のところにほかの表記で記載されたページもまとめて掲載した。

あ

い

う

え

お

か

き

く

け

こ

さ

し

す

せ

そ

て

と

な

に

ね

の

は

ひ

ふ

み

む

め

も

や

ゆ

よ

ら

り

る

れ

ろ

わ

原題・未訳作品

映像・演劇作品

検 印
廃 止

編者紹介 1958年福岡県生まれ。大阪大学人間科学部卒業。編集者、評論家、作家。著書・編書に『はじめて話すけど…』『本の窓から』『ミステリよりおもしろいベスト・ミステリ論18』等がある。また自らも謎解きミステリの短編集『土曜日の子ども』を書いている。

短編ミステリの二百年 3

2020年8月21日 初版

著 者 マクロイ、エリン 他

編 者 小《こ》 森《もり》 収《おさむ》

発行所 (株) 東京創元社
代表者 渋谷健太郎

162-0814/東京都新宿区新小川町1-5
電 話 03・3268・8231-営業部
03・3268・8204-編集部
URL http://www.tsogen.co.jp
萩原印刷・本間製本

乱丁・落丁本は、ご面倒ですが小社までご送付ください。送料小社負担にてお取替えいたします。

ISBN978-4-488-29904-0 C0197

名探偵の華麗な事件簿

Safe As Houses And Other Stories

幻の屋敷

キャンピオン氏の事件簿◆II◆

マージェリー・アリンガム
猪俣美江子 訳　創元推理文庫

◆

ロンドンの社交クラブで起きた絞殺事件。現場の証言からは、犯人は“見えないドア”を使って現場に出入りしたとしか思えないのだが……。不可能犯罪ミステリの名作「見えないドア」をはじめとして、留守宅にあらわれた謎の手紙が巻き起こす大騒動を描く表題作。警察署を訪れた礼儀正しく理性的に見える老人が突拍子もない証言をはじめる「奇人横丁の怪事件」など、本邦初訳作を含む13編を収録。

収録作品＝綴《つづ》られた名前，魔法の帽子，幻の屋敷，
見えないドア，極秘書類，キャンピオン氏の幸運な一日，
面子《メンツ》の問題，ママは何でも知っている，ある朝、絞首台に，
奇人横丁の怪事件，聖夜の言葉，
年老いてきた探偵をどうすべきか

事件も変なら探偵も変！

Les aventures de Loufock＝Holmès◆Cami

ルーフォック・オルメスの冒険

カミ
高野 優 訳 創元推理文庫

◆

名探偵ルーフォック・オルメス氏。
氏にかかれば、どんなに奇妙な事件もあっという間に
解決に至るのです。
オルメスとはホームズのフランス風の読み方。
シャーロックならぬルーフォックは
「ちょっといかれた」を意味します。
首つり自殺をして死体がぶらさがっているのに、
別の場所で生きている男の謎、
寝ている間に自分の骸骨を盗まれたと訴える男の謎など、
氏のもとに持ち込まれるのは驚くべきものばかり。
喜劇王チャップリンも絶賛。
驚天動地のフランス式ホームズ・パロディ短篇集です。
ミステリ・ファン必読の一冊。

11の逸品を収録する、第二短編集

THE MEMOIRS OF SHERLOCK HOLMES◆Sir Arthur Conan Doyle

回想のシャーロック・ホームズ

新訳決定版

アーサー・コナン・ドイル

深町眞理子 訳 創元推理文庫

◆

レースの本命馬が失踪し、調教師の死体が発見された。犯人は厩舎情報をさぐりにきた男なのか？　錯綜した情報から事実のみを取りだし、推理を重ねる名探偵ホームズの手法が光る「〈シルヴァー・ブレーズ〉号の失踪」。探偵業のきっかけとなった怪事件「〈グロリア・スコット〉号の悲劇」、宿敵モリアーティー教授登場の「最後の事件」など、11の逸品を収録するシリーズ第２短編集。

収録作品＝〈シルヴァー・ブレーズ〉号の失踪，黄色い顔，
株式仲買店員，〈グロリア・スコット〉号の悲劇，
マズグレーヴ家の儀式書，ライゲートの大地主，
背の曲がった男，寄留患者，ギリシア語通訳，
海軍条約事件，最後の事件